'한국근대문학과 중국' 자료총서 ❶

장편소설

이광일·배 홍 엮음

역락

『'한국근대문학과 중국' 자료총서』 편찬위원회

위원장: 김병민

위　원: 이광일 최창륵 최　일 장영미 박설매 김　강

편찬자 소개

김병민 연변대학교 조선언어문학학과 교수. 문학박사.

이광일 연변대학교 조선언어문학학과 교수. 문학박사.

최창륵 남경대학교 한국어문학과 교수. 문학박사.

최　일 연변대학교 조선언어문학학과 교수. 문학박사.

장영미 연변대학교 조선어학과 교수. 문학박사.

박설매 연변대학교 조선언어문학학과 부교수. 문학박사.

김　강 연변대학교 조선언어문학학과 전임강사. 문학박사.

배　홍 연변대학교 조선언어문학학과 전임강사. 문학박사.

김은자 하얼빈이공대학교 조선어학과 전임강사. 문학박사.

조영추 연세대학교 국어국문학과 박사.

박미혜 성균관대학교 국어국문학과 박사과정 수료.

'한국근대문학과 중국' 자료총서 01

장편소설

이광일 · 배 홍 엮음

역락

한국근대문학과 중국체험서사
— 서문을 대신하여 —

김병민

1. 중국체험의 의미

한·중 문화 교류는 수천 년의 유구한 역사를 가지고 있다. 특히 한국은 한자, 유·불·도, 각종 문물제도를 중국으로부터 수용함으로써 한(漢)문화권에 편입된 뒤 한(漢)문화를 중심으로 한 동아시아문화권의 형성과 발전에 중요한 역할을 하게 되었다. 따라서 한국문학의 발전 역시 중국문학 및 문화와 불가분의 관계에 놓이게 되었다.

한국문학의 발전에 있어서 역대 한국인들의 중국체험은 한국 한(漢)문학 전통의 확립에 결정적인 역할을 했다. 한국문인들의 중국체험은 다양한 양상을 보이고 있는바 최치원 등을 비롯한 문인들의 유학(留學)체험, 혜초, 의상 등을 비롯한 불교 문인들의 구도(求道)체험, 정도전, 허균, 김만중, 홍대용, 박지원 등을 비롯한 문인들의 사행(使行)체험 등을 들 수가 있다. 이들은 중국을 체험하는 과정에 중국의 문인들과 다양한 교류를 진행하게 되었고 한중 문학의 쌍방향적 영향관계를 밀접히 했다. 실제로 한국문학에서 굴지의 작가로 불리는 최치원, 이제현, 허균, 김만중, 박지원 등의 문학은 중국 문학 및 문화와 깊은 연관성을 보여주고 있다. 한국문인들은 중국체험을 통해 자신들의 창작을 전개해갔고 또한 창작을 통해 그들의 문화의식 즉 세계인식과 시대인식을 구축해 가기도 했다. 최치원의 한시가 『전당시』에, 이제현의 사가 『강촌총서』에 수록되었으며 김만중의 경우 중국체험과 중국문화 수용을 통해 세계적 영향을 지닌 『구운몽』을, 박지원의 경우는 사행체험을 통해 세계 기행문학의 백미로 불리는 『열하일기』를 창작했다. 최치원, 이제현, 김만중, 박지원의 문학이 세계적인 명작이 되기에 손색이 없다고 할 때, 한국문학 발전에 있어서 중국체험은 큰 의미를 가진다고 할 수 있다.

중국체험은 한국 문인들에게 시간과 공간에 대한 새로운 인식을 심어주었고 자아와 타자에 대한 새로운 인식을 불러일으키기도 했다. 예를 들어 18세기 후반기 '북학파'의 맹주들인 박지원, 박제가 등이 중국체험을 통해 전통적인 문화의식에서 탈피하여 자본시장의 형성과 과학문명에 대한 인식을 얻고 중세의 몰락과 근대의 여명을 확인한 것은 시대를 앞서나간 문화적 초월이라고 할 수 있다. 그것은 말 그대로 국가 간의 경계, 문화 간의 경계, 민족 간의 경계를 넘어설 수 있었던 탈경계 체험의 산물이라고 하겠다.

20세기를 전후하여 한국은 근대 식민지체계에 편입되기 시작하여 1910년 '한일합방'으로 일제의 식민지로 전락되고 말았다. 망국을 전후한 시기부터 중국은 한국독립투사들의 항일투쟁의 정치적 공간과 근대적 이민의 생활공간이 되기도 했다. 따라서 한국근대문학은 중국의 문학 및 문화와 더욱 밀접한 연관을 맺게 되었고 보다 더 새롭고 다양한 발전 양상을 보여주게 된다.

따라서 한국근대문학과 중국과의 관련양상에 대한 연구는 비단 한·중 근대문학교류사 연구뿐만 아니라 한국문학사 연구에 있어서도 지극히 중요한 가치가 있다고 할 수 있다. 현재까지 이에 대한 한국 학계의 연구는 대체적으로 한국근대문학의 공간적 이동이라는 시각에서 접근하여 중국에서 벌어졌던 한국문인들의 문학을 '이민문학' 혹은 재외 한국근대문학의 범주에 두고 고찰하였다. 반대로 중국 학계에서는 중국에 이주한 한국문인들의 문학을 '조선족문학' 혹은 그 전사(前史)로 범주화하고 연구를 해왔다. 이러한 연구는 한민족문학의 연구에서 극히 중요한 작업임이 분명하며 또한 현재까지 괄목할 만한 성과를 거두었다. 하지만 한국문학의 공간적 이동으로만 접근하게 되면 인적 교류, 이론과 사상의 유동 내지는 상상력의 탈경계 등 한·중 근대문학 교류의 보다 다양한 차원의 문제들을 간과하게 된다. 한 마디로 한·중 근대문학 교류는 문학의 공간적 이동의 시각보다는 탈경계 연구(Border—crossing studies)의 시각에서 접근하는 것이 더 효율적이라고 할 수 있다. 이른바 탈경계 연구는 민족, 국가, 언어, 문화, 이데올로기 및 윤리 등의 탈경계 그리고 그 과정에서 문화적 재건, 융합 및 가치창조를 밝히는 새로운 연구 시각이다.

근대 전환기 및 근대과정에서 이루어진 한국문학의 중국과의 교류는 고금의 인류문학사에서 보기 드문 문학적 현상이었으며 일종의 '증후성(Symptomatic)'을 가진 문학적 사건이라고 할 수 있는바 다음과 같은 특징을 띄고 있다. 우선, 교류의 지속시간이 길고 방대한 양의 텍스트를 형성하였다. 다음으로 그 교류는 일방적인 영향관계가 아닌 쌍방향적인 상호작용의 관계였다. 끝으로 그 교류는 '중심'과 '주변'의 관계가 아닌 '주변'과 '주변'의 관계였다. 그중 탈경계 서사(beyond boundaries narrative)로 특징지어지는 한국 근대문학의 중국체험서사는 한국문인들의 중국을 매개로 한 전통, 근대 그리고 미래와의 대화였다. 바로 이러한 의미에서 한국근대문학과 중국과의 문학·문화적 대화는 지극히 생산적인 것이었으며 근대 동아시아의 정신적 가치를 보여주는 소중한 유산이라고 할 것이다.

한국문학의 근대화 과정에서 일본을 통한 서양문학사조, 유파, 관념, 형식 등의 수용이 큰 역할을 하였음은 분명하나 식민지 출신의 한국문인들에게 있어 식민 종주국 일본이 생산적 가치를 가진 이상적인 공간이 될 수는 없었다. 오히려 비슷한 운명에 처한 중국이 생산적인 정치·문화공간이자 생존·생활공간이 될 수 있었다. 중국에 대하여 느낄 수 있었던 시대적 동질감과 유대감은 일본이 갖추지 못한 요소들이었다. 따라서 한국인들은 중국을 독립투쟁의 전장, 근대문명의 '박물관', 평등한 대화와 교류의 장소로 인식하였던 것이다. 한국근대문학과 중국과의 교류는 한국문학의 근대화 과정을 이해하는 데 있어 중요한 가치가 있을 뿐만 아니라 나아가 오늘날 한국과 주변의 관계를 이해하는 데 있어서 상당한 현실적 가치가 있다고 해야 할 것이다. 이에 『'한국근대문학과 중국' 자료총서』는 한국문인들이 중국과의 교류 과정에서 생산한 중국서사와 한국문인들에 의한 중국문학 번역과 소개 등 텍스트를 그 대표성과 중요도에 따라 선별적으로 수록하였다.

2. 저항과 항일체험서사

항일서사는 한국의 독립투사들이 중국에서의 반일활동에 근거한 탈경계 서사로서 의열단(義烈團), 한국애국단(韓國愛國團), 독립군(獨立軍), 유격대(遊擊隊), 조선의용대/의용군(朝鮮義勇隊/義勇軍), 한국청년전지공작대(韓國青年戰地工作隊), 한국광복군(韓國光复軍), 중국국민군(中國國民軍), 팔로군(八路軍), 항일연군(抗日聯軍) 등 항일부대의 활동과 밀접히 연관되어 있으며 소설, 시, 수필 등 장르를 포함하고 있다.

소설로는 중국에서 전개된 한국의 반일독립운동을 소재로 한 신채호, 최서해, 강경애, 심훈, 장지락 등의 작품이 있다. 우선 아나키즘계열의 항일투쟁을 반영한 소설로는 신채호의 「용과 용의 대격전」, 장지락의 「기묘한 무기」 등이 대표적이다. 신채호의 소설 「용과 용의 대격전」은 환상적인 구조 속에서 일제 침략자를 상징하는 미리와 한국 민중을 상징하는 드래곤 사이의 격전을 그리면서 민중의 승리를 확인하고 있다. 「꿈하늘」(1916)에서 신채호가 국민국가 상상을 보여주었다면 「용과 용의 대격전」에서는 무산민중 주체의 민족국가 상상을 보여주었다고 할 수 있다. 장지락의 소설 「기묘한 무기」는 1922년 김익상 등 한국의 반일지사들이 상하이 황포공원에서 일제 육군대장 다나카를 저격한 사건을 다룬 단편소설로 1930년 북경에서 창작된 작품이다. 이 소설에는 사회주의, 아나키즘, 인도주의 등 다양한 사상들이 혼재되어 있다. '만주'지역에서 전개되고 있던 독립투쟁을 소재로 한 소설로 최서해의 「해돋이」와 강경애의 「모자」, 「축구전」 등이 있다. 「해돋이」는 생활에 시달리다 독립운동에 투신한 주인공 만수의 형상을 통하여 '만주' 지역 한국 이주민들의 일제와 그 주구들에 대한 분노와 항거를 보여주고 있다. 강경애의 「모자」는 간도지역에서 벌어진 항일유격투쟁을 배경으로 하면서 희생된 남편의 못 이룬 뜻을 어린 아들로 하여금 이어가게 하겠다는 한 어머니의 불굴의 의지를 보여주고 있고 「축구전」은 일제의 주구들이 조직한 축구경기에 참가하여 경기는 졌지만 민중들에게 반일정신이 살아있음을 보여준 진보적인 한국 이주민 중학생들을 그리고 있다.

반일투쟁 승리의 강력한 의지를 표출한 시작품으로는 신채호의 「매암의 노래」, 이육사의 「청포도」, 김창숙의 「넋이여 돌아오라」, 이두산의 「당신은 의용의 전사래요」, 문정진의 「4명의 열사를 추모하여」 등을 들 수 있다. 이두산의 시 「당신은 의용의 전사래요」는 중국에서 활약하고 있는 항일부대 '조선의용대'의 영용한 모습과 필승의 신념을 노래하면서 항전의 승리와 조국 귀환의 절절한 정감을 읊고 있다. 김창숙의 시 「넋이여 돌아오라」는 중국

하르빈에서 독립운동을 지도하다 일경에 체포되어 옥사한 독립투사 김동삼을 기린 시로 일제에 대한 불타는 적개심과 구국의 염원을 노래했다. “신계(神溪)는 목 메이고/ 한수(漢水)는 슬픈데/ 한 치의 묻을 땅이 없어/ 다비(荼毘)에 부치더니/ 아, 나라 찾을 그날/ 다가오리니/ 넋이여 돌아오라/ 주저치 말고”라고 하면서 전편에 걸쳐 혁명동지에 대한 뜨거운 애도 그리고 원수격멸의 의지를 그려내고 있다.

이밖에 항일투쟁의 제일선에서 싸운 군인들의 실기, 수필 등은 실제적인 체험을 기록했다는 의미에서 상당한 가치를 가진다. 예를 들면 ‘조선의용대’ 대원들이 창작한 「전선에서의 조선의용대」, 「중국 전장에서의 조선의용대」, 「화평촌통신」 등은 항일전장에서 조선인 대원들의 대적 무장선전, 중국 항일부대와의 협동작전, 민중교육 등 상황을 그려내고 있는바 한국 근대 독립투쟁의 역사와 한중관계를 조명함에 있어서도 중요한 가치를 가진다고 할 수 있다. 중국에서 전개된 한국인들의 독립투쟁을 반영한 작품 『청산리 혈전실기』, 「조선혁명일사」 등과 신채호의 수필 「단아잡감록」, 「조선의 지사」, 이두산의 연작수필 「억(憶)」(「산중 40일」, 「중국 항전에 참가하다」 등 11편) 등 작품들은 중국에서 한국 독립지사들의 투쟁과 생활 그리고 그들의 정신적 궤적을 반영하고 있다는 의미에서 높은 문학적 가치를 가진다고 할 수 있다.

3. 정착과 이민서사

한국근대문학의 탈경계 서사에서 가장 많은 비중을 점하는 작품은 한국 이주민들이 중국에서의 생존체험을 소재로 한 이민서사로 그 주제적 경향에 있어서도 다양성을 보이고 있다.

우선, 한국 이주민과 중국인들과의 갈등은 이민서사에서 가장 많이 보이는 소재이다. 토지의 주인인 중국인들은 '지주'의 신분으로 등장하여 민족·계급이라는 이중적인 갈등구조를 이룬다. 최서해의 소설 「홍염」, 강경애의 소설 『소금』 등이 대표적이다. 「홍염」의 중국인 지주 '은 서방', 『소금』의 중국인 '팡둥'은 토지의 주인이라는 절대적 우위를 이용하여 한국 이주민들을 억압하고 있고 극한적인 생존환경에 처한 한국인 이주민들의 자연발생적인 항거가 계급적 인식으로 나아가게 된다. 이런 의미에서 중국으로의 이주는 한국작가들로 하여금 계급적 대립에 의한 억압의 보편성을 확인할 수 있게 하였고 나아가 현실 인식에 대한 깊이와 정확도를 획득할 수 있게 하였다.

다음으로, 중국에서 새로운 삶의 터전을 건설하려는 정착의식을 그린 작품들이 많이 있다. 안수길의 「벼」, 「북향보」 등과 현경준의 「선구시대」, 이기영의 『대지의 아들』, 『처녀지』 등 소설이 대표적이다. 안수길의 「북향보(北鄕譜)」는 주인공 정학도를 비롯한 이주민들이 어려운 여건 속에서 '북향농장'을 운영하는 과정을 통해 '만주'에 뿌리를 내려야 한다는 정착의식 혹은 지역의식(locality)을 상징적으로 보여주고 있다.

하지만 '만주'의 실질적인 지배자가 일제였기 때문에 '만주'를 향한 정착의식은 '상상적인 탈식민'으로 흐르게 되고 자칫하면 '만주'에서의 일제의 식민주의 담론에 포섭되게 된다. 마약중독자들을 '만주국' 건설에 필요한 인재로 '갱생'시키는 과정을 그린 현경준의 「유맹」, '내부 식민주의'적인 시각에서 원시적인 초원에 사는 몽고인들을 '개량' 하는 주인공의 노력을 그린 한찬숙의 「초원」 등이 대표적이다. 이러한 정착의식은 일제에 대한 철저한 순응으로 타락하는 경우도 있어 박영준의 「밀림의 여인」과 같은 노골적인 친일문학작품을 낳기도 했다. 그럼에도 이러한 작품들은 '태평양전쟁' 이후 일제의 전시총동원체제 등 특수한 시대적 상황 속에서 한국문학의 현실대

응의 다양한 예시를 보여준다는 점에서는 상당한 가치가 있다.

중국 도시에서의 한국 이주민들의 삶을 그린 작품으로는 주요섭의 「봉천역식당」, 김광주의 「북평서 온 영감」, 「남경로의 창공」 등 소설이 있다. 주요섭의 「봉천역식당」은 화자가 봉천역 식당에서 우연하게 만난 한 한국 여인의 10년간의 변화를 그리고 있다. 처음 만났을 때 이 여인은 행복이 넘쳐흐르던 처녀였으나 점차 남성의 노리개로 전락하여, 나중에는 우울한 모습으로 목석처럼 변해버리고 만 비참한 운명을 그리고 있다. 김광주의 「북평서 온 영감」은 살 길을 찾아 '만주'와 북경 등지를 전전하다가 상하이에 온 한국 이주민의 정신적 소외를 보여준 작품으로서 식민주의와 봉건주의의 이중적 억압 하에 놓인 한국 이주민의 삶을 그리고 있다.

한국 시인들의 중국체험도 주목되는 바이다. 백석, 유치환, 이용악, 서정주 등은 중국체험을 통해 상상력의 확장, 이미지의 다양화 나아가 민족적, 시대적 인식의 전환을 이루게 되었다. 백석은 「조당(澡堂)에서」란 시에서 목욕탕의 벌거벗은 중국인들을 보면서 이방인인 '나'와 중국인들 사이의 역사와 문화, 언어와 몸짓, 그리고 표정 등의 차이를 느끼다가 인간은 결국 벌거벗은 우스운 몸에 지나지 않는다는 초월적 인식에 이르고 있다. 서정주는 취직을 위해 8~9개월 간 중국에 있었던 체험을 바탕으로 "저 만치의 쑥대밭 언덕에서는/ 역시나 때 절은 青衣의 한 滿洲國 아줌마가/ 누구의 것인가 새 棺널 하나를 앞에 놓고/ <끅! 끅! 끄르륵……/ 끅! 끅! 끄르륵……>/ 꼭 그런 소리로 울고 있었다./ 우리 단군할아버님의 아내가 되신/ 그 잘 참으신 암곰님처럼/ 씬 쑥과 매운 마늘 많이 자신 소리 같었다."(「만주제국 국자가(局子街)의 1940년 가을」) 등 살아서 숨 쉬는 이국 이미지를 창조했다. 또 이용악은 중국 '만주'에서 목격한 망국노의 슬픈 모습을 "울 듯 울 듯 울지 않는 전라도 가시내야/ 두어 마디 너의 사투리로 때 아닌 봄을 불러줄게/ 손때 수집은 분홍

댕기 휘 휘 날리며/ 잠깐 너의 나라로 돌아가거라."(「전라도 가시내」)와 같은 주옥같은 시구에 담아내고 있다. 그런가 하면 유치환은 중국체험을 바탕으로 대체로 여성적인 한국 근대 시단에서 「생명의 서」, 「바위」와 같이 단연 돋보이는 역동적인 시를 써낼 수 있었다.

4. 타자와 중국서사

한국문인들의 중국체험은 중국과 중국인을 소재로 한 다양한 문학작품들의 출현을 가능토록 하였다. 이러한 작품은 중국에서의 전통문화체험을 통한 동양문화의 가치에 대한 재인식, 자본주의적 근대체험을 통한 서양적 가치에 대한 비판, 반식민지 반봉건 사회체험을 통한 현실사회의 부조리에 대한 비판, 항일투쟁체험을 통한 한·중 연대의식 등 다양한 주제를 표현하고 있다.

우선, 전통문화체험을 통한 동양적 가치의 재발견을 보여준 작품으로는 정래동의 수필집 『북경시대』, 한설야의 수필 「연경의 여름」 등과 주요섭의 소설 「진화」, 「죽마지우」 등을 들 수가 있다. 정래동과 한설야 등은 수필창작을 통하여 중국 전통문화의 거대한 힘에 대하여 예찬하였고 주요섭은 소설 「진화」에서 중국문화의 전통성을 인정하면서 동양의 정신적 가치를 발견하려고 했으며 소설 「죽마지우」에서는 북경을 자신의 정신적 고향으로 묘사하는 등 다원적인 문화정체성을 보이기도 했다.

다음으로, 반식민지 반봉건 사회체험을 통한 현실비판을 보여준 작품으로 심훈, 피천득, 박세형 등의 시편들과 최독견의 「벌금」, 주요섭의 「살인」, 「인력거꾼」, 강노향의 「상해야화」 등 소설 작품들을 들 수가 있다. 심훈은 시

「북경의 걸인」에서 걸인의 형상을 통해 하층민에 대한 동정을 보여준 동시에 동등한 운명에 놓인 자기 민족의 고통도 하소연하고 있다. 피천득의 시 「1930년 상해」는 옷을 전당 잡혀 먹을거리를 사야 하는 현실과 곧 팔려갈 어린 생명을 시적 대상으로, 하층민들의 비참한 생활에 대해 공소하였고 박세영의 시 「북해와 매산」은 군벌혼전으로 피폐해진 북경의 암울한 현실을 비판하였다.

이와 더불어, 최독견과 주요섭은 소설 창작을 통해 제국주의 침략과 문화 헤게모니로 하여 식민지화된 상하이 도시문명의 가치결손에 대하여 비판함과 동시에 하층민들의 소외를 적나라하게 폭로하고 있다. 이러한 소설들은 참신한 시각과 심각한 문제의식을 보여주고 있는바, 최독견은 소설 「벌금」에서 중국옷을 입고는 공원으로 들어갈 수가 없는 현실과 서양 여인이 개에게 먹이던 빵조각을 고맙다고 받는 중국인 여성을 통해 굴욕적으로 살아가야 했던 하층민에게 연민의 정을 보이고 있으며 중국의 반식민지 사회현실을 신랄하게 비판하고 있다. 또한 강노향은 소설 「상해야화」에서는 조계지 프랑스인 집에서 노예살이를 하는 중국인과 프랑스 여인의 부정당한 관계 등을 통해 서양의 가치결손과 식민지 조계지에서의 남성의 소외 내지는 타락을 보여주기도 했다. 한편, 주요섭은 소설 「살인」에서 도시 최하층 기생인 우뽀의 형상을 통해 버림받고 소외당한 하층민들의 운명을 보여주면서 그들의 각성을 촉구하기도 했다. 작가의 다른 한 소설인 「인력거꾼」 역시 자본주의 문명이 최하층 인간에게 들씌운 불행에 대하여 묘사하고 있다.

이처럼 상기 다양한 소설작품들은 근대 도시인 상하이를 배경으로 그 속에서 살아가는 하층민들의 불행한 운명, 특히는 생존권을 박탈당하고 소외되어가는 인물들을 통해 식민주의의 죄행을 공소하고 있다. 물론 이러한 문제의식은 한국문인들의 중국에서의 근대적 도시체험에서 얻어진 것이라 해야 할 것이다.

또한, 유자명, 이두석, 이관용, 문일평, 이광수, 최남선, 주요섭, 김광주, 정래동, 강경애 등 쟁쟁한 한국문인들의 수백 편의 기행문들에서는 중국체험과 시대인식이 다양하게 보이고 있다. 즉 이러한 기행문은 중국전통문화와 서양문명에 대한 새로운 인식, 시국에 대한 인식과 비판, 망국 국민으로서의 애환, 민족에 대한 뜨거운 사랑, 민족독립에 대한 열망 등으로 일관되어 있다. 특히 이러한 기행문들은 근대 중국사회를 인식하는 역외시각(域外視角)으로서 귀중한 문헌적 가치가 돋보이는 바이다.

5. 가치 수용으로서의 번역과 비평

한국근대문학과 중국의 관련 양상은 중국근대문학에 대한 번역과 비평에서도 잘 드러나고 있다. 한국에서의 중국근대문학작품에 대한 번역은 주로 양건식, 정래동, 유수인, 이육사, 김광주 등 중국 유학경력이 있는 문인들에 의해 전개되었다. 소설로는 루쉰의 「아Q정전」, 「광인일기」, 「고향」, 궈모뤄(郭沫若)의 「목양애화(牧羊哀話)」, 딩링(丁玲)의 「떠나간 후」, 위다푸(郁達夫)의 「피와 눈물」, 린위탕(林語堂)의 「북경호일」, 샤오쥔의 「사랑하는 까닭에」 등이 있으며, 시작품으로는 후스(胡適)의 「등산」, 「11월 24일 밤」, 궈모뤄(郭沫若)의 「봄 맞은 여신의 노래」, 「죽음의 유혹」, 쉬즈모(徐志摩)의 「가거라」, 「우연」, 주즈칭(朱子清)의 「잠자라, 작은 사람아」, 저우쭤런(周作人)의 「소하」 등이 있으며, 연극으로는 궈모뤄(郭沫若)의 「탁문군 삼경」, 톈한(田漢)의 「상상의 비극」, 어우양위첸(歐陽予倩)의 「반금련」 등이 있다. 그 외에도 루쉰 등의 산문이 번역 소개되었다.

이외, 중국근대문학과 관련된 비평으로는 양건식의 「호적 씨를 중심으로 한 중국의 문학혁명」(1920, 번역문), 김태준의 「문학혁명 후의 중국문예관」(1930), 정래동의 「중국 양대 문학단체 개관」(1931, 번역문), 「노신과 그의 작품」(1931), 「중국문단의 신작가 파금의 창작태도」(1933), 김광주의 「중국 좌익문예운동의 과거와 현재」(1931), 이육사의 「노신 추도문」(1936) 등이 있다.

이러한 중국근대문학 작품의 번역과 비평을 통해 한국 근대 문인들의 중국문학에 대한 인식과 수용 자세, 한국 근대에 있어서의 중국의 사회사상과 미학사상이 미친 영향, 나아가서 한국 근대 문학번역사와 문체의 변천과정도 이해할 수가 있다. 주지하다시피, 한국 근대 문인들은 대부분 일본을 통해 서구문학을 수용하였고 또한 서구문학에 대한 번역과 소개도 적지 않게 진행한 바이다. 그럼에도 프로문학 등 특수한 영역을 제외하고는 한국 근대 문단에서 일본문학이 별로 번역·소개되지 않았음은 주목이 필요한 대목이다. 이에는 식민지시기라는 특수한 시대적 상황 속에서 형성된 이질감과 거부감이 작용했을 것이다. 이러한 점을 염두에 둘 때 한국에서의 중국 근대문학의 전파와 수용은 근대 한국 문인들이 중국 근대작가들과 함께 20세기의 동아시아적 가치를 창출하고 공유하고자 한 시대의식과 무관하지 않을 것이다. 바로 이런 의미에서 중국근대문학에 대한 번역·소개와 비평은 한국근대문학과 중국근대문학, 나아가 중국과의 관련을 해명하는 데 불가결한 중요한 영역이기도 하다.

6. 편찬 동기와 총서의 구성

일찍 2014년 연변대학 통문화센터에서는 중국어로 된 『'중국현대문학과 한국' 자료총서』(1~10권)를 간행한바 있다. 베이징에서 열린 이 총서의 출판기념 좌담회에서 중국의 근대문학 연구자들은 필자에게 『'한국근대문학과 중국' 자료총서』를 편찬할 것을 제안한 바가 있다. 이에 상기 자료집 편찬의 중요성과 절박성을 깊이 인식하게 된 나머지 편찬위원회를 묶어 총서의 편찬사업을 시작했다. 한국근대문학과 중국 관련 자료는 이미 적지 않은 자료집에서 수록되기도 한 바이다. 예하면 연변대학 문학연구소에서 편찬한 『중국조선족문학대계』, 북경민족출판사에서 편찬한 『중국조선족 문학유산 정리편찬』 등에 수록된 적지 않은 작품들은 편찬자 나름의 시각에 따라 중국조선족문학의 출발점으로 인식되어 중국 조선족문학 권역에 귀속시켰지만, 한국근대문학사에 있어서도 중요한 작가와 작품들이다. 물론 상기 자료집들은 한국근대문학과 중국 관련 연구를 위해 정리된 자료 총서가 아니며 한국근대문학과 중국과의 관련 양상을 살피기에는 전체적이지 못함도 짚고 넘어가야 할 것이다.

한국근대문학과 중국 관련 연구는 1990년대부터 학계의 주목을 받기 시작하여 적지 않은 연구 성과를 내고 있다. 그럼에도 아직까지 중요한 자료들에 대한 발굴과 정리가 진일보 요청되고 있으며 일부 연구들은 충분한 자료적 검토가 확실하지 못한 점도 없지 않다. 이러한 상황은 한국근대문학과 중국 관련양상의 전반적 검토와 연구의 심화에 장애로 작용하고 있으며, 이에 본 자료집은 그에 대한 극복을 목적으로 하고 있다.

『'한국근대문학과 중국' 자료총서』는 편찬 의도를 구현하기 위해 작품 선정에서 첫째로, 한국근대작가들의 중국체험을 바탕으로 중국의 시간과 공간에서 벌어진 인물과 사건들이어야 하며, 둘째로, 중국인들의 생활 혹은 중국에서의 한국인들의 생활을 소재로 해야 하며, 셋째로, 중국체험을 기반으로 하는 동서양 관련 문화인식을 다룬 작품도 가능하다는 원칙을 지키고자 했다. 한편, 편찬과정에서 적지 않은 애로에도 봉착하였는바, 일부 작품들은 당시의 중국 경내에서 꾸려진 신문, 잡지들에 발표되었으나 신문과 잡지의 보존상태가 완전치 못하여 그 전모를 알 수가 없으며, 아울러 신문, 잡지의 경우 여러 곳의 도서관과 서류관에 분산되어 있었다. 또한 일부 작품들은 유고로서 분실된 것도 있었기 때문에 편집자들은 이러한 난제를 풀기 위해 국내외 도서관들을 찾아다녀야 했고 따라서 관련 인사들을 찾아 방문하기도 해야 했다. 비록 편찬자들이 많은 노력과 심혈을 기울였지만 아직 미비한 점이 적지 않다.

본 총서는 총 16권으로서 창작편 11권(소설 4권, 시 3권, 기행문 2권, 정론·실기·수필·희곡 2권)과 비평집 5권이다. 편집과정에서 편찬자는 발표 당시의 원본 형태를 그대로 보여주기에 노력을 경주하였으며, 섣불리 개정이나 첨삭을 시도하지 않았다.

본 총서는 편찬과정에서 국내외 많은 한·중 문학관계를 연구하는 전문가들의 열정적인 관심과 도움을 받았으며 특히 국내외 도서관, 서류관의 지지와 성원을 받은 바 있다. 총서의 편집에 도움을 주신 모든 이들에게 진심으로 되는 감사를 드리는 바이다. 앞으로 본 총서가 한·중 문학관계 연구자들과 독자들에게 도움이 되기를 진심으로 바라며, 미진한 점에 대해 전문가들과 독자들의 기탄없는 비평을 기대하는 바이다.

2020년 2월 1일

차례

일러두기

1. 본 총서는 1919년 중국의 '5·4운동' 전후시기부터 시작하여 1948년 남북한 단독정부 수립에 이르기까지 중국인 및 중국에서의 체험을 소재로 창작한 문학작품 중 문헌적, 문학적 가치가 높은 작품들을 수록하였다.
2. 본 총서는 총 16권으로 구성되었는바 소설(1~4권), 시(5~7권), 기행문(8-9권), 평론(10-14권), 정론·실기·수필·희곡(15-16권)으로 나누었다.
3. 초간본을 저본으로 하여 원본의 표기를 최대한 보류하는 것을 원칙으로 하였으나 일부 초간본을 확인할 수 없는 작품의 경우 초간본에 가장 가까운 판본을 수록하였다.
4. 독자들의 읽기와 이해를 돕기 위하여 표기법은 아래와 같은 원칙을 적용하였다.
   - 근대 모음을 현대 모음으로 바꿨다.

     예: · → ㅏ
   - 근대 겹자음을 현대 겹자음으로 바꿨다.

     예: ㅺ → ㄲ, ㅽ → ㅃ
   - 띄어쓰기는 현행 한국어 표기법의 기준을 따랐다.
   - 소설의 경우 문장부호를 현행 한국어 표기법의 문장부호로 통일하였다. 대화는 " ", 간행물과 단행본의 명칭은 『』, 기사와 작품의 명칭은 「 」, 음악작품의 제목은 < >, 연극작품은 ≪ ≫로 통일하였고, 명확하지 않으면 ⟪ ⟫를 사용하였다.
   - 기행문, 평론, 수필, 정론, 시가, 희곡의 경우 원본의 문장부호를 보류하였다.
   - 원본에서 판독이 불가한 문자는 □로 표시하고 판독 불가한 문자가 1행 이상일 경우에는 주해에 "이하 × 자 판독 불가"를 밝혔다.
   - 원본의 오탈자, 오식은 보류하고 해석이 필요한 경우에는 주해에 "편자 주"를 밝혔다.

     예: 1) "澌江"은 "浙江"의 오식 — 편자 주
5. 외래어는 원본의 표기를 보류하였다.
6. 인명, 지명 등 고유명사는 원본의 표기를 보류하였다.
7. 한자는 원본의 표기를 보류하였다.
8. 잘못된 인명, 작품명, 신문·잡지명 등과 한자들을 중국어 원문과 대조해 바로잡았다.

東方의 愛人

沈熏

국경의 새벽

봉천(奉天)서 밤 아홉시에 국경을 향하여 떠난 특별 급행 열차는 그 이튿날 동이 틀 무렵에 안동현(安東縣) 정거장 안으로 굴러들었다.

국경을 지키는 정사복 경관, 육혈포를 걸어 멘 헌병이며 세관(稅關)의 관리들은 커다란 버러지를 뜯어먹으려고 달려드는 주린 개미 떼처럼, 플랫포옴에 지쳐 늘어진 객차의 마디마디로 다투어 기어올랐다.

차속이 붐벼서 새우잠들을 자다가 마지못해서 눈을 비비고 일어난 승객들은, 짐이며 가방 등속을 내려놓고 깡그리 검사를 맡기 시작한다. 일등이나 이등에 버티고 앉은 양반사람들 앞에 가서는 공손히 모자를 벗고,

"대단히 수고로우시겠습니다만 가지신 물건을 잠시 보여 줍시오."

하고 선물을 놓고 나서 수박 겉핥기로 가방 뚜껑만 떠들어보는 척하던 세관리는, 삼등 찻간으로 들어서면서부터는 졸지에 그 태도가 엄숙(?)해지며 죽은 사람의 물건 다루듯 닥치는 대로 발길로 굴려가며 엎어놓고 제쳐놓고 하다가 두세 명씩이나 붙어 다니는 형사가 등 뒤에서 무어라고 귀를 불기만 하면 그 승객의 짐은 바로 끌어내서 시멘트 바닥에 넝마전을 벌여놓고 속샤쓰까지 낱낱이 들추어보는 것이었다.

"담배는 열 갑이나 샀는데 또 이것은 무엇이냐?"

볼멘소리 한 마디에 다짜고짜 귀퉁이를 쥐어 박히고 나서는 입을 헤에 벌리는 바지저고리도 있고, 청인의 패물전에서 사서 감춘 돌붙이 패물이 허리

춤에서 발려나서,

"거저 잘못됐쇠다 그래…… 도체 모르고 한 노릇이라서……"

하고서 그나마 빼앗길까 보아 부들부들 떠는 수건 쓴 북도의 여인네도 있다.

—아까부터 삼등 침대 한 모퉁이에 주먹으로 턱을 괴고 앉은 채 밖에서 복작거리는 소리는 귀 밖으로 흘리고 창밖만 내다보고 앉은 스무 칠팔 세쯤 되어 보이는 젊은 사람이 있었다. 허름한 검정 양복에 넥타이는 되는 대로 늘였는데 밤새도록 들비비고 난 머리는 고슴도치 털처럼 뻐쭈하게 일어섰다. 길쭉한 얼굴바탕에 깔끔하게 솟은 콧날과 숱한 눈썹 밑으로 두 눈꼬리가 조금 치붙고 호락호락하게 넘겨다보지 못하게 생긴 사나이다.

아랫입술을 지근지근 깨물고 앉아서 깊은 생각에 잠긴듯하나 침대 밑에서 발끝을 조금씩 까부는 것을 보면 초조하고 불안한 마음을 진정하려 남몰래 힘을 들이고 있는 눈치다.

이십 분이나 되는 정거 시간이 거의 다 된 뒤에야 그 청년에게도 짐 검사를 맡는 차례가 돌아왔다. 그는 잠자코 손가방을 내려서 세관리 앞에 열어 보였다. 그 속에는 세수하는 제구와 편지종이며 그 밖에는 백지로 싸고 또 한 인삼(人蔘) 몇 근이 들었을 뿐이다.

때마침 호각 소리가 나며 기차 바퀴가 미끄러지기 시작하였다. 세관리는 그 청년이 피우던 칼표갑 위에다가 도장을 찍어 퉁명스럽게 내던지고는 돌아서서 급히 나가려다 말고, 찻간 밖에서 방금 되어 뒤를 따라 오르는 이동경찰대 형사의 옆구리를 찌르며,

"아이쓰노 닌소오가 도오모 아야시이조(저자의 생김생김이 어째 수상스럽다.)"

하고 군소리처럼 중얼거리고 나서 그 청년의 등덜미에다가 얄궂은 시선을 끼얹어 주고는 허겁지겁 뛰어내렸다.

"이번에도 어쨌든 넘어는 섰구나!"

하는 안심의 짤막한 한숨이 그자들에게 대한 비웃음을 곁들여 굳게 다물었던 청년의 입을 새었다.

그가 여러 해를 두고 수삼 차나 깊은 밤에 목선 바닥에 엎드려 건너기도 하고, 조선 천지가 뒤끓던 기미년 봄에는 어울리지도 않는 청복을 입고 인력거를 몰던 철교 위를 지금 기차 속에 앉아 천천히 달리고 있다. 새벽잠이 어렴풋이 깬 압록강은 커다란 입을 바다 어귀로 벌리고 기다랗게 하품을 하고 나서 나머지 꿈을 씻고 있는 듯하다. 수없는 뗏목이 흘러내리고 잦았던 안개가 뿌옇게 흩어지면서 나타나는 것은 촘촘한 목선의 돛대와 연안에 우뚝우뚝 솟은 굴뚝에서 서리어 오르는 연기였다.

청년은 차창에 여전히 기댄 채로 오래간만에 나타나는 고국산천을 더구나 여러 가지 기억을 새삼스러이 자아내는 압록강 일대의 소조한 새벽 경치를 얼빠진 사람처럼 내다보고 앉았다. 그는 담배를 붙여 흡연을 하여 길게 내뿜었다. 그러나 방금 꺼지려는 전등불 밑으로 구름같이 서리어 오르는 연기는 그의 피곤한 시선을 끌고 다니면서 쓰라린 생각의 실마리를 이어 줄 뿐이다.

얼마 안 있어 그 청년의 등 뒤로 와서 좁은 옆자리를 비비고 바싹 붙어 앉은 사람이 있다. 그는 못 본 자리를 조금 비켜 주었다. 그러나 머리로부터 발끝까지 오르내리는 날카로운 시선에 자기의 몸이 사로잡힌 것을 느끼지 않을 수 없었다. 그자의 체온이 옆구리로 옮아드는 것이 진드기가 붙는 것처럼 불쾌하지만 그의 눈은 여전히 창밖을 달리고 있을 뿐이다…….

"여어보시소, 어드메까지 가십네까?"

평안도 사투리에 말씨는 제법 은근하나 고개를 돌릴 때 마주친 것은 백통테 안경 밖으로 노리고 보는 심상치 않은 눈동자였다. 청년은 그자의 눈치만 보고도 모든 것을 알아차릴 수 있었다. '그예 또 걸려들었구나' 하는 생각이

번개같이 머리를 갈기건만,

"네, 개성(開城)까지 갑니다."

하고 공손히 대답하고는 고개를 돌렸다.

"개성이 고장입네까? 실례지만 뉘댁이신지요?"

그는 말대꾸하기가 귀찮은 듯이 명함 한 장을 꺼내들고

"많이 사랑해 주시시오."

하고는 어색하게 굽실거려 보였다. 명함에는 개성 상업회사 해외출장원(開城商業會社海外出張員) 최상배(崔相培)라고 박혀 있다. 명함 쪽을 뚫어질 듯이 들여다보던 그자는

"네, 알겠쇠다. 그럼 어디서 오시는 길인가요?"

"봉천 서탑(奉天西塔)에 우리 회사 출장소가 생겨서 금녀에 새로 말린 백삼(白蔘) 몇 근을 견본으로 가지고 갔다가 돌아오는 길이외다."

노란 눈동자는

"봉천? 서탑?"

하고 입 속으로 뇌이면서 고개를 비꼬더니 졸지에 무릎을 불쑥 들이밀며 덜 익은 열무깍두기를 씹는 듯한 일본말로

"거짓말 마라. 봉천에 어디 그런 회사 출장소가 있단 말이야?"

하고는 금시로 잡아나 먹을 듯이 달려든다. 그는 '옳지 네가 넘겨짚는 수작이로구나' 하면서도

"거짓말 할 리가 있나요. 아직 간판도 내밀지 못했으니까 광고가 안됐습죠."

그는 여전히 조선말로 대답하였다. 그러나 곁에 같이 탄 승객들까지도 의심하리만큼 장사치의 말씨를 억지로 흉내 내 보려는 그 대답이 듣기에 어색하였다.

"뭐 어째? 바른 대로 말 안하면 이담 정거장에서 끌어내릴 테야."

하고 딱딱 을러 붙이는 서슬이 당장에 앞뒤재비라도 시킬 형세를 보인다.

그동안에 기차가 신의주 정거장에 들어와서 김빠진 기관차는 하늘로 벌린 콧구멍으로 물을 갈아 삼키고 있는 중이었다.

안동현 정거장보다 갑절이나 되는 승객이 오르내리며 삼등 객차 안은 북도 사람의 거센 목소리와 중국인 쿠울리(苦力)들의 거위의 멱을 따는 듯한 소리며

"에! 사이다 라무네! 오짜니 벤또!"

가 한데 얼버무려서 떠들썩하였다. 형사는 그래도 다른 사람들의 눈총을 맞는 것이 면구스럽던지 인삼 장사를 이등 침대 빈 구석으로 끌고 갔다. 그는 끄는 대로 끌리는 등을 밀리는 대로 한 구석에 들어박혔는데 어둠침침한 속에서 핏줄이 가로질린 그자의 눈알맹이만이 산 사람의 얼굴을 앉혀 놓은 채로 대패질을 한다. 여러 번이나 이런 경우를 치러 본 경험을 가진 인삼 장수는 미주알고주알 캐어묻는 말에 얽혀들지 않으려고 뿌리만 따서 대답을 던지다가

"저엉 그렇게 내 말을 못 믿겠거던 이 당장에서라도 개성으로 전보 한 장 쳐 보면 알 것이 아니오? 공연한 사람을 시달리니 당신부터 괴롭지 않소?"

"하도 극성스럽게 구니까 그자의 기를 한 번 꺾어 볼 양으로 짐짓 강경한 태도로 핀잔을 주었다. 그자는 비위가 바짝 틀려서

"건방진 소리 마라!"

하고는 달려들어 청년의 몸에 손을 댄다. 그는 일어서서 체조나 하듯이 손을 들고 다리를 벌렸다. 안팎 호주머니며 구두 뒤축까지 샅샅이 뒤졌으나 장물을 잡힐 만한 것을 당장 몸에 지니고 있을 리가 없었다.

기차는 석하(石下)를 지나고 백마(白馬)역을 거쳐 대머리 벗겨진 산기슭에 게딱지처럼 엎드린 초가집들로 차창에다가 환등을 늘리면서 속력을 놓아 달린다.

형사는 저 역시 답답한 듯이 손톱여물을 썰고 있다가 양복 안 포켓에서 꺼먼 수첩에 접어 넣었던 인찰지에 등사한 종잇조각을 꺼내들고 한참 주저하다가 그야말로 어둔 밤에 홍두깨 내밀기로

"네가 ××단의 박진(朴進)이가 아니냐? 나흘 전에 상해를 떠나서 서울로 가는 길이지?"

하고는 더 가까이 턱을 치받치며 표정을 검사한다.

청년의 가슴은 덜컥 내려앉았다! 어수룩한 장사치의 행세를 꾸며서 하기도 힘들러니와 불시에 던진 화살에 정통을 맞고서 사색도 하지 않기는 참으로 진땀이 나는 노릇이었다. 그러나 그렇다고 그 자리에서 우물쭈물할 인삼장수는 아니었다.

××단의 중요한 분자가 조선 내지로 어떤 사명을 띠고 잠입한다는 주야로 미행하던 밀정의 보고가 있어 상해 총영사관 경찰은 조선총독부 경무국으로 급전을 띄웠고 긴급 조회를 받은 국경의 경찰은 이미 수사망을 늘리고 활동을 개시한 것이 틀림없으리라고 누구나 짐작은 될 듯하나, 아무리 자세한 인상기를 적어서 등문을 돌렸다손 치더라도 사진 한 장 그네들의 손에 들어갔을 리가 없고 당장에 아무런 증거품도 발각이 되지 않은 바에야 어쨌든 버티고나 보리라 하고 새로이 용기를 내어

"글쎄 얼투당투 않은 수작을 해도 유만부동이지. 뒤를 조사해 보면 내 신분이 드러날 것을 공연한 사람을 들볶는구료."

하고 궐자의 목소리보다 더 높여서 마주 소리를 질렀다.

십여 년 동안이나 그 노릇만 해먹어서 교활하기 짝이 없는 궐자는 그 말

대답을 슬쩍 눙치며 그제야 조선말로

"아니 꼭 그렇다는 게 아니라 책임상 내 눈에 좀 수상한 사람을 한 번 조사는 안 할 수 없어 그랬댔소. 미안하외다."

하고는 일부러 멀쑥해지면서 자리를 떠났다. 그러나 다른 찻간으로 응원대를 청하려고 슬그머니 비켜 준 것을 눈치 채지 못할 그도 아니었다.

탈주

전속력을 놔서 달리는 기차가 어느덧 차련관 정거장에서 불과 두 마일쯤 되는 지점까지 다다랐을 때에 차 앞머리에서 불시에 경적을 울리는 소리가 요란하였다.

"사람이 치었다!"

"저것 봐라. 반동강이 나서 굴른다."

창밖으로 머리를 내밀고 바깥을 내다보고 앉았단 통학생들이 소리를 쳤다. 계집애들은 일시에 "으악!" 소리를 지른다.

차장은 모자 끈을 늘이고 황급히 객차의 층층대로 내려서서 기관수에게 신호를 한다. 차 속 구석구석에 끼었던 이동경찰대의 형사들은 무슨 큰일이나 조력하는 듯이 서두르며 차 꽁무니에서 브레이크를 감기에 열이 났다. 기차는 정거하였다. 급히 뒤로 물러서는 바람에 일어섰던 승객들은 골패짝 쓰러지듯 하였다. 기관수와 승무원들이 사람 치인 현장을 임검하고 돌아오는 동안에 십 분이 넘는 시간이 걸렸고, 칠십이나 먹은 촌 늙은이가 철로로 뛰어들어 자살을 한 것이 판명되었다. 차장은

"빠가나 야쓰다!"

하고 투덜대면서 호각을 불자 차는 다시 움직이기 시작한다. 그때에 마침 차련관 정거장을 떠난 화물열차가 천천히 마주 오는 것을 보고 이편 차의 기관수는 지나온 정거장에 통지할 일을 전하는 그 순간이었다. 이 쪽 열차의

변소 들창에서 시꺼먼 것이 성큼 뛰어내리더니 저쪽 화물차로 날짐승같이 붙어 오르는 그림자가 언뜻 보였다. 그러나 사람이 치여 죽은 편을 보며 아직도 떠들썩하던 판이라 아무도 그 그림자를 발견한 사람이 없었던 것이다.

두 정거장이나 지난 뒤에 이번에는 객차 속에서 야단이 났다. 형사들은 고사하고 승무원들과 식당의 보이들까지 총출동을 시켜서 허둥지둥 사람을 찾는 모양이다.

안동현 정거장에서부터 든든히 물고 오던 고깃덩어리를 수선스러운 통에 놓쳐 버렸으니, 그 인삼 장수가 그림자까지 사라지고 만 것을 그제야 발견하고서 직접 취조를 하던 자의 날뛰는 꼴을 형용할 수도 없거니와, 까닭도 모르는 일반 승객들은 무슨 큰 사변이나 또 생긴 줄 알고 수런수런하였다.

백통테 안경잡이는 독수리에게 놀란 참새 모양으로 할딱거리며 약이 올라서 침대 밑이며 뒷간 속까지 샅샅이 뒤졌으나 사람의 몸뚱이 하나가 돌돌 말려서 어느 구석에 끼어 있을 리는 없었다.

다음 정거장에 와서 차자 머무르자 그들은 우선 그곳 경찰서로 급히 보고하는 수속을 마치고 경비전화통에 매달려서 비지땀을 씻어 가며 각처로, 중대 범인이 열차 속에서 탈주하였다는 경고를 발했다. 갈팡질팡하는 동안에 이미 타고 온 차는 떠나 버리고 북행하는 차를 되짚어 타고 가자니 그 정거장에서 여섯 시간이나 지체하지 않으면 안동현으로 돌아갈 도리는 없는데 탈주한 범인(?)의 인상을 똑똑히 기억하는 사람은 백통테 안경잡이 하나뿐이요, 종적을 감춘 지도 반 날 동안이나 될 테니 제가 따로 맡아서 압송하던 죄수가 달아난 것은 아니더라도 모처럼 걸려든 큰 벌이거리를 놓친 생각을 하매 치가 떨리지 않을 수 없었다.

남시(南市)와 차련관 부근 일대는 불과 몇 시간 동안에 물샐틈없는 경계망이 펼쳐졌다. 방갓 쓴 상제, 엿장수, 막벌이군 등으로 변장한 형사대들은 중요한 길모퉁이와 거리의 주막을 경계하는 동안에 해가 저물고 밤이 깊어갔다. 그러나 중대 범인으로 지목을 받은 그 청년이 정거도 안 하는 화물열차의 뗏목을 쌓은 덮개 없는 곳간 속에 몸을 숨기고 오던 길을 바꾸어 북으로 몇 백 리 밖에 가서 떨어질 것을 상상조차 한 사람이 없었고 수십 명의 경관과 끄나풀들이 헛물만 켜는 동안에 기나긴 가을밤만 슬며시 밝았다.

극비밀리에 사건이 파묻힌 지 한 달이나 지나서 어느 날 이른 아침에 서울 용산 전차 종점 근처에 있는 자동전화와 시내 어느 잡지사 사이에 전화가 걸렸다.

"여보세요, ××잡지사지요, 김동렬씨 나오셨나요?"

"네 납니다. 누구십니까?"

"어, 동렬인가, 날세 나야."

"나라니?"

"나 진일세, 잘 있었나?"

"응? 진이?"

잡지사에서 전화를 받던 사람은 금새로 상기가 되어 전화통을 바싹 끌어당기며 좌우에 사람이 있고 없는 것을 살피느라고 도수 깊은 안경이 번뜩였다.

"그래 언제 왔나? 거기가 어딘가?"

"지금 급하니 만나서 얘기하세. 자네 집이 어떨까?"

"안돼. 요새는 날마다 와서 살다시피하니까…… 그럼 오정 때 그 병원에서 만나세. 경재를 먼저 찾게."

"오오냐, 알겠다."

전하는 말끝도 여무릴 사이 없이 끊겼다.

박진이가 불일간 떠나서 들어가겠다는 암호 통지를 받은 지도 이미 한 달이 훨씬 넘어서 동렬이는 유일한 주의상 동지요 또한 지기인 박진이의 신변을 염려하는 나머지 하루도 잠을 편히 이루지 못하고 각처로 사람을 놓아 수소문까지 하였으나 소식이 아득하였다.

그 전날도 밤 깊어 회관 윗목에서 담요자락을 얻어 덮고 눈을 붙였다가 꿈자리가 뒤숭숭하여 날마다 출근하는 잡지사로 다른 날보다도 한 시간이나 일찍이 들어왔다가 마침 다행이 박진이의 전화를 친히 받게 된 것이었다.

누구보다도 뜨거운 정열의 주인공이면서도 좀체로는 자기의 감정을 표면에 나타내지 않는 동렬이언만, 불시에 박진이의 전화를 받을 때만은 흡사 아이 하나 곁에 사람이 있었더면

'저 사람의 신변에도 무슨 큰일이 생겼구나' 하고 의심을 품게 할 만큼 심상치 않은 그의 표정과 동작을 발견하였을 것이다.

아직도 급사 아이 하나밖에 안 들어와서 지저분하게 벌여 놓은 채로 있는 편집실을 돌련 뒷짐을 지고 왔다갔다 거닐면서 흥분된 가슴을 가라앉히기에 힘을 들였다.

그의 짧고 굵은 두 다리는 딱 벌어진 가슴과 육중한 동체(胴體)의 무게에 눌리듯이 창 곁에서 여덟 八자로 버티고 섰다. 면도는 한 달에 한 번이나 하는지 숱한 수염과 시꺼먼 구레나룻이 둥글넓적한 얼굴을 뒤엎었는데 충충한 삼림 속에서 내려다보는 샛별처럼 정신기 있게 빛나는 것은 그의 두 눈동자뿐이다. 그래서 광채 도는 그의 시선은 무엇을 주의해 볼 때면 바로 뚫어질 듯하여 발등위에 불똥이 떨어져도 꼼짝달싹도 안 할 만큼 담력차고 침착한 성격을 말하는 듯 두둑한 두 입술은 여간 놈이 두들겨서는 열지 못할 성문처럼 굳게 다물렸다. 그는 자기가 일보는 책상 앞에 와서 주저앉으며 두 손으로 이마를 짚었다. 차차 흥분이 되었던 마음이 가라앉자 머리에 떠오르

는 것은 "진이의 보고를 들어 봐 일이 여의치 않았으면 어떤 방침을 취할꼬" 하는 커다란 의문이었다. 아무리 급한 사정이 있더라도 계획했던 일이 삐뚤어진 코오스를 밟게 될 경우를 미리 점쳐 보고, 그 다음에는 이리저리 해야 되겠다는 제이, 제삼의 방책을 세워 놓고서야 착수하는 것이 그의 주밀한 성격을 만들어 준 한 가지 습관이었다. "안 된다. 내가 먼저 가서 만나서는 안 된다."

그는 책상 위에서 잡지 한 권을 말아들고 잡지사 문을 나섰다. 그의 아내 일 뿐 아니라 책임비서 격인 세정이를 먼저 보내서 미행이 붙고 안 붙은 것을 살핀 뒤에 만나리라 생각하고 유각골 막바지에서 곁방살이를 하는 자기 집으로 조급히 달리는 마음을 태연한 걸음걸이로 끌어당기며 육조(六曹) 앞으로 빠져나왔다.

밀회

야속한 시간인 정오의 사이렌이 울자 북촌에 있는 어느 병원 정문으로 유유히 기다란 그림자를 이끌며 나타나는 사람이 있었다. 그는 물론 박진이었다. 검정 두루마기로 변한 그가 현관으로 들어서다가 마주 나오는 간호원에게

"이경재 선생께 면회 온 사람이 있다고 전해주십시오." 하고 잠시 서성거렸다. 경재는 그와 한 집에서 자라난 이종형일 뿐 아니라 간담을 서로 비치고 지내는 이해 깊은 사이로 그 병원에서도 신임을 받고 있는 외과 의사였다.

"이 선생님은 지금 수술중이니까 면회 못 하십니다."

하고 간호부는 돌아서며 기다란 복도로 일본 짚신짝을 짝짝 끌었다.

진이는 점직한 듯이 뒤통수를 긁으며 정문 편을 주목하고 나오려니까 판매점 근처에서 꽃을 사고 있는 젊은 여자의 뒷모양이 눈에 띄었다. 틀림없는 세정이었다.

시선이 마주치자 여자는 따라 들어오라는 눈짓을 하고 앞장을 서니 입원한 환자를 위문하러 들어가는 영락없는 젊은 내외였다. 이층 위 깊숙한 외과 병실 앞에 놓인 걸상에 두 사람은 유리창을 향하여 걸터앉았다. 무슨 말로 오래 덮었던 봉지를 떼야 옳을지, 병원의 독특한 소독약 냄새에 섞여서 짤막한 침묵이 두 사람 사이를 흘렀다.

"그동안 큰 고생은 안 하셨어요?"

총명, 바로 그것인 듯한 세정의 맑은 눈은 광대뼈가 솟도록 여위고 꺼칠꺼칠해진 진이의 오른편 뺨을 어루만졌다.

"육백 리나 걸었쇠다. 여러 번 무역에 이번처럼 힘들어서야……"

하고 어깨와 머리를 흔들며 수탉처럼 진저리를 쳤다.

"우리는 꼭 탈이 난 줄만 알았어요. 어쨌든 이젠 맘을 놓겠어요. 참, 김은요 다른 데서 만날려고 나더러 먼저……"

말이 마치기 전에 진이는

"네, 짐작하지요."

하고 여자의 말을 가로채었다. 두 사람이 앉아 있는 복도로는 별별 사람이 종종걸음을 치며 지나다닌다. 유리창으로 쏟아 들어오는 늦은 가을 대낮의 햇발에 흰옷 입은 사람들의 꽁무니가 눈이 부시도록 빤짝거리건만, 진이의 양미간은 짙은 잿빛의 우울로 찌푸려진 것을 민감한 세정이는 벌써 곁눈으로 그의 표정을 읽고 앉았다.

잠자코 있을 수도 없는 대단한 거북살스러운 문답이 목구멍을 간질이고 있었던 것이다.

진이는 고생살이에 더 상큼해진 세정의 콧날과 핏기 없는 얼굴을 유심히 바라다보며

"세정씨도 퍽 상했구려!"

세정이는 그 말뜻을

"영숙이는 그동안 어디 가 있나요?"

하는 말로 약삭빨리 번역을 해서 들었다.

"줄곧 몸이 성치 않아요. 저어 그런데 영숙이는요 지금 동경에 가 있어요. 어린애는 시골집에 맡기고요. 벌써 아셨는지 모르지만……"

진이는 소리 없이 이를 갈며 깊은 한숨을 입술로 깨물었다. '흥 이번에는 또 어떤 놈하구 갔노?' 하는 독백이 터져 나올 뻔했던 것이다.

세정이는 동정을 지나쳐 가엾은 생각에 눈두덩이 뜨거워짐을 깨닫고 고

개를 돌렸다— 영숙이란 여자는 불과 수년 전에 박진이와 결혼식까지 하고 귀여운 아들까지 낳아 놓은 여자의 이름이었다.

그때에 수술실 문이 열리며 소독복을 입고, 끼고 있던 고무장갑을 벗으며 나오는 삼십삼 세쯤 되어 보이는, 윗수염을 기른 의사가 점잖이 걸어와서 두 사람 앞에서 발을 멈춘다. 그가 진이의 이종형인 이 경재다. 그는 별로 반가워하는 기색도 보이지 않고 목례를 주고받은 뒤에 환자에게 말을 건네는 태도로

"여기서는 얘기를 할 자리가 못 되니 전처럼 내 집으로 오게. 동렬이의 전화로 온 줄은 알았네. 세정씨도……"

하고 말끝을 흐려버리듯 하고는 김이 서리어 오르는 주사기를 받쳐 든 간호부의 뒤를 따라 병실로 들어가 버렸다. 진이는 처음부터 고개만 끄떡여 알았다는 표시만 하다가 무릎을 짚고 일어서려니까 세정이는

"그럼, 우리는 먼저 가 있을게요."

하고 앞장을 섰다.

그날 저녁 이경재의 집에서는 주인 내외를 중심으로 동렬의 부부와 박진이를 합하여 다섯 사람이 머리를 모았다. 그 중에도 동렬이와 진이는 핏줄이 떨리도록 굳게 악수를 한 채로 한참 동안이나 서로 놓을 줄을 몰랐었다. 두 동지의 눈에는 눈물까지 글썽글썽한 것을 저녁 준비에 분주히 드나들던 경재의 아내가 보고 부엌으로 들어가며 행주치마 꼬리로 자기의 눈두덩을 비볐다.

……저녁이 지난 뒤에는 밤도 길고 이야기도 길었다. 그들의 일에 직접 관계는 하지 않는 경재의 내외는 안방으로 건너간 뒤에 건넛방에서 문을 걸고 솥발같이 앉은 세 동지가 쥐도 새도 듣지 못할 이만큼 나직이 주고받는

이야기 내용은, 이 소설을 쓰는 사람도 들어 옮기지 못할 것이며 더구나 독자가 궁금할 것은 알고도 어찌 할 도리가 없는 노릇이다. 다만 그 방의 공기가 찢어질 듯이 긴장되어 흥분한 박진이의 주먹에 방바닥이 울고 동렬이는 말문이 막힌 듯이 눈만 감았다 떴다 할 뿐……

더구나 불 밑에 앉은 세정의 얼굴은 빨갛게 혈조(血潮)가 치밀었다가는 해쓱해지고 하는 것만 보아도 그들의 운명을 키(舵)질하는 중대한 위기가 눈앞에 닥쳐오고 있는 것을, 눈치만 보아 짐작이나 할 밖에 다른 도리가 없다. 그러나 앞으로 이야기가 계속되면 좀 더 자세한 그들의 과거를 말하지 않을 수 없고, 파란이 자못 중첩하였던 지난 일을 돌이켜보자면 이제부터 십 년도 세월을 거슬러 올라가야만 비로소 그 서막(序幕)이 열릴 것이다.

동렬이와 박진(본이름은 아니다)이는, 고향은 다를망정 서울 어느 사립 중학교에서 사 년 동안이나 같은 반에서 공부하던 동창생으로 막연한 사이였다. 동렬이는 박진의 불덩이 같은 정열과 모험이 있는 것을 사랑하였고, 박진이는 무슨 일이든지 의지적이요 침착하여 함부로 덤비지 아니하는, 자기와 바대 되는 성격을 동렬에게서 발견하고 너무 과격한 자기의 성질을 조화시키려는 생각이 그와 친근해진 원인의 하나였었다, 그들은 흡사히 동성연애나 하는 사람처럼 예산 없는 학비나마 내 것 네 것 없이 나누어 쓰고 이불 한 채를 둘이 덮고 한 겨울을 난 일도 있었다.

그러다가 졸업하게 된 해가 바로 기미년! 당시의 의학생이요 그들이 형님이라고 부르던 이경재는 자기 집 골방에서 ××공보의 원고를 쓰고, 동렬이는 등사판 질을 하는 한편 진이는 밤을 타서 배달부 노릇을 하다가 그만 한 끈에 묶여서 경찰서를 거쳐 처음으로 감옥에 입하였다.

그때에 진이는 정면으로 반항을 하다가 오른편 팔을 비틀려서 쓰지를 못

했었고, 동렬이는 주범으로 몰려서 맨 나중으로 호송되었다. 그 날은 아직 도 남산 '누에머리'에는 눈 자취가 스러지지 않은 음산한 아침이었는데, 처음 타 보는 자동차 속에는 여학생 한 사람이 포박을 당한 채 먼저 타고 있었다. 양 옆으로 순사가 끼어 앉은 통에 그 여학생과 동렬이는 몸이 바싹 다붙지 않을 수 없었다. 숫보기 총각이었던 동렬이는 부드러운 감촉과 따뜻이 스며드는 체온으로 여러 날 동안 극도로 날카로워졌던 전신의 신경이 가닥가닥 풀리는 듯하였다.

살갗은 희나 좀 강팔라서 성미는 깔끔할 법하여도 그야말로 대리석으로 아로새긴 듯한 그 여자의 똑똑한 얼굴의 윤관이 첫인상에 깊이 박혔던 것이다. 그는 ××학당의 학생으로 시위운동에 앞장을 서서 지휘하던 여자였는데 한 끈에 묶이고 한 자동차로 같은 감옥 문으로 출입한 것이 인연이 되어 나중에 동렬이와 결혼까지 한 지금의 세정이 바로 그 사람이었다.

그러나 두 사람의 로맨스는 추후에 자세히 적기로 하자.

—진이와 동렬이는 일 년이 넘는 형기를 마치고 옥문을 나섰다. 그동안에 치른 가지가지의 고초는, 한풀이 꺾이기는커녕 그들로 하여금 도리어 참을성을 길러 주고 의기를 돋우기에 가장 귀중한 체험이 되었던 것이다.

"넓은 무대를 찾자! 우리가 마음껏 소리 지르고 힘껏 뛰어 볼 곳으로 나가자!"

하고 부르짖은 것은, 서대문 감옥 문을 나서자 무악재를 넘는 시뻘건 태양 밑에서 두 동지가 굳은 악수로 맹세한 말이었었다. 그들의 가슴 속에는 정의의 심장이 뛰놀고 새로운 희망은 그들의 혈관 속에서 청춘의 피를 끓였다.

…… 간신히 노자만 변통해 가지고 그믐밤에 안동현에서 중국인의 목선을 타고 아흐레 만에 황해(黃海)를 건너니 상해는 동녘 나라의 젊은 투사들을 물결 거친 황포탄(黃浦灘)에 맞아들였던 것이다.

상해 시대

상해! 상해! 흰옷을 입은 무리들이 그 당시에 얼마나 정다이 부르던 도회였던고! 모든 세계에 방송되는 듯 하였고 이 땅의 어둠을 헤쳐 볼 새로운 서광도 그곳으로부터 비치어올 듯이 믿어 보지도 않았었든가?

그러나 처음으로 방랑의 길을 떠나서 상해의 얼굴을 대한 어느 젊은 사람의 여행 일기 속에 아무렇게나 긁적거린 서경시(敍景詩) 조각이 있었다고 상상하고 그 한 편을 실어 보자.

上海의 밤

충충한 농당(弄堂) 속에서 매암을 돌며 훈둔 장수 모여들어 딱딱이를 칠 때면 어깨 웅숭그린 년 놈의 떠드는 세상 집집마다 마짱판 두드리는 소리에 아편에 취한 듯, 상해의 밤은 깊어 간다.

눈먼 늙은이를 이끌며 발 벗은 소녀 구슬픈 호금(胡琴)에 떨리는 맹강녀(孟姜女) 노래 애처롭구나! 객창에 그 소리 창자를 끊네.

사마로(四馬路)—오마로— 골목골목엔 이쾌양디 양쾌양디 인육의 저자 분면하고, 숨바꼭질하고 야-지(野鷄)의 콧잔등엔 매독이 우글우글 지항을 풍기네.

집 떠난 젊은이들은 노주 잔을 기울여 건잡을 길 없는 향수에 한숨이 길고, 취하여 뱃속에까지 팔을 뽑아 장검인 듯 내두르다가 채관(茶館) 소파에 쓰러져 통곡을 하네.

어제도 오늘도 산란한 ××의 꿈자리 용솟음음치는 ×××뿌릴 곳을 찾는 까오리 망명객의 심사를 뉘라서 알꼬? 영희원(影戲院)의 샹들리에만 눈물에 젖네.

아무 소개도 없이 떠난 동렬이와 진이는 동양의 런던이라는 상해에도 하늘을 찌를 듯한 고루거각이 즐비하게 솟은 가장 번화한 영대마로(英大馬路)로 찾아들었다. 그야말로 촌계관청이라 두리번거리며 정처 없이 오르내리다가 선시 공사(先施公司) 진열장 앞에서 뜻밖에 미결감서 구세주나 만난 듯 어찌나 반가웠던지 껑충껑충 뛰듯 하며 악수를 하였다. 이름이나 서로 기억할 만한 처지였으나 상해에 온 지가 두 달이나 되어서 그곳 형편도 대강은 짐작하는 모양이요, 사정을 알 듯도 하여 그를 앞장을 세우고 불란서 조계에서 조선 사람이 가장 많이 모여 있는 보강리(寶康里) 근처에 식주인을 정하고, 방을 얻기에 하루해를 다 보냈다. 그날 밤은 중국인의 집 마루방 위에서 가지고 간 담요 한 자락으로 커다란 두 몸뚱이를 돌돌 말고 피곤한 다리를 뻗었다.

이역의 첫날밤은 몹시도 음산한데 잠은 고향의 산천만을 더듬고 깊이 들어지지를 않았다.

상해, 그 물건은 상상하던 바와 별다를 것도 없고 풍물이 또한 그다지 신기한 것이 없었으나, 잠시 지내봄에도 그곳에 거류하는 조선 사람의 생활과 집단 된 근거라든지 또는 그네들이 움직이고 있는 운동의 동태를 살피기에는 졸연한 일이 아니었다.

그럭저럭 며칠이 지났다. 하루는 두 사람의 모든 편의를 보살펴 주는 한윤식(영대마로에서 만난 친구)에게 소개를 청하여, 내지에서 선성만은 익숙히 들었던 ××씨를 찾아볼 어려운 기회를 얻었다. 중국인의 집 한 채를 빌어 든 모양인데 한윤식이가 몇 번이나 위층으로 오르내린 뒤에야 응접실로 안내되었다.

방 안에는 테이블을 둘러서 의자 몇 개가 놓였을 뿐이요, 장식이라고는 채색한 커다란 조선 지도와 ××서를 널따랗게 박은 것이 유리 틀에 끼여서 벽에 걸렸을 뿐이었다.

주인공을 기다리는 동안에 진외와 동렬이는 ×씨란 어떻게 생긴 사람일까? 듣는 바와 같이 과연 큰 인물일까 하는 일종의 호기심으로, 또는 그의 이력을 대강 들은 바도 있어서 안으로 통한 도어만 주목하였다.

얼마 아니하여 승마복에 장화를 신은 건장하게 생긴 청년이 들어왔다. 그 청년이 바지 꽁무니에서 삐죽하게 켕기고 있는 "학의 다리"(브라우닝 식의 큰 육혈포의 별명)가 우선 눈에 띄었다. 그 청년의 뒤를 따라 나타나는 것이 ×씨였다. 육척도 넘을 듯한 키와 떡 벌어진 가슴이며 가로 찢어진 눈에다가 수염이 카이제르 식으로 뻗친 품이, 과연 누구나 그 앞에서는 위압을 당할 듯한 풍채의 주인공이었다. "동양 사람에도 저렇게 훌륭한 체격을 가진 사람이 있었나?" 하면서도 바로 쳐다보기가 어려운 듯이 두 사람은 황급히 일어서서 집안 부형을 대할 때처럼 손길을 마주 비비며 잠시 어쩔 줄을 몰랐다.

"이번에 내지에서 많은 고생을 하다가 나온 청년들입니다. 저하고 동고한 일도 있었구요."

하고 소개를 하였다. ×씨는 말없이 끄덕이며 그 크고 넓적한 손을 내밀어 두 사람에게 뜨거운 악수를 주고 나서

"게 앉으시오."

하고 의자를 가리키며 자기도 앉았다. 얼떨결에 두 사람은 제 이름을 말할 것도 잊어버렸다. ×씨는 수염 끝을 쓰다듬어 올리며

"그래, 얼마나 고생들을 하셨소?"

하고 수인사를 한다. 그 목소리는 유리창이 떨리리만큼 굵고 저력이 있었다. 진이는 눈을 아래로 깐 채로

"저이들이야…… 선생님께서는 몇 십 년 동안을…"

하고는 감격하여 말끝을 아물리지 못하였다. ×씨는 미소를 띠며

"피차에 고생한 보람이 있겠지요."

하고 두 사람의 얼굴을 유심히 번갈아 본다. 이번에는 동렬이가 신중히 입을 열어

"뛰어나오기는 했습니다만 무얼 해야 옳을는지 막연합니다. 선생님께서 앞길을 지도해 주십시오."

하고 일어서서 허리를 굽히고 만강의 경의를 표했다.

정든 고국을 떠나 사랑하는 처자와 생이별을 한 후 거친 해외 풍상에 머리털이 반백이 되고 지레 늙어서 이마에 주름살이 잡히도록 온갖 어려운 일만 치러 오면서도 (중략) 오히려 청년과 같은 그 씩씩한 그의 기상 앞에 머리가 숙지 않을 수 없었던 것이다. ×씨 역시 부형과 같은 태도로

"잠시 보매도 두 분이 다 건강하고 좋은 소질을 가졌음직하고, 내가 좀 바쁘기는 하나 앞으로는 가끔 놀러오시오."

하고 오랫동안 많은 청년을 지도해 오는 것으로 사업을 삼고 또한 유일한 낙으로 알아 오는 그는 친절히 최근의 내지 소식을 묻기도 하고 또는 장래의 포부를 듣고 간단한 비판도 해주었다. 두 청년도 가슴을 터놓고 학생 웅변식이나마 시국에 관한 솔직한 기염을 토하였다. 흥분하기 잘하는 진이는 침이 튀는 줄도 모르고 연설하는 식으로 한 오 분 동안이나 거침없이 떠들어 댔다.

×씨는 일일이 고개를 끄덕인다. 그때에 곁에 섰던 "학의 다리"를 찬 청년이 시계를 보더니

"선생님, 시간이 되었습니다."

하고 고하였다. ×씨는

"자아, 그러면 일간 우리 저녁이나 같이 먹으며 이야기합시다. 이 시간에 누구를 만나기로 약속이 되어서……"

하고 일어서며 다시 두 청년에게 악수를 교환하였다. 그들은

"바쁘신데 만나주셔서 죄송합니다. 앞으로는 선생님의 지도만 좇겠습니다."

하고 세 번 네 번 예를 한 후 그 집을 나섰다.

상관에게 칭찬이나 받고 나오는 병졸처럼 서로 팔을 끼고 하비로(霞飛路) 큰 길을 내 세상이다 하는 듯이 뚜벅뚜벅 걸었다.

"그런데 큰일 났네."

"뭬에 또 큰일이야?"

한윤식이와도 작별을 하고 숙소로 돌아가는 길에 진이와 동렬이가 주고받는 이야기다.

"온 지가 일주일도 못 돼서 말라붙었으니……"

하고 진이는 주머니 속에서 달랑거리는 각전과 동전 몇 푼을 흔들었다.

"고생은 짊어지고 나온 것이지만 앞일이 망단한걸."

"설마 동포가 천 명이나 사는 틈에서 굶어야 죽을라구."

"설마가 사람을 죽이는 법이야. 그렇지만 궁하면 통한다구 무슨 도리를 하여야지."

"지금 같아서는 아까 그 ×씨에게 빌붙는 수밖에 도리가 없겠네."

"글쎄 그도 괜찮겠지. 그이두 자기 돈으로 생활을 하겠나? 일만 도와주면 좀 얻어먹기로서니."

"한 번 또 오랬으니까 그때 사정을 하고 단단히 떼를 써 보세."

두 사람의 의견이 들어맞았다. 진이가 엉터리를 부리자는데 동렬이 혼자서 반대할 수도 없는 사세였다.

가뜩이나 음산한 항구의 기후인데다가 추위가 부득부득 달려드니 안동현서 삼 원씩 주고 사 입은 멘빠오즈(棉包子)도 더러운 뱃간에서 뒹굴어 냄새가 코를 찌르고 아침저녁으로는 덮개도 변변치 않아서 몹시 쓸쓸하였다.

그동안에 두 사람은 숙소로 돌아왔다. 진이는 별안간에 고적해진 듯이 철장 속에 갇힌 짐승처럼 방안을 왔다 갔다 하며 한숨을 들이쉬고 내쉬고 한다. 동렬이는 못 본체하고 가방을 책상삼아 편지 한 장을 썼다.

"겉장은 내가 부르는 대로 쓰게."

하고 진이가 곁눈으로 흘겨보고 빈정거린다.

"흥. 산 입에 거미줄을 치게 된 판에 연애편지는…… 종이쪽을 뜯어먹고 살려나?"

하고 자분참게 투덜거린다. 동렬이는 마지못하여 씽긋 웃으며

"그래두 여기 와 있다는 소식을 전해 주어야지."

하고 "경성 송현동 ○○번지 강세정씨"라고 피봉을 썼다.

동렬이는 감옥에서 나오자 맨 먼저 자동차를 같이 탔던 그 인상 깊은 세정의 하숙을 수소문하여 찾았다. 동무의 소개로 만난 뒤에는 종종 놀러가서는, 순전한 남녀 간의 동지로서 운동에 관한 이야기도 하고, 떠나기 전 어느 날은 세정의 동무들과 섞여서 밤늦도록 화투를 하고 논 일도 있었다. 그러나 입이 천근인 동렬이는 상해로 도망하겠다는 계획까지 말하지 않았으나 "어디를 가 있든지 피차의 연락만은 끊지지 말자"는 약속은 단단히 해두었던 것이었다.

여자가 한번 시집을 가면 처녀 시대의 정답던 동무와는 까닭 없이 서먹해지는 것처럼, 두 사람이 가까이 가는 사이를 잘 알고 있는 진이는 세정이 말만 나면 공연히 심통이 났다. 자기는 시골집에 마음이 맞지 않는 아내가 있어서 그렇다는 것보다도 동렬에게 대한 우정이 남 유달리 두터우니만큼 질투 비슷한 감정을 참을 수 없었던 것이다. 동렬이에게 끌려서 실인즉 저 혼자 여자의 집을 찾아다니기가 거북하니까 사람보탬으로 간 것이지만 세정이를 한두 번 만나보고

"여자답다. 결곡하고 맵싸한 성격이 무슨 일이든지 같이 할 만한 여자다."

하고 슬그머니 흠모하는 생각이 났었다. 그러나 그럴 때마다

"아니다. 그 여자는 동렬이 놈에게 선취득권이 있는데……"

하고 제 속을 꾸짖기도 여러 번 해 왔던 것이다.

……동렬이는 모자도 벗은 채로, 전찻길로 한참이 걸어가는 우편국으로

편지를 넣으려고 나갔다.

아직도 심사가 다 풀리지 않은 진이는 이층 위에서 길거리로 나가는 동렬이를 내려다보고

"여보게, 우표나 똑바로 붙이게. 혹시 삐뚤우 들어가리."

하고 짓궂게 한 마디를 뒤집어 씌웠다.

두 사람에게는 앞으로 호구할 일이 물론 큰 걱정이었다. 그러나 중국사람 틈에 끼어 살면서 더구나 앞으로 그 땅을 무대 삼아 활동할 사람이 그 나라 말 한 마디를 땅띔도 못하는 것이 큰 고통이었다. 중국말이라고는 중학 시대에 학교 앞에 있던 호떡집에서 주머니 털음을 할 때에 "호오갸", "니이디싱", "워어디무싱", "이모첸", "량모오첸" 하다가는 수틀리면 침을 뱉듯이 "타아마나까비이" 하고 욕지거리나 하던 산동(山東)말 몇 마디가 중국말 지식의 온통이었다. 상해까지 오는 목선 속에서는 반죽 좋은 진이가 귀둥대둥 문맥도 안 닿는 글줄을 써 가지고 무식한 선부들과 피차에 의사만은 겨우 소통하였다. 그럴 때마다 진이는 제법 필담이나 하는 듯이 꺼떡대서 동렬이를 웃겼다.

더구나 상해 본바닥 말은 북방 말과도 사뭇 달랐다. "너"라는 말은 "뇌-" 하지를 않고 맹꽁이 소리처럼 "농" 하고 "이모첸", "량모첸"은 "이짜꽂쓰", "량짜꽂쓰" 하며, 말꼬리를 톡톡 찍어 던지는 것이 몹시 방정맞았다. 어학에 들어서는 둔재인 동렬이는 뒤볼 때까지 지궁스럽게 화어대성(華語大成)이란 책을 손에서 놓지 않았다. 갓 시집을 간 여학생이 요리법 책을 부엌 구석으로 끌고 다니듯 한다고 진이에게 아침저녁으로 흉을 잡혔다. 진이도 이따금 어깨 너머로 들여다보다가는

"에이 갑갑해! 되놈의 말 어디 배워먹겠나?"

하면서도 듣는 대로 되나 안 되나 비위 좋게 지껄였다. 그래서 얼마 뒤에는 채장에나 가게에는 두 사람을 대표하여 외교를 도맡아보는 영광을 한 몸

에 욕(浴)하였다.

그러나 체계를 세우지 못한 자습으로는 만날 애를 써야 헛수고라고 이번에는 동렬이가 서둘러서 야학에를 다니기 시작하였다. 야학은 만세를 부르다가 뛰어나온 사람들이 이십여 명이나 모여서 중국인 교사를 초빙 해다가 전차 회사에 다니는 동포의 집을 빌어서 하루건너 두 시간씩 배우는 것이었었다.

모여든 친구가 대개는 저고리 등솔기를 제비날개처럼 째고 총대바지를 입었다. 소위 상해 식으로 말쑥하게 거드른 품이 쇠푼이나 지니고 나온 모양이었다. 그러나 배우는 중에도 담배를 피워 물고 잡담 판을 벌이는 통에 처음에는 정신도 차릴 수 없었다.

동령이와 박진이가 다니게 된 지도 여러 날이 되었다. 하루 저녁은 강습이 시작된 뒤인데 뜻밖에 이십이 될락 말락 한 여자 두 사람이 문을 바스스 열고 하얀 얼굴을 들이밀었다. 방안의 시선은 한꺼번에 여자의 얼굴로 속사포를 놓았다. 두 여자는 들어섰다. 한 여자는 안경을 쓰고 중국옷을 입었고 한 여자는 내지의 여학생처럼 흰 저고리에 검정 치마를 입었는데, 들어서면서 모양 없이 칭칭 감았던 목도리를 풀었다. 그때에 앞줄에 앉았던, 머릿기름을 유난히 바른 청년이 일어서서 반색을 하며 두 여자를 안내하였다. 칠판 밑으로 데려가서 무어라고 인사시키고 나서는 바로 진이와 동렬이가 앉은 뒤 걸상에다가 자리를 잡아 앉혔다.

진이의 등 뒤에 앉은 중국옷 입은 여자는 진이의 널따란 잔등이에 칠판이 가려서, 희고 가는 고개를 몇 번이나 자라목처럼 늘였다 오므렸다 하며 필기를 하였다. 파할 임시에는 답답한 듯이 송판 쪽 걸상 밑에서 뾰족한 발끝을 까불었다. 그럴 때마다 진이의 커다란 궁둥이는 조그만 지진(地震)을 느꼈다.

"무엇하는 여잔고?"

"머리에 기름을 바른 저 남자와는 어떠한 관계가 있을꼬?"

"이름은 무엇일까?"

하고 부질없는 의문이 꼬리를 물었다.

수수한 맏며느릿감으로 생긴 조선옷 입은 여자보다는 허리가 날씬하고 두 어깨가 상큼하게 패인 중국옷 입은 여자에게 마음이 끌렸다는 것보다는- 등 뒤에 눈이 박히지 않은 것이 한이라 자세히 관상을 못 할망정 진이의 등 덜미의 신경 줄이 당기는 것만은 사실이었다.

몇 만 리 해외에 나그네의 신세를 진 사람으로서 가장 큰 위안을 받은 것은 고국의 소식이다. 더구나 사랑하는 사람의 친필을 대함에랴? 나이가 젊은 푼수로는 성질이 너무 가라앉은 동렬이건만 세정에게 처음 편지를 부친 뒤로는 마음을 졸였다. 현주소를 숨기고 밥 먹는 집으로 통신을 하는 터이라, 아침저녁은 물론 우편배달 시간만 되면 궁금증이 나서 앉아 배길 수가 없었다. 중국말에 전력을 기울이는 한편으로 날마다 늘어가는 공상을 머릿속에서 정리하느라고 자정이 넘어서야 잠이 들었다. 진이의 코고는 소리를 들으면서

"오늘도 하루를 잡아먹었구나!"

하며 벽에다가 금 하나를 손톱 끝으로 드윽 그어놓고 이불자락을 뒤집어썼다. 벽에 금을 긋는 것은, 날짜를 잊어버리기 쉬운 감옥에서 하던 버릇이었다. 그 금이 여덟, 아홉, 열이 넘도록 안타깝게 기다리는 답장은 오지 않았다.

"웬일일까? 진이 말대로 우표딱지를 삐뚤우 붙였더란 말인가? 그동안 주소를 옮겼을 리도 없겠고 …… 압수를 당했나? 그렇지만 안부 편지까지야 설마……"

하다 못하여 중간에서 누가 가로채지나 않았나 하는 의심까지 났었다. 잠만 어렴풋이 들면 장마 걷힌 하늘에 구름장이 떠돌듯 흰옷 입은 세정의 그림

자가 오락가락 하였다. 깨어보면 허무하기 짝이 없다. 어느 날 밤에 별안간 곁에 누운 진이의 배를 깔고 올라앉아서

"이놈, 그 편지를 내 놓아라……"

하고 호령호령 하다가 어깨를 흔드는 사람이 있어 눈을 번쩍 뜨니

"이 사람, 무슨 잠꼬대를 그렇게 하나?"

하고 내려다보는 것은 우정이 가득한 진이의 얼굴이었다.

동렬이는 의처증(疑妻症) 있는 사람의 심리가 이러한가 보다 하면서도, 꿈에도 그런 줄은 알지 못하는 진이에게 대하여 미안한 생각도 나고 근래에 와서 퍽 심약해진 것을 속으로 꾸짖기도 하였다. 그러다가 하루는 저 혼자 불란서 공원으로 산보를 나갔던 진이가 터덜거리고 돌아오더니 동렬이를 보고는 공연히 싱글싱글한다.

"저 친구가 실설을 했나?"

하면서도 동렬이는 벌써 눈치를 채었다. 진이는 동렬의 앞뒤로 왔다 갔다 하면서,

"오! 행복한 사람이여, 그대의 이름은 동렬이로다!"

하고 두 손을 가슴에다 얹고 허리를 젖히며 신파 배우의 흉내를 낸다. 그것도 학생 시대에 등기편지가 오면 한턱내라고 올려 앉힐 때에 하던 장난이었다. 동렬이는 참다못하여

"여보게! 그러지 말고 내놓게."

하고 슬슬 달래 보았다.

"무얼 내놓아? 이것 말이냐?"

하고 바지 주머니에서 불쑥 내미는 것은 유난히 큰 주먹이다.

"아서라. 죄로 간다. 그만 편지를 내놓아. 응!"

하고 어린애를 꾀듯 하니까

"그럼, 내 소청은 무엇이든지 듣지?"

"아무렴, 중의 상투래두."

"어디 두고 보자."

하고 안 포켓에서 고급 엽서를 꺼내며 종이비행기를 날리듯 하였다. 편지는 방 안을 한바탕 휘돌아서 동렬의 무릎 위에 떨어졌다. 먹을 것을 시새우는 동물처럼 동렬이는 편지를 움켜쥐고 돌아앉으며, 겉봉만 엎어 보고 젖혀 보고 하면서 차마 뜯지를 못한다. 진이는 속으로

'너두 그럴 때는 어린애 같구나.'

하면서 담배꽁초 모았던 것을 신문지에 말아서 퍽퍽 피웠다.

편지의 내용인즉,

……(전략)…… 왜 그곳으로 떠나가신다는 계획을 저에게도 말씀하지 않으셨습니까? 그만 일을 꺼나시는 날까지 속이신 것을 보면 세정이를 동지로서 믿지 못하시는 것이 분명하지요. 섭섭하고 야속합니다. 동렬씨의 친필은 아버지가 돌아가셨을 때도 흘려 보지 못한 저의 눈물을, 뜨거운 눈물을 몇 방울이나 받았습니다. 저도 떠나겠어요! 당신네들이 의를 위하여 피를 흘리실 때면 붕대 한 조각이나마 감아 드릴 사람도 필요하겠지요. 지난날의 약속을 이행하기 위하여 당신의 뒤를 따른다는 것보다도, 저는 이 땅의 이슬을 받고 자라난 한 사람의 여자로서 마땅히 밟아야 할 길을 찾기 위하여 그곳으로 가겠습니다. 편지하지 마십시오. 하셔도 받아보지 못할 것입니다…… 박진씨에게도 안부 여쭈어 주십시오……

동렬이는 읽기를 몇 번이나 되풀이하다가 쾅쾅하고 소리가 나도록 머리로 벽을 들이받았다.

"오는 것은 반갑지만 이 판에 달려들면 어쩐단 말인가?"

진이도 동렬이 못지않게 염려하였다. 편지 끝에 "박진 씨에게도 안부를 여쭈십시오" 한데 마음이 돌아앉았고, 동렬이가 자기 애인의 편지를 숨기지 않고 털어 보인 것이 고맙기도 하였다. 그뿐 아니라 평상시에는 공연히 불평이 많고 조금만 제 비위를 거스르면 땅땅 부딪는 성질이언만 두 사람 사이에 무슨 어려운 일만 생기면 이마를 마주 비비며 똑같이 걱정을 하였다.

"글쎄 벌써 떠난 눈치니 오지 말라구 전보를 칠 수도 없구…… 야단났구나."

"걱정 말게 여자가 있으면 남비 밥을 끓여 먹더라도 되려 경제가 도지 않겠나?"

하고 이번에는 동렬이를 위로하였다. 동렬이는 진이의 어깨에 손을 얹으며

"이렇게 우리끼리만 벙어리 냉가슴 앓듯 할 게 아니라 오늘은 ×씨를 찾세. 그밖에 도리가 있나."

"그럼 이번에는 우리 단둘이만 가세. 한가는 어째 사람이 간나위로 생겨서 재미없더라."

하고 그날 야학을 마친 뒤에 ×씨를 방문하기로 하였다. 그동안 그의 집을 세 번이나 찾았건만 문을 겹겹이 잠그고 속으로 무장한 사오 명의 청년이 파수를 보는 것이 무슨 비밀한 회의를 하는 눈치였다.

두 사람은 길거리로 나섰다. 안개를 머금은 밤바람이 동렬의 머리를 식혀주었다. 그날 야학에는 웬일인지 중국옷을 입은 여자는 발그림자도 안 했다. 진이는 또 두 볼이 고무풍선처럼 부어올랐다. 더구나 의심스러운 것은 머리에 기름을 지르르 흐르도록 바르고 다니는 남자도 결석을 한 것이었다.

"어디 내일 두고 보자!"

하고 음분한 제 계집을 벼르듯 하고는 야학이 끝나자 동렬이와 어깨동무

를 하고 ×씨의 집으로 향하였다.

마침 그날 밤은 계엄령이 풀리고 이층에서 쾌활한 웃음소리가 골목 안까지 들렸다.

"학의 다리"를 지닌 청년이 다녀올라가자 위층이 조용해지더니 불러올리고 안 올리는 것으로 잠시 문제가 되는 모양이었다. 귀를 기울이고 있자니까

"괜찮다. 올라와도 좋아."

그것은 틀림없는 ×씨의 목소리였다. 조심스럽게 층층대를 밟으니 응접실은 탁 터놓았는데 배반이 낭자하다. 이글이글한 화로에서는 갈비와 염통 굽는 냄새가 코를 찌른다. 손들은 ×씨를 중심으로 칠팔 인이나 모였는데 모두 중늙은이들이요, 대개는 중국옷을 입었다. 거의 다 배갈 기운이 얼근히 돈 모양이다.

×씨의 소개로 두 사람은 일일이 세배 절을 하듯 하며 인사를 올렸다. 저편의 이름을 듣고 보니 평시에 만나 뵈었으면 하고 추앙하던 선배들이었다. '좋은 기회에 낯을 익히게 되었구나' 하고 잠시도 한눈을 팔지 않고 그들을 주목하였다. ×씨는

"역경에 처한 사람이 이런 잔치가 당한 일이겠소만 오늘이 내 생일이라서 여러분이 손수 술 한 병씩을 들고 오셨구려. 허허, 그래서 나도 한잔 했소."

하고 친히 철철 넘도록 한 잔을 따라 권했다. 동렬이는 사양하는데 진이는 냉큼 받아서 돌아앉으며 단숨에 마셨다. 그리고 염치 불고하고 두 팔을 걷고 대들어서는 연거푸 갈빗대를 하모니카를 불었다.

"사나이로 태어나서 술 한두 잔쯤은…… 불급난이면 좋으니."

하고 의자 위에 도사리고 앉아 마른 수염을 쓰다듬는 것은 S씨였다. 그의 내력을 아는 동렬이는 '양반의 티는 어디를 가든지 못 벗는구나……' 하였다.

……서북간도서 마적에게 붙잡혀 갔던 이야기며, 시베리아에서 전쟁하던

추억담으로 좌석은 꽃이 피었다. 나중에는 <영변의 약산 동대동대>가 나오고 육자배기도 한몫을 보았다. 끝으로는 <동해물과 백두산>의 합창이 어울려서 나왔다. 청년들은 일어서서 선배들을 에워싸고 팔을 내저었으며 발을 구르며 목청이 찢어지도록 그 노래를 불렀다. 후렴을 부를 때에는 누구의 눈에나 눈물이 괴었다. 한평생 고국의 산천을 다시는 보지 못하리라고 비통한 각오를 한 그네들…… 주름살 잡힌 그 얼굴에 참다못해 흐르는 눈물 흔적이 불빛에 번득하였다.

동렬이와 진이는 그네들의 가슴에 붙어 안겨 어린애처럼 엉엉 울고 싶었다. 그와 동시에

"우리들은 젊다! 청춘이다!"

하고 주먹을 쥐며 부르짖었다.

연애와 희생

그날 밤 술김에 더욱 흥분된 진이는 열에 뜬 사람 모양으로 ××가를 부르며 큰길을 휩쓸었다. 밤새도록 돌아다니겠다고 떼를 쓰는 것을 동렬이가 간신히 부축을 하여 집으로 데리고 왔다.

"너 내 소청은 무에든지 듣는다고 했겠다? 흥, 남의 염병이 내 고뿔만 못하다구 네가 내 속을 알아주겠니? 그만둬라 그만둬."

생트집을 하며 동렬이의 머리를 쥐어뜯고 발길로 이불을 걷어차며 들부딪는다.

"그놈하고 부동을 해서 돌아다니더라…… 그깟 놈의 자식 한 칼에 죽여 버리면 그만이지…… 야 동렬아, 그렇지 않으냐? 그래 이렇게 울퉁불퉁하게 생긴 놈은 연애두 한 번 못해 보구 치— 칠성판을 져야 옳단 말이냐."

탄하지도 않는 말을 한참이나 지껄이다가 방구석에 머리를 틀어박고는 일분도 되지 못하여 드르렁드르렁 코를 곤다. 잠자코 진이의 거동만 살피던 동렬이는 베개를 베어 주고 어린애를 재우듯 진이의 머리를 쓰다듬는다. 배갈 냄새가 그저 코를 찔렀다. 방안은 귓바퀴에서 잉잉 소리가 나도록 조용해졌다. 동렬이는 무릎을 일으켜 세워 얼싸안고서 앞일을 곰곰이 생각해 보았다.

"자— 진이가 그 중국옷 입은 여자에게 마음이 끌리는 것은 확실하다. 교제는 앞으로 더 가까워지겠는데 만약 여의치 못하면 저 불 같은 성질에 가만히 있지를 않을 테니 그예 큰일을 저지르고야 말 것이다. 더구나 장가를 든 사람으로서."

진이의 일도 딱하려니와 실상인즉 자가 자신에게도 새로운 고민이 싹트기 시작하였다. 그것은 세정이 편지를 받은 뒤에 더욱 심해졌던 것이다.

상해까지 뛰어나와 이다지 고생을 하는 목적이 과연 무엇인가? 연애는 인생에게는 큰일인 것임에 틀림없다. 그러나 우리는 달콤한 사랑을 속삭이고 있을 겨를도 없거니와 큰일을 경륜하는 사람으로는 무엇보다도 여자가 금물이니 가장 큰 장애물이다. 도를 닦는 중과 같이 제몸을 간직하더라도 그 한 몸뚱이조차 의지할 곳이 바이없는 조선놈의 신세가 아닌가. 세정이가 오고 진이마저 그 여자와 관계가 깊어 간다면 우리 두 동지는 상해까지 연애를 하려고 원정을 나온 셈이다. 무슨 면목으로 다른 동지들을 대하겠는가? 변명할 도리조차 없다.

아아, 큰일을 위하여는 이 육신을 산 제물로 바치려고 맹세한 우리로서 해외에 나와 첫 번으로 착수한 사업이 연애란 말이냐?

아니다. 안 된다! 우리는 여자와 관계를 맺을 자격이 없다. 나도 없거니와 아내가 있는 진이는 더구나 없다. 어느 때든지 귀신도 모를 죽음을 하면 뼈도 찾지 못할 놈들이 아닌가?

동렬이는 가슴을 움켜쥐었다. 벌룽거리는 심장의 고동이 유난히 방아를 찧는다.

"세정이는 이 '하아트'를 이해할 이성의 동지다. 그밖에는 아무것도 아니다!"

그는 아랫입술을 깨물었다. 동지의 경계선을 넘어 혈기에 쏠리고 정욕의 노예가 된다면 그때는 성격이 파멸을 당하는 날이다. 한 개의 타락한 존재로는 내 몸을 살려두고 싶지 않다.

지금 세정의 몸을 실은 기차가, 혹은 기선이 각일각으로 이 땅을 향하여 달리고 있을 것이다. 그와 동시에 그 여자의 그림자가 내 머리 위를 엄습하고 있는 것도 사실이다. 그러나 일개 여자에게 사로잡힐 나도 아니다. 그를 악마와 같이 경계하리라. 얼음과 같이 쌀쌀하게 대하리라— 하고는 마른침을 삼켰다. 콘크리이트로 땅을 다지듯이 결심만은 무슨 일이 있든지 변하지 말리라고 몇 번이나 속으로 명세하였다.

어느덧 밤은 깊었다. 바람이 길거리의 낙엽을 몰아다가는 깨어진 유리창으로 우수수하고 끼얹는다. 멀리서 전차가 커어브를 도는 소리만 모기소리만큼 들릴 뿐…… 동렬이는 이불자락을 끌어서 진이의 어깨를 덮어 주고 그 곁에 누우며 다리를 뻗었다. 그 바람에 진이가 눈을 떴다. 속으로 아까부터 깨어 있었던 모양 같아. 네 활개를 벌리고 한바탕 기지개를 켜고 나서는 초침한 동렬이의 얼굴을 한참이나 바라보더니 별안간 바싹 달려들어 동렬이의 손믈 움켜쥐고는

“동렬이! ××운동을 하는 사람이 연애해두 괜찮은가? 여편네가 있어두 말이다……”

하고는 어머니에게 보채듯 “응? 응?” 하고 대답을 재촉한다.

“나 역시 해결 못 한 문제일세. 생각하는 바는 있네마는……”

더 길게 말하기가 싫은 듯이 돌아누웠다. 속으로는 ‘장래를 두고 보아라. 내 앞길부터 닦아 놓은 뒤에 네게 충고를 해야 성금이 서리라’ 하고 미리부터 말만 내세우기를 꺼렸던 것이다.

진이도 동렬의 대답을 더 취급하지 않았으나 초저녁에 취했던 술이 깨어서 눈이 말똥말똥해졌다.

꿍꿍이셈만 대는 저 친구에게 묻는 것이 쑥스럽다. 내 문제는 내 손으로 해결을 지어야지…… 그렇지만 사실인즉 나는 난생 처음으로 연애를 하는 것 같다. 첫사랑에는 생목숨도 끊는다더라만 사내자식이 계집애 하나 때문

에 죽고 산단 말이냐. 손아귀에 우그려 넣으면 고만이지…… 나중 일까지 생각하는 것은 주판(珠板)에 묻은 손때를 핥아 먹고 사는 놈이나 할 노릇이다, 하다가도 생각은 다시 지름길로 새었다.

나는 그 여자에게 대한 예비지식이라고는 아주 제로다. 상큼하게 패인 모가지에 날씬한 허리와 그리고 살빛이 희고, 또 그리고 야학의 출석부를 뒤져 보아서 배영숙이라고 적힌 그 이름밖에는 아무것도 모른다. 난 그 스마아트한 외모에 반한 셈이다. 그렇다. 그뿐이다. 이것이 연애일까? 세정이는 우리와 공통한 사상과 여무진 성격이 동렬의 영혼을 끌어당기지만, 영숙이는 그 매끈하고 보드라워 보이는 육체가 젊고 외로운 내 정욕을 유혹할 뿐이다. 물론 비교가 되지 않는다. 그렇지만 정신과 육체, 사랑과 정욕, 이것을 과연 사람이란 동물에게서 저울질을 하여 쪼개낼 수가 있을 것인가? 모르겠다. 난 모르겠다. 키스하는 순간에도 계집의 침 맛을 분석하려는 놈도 바보다. 되는 대로 되려무나.

진이 딴에는 어지간히 냉정하게 생각한 것이었다. 그러나 결국 그 문제에 대하여서는 일종의 숙명론자가 되고 말았던 것이다.

……그러다가 둘이 다 늦잠이 들어서 이튿날 오정 때나 돼서 밥집으로 갔다. 고리대금업자 같은 주인영감이 그날은 마주 나와 굽실거리며

"댁에서 전보가 왔다 보외다. 피차에 대한 옹색한 판에……"

하고 허리춤에서 전보를 꺼내 받들어 올린다. 진이가 보기에는 전보를 뜯는 동렬의 손이 약간 떨리는 것 같았다.

"금야 구 시 반 도착 예정"

뜻밖에 당한 일은 아니었지만 실상인즉 날벼락을 맞는데 진배없었다. 밥이 모래알을 씹는 것처럼 깔깔하였다. 진이는 "삼수갑산을 가더라도 먹고 볼 일이다" 하는 듯이 동렬이가 남긴 밥까지 찻물에 말아서 후룩후룩 마셨다.

"정거장에는 나가 보아야지, 초행인데……"

동렬이는 심상한 태도를 지으며 일어섰다. 입장권, 전찻삯, 짐이 있으면 인력거 삯, 두 사람이 마중을 나가서 세 사람이 들어오면 적어도 이원은 부스러진다. 이것이 우선 발등에 떨어진 불똥이었다. 그러나 이 원은커녕 단이 각(角)도 없었다. 진이도 슬그머니 걱정이 되건만 어제 저녁에 제 일을 묻는데 시원치 않게 대답을 한 것이 아직도 뱃속에 트릿해서 '생각한 바가 있다'는 사람이니 하는 꼴을 내버려두고 구경이나 하리라 하였다. 둘이 나ㅇ다가 동렬이는 잠자코 다른 길로 빠져나갔다. '×씨에게로 가는구나' 하면서도 진이는 못 본체하고 앞만 보고 걸었다.

한 시간이나 지난 뒤에 동렬이는 눈살을 펴지 못한 채로 돌아왔다. 그를 만나지 못한 눈치였다. 모자를 벗어던지고 이마에 송송 내배인 땀을 소맷자락으로 씻으면서도 꿀 먹은 벙어리처럼 입을 떼지 않는다. 진이는 힐끔힐끔 눈치만 보고 있다가

"나도 그동안 생각한 바가 있다."

하고 한마디 오금을 박고 나서 입고 있던 중국 두루마기를 훌훌 벗더니 뚤뚤 말아서 동렬의 앞에다 내던지며

"따-ㅇ(전당잡힌다는 말)하면 전찻삯은 될라."

하고 방백(傍白)하듯 한다.

진이의 체온이 채 식지 않은 옷자락을 뒤적거리던 동렬이는 두 눈이 승먹승먹해져서 고개를 돌렸다. 그 찰나에 동렬의 눈에서 눈물을 발견하긴 이번이 처음이었다.

동렬이가 정거장에 나간 동안에 진이는 담요 자락을 두르고 앉아서 저녁도 못 얻어먹고 덜덜 떨었다.

기차는 삼십 분이나 연착이 되었다. 승객들은 쏟아져 내리는데 세정은 그

림자조차 찾을 수 없었다. 동렬이는 객차 속으로 플랫포옴(出札口)으로 갈팡질팡하며 젊은 여자만 내리면 그 뒤를 밟았다.

"저것이 세정이다."

입속으로 부르짖으면서 한 여자의 뒤를 좇아가

"여보세요."

하고 불렀다. 홱 돌아다보는 것은 앞머리를 나불나불하게 자른 중국여자다.

"싸스티야(무슨 일이냐)?"

하고 톡 쏘아붙이는 바람에 멀쑥하여 돌아서려니 다리를 어느 쪽으로 떼어놔야 할는지 몰랐다. 삼등 찻간에서 맨 나중으로 레인 코우트를 입은 양장을 한 여자가 바스켓을 들고 찬찬히 층층대를 내렸다. 동렬은 무심코 그 앞을 지나쳐서 그 다음 찻간으로 달려가는 것을 그 여자는 좇아가며

"김선생님!"

하고 나직이 불렀다. 틀림없는 세정이었다. 두 사람은 팔을 벌리고 얼싸안을 듯이 달려들었다. 세정이는 두어 걸음 뒤로 물러서며 허리를 굽혀 공손히 예를 한다. 동렬이도 모자를 벗고 예를 맞았다. 어깨를 나란히 하고 구름다리를 건너면서

"저는 꼭 양복을 입윈 줄만 알았어요."

"나 역시 조선옷이나 중국옷을 입은 여자만 찾았습니다."

"상해는 서양 같다고 하길래 어울리지도 않는 것을……"

"따로 부쳤어요. 당장 입을 옷가지하고 이부자리뿐이에요."

이부자리를 가지고 왔다는 데 우선 안심이 되었다. 짐을 찾아가지고 나오려니까 왕뽀처(黃包車)군들이 벌 떼처럼 두 사람 앞으로 달려든다. 덮어놓고 올라타기는 했으나 어디로 가냐고 묻는 말에는 얼핏 대답이 나오지를 않았

다. 진이와 같이 있는 곳으로 데리고 갈 용기는 차마 나지 않았던 것이다. 동렬이는 불란서 조계로 가자고 명령하였다.

"참, 박진씨는 어디 계세요?"

인력거는 앞서거니 뒤서거니 하며 달린다.

"마침 볼일이 있어서 못 나왔습니다."

세정이는 '어디로 데리고 가는 셈인고?' 하면서도 주마간산 격이나마 전등불이 휘황한 시가 풍경에 상하좌우로 눈 굴리기가 바쁘다.

그동안 인력거는 황포탄 공원을 끼고 돌아서 불란서 조계로 접어들었다. 키가 멋없이 크고 이마에 수건을 칭칭 감은 인도(印度) 순사도 이상하거니와 송낙 같은 모자를 쓰고 방망이를 젓는 안남(安南) 순사도 허재비 같아서 우스웠다.

미구에 어느 조그만 여관 옆에 인력거는 머물렀다.

보이는 이층으로 올라가서 침대가 하나밖에 안 놓인 조용한 뒷방을 잡고 가방을 내려놓더니 눈을 찌긋찌긋하며 침대를 가리킨다. 두 분이 주무시는데 침대가 좁아도 괜찮으냐는 눈치다. 동렬이는 못 본 체 하였다.

"우리가 묵고 있는 데는 방 하나밖에 없어서……"

같이 가지 못하는 사정을 변명하였다.

두 사람은 탁자를 격하여 마주앉았다. 원체 둘이 다 말이 적은 사람이언만 그래도 만나기만 하면— 하고 벼르던 터이라 이야기가 혀끝에서 '나도 나도' 하고 튀어 나올 듯하면서도 좀체로 말문이 열리지 않았다. 너무나 무미한 듯하여

"저녁을 잡수셔야지요?"

하고 보이를 부르려고 한다. 세정이는

"싫어요. 속이 메시꺼워서 못 먹겠어요…… 그런데 신색이 퍽 상하셨구먼

요.”

“뜻밖에 큰 고생은 안 했습니다. 하여간 말도 모르는데 용하게 오셨습니다.”

동렬은 그제야 세정의 얼굴을 바로 쳐다보았다. 한쪽 눈은 매어 달려서 쌍꺼풀이 졌다. 그때에 보이는 차와 수박씨를 날랐다.

“어디나 다 내 집이거니 하고 나섰건만 뱃속에서는 퍽 들볶였어요. 풍랑도 심했지만 그자들은 여자에게는 더 짓궂게 굴더구먼요.”

동렬이는 여관에 며칠 묵는 것쯤이야 저 찬찬한 여자가 지니고 왔으리라고 마음을 놓았으나 세정이를 여관구석에다 혼자 두고 차마 발길을 돌릴 수도 없고 그렇다고 옆방에서 숙직을 하잘 수도 없다. 한편으로 저녁도 굶은 진이가 떨고 앉아서 궁금해 할 생각을 하니 더 오래 앉았기도 불안스러워 한참이나 머뭇머뭇하다가

“박군이 대단 궁금해 하겠어서 가 봐야겠습니다. 우리 있는 곳과 가까우니까 내일 일찍이 오지요.”

하고 모자를 집고 일어서며

“피곤하실 텐데 일찍 주무십시오.”

하고는 보이를 불러 무어라고 분부를 하였다. 세정이는 동렬이를 전송한 뒤에 방문을 안으로 잠그고 나서 침대 위에 펴놓은 이불을 걷어내고 가지고 온 자기의 자리를 끌러서 폈다.

자리 속에서 솜같이 피곤한 사지를 뻗으면서, ‘그이가 원체 잔재미는 없는 이지만 해외에 나온 뒤에는 더 거북해 졌구나’ 하였다.

나무판자 하나를 격한 곁방에는 아편을 빠는 남녀가 들어서, 밤새도록 침대바닥이 덜컹거리는 소리에 잠이 깊이 들지 못했다.

그 이튿날 아침이었다.

"나두 가보기는 해야 할 텐데 속옷 바람으로야……"

진이가 중얼거린다. 동렬이는 제가 입고 있던 두루마기의 단추를 끄르며

"이걸 입고 가게."

한다.

"이건 하나씩 번을 드나? 궁상떨지 말구 자네나 어서 가보게."

하고 쫓아가서 말렸다. '이런 때에 누구나 왔으면 껍데기를 벗기겠다만……'

하고 엉터리 부릴 궁리를 하였다.

"내 다녀오는 길에 변통을 함세, 안 됐네."

동렬이는 몹시 미안쩍게 여기며 세정의 여관으로 향하였다.

"이런 망할 놈의 팔자가 있나, 남은 연애를 하는데……"

진이는 추위를 쫓느라고 "하나 둘 하나 둘" 해 가며 저고리 바지가 한바탕 운동을 한다.

그때에 노크하는 소리가 났다. 문을 여니 ×씨의 집에 있는 '학의 다리'를 지녔던 청년이 들어선다. 진이는 '옳다구나' 하였다. 그 청년은 인조인간처럼 말없이 편지를 내놓는다.

"몇 번 찾아온 것을 이야기도 조용히 할 기회가 없어서 미안했으니 오늘 저녁에 두 사람이 와 달라"는 ×씨의 친필이었다.

"네, 알겠습니다."

고개를 끄덕이고 나서 진이는 그 청년을 붙잡고 속옷만 입고 앉은 전후 사정을 허풍을 떨어가며 가림새 없이 털어놓았다. 그 청년은 "나도 그런 경험이 있다"는 듯이 싱끗 웃는다. 진이는 그때를 놓쳐서는 안 될 것같이

"이것 큰일났쇠다. 당장에 나두 가봐야 할 일이 있는데 잠깐만 빌리시오."

하고는 다짜고짜 달려들어 포로병의 무장을 해체시키듯 외투를 벗긴다.

그 청년은 진이가 어찌도 서두르는지 얼떨떨해서 하는 대로 내버려두었다. 속바지 저고리 위에다가 외투를 두르고 나니 모양이 더 말씀이 아니다. 아래를 굽어보던 양복을 가리키며

"이왕이면 이것마저 벗어 주시오."

명령하듯 하고는 돌아앉아서 제 옷부터 부득부득 벗는다. 그 청년은 어처구니가 없건만 벌거벗고 대드는 사람을 어쩔 수가 없어 주머니 세간만 꺼낸 뒤에 양복을 벗어 입히고

"외툴랑은 두고 가시오."

하였다.

승마복에 뻔쩍뻔쩍하게 닦은 장화를 신고 큰 길로 떡 버티고 나서니 훌륭한젊은 사관이다. 진이는 일부러 구두소리를 내면서 세정의 여관으로 찾아갔다. 면도나 마저 했으면—하고 턱을 쓰다듬으면서 방문을 두드렸다.

들어서자 일어서 반색을 하는 세정에게 손을 불쑥 내밀며 악수를 청한다. 세정이는 미소를 띠면서 손을 주었다.

"이게 상해식입니다."

여자의 손을 쩔레쩔레 흔들고 나서 다리를 꼬고 비스듬히 걸터앉아서 이죽거리는 것을 보고 동렬이는 소매로 얼굴을 가리고 킥킥킥 웃었다.

'학의 다리'를 지닌 청년이 걸려들어, 껍데기를 벗고 어제 저녁의 진이 모양으로 앉았을 생각을 하니 웃음을 참을 수 없었다.

진이는

"어이 시장해, 조반 전이시지요?"

손뼉을 쳐서 보이를 불러 세 사람분의 아침을 시켰다.

…… 진이는 다섯 공기나 단숨에 먹고 나더니 혁대를 늦춰놓으며

"지금 우리들은 지내는 게 말씀 아닙니다. 한 달이 넘도록 외상 밥을 무쪽

같이 먹고……"

동렬이는 식탁 밑에서 진이의 발등을 몇 번이나 눌렀다.

"괜찮다. 속이다가 드러나면 더 창피하지."

하고는 더 굵은 목소리로

"실상인즉 이 내가 입고 온 양복도 잠깐 실례한 것이요, 주머니 속은 아주 빈털터립니다. 그런 줄이나 아십시오."

눈살을 찌푸린 동렬이의 눈치를 힐끔힐끔 곁눈질을 하면서 밥통 밑바닥을 득득 긁었다.

첫겨울 오후의 뉘엿뉘엿 넘는 햇발이 불란서 공원의 무성한 숲 사이로 부챗살같이 퍼졌다가 연당(蓮塘)의 잔잔한 물결 위에 눈이 부시도록 편편이 금비늘을 굴리고는 전깃불과 교대하여 지평선을 넘었다.

온 겨울 눈 구경을 하기 어려운 강남의 기후나 그 날 저녁은 겨드랑이로 스며드는 바람이 해빙머리와 같이 쌀쌀하면서 부드러웠다.

털외투를 벗어 들고 단장을 젓는 노랑머리들의 팔에는 숭어같이 매끈한 다리를 무릎까지 드러나는 짧은 스커어트 밑에서 비꼬며 비스듬히 매어달리는 젊은 계집이 반드시 따랐다.

저녁 안개 속에 게슴츠레한 전등불 밑으로 한 쌍 두 쌍 쌍쌍이 모여들었다가는 숨바꼭질을 하듯 으슥한 숲 사이로 흩어진다. 나무 끝을 희롱하는 바람 소린 듯 그들의 속삭이는 이야기는 들릴 듯 말 듯 귓바퀴를 간지럽힌다. 불란서 사람들이 모이는 구락부에서는 슈우베르트의 세네나데 독주가 이었다가는 끊어지고 한다.

동렬이와 세정의 그림자도 연당 가에 나타났다. 깨끗한 흰 옷이 검푸른 물속에 어른거려 더욱 청조해 보인다. 한참이나 돌아다닌 듯 구부러진 소나무 밑에 레인 코우트를 벗어 깔고 동렬이에게 앉기를 권한다. 발밑에서는 우거진 갈댓잎이 우수수 소리를 내며 주인을 반기는 강아지처럼 꼬리를 흔든다.

조금 있으려니 여기저기서 이상한 소리가 들린다. 그것은 연못 속의 금붕어들이 뛰어올라 던져 주는 미끼를 따 먹는 소리 같으나 구석구석에 숨어 앉은 남쪽 구라파의 젊은 남녀들이 정열을 식히는 소리였다.

동렬이는 그 곁에 수건을 깔고 앉으며 심호흡을 하듯 기다란 한숨을 내뿜는다. 그 한숨은 '우리가 언제까지나 이렇게 로맨틱한 풍경화 속에 들어 있을까?' 하는 달콤하고도 묵직한 탄식이었다.

세정이는 발끝으로 갈대 잎새를 가닥질하면서

"여기 형편이 그렇도록 한심한 줄은 몰랐어요. 무슨 파 무슨 파를 갈라가지고 싸움질ㅇㄹ 하는 심사도 알 수 없지만, 북도 사람이고 남도 사람이고 간에 우리의 목표는 꼭 한 가지가 아니야요? 왜들 그럴까요?"

"모두 각자 위대장이니까 우선 앞장을 나선 사람들의 노루 꼬리 만 한 자존심부터 불살라 버려야 할 것입니다. 다음으로는, 단체 운동에 아무 훈련도 받지 못한 과도기(過渡期)의 인물들이 함부로 날뛰는 까닭도 있지요."

"몇 시간 동안 말씀 들은 것만으로는 쉽사리 이해할 수가 없지만 제 생각 같아서는 그네들의 전날의 ××를 망해 놓던 그 버릇을 되풀이하는 것 같구먼요. 적어도 몇 만 명이 ×린 붉은 ×을 짓밟으면서 그 위에서 싸움이 무슨 싸움이야요?"

"나는 그들이 하는 일은 듣기만 해두 속이 상합니다. 가공적(架空的) ××주의! 환멸거리지요. 우리는 다른 길을 밟아야 할 것입니다……"

동렬이는 구두 뒤축으로 나무뿌리를 걷어찬다. 세정이는 몸이 다붙을 만큼 다가앉으며

"그 다른 길이라니요?"

하고 대답을 재촉한다.

"이 자리에선 말씀할 수 없습니다. 앞으로 기회 있는 대로 토론합시다."

그는 입을 다물어 버렸다.

두 사람이 이야기를 하는 동안에 진이는 세정이 덕택에 잡혔던 옷을 찾아 입고 두 사람의 뒤를 밟아오는 길에 몇 번이나 공원을 지키는 순사와 싸움을 했다. 공원 문 앞에 '개와 중국인은 들어오지 말라'고 써 붙인 간판을 보고 분개했던 것이다. 진이는 몇 번이나 격투를 한 뒤에 뒷문으로 빠져들어 왔다. 그때 마침 맞은 편 잔디밭 위로 어깨를 겯고 거니는 두 여자와 마주쳤다. 영숙이와 또 한 여자였다. 영숙이는 낯익은 진이에게 반사 운동적으로 가벼이 인사를 하며

"야학에 안 가십니까?"

한다.

"파수를 좀 보느라구요."

"네, 파수라니 무슨 파수야요."

"압다, 연애의 파수병정 말씀이요."

두 여자는 허리를 펴지 못하고 달음질을 쳤다.

세정과 영숙

그 날 밤부터 야학에는 학생 한 사람이 또 늘었다. 세정이도 다니게 된 것이었다. 진이의 소개로 세정이와 영숙이는 인사를 하였다. 영숙이는 만세 운동이 각 남녀 학교를 중심으로 불 일듯 할 때에 남대문 앞에서 잡혀서 난생 처음으로 경찰서 구경을 한 일도 있었고, 그 당시에 ××학당은 세정이가 지휘를 하고 있었으므로 연락을 취하던 동무들에게 '강세정'이란 이름만은 익숙히 들었었다. 그 이듬해 감옥에서 나올 때에 신문에 난 사진도 보아서 세정이가 어떠한 여자라는 것은 기억에 새로웠던 것이다.

공부는 제쳐놓고 피차에 상해까지 나온 동기며 앞일을 주거니 받거니 이야기하였다. 세정이는 영숙의 재빠른 어조로 물 퍼붓듯 하는 이야기를 귀담아 듣기만 하는데, 영숙이는 세정이를 믿음성스럽게 보았던지 나중에는 머리에 기름을 바르고 다니는 남자가 뒤를 밟으며 성가시게 군다는 이야기까지 일사천리로 쏟아놓았다. 같은 여자면서도 수다스러운 사람을 싫어하는 세정이건만 영숙이가 첫눈에 자기에게 호감을 가지고 속을 주는 것이 한편으로는 고맙기도 하고 종달새같이 애티 있는 목소리와 솜씨 있는 말에 재미가 나서 웃음을 참으며 들었다. 영숙이는 서울 어느 유여하게 사는 기독교 장로의 무남독녀로 아버지를 따라 상해까지 왔다가는 아버지는 한 달 전에 ××정부의 어떠한 사명을 띠고 하와이를 거쳐 미주로 건너간 뒤에 홀로 떨어져서 오는 봄 학기에는 음악학교에 입학을 하려고 그 준비를 하고 있는 중이었다.

야학이 파해서 나올 때에 영숙이는

"언니! 참 인제부터는 세정씨를 언니라고 부를 테야요. 괜찮지요? 나보다는 두 살이나 위가 아니세요? 그런데 지금 우리 집으로 놀러 가지 않으시겠어요? 퍽 조용한 데야요. 참 같이 있던 이도 내일 아침에 남경(南京)으로 떠나게 됐어요. 아까 짐까지 옮겨 갔는데, 그러니 나 혼자 외로와서 어떻게 지낼지 몰라요. 형님! 나하고 같이 있지 않으시겠어요? 여관에는 오래 있을 데가 못 됩니다. 단둘이 밥을 지어 먹고 살면 재미나지요. 아버지가 주고 가신 것이 있어서 얼마동안 지내기는 괜찮아요."

세정이는 대답하기를 망설였다. 동렬이가 어떻게 생각할는지도 모르거니와 저렇게 고생을 모르고 자라난 여자와 같이 있으면 속이 상할 것 같았다. 그러나 그 대신에 처녀답고 순진한 점이 동생처럼 귀엽기도 하였다.

진이와 동렬이는 ×씨의 집으로 가느라고 중도에서 여자들과 헤어지고 세정이도 영숙의 뒤를 따라갔다.

"글쎄요. 나도 하루바삐 거처를 정해야 할 텐데 마땅한 데가 없어요. 그렇게까지 말씀하니 퍽 고맙구먼요. 내일 저녁에 회답해 드리지요."

한참이나 생각해 본 뒤에 친절히 대답하였다.

영숙이가 묵고 있는 집은 그의 아버지와 숙친한 친구의 아내만이 지키고 있는 집으로, 그 위층이 영숙이가 쓰는 방이었다. 커다란 철침대가 놓였고 새털베개와 값진 서양 이부자리며 방 안을 꾸며놓은 것이 분수에 과한듯하였다. 테이블 위에는 만돌린과 보표가 어지러이 놓였고 벽에는 <알마 꾸룩>이니 <까르그르치>니 하는 이름난 여류 음악가들의 사진이 걸렸다.

영숙이는

"혼잣살림이 돼서 아쉬운 것이 많아요."

하면서 석유풍로에 불을 켜 커피를 끓여 대접한다.

베개 밑에 감추고 몰래 먹던 초콜렛도 꺼내놓았다.

“저기다가 침상 하나만 놓으면 우리 둘이는 넉넉히 지냅니다. 이건 아버지가 쓰시던 침대구요, 내 것은 또 하나 있어요.”

하고 침상으로 깡충 뛰어오른다. 용수철의 쿠션이 녹신녹신한 세정의 몸을 싣고 가벼이 아래위로 까불어 준다.

…… 밤이 이슥해졌건만 길을 모르는 세정이는 두 사람 중에 누구나 와서 데려다 주기를 기다리고 있었다. 열두 시나 되어서 문을 두드리는 소리가 났다.

“밤이 늦었는데…… 여자의 방에— 실례합니다. 네, 실례합니다.”

연해 연방 굽실거리며 들어오는 진이었다. 영숙이는

“들어오십시오. 괜찮습니다.”

하고 반기면서도 얼굴은 빨개졌다. 동렬이는 ×씨의 집에서 무슨 의론이 그저 끝이 나지 않아서 궁금해 할듯하여 먼저 데리러 왔다는 말을 진이는 세정이에게만 하였다. 진이가 두리번거리며 방 치장을 둘러보는 동안에 영숙이는

“저이가 형님의 파수병정이야요?”

하고는 세정이의 옆구리를 꼭꼭 찔렀다.

그런 지 며칠 뒤에 세정이는 영숙이의 집으로 짐을 옮겼다. 처음에는 동렬이가 반대를 하였다. 그것은 첫째 진이와 영숙의 사이가 더 가까워지게 될 것을 염려한 까닭이었다. 그러나 비용도 많이 나려니와 온갖 잡탕패들만 드나드는 여관구석에 젊은 여자 혼자 기거를 하는 것도 재미적거니와 그렇다고 한 집에서 동거를 할 수도 없는 사정이라 어련히 알아서 하랴 하도 굳이 말리지는 못했다.

동기가 없이 고독하게 자란 영숙이는 진정으로 세정이를 형과 같이 섬겼

다. 아침 일찍이 일어나서는 두 손을 혹혹 불어가며 쌀을 일어 손수 밥도 짓고 창피해서 나가지 못하는 줄만 여겼던 채장에도 바구니를 끼고 예사로이 반찬거리를 사러 다니게 되었다.

어쩌다가 동렬이도 만나지 못하는 날이면 세정이가 울적해하는 눈치를 보고 만돌린을 뜯으며 찬송가를 불러서 들려주었다. 쉬운 찬송가면 세정이도 나직이 합창을 하였다.

"영숙이는 음악에 퍽 소질이 있어요."

하고 칭찬을 해 주면

"무얼 언니두…… 비행기를 막 태우는구료."

하면서 가장 좋아하는 <깊은 데 숨은 장미화야>도 부르고 <조스란>의 자장노래는 눈물까지 글썽글썽해지면서 불러 주었다.

…… 세정이가 짐을 옮기던 그 이튿날 저녁때였다.

동렬이와 진이는 다른 일로 숙소에는 들르지 못하고 바로 밥집으로 갔었다. 문을 들어서니까 날마다 욕설까지 해 가며 밥값을 졸라 대던 주인이 눈살을 펴고 나오며 고맙다는 인사를 한다. 두 사람은 까닭을 몰랐다. 주인의 말을 듣고 보니 오후에 여자 둘이 찾아와서 그 중에 조금 나이가 들어 보이는 여자가 두 사람의 밀린 밥값을 갚아 주고 갔다는 것이다. 진이는

"거— 안됐군, 미안한걸."

하면서도 여전히 저 먹을 것은 다 찾아 먹는데 동렬이는 그 밥이 모래알같이 깔깔하였다. 자기 집도 구차한 줄 아는데 가지고 나온 돈도 얼마 남지 못했을 걸, 더구나 턱없이 여자의 신세를 지다니…… 하고 몇 번이나 입맛을 다셨다.

그날 밤 야학에서 세정이를 만나서,

"감사합니다. 뵈올 낯이 없소이다."

하고는 '무엇으로든지 호의를 갚아 드리지요' 하는 말이 뒤를 대어 나오는 것을 끌어들였다. 세정이는

"그런 말씀을 왜 하세요? 실례인 줄은 알지만 그만 것에는 네 것 내 것이란 관념이 없습니다."

냉정히 대답하고는 중국말 책을 펴들고 전에 배우지 못한 고정을 딴전을 붙이듯이 듣는다. 그 사이에 진이는 영숙의 곁자리에 앉아서 중국말이면 내가 낫게 한다는 듯이 영숙에게 이것은 순치음(脣齒音)이요, 그것은 권설음(捲舌音)이요 해 가며 발음을 가르쳐 주고 있다. 그동안 머리에 기름 바른 남자의 눈총이 몇 번이나 진이의 머리 위를 스치고 지나갔다. 정식으로 인사도 안 하고 슬그머니 넘어갔건만 극히 자유로운 분위기는 그들로 하여금 며칠 동안에 서로 웃고 이야기할 만큼 사이를 가깝게 하였다.

야학이 끝난 뒤에 두 사람은 두 여자를 집 앞까지 바래다주고 숙소로 돌아왔다. 문을 열고 보니 방 안에 적지 않은 변동이 생겼다. 진이는 남의 집으로 잘못 들어오지나 않았나 하고 눈이 휘둥그레졌다. 새것은 아니나마 널따란 침대가 놓이고 그 위에는 두툼한 이불이 깔렸다. 또 그 위에는 베개들이 나란히 놓였는데 조그만 종이쪽지에 아래와 같은 글월이 적혀 있다.

"자리는 좁지만 두 분이 끓어 당기지 마시고 의좋게 주무십시오."

그리고 그 끝에는 "주인 없는 방에 몰려 들어온 사람 C·Y"라고 만년필로 곱다랗게 쓴 여자의 글씨였다.

세정이는 그들이 거처하는 모양을 보살피기로 하고 인사도 할 겸 한 번 찾으려 하였으나 오라는 말도 없는데 여자 혼자 찾아가기가 무엇해서 주저하던 차 그 날 오후에는 영숙이를 앞장을 세우고 찾아갔었다. 마침 두 사람이 나가고 없는데 포대기만한 자리가 깔렸을 뿐이요, 도적맞은 집 모양으로 방 안은 텅 비어서 찬바람이 돈다. 침대를 실어다가 기부하고 세정이는 이불

한 채를 사서 지워 가지고 왔다가 내친걸음에 밥값까지 치러 주었던 것이었었다.

두 사람은 어안이 벙벙하여 마주 쳐다볼 뿐이었다. 한참 있으려니 등덜미가 으스스해져서 새 이불 속으로 기어들지 않을 수 없었다. 진이는 머리만 긁적긁적 긁고 있는 동렬이를 보고

"자네 처덕을 나까지 처덕처덕 입네그려."

한 마디 비위를 긁어 주고는 이불자락을 끌어 덮고 돌아누웠다.

그 이튿날 저녁은 선생의 결석으로 야학은 모이기만 했다가 흩어졌다. 두 사람이 날마다 오후면 출근하듯이 가는 ×씨의 집에도 두 번씩 들르기는 어려웠다. 큰 길로 나서면서 진이는 동렬이의 옆구리를 찌르며

"여보게, 이사한 뒤에는 가 보지도 못했고 자네와도 달라서 나야 고맙다는 인사 한 마디쯤은 해야 옳지 않겠나? 우리 잠깐 그 집에 들르세."

하며 팔을 끌어당기었다.

동렬이는 '이놈 인사가 그리 급하냐?' 하면서도 실상인즉 저 역시 가 보고 싶던 터이라 다른 길로 한참이나 돌아서 마지못해 끌려가는 체 하였다. …… 세정이는 책을 읽고 영숙이는 털실로 자켓을 짜고 있었다. 동렬이는 세정이가 보다가 감추는 붉은 겉장을 한 책을 힐끗 보았다. 로오자 룩셈부르크(독일의 유명한 사회주의 여성으로 관헌의 손에 참혹이 죽은 사람)의 전기를 적은 것이었다.

둘이서 번차례로 치사를 하고 나니 좌석은 피차에 무료해졌다. 그렇다고 시국에 관한 이야기나 정치담을 꺼낼 수도 없었다. 이런 때에는 진이가 내달아서 연극 한 막쯤은 꾸미련만 영숙이 앞에서는 수줍은 모양이다.

그때에 문 밖에서 두런두런하더니 형식으로만 문을 두어 번 두드리고는 머리에 기름을 바르고 다니는 청년이 "굿 이브닝" 하고 들어선다. 다른 남자들이 있는 것을 보고 주춤하고 물러서는 것을 영숙이가

"들어오십시오. 다 동학하는 사인데요. 참, 그저들 인사가 없으셨던가요?"

너스레를 놓으면서 두 사람에게 인사를 시킨다. 그날 저녁에는 홍두깨 기름 냄새가 유난히 풍겼다. 진이는 그 냄새가 맡힐 때마다 말 모양으로 코를 씰룩씰룩한다.

진이는 끝으로 악수를 하게 되었는데 어찌나 몹시 쥐고 흔들었던지 그 청년은 '아야야!' 하고 소리를 지를 뻔하였다. 그의 이름은 조상호라고 불렀다. 서울서 영숙이와 같은 예배당에서 찬양대에 끼어서 테너로 한몫을 보았고, 영숙이가 독창을 할 때면 반드시 상호가 풍금반주를 하였다. 그 역시 고생모르고 자라난 응석받이로 영숙이에게 은근히 연정을 두고 지낸 지도 여러해 되었고 상해로 나온 것도 영숙이를 못 잊어 뒤를 따라온 것이었다. 동렬이와 세정이는 해끄무레하게 생긴 남자가 여자만 거처하는 방에 무상시로 출입하는 것이 못마땅해서 한편 구석에서 책만 뒤적거린다. 영숙이는

"왜 그렇게 이야기도 않고 앉으셨어요."

하고는 진이와 조상호를 좌우편으로 갈라 앉히더니 두 사람의 연인 중에 하나를 점쳐내던 애급의 여왕처럼 트럼프를 꺼냈다.

"심심하니 우리 이거나 장난할까요?"

하고 세정의 눈치를 본다. 먼저 달려든 것은 진이었다. 화투판이 벌어져 도둑놈 잡기를 하는데 노래 한 마디씩 하는 내기였다. 맨 먼저 걸린 것이 조상호다. 그는 일어서서 두 손을 쥐어 가슴에 대고 스테이지에나 나선 것처럼 뽐내며 그의 단골인 듯한 리골레토를 불렀다. 간드러진 목소리에 얄상궂은 표정을 보고 진이는 '조놈의 것두 사내자식으로 생겨먹었다?' 하였다.

그 다음 도둑놈은 동렬이었다. 이 멋없는 친구의 아는 것이라고는 학교의 교가와 <미레도레 미 쏠쏠>에 맞춘 ××가뿐이었다. 한참 사양을 하다가 그

나마 반도 못 부르고 주저앉았다.

세정이는 약살 빨리 조우커를 돌려서 한 번도 걸리지 않고 쏙쏙 빠지는데 그 다음에 걸려든 것은 진이다. 그는 벌떡 일어서며 우렁찬 바리톤으로 내뽑는 서슬이 그럴듯하더니 "산악이 잠영하고 음풍이 노호한데……" 하고는 시들어져 버린다. 이 친구도 음악에는 솜방이었다. 진이는 심통이 나서 세정에게 눈짓을 하여 영숙에게로 도둑놈을 돌렸다. 석양판에 매미소린 듯 <메기의 노래> 한 곡조를 속눈썹이 기다란 은행꺼풀 같은 눈을 아래로 살살 감으면서 피아니시모로 은실을 뽑듯이 불렀다. 동렬이도 세정이도 손뼉을 쳤다.

그 다음에는 팔뚝 맞기를 시작했다. 대번에 영숙이가 졌다. 상호는 영숙의 희고 매끈한 살을 조심스럽게 받들고 때리는 흉내만 내었다. 영숙이가 연거푸 또 졌다. 이번에 형(刑) 집행자는 진이였다. 남의 팔을 때리는데 제 팔부터 걷고 덤비는 바람에 영숙이는 겁이 나서 움질움질 꽁무니를 뺀다. 진이는 영숙이의 손목을 덥석 뒤더니 떡메로 흰떡을 치듯이 인정사정없이 처덕처덕 이겼다. 그래도 영숙이는 안간힘을 쓰고 꽁꽁 참는데 곁에서 상호가 눈살을 찌푸리며 대단히 안타까워하는 모양이다. 진이는 힐끗 쳐다보며

"왜 노형의 가슴 속이 찌르르하오?"

하고는 화투를 다시 탁탁 쳐서 돌렸다.

그날 밤 자정이 넘어서 헤어진 후 영숙이는 이상히 흥분이 되어 눈이 감기지를 않았다. 보드라운 새털 베개에 머리와 어깨를 파묻고 반듯이 누우며 두 다리를 쭉 뻗었다. 나른한 피곤이 전신의 곡선을 어루만지며 흘렀다. 연둣빛 삿갓을 씌워놓은 등불 밑에서 진이게 얻어맞은 팔을 꺼내 보고는 싹싹 비볐다. 손가락 자국이 또렷이 나고 피가 맺혀 빨개졌다. 옆 침대에서 책을 읽으며 잠을 청하는 세정이도 팔을 쥐고 커다란 하품을 조그맣게 씹으며

"아이 가엾어라, 내 호오호오 불어 줄까?" 한다.

"어쩌면 그이가 그렇게 무지스럽게 때릴까요? 난 그이처럼 무지스럽게 생긴 남자는 처음 봤어요."

"그래도 그 조씨보다는 사내답지 않어? 박진씨는 쾌활하고 모험성이 있어 남의 앞장을 서서 큰일 한 번을 할 사람 같어요."

하며 세정이는 돌아누웠다. 영숙이는 상호와 진이를 두 손바닥에 올려 앉히고 마음속으로 달아 보았다. 조가보다는 진이가 훨씬 무게가 더 나갔다.

실상인즉 다른 여자보다도 성(性)에 조숙한 영숙이는 애가 마르도록 따라다니는 상호에게 여러 번이나 마음을 허락할 뻔하였다. 맵시가 똑똑 듣는 양복 스타일이며 양초로 빚어낸 듯한 용모로 제 곁에 세우기에 부끄럽지 않거니와 주야로 꿈을 꾸고 있는 성악가로 이름을 날리게 되는 날이면, 제 감정과 기량을 잘 이해하는 상호와 같은 반주자가 반드시 필요하다고 생각하였던 것이다.

그러나 그것만으로 험난한 인생의 길을 서로 의지하고 걸어 나아갈 진실한 반려가 되지 못하리라고 생각하기 전에 앞으로 상호보다 더 훌륭한 남성이 나타나면 어찌할까 하는 일종의 허영심으로 당분간 숙제는 풀지 말고 내버려두리라 하였던 것이다.

한편으로는 그와 반대로 운동장에 가면 볼 수 있는, 체격이 건강하고 팔다리의 근육이 살아서 꿈틀거리는 씩씩한 남자, 검붉은 혈색의 주인공을 배우자로 상상해 본 적도 있었다. 그런 남자와 살면 얼마나 마음에 든든하고 믿음성스러우랴 하였다. 그러나 그런 생각도 하늘거리는 생초 모기장 바깥으로 초생 달을 내다보는 듯한 환상, 즉 성악가가 돼야 만 사람의 시선을 받으며 일제의 인기를 한 몸으로 끌어 보겠다는 욕망 때문에 깨뜨려지고 말았던 것이다.

—잠은 어렴풋이 들려는데 천정 위에서 진이가 커다란 눈을 부릅뜨고 내

팔에 와 안겨라 하며 젖가슴을 내려누르는 듯하여 영숙이는 이불자락을 끌어당겨서 얼굴을 덮었다. 이번에는 시꺼먼 양자강의 물결이 용솟음치는데 실연당한 상호가 고국으로 돌아가는 기선 갑판 위에서 뛰어내려 자살을 하는 꼴이 눈앞에 선하여 몸서리를 쳤다.

훈둔 장수의 딱딱이 치는 소리도 끊겼을 때에는 밤은 삼경도 넘은 모양이다. 바람이 창 밖에서 드설레는 소리에 소름이 오싹오싹 끼쳐서 영숙이는 이불 속으로 자꾸만 파고들어갔다.

…… 그와 같은 시간에 진이도 잠이 들지 않았다. 영숙의 손목을 꼭 쥐고 끌어당기는 찰나에는 그야말로 전기가 통한 듯이 전신이 찌르르하였다.

사막을 걷는 듯이 메말랐던 신경 줄에 불이 붙는 듯 잠들었던 젊은 사나이의 정열을 끌었다. 가슴이 울렁거리며 상기가 되어 얼떨결에 힘껏 후려갈겼던 것이다. 그러나 나주에 생각하니 무안스럽고 가엾기도 하였다.

영숙이는 아직도 천진하다. 종달새와 같이 재치 있는 예쁜 처녀다. 피어오르는 풋솜 같아서 마음대로 반을 지을 수도 있고 또한 끊어지지 않은 비단 옷감 같아서 소용 닿는 대로 마름질을 할 수도 있었다. 더구나 세속에 더럽히지 않은 마음바탕은 검든지 붉든지 간에 물을 들일 수도 있으리라 하였다 '돼지에게 진주는 물리지 않으리라. 상호란 놈에게 유혹당하는 것을 보고 있을 나는 아니다. 우선 그의 허영심을 깨뜨려 주리라. 우리와 손을 맞붙잡고 설 수 있는 새 시대의 여성을 만들어 놓고야 말리라……' 하고 진이는 제 자신의 힘을 믿었다.

새로운 길

네 사람의 관계가 점점 복잡하게 얼크러져 가는 동안에 한 달이 가고 두 달이 지났다.

그 사이에 동렬이는 불란서 공원에서 세정에게 언명한 바와 같이 새로운 길을 밟을 준비를 하고 있었다.

그 '새로운 길'이란 여기서 작자가 그 역로를 길게 설명을 하지 못한다. 그러나 동렬이와 진이가 여러 달 동안 ×씨의 집을 출입하여 여러 사람 틈에 끼어서 지극히 엄숙한 태도로 토론하고 세밀히 사색하는 동안에 시국에 관한 의견이 서로 맞고 장래에 취할 방책과 이상이 부합되었던 것이다.

그렇게까지 되기에는, 구 청년이 평소에 보아 온 해외에서 운동을 하는 사람들의 대개가 일시에 흥분되었던 기분에 너나 할 것 없이 들떠서 군중 심리와 같은 감정만을 가지고 그나마 중구난방으로 날뛸 뿐이요, 좀 더 깊게 뿌리가 박힌 근본 문제에 들어가서는 서로 등한하였던 것을 깨달은 것이었다.

열병에 걸려 펄펄 뛰는 사람의 행동이라서 신열이 내리고 이마가 식어서 사물의 인과 관계(因果關係)를 냉정히 살필 때에는 회복할 수 없는 후회만이 뒤를 따르지 않을 수 없었다. 그네들은

"우리는 ××××와 같은 대우를 받는다—"

하고 부르짖으며 분개는 할 줄 알았으나 어째서? 무엇 때문에? 그렇게까지 되었나 하는 원인을 역사적으로 고찰하고 반성할 여유를 가지지 못 하다.

따라서 상대자를 대항하기에는, 빈 입으로만 대들고 글발을 박아 돌리는 수단쯤으로는 너무나 우리의 힘이 비교도 할 수 없이 미약한 것을 깨닫지 않을 수 없었다. 그때는 벌써 실망과 환멸이 커다란 입을 벌리고 달려들고 있었던 것이다.

×씨를 중심으로 동렬이과 진이와 그리고 그들의 동지들은 지난날의 모든 관념과 '삼천 리 강토'니 '이천만 동포'니 하는 민족에 대한 전통적 애착심까지도 버리고 새로운 문제를 내걸었다.

그 문제 밑에서 머리가 터지도록 싸우듯 하여 몇 달을 두고 토론하였다.

'왜 우리는 이다지 굶주리고 헐벗었느냐.' 하는 것이 그 문제의 제목이었다. 전 세계의 무산대중이 짓밟히는 것이 모두 이 문제 때문에 신음하고 있는 것이 확실하다. 이 문제를 먼저 해결치 못하고는 결정적 답안이 풀려나올 수가 없다. 따라서 이대로만 지내면 조선의 장래는 더욱 암담할 뿐이라 하였다.

'어 ××를 받느냐?'

하는 문제는

'왜 굶주리느냐?' 하는 문제와 비교하면 실로 문젯거리도 되지 못할 제삼제사의 지엽 문제요, 근본 문제가 해결됨을 따라서 자연히 소멸될 부칙과 같은 작은 조목이라 하였다.

— 과학적으로 또는 논리학적으로 설명은 되지 못하여 대단히 간단하나마 그럭저럭하여 그 당시 그곳에 재류하던 일부의 지도자들과 또 그들을 따르는 청년들은 앞으로 나아갈 목표를 바꾸고 의식을 전환하였던 것이다.

그 새로운 길로 전환하기 위해서는 무엇보다도 굳은 단결과 세밀한 조직이 필요하였다.

얼마 후에 동렬과 진이와 세정이는 ×씨가 지도하고 모든 책임을 지고 있는 ○○당 ××부에 입당하였다. 세정이는 물론 동렬의 열렬한 설명에 공명하고 감화를 받아 자진하여 맨 처음으로 여자 당원이 된 것이었다.

…… 어느 날 깊은 밤에 ×씨의 집 아래층 밀실에서 세 사람의 입당식이 거행되었다. 간단한 절차가 끝난 뒤에 ×씨는 세 동지의 손을 단단히 쥐며(그때부터 '동포'니 '형제자매'니 하는 말을 집어치우고 피차에 동지라고만 불렀다)

"우리는 이제부터 생사를 같이할 동지가 된 것이요! 동시에 비밀을 엄수할 것은 물론, 각자의 자유로운 행동은 금할 것이요. 당의 명령에 절대로 복종할 것을 맹세하시오!"

하고 다 같이 ×은 테를 두른 ××의 사진 앞에서 손을 들어 맹세하였다. 그 후부터 그들의 생활비는 약소하나마 ×씨의 손으로 보장되었다.

그 뒤로부터 ×씨는 동렬이와 진이를 신임하여 당의 중요한 일까지 맡겼다. '아라사'를 가겠으니 소개장을 써 달라는 둥, 밥을 굶으니 동정을 하라는 둥 온갖 핑계거리를 장만해 가지고 오는 수많은 청년들 가운데 끝까지 신의를 지키는 사람은 별로 보지 못하였다. 도리어 외국 사람들에까지 신용을 잃고, 심하면 ×씨의 신변에 적지 않은 누를 끼쳐 주는 사람이 대부분이라 해도 과언이 아니었다.

두 사람의 위인은 거듭 말할 필요도 없거니와 ×씨가 동렬이를 처음 대한 때에는 사나이로 내뛸성이 적은 것 같았으나 여러 다를 두고 같이 지내오는 동안에 시속 청년들에게서는 볼 수 없는 미덕을 발견하였다. 무엇보다도 몸가지는 것이 침착하고 두뇌가 면밀하여 책임비서감이라고 하였다. 그와 반대로 진이는 사람 된 품격이 걱실걱실하여 겉으로 보기에는 덤벙대는듯 하나 의롭지 못한 일을 보면 물불을 가리지 않고 싸움터로 나설 수 있는 정의감이 굳센 용감한 청년이라 군인재목이라고 하였다. ×씨는 동렬이를 믿고 진이는 그 성격을 사랑하였다.

나이 육십이 가깝도록 슬하가 고적하여 일점의 혈육과도 생이별을 한 ×씨는 세정이를 친딸과 같이 사랑하였다. 세정이는 홀로 늙은 시아버지를 모시듯 틈 있는 대로 빨아 나르고 음식범절까지 보살펴 들렸다. 동렬과의 관계도 눈치를 채고 있는 능갈진 노인이라 '너의 둘이 다 내강한 사람이 되어서 앞으로 좀 갑갑하리라' 하면서도 두 남녀가 하루 바삐 꽃다운 인연을 맺었으면 하고 속으로 축복하였다. 그러나 좀 더 두고 시기를 엿보아 중이 제 머리를 깎지 못하는 경우에는 내 손으로 매듭을 맺어 주리라 하였다.

또 한편으로는 진이는 영숙이마저 동지로서 결합하지 못한 것이 섭섭하였다. 그러나 영숙이는 아직도 두드러지게 개성에 눈을 뜨지 못한 것과 예수교의 장로인 그의 아버지와 ×씨는 사상적으로 정반대편에 서 있는 터라 영숙이가 여간해서 ×씨의 눈에 들어서 어린 동지로 인정을 받기는 어려울 것을 알고 문제를 삼지 않았다. 그러나 '조만간 영숙이마저 우리 그룹에 끓어넣고야 말리라' 하는 것은 진이의 야심이었다.

그럭저럭 또 몇 달이 달음박질을 쳤다. 조용히 수양을 하기에는 ×씨의 집단 이목이 번다하여 이따금 재미없는 놈까지 출입한다는 소문이 나서 조심스러웠다. 그네들 몇몇 동지는 으슥한 중국 조계에다가 집 한 채를 빌었다. 우선 비밀히 출판되는 각종 팜플렛과 내외의 신문 잡지를 모으는 것이 그들의 일이었다. 아침부터 책 속에 파묻혔다가 저녁때에야 만터우 한 개씩으로 끼니를 때우는 날도 많았다.

세정이는 동렬이가 지시하는 대로 스크랩북에 무산계급 운동에 관한 기사를 오려 붙이기도 하고, 세계 약소민족의 분포와 생활 상태며 지역을 따라 생산과 소비되는 비교표를 꾸며 나아갔다. 그보다도 더 복잡한 각 도시의 공장 노동자들의 노동시간과 임금 기타에 관한 통계를 세밀하게 뽑는 것이 한

가지 학과였다. 또 어떤 날에는 콤파스 질을 해 가며 인도나 아일랜드 같은 나라의 지도를 진종일 그리느라고 눈이 캄캄하고 머리가 몹시 아플 적도 있었다.

그러는 동안에 진이는 밖으로 돌아다니며 각처에 연락을 추하는 외무를 맡아보았다. 저녁마다 꾸준히 계속하는 중국말 강습에는(그동안 학생 수는 반이나 넘어 줄었지만) 상치되는 일이 있으면 대표로 다녀와서 여전히 꺼떡거리며 두 사람의 선생 노릇을 하였다.

그뿐이라면 그다지 바쁘지는 않을 터인데 영숙의 행동을 감시하는 것이 큰일이었다. 틈이 있는 대로—가 아니라, 없는 기회를 만들어 가지고 찾아가서는 한바탕씩 연설을 해주고 돌아왔다. 그 연설의 내용은 지난밤에 읽을 되풀이하는 것이었다. 열렬한 웅변이 영숙의 귀에는 어렵기는 하나 모두 새롭고 그럴 듯한 말이었다.

그러다가 조상호와 마주치는 날이면, 짓궂게 끝까지 뭉개고 앉아서 세정이가 돌아오기 전에는 먼저 일어서는 법이 없었다.

싹트는 사랑

겨우내 음산하고 침침하던 상해의 하늘에도 봄기운이 떠돌았다. 아침저녁으로 문틈을 새어드는 실바람이 살에 부딪쳐도 쌀쌀치 안하고 벌써 중국 사람의 집 추녀 끝에는 조롱(鳥籠) 속의 종달새들이 새봄을 맞고자 목청을 가다듬었다. 거리에서 가화(假花) 장수들의 땡그랑땡그랑하는 쇠북 소리에 옹기종기 모여들어 제비같이 재깔거리는 한 두릅 두 두릅은 이웃 나라의 귀여운 아이들이다.

……세정의 가슴 속에도 새봄이 싹트기 시작하였다. 동렬에게 위안을 받고 ×씨의 총애를 입어 기나긴 해외의 첫겨울을 그다지 쓸쓸한 줄 모르고 지냈다. 그러나 동지로서의 위안이나 늙은 선배의 귀염을 받는 것쯤으로는 도저히 만족할 수 없는 오뇌가 마음 한 구석에서 움돋기 시작하였던 것이다.

어느 날 오후였다. 동렬이는 밖에 나가고 진이는 ×씨의 심부름으로 남경에 가서 돌아오지 않았다. 그 날 세정이는 저녁때까지 홀로 집을 지키고 있었다. 우중충한 방 안에는 오후의 햇발이 가로 세로 질려서 뽀얗게 먼지를 풍기고 유리창에 반사된 광선이 아롱아롱 오색의 무늬로 수를 놓았다. 맥 놓고 앉았으려니 이웃집 소녀가 군소리처럼 강남의 민요를 읊는 소리가 담을 넘어 들려온다. 세정이는 턱을 괴고 가늘게 한숨을 내쉬었다. 고국이 그리운 생각이 불현듯 났던 것이다.

이맘때쯤 우리 고향에는 바구니를 낀 계집애들이 벌판에 널려서 냉이를 캐느라고 자줏빛 댕기를 날리고, 나무 하러 동산에 오른 머슴애들은 산기슭에서 버들피리를 구슬프게 불렀다. —시냇가 잔디밭에는 바둑이란 놈이 뒹굴고 우리 집 싸리문에는 우리 어머니가! 가엾은 홀어머니가 기대서서 나를 생각하시겠지…… 하루갈이밖에 남지 않은 밭까지 몰래 팔아 가지고 온 이 불초한 딸의 안부조차 모르고서 어제도 오늘도 낮과 밤을 이어 눈물에 젖으셨으리라— 생각이 여기까지 이르러서는 시름없는 눈물이 방울방울 손등 위에 떨어졌다.

이웃집 계집애의 노래 소리는 끊었다 이었다 하며 그 곡조는 더욱 애련하다. 세정이는 떨리는 목소리로 나직이 뽑아

내 고향을 이별하고 타관에 와서
적적한 밤 홀로 앉아 생각을 하니
아아 답답한 마음 뉘라서 위로해 주나?

우리 집을 떠나올 때 내 어머님이
눈물을 흘리며 잘 다녀오라 하시던
그 말씀
아아 귀에 쟁장하구나!

망향가는 끝을 마치기도 전에 눈물이 앞을 가려서 얼굴을 파묻었다. 튼튼하던 사람이 병이 나면 호되게 앓듯이 모든 감정을 억지로 참아 오던 세정이도 시시로 북받쳐 오르는 설움을 언제까지나 참기에는 너무나 그 나이가 젊었다.

그때에 문을 슬며시 열고 들어와서 들먹거리는 세정의 등에 은근히 손을

없는 사람이 있다. 문밖에서 세정이가 부르는 노래를 듣고 섰던 동렬이었다.

깜짝 놀라 어른거리는 눈으로 동렬이를 쳐다본 세정이는 울음을 참으려고 할수록 더욱 흑흑 느껴졌다. 동렬이는 세정의 곁에 다가앉으며

"센티멘털한 감정은 우리의 금물입니다. 우리보다 더 비참한 경우에 처한 사람도 많지 않아요?"

하고 위로해 주려 하였으나 저 역시 그 말의 하반은 코 먹은 소리로 변하였다. 세정이는 눈물을 씻으며

"동렬씨!"

하고 바라보는 그 얼굴에 무엇인지 간절히 애원하는 듯하다. 동렬이는 세정의 허리를 힘껏 껴안았다. 눈물 흔적이 아롱아롱한 세정의 입과 코와 이마에는 뜨거운 키스가 소나기 쏟아지듯 하였다.

불길이 활활 불어 오르는 청춘의 용광로 속에는 김동렬이도 강세정이도 한 몸으로 뭉친 채 녹아버렸다.

…… 딱딱 문을 두드리는 소리가 났다. 두 사람은 소스라쳐 떨어졌다. 황급히 옷깃을 바로잡는 두 사람 앞에 거침없이 나타난 커다란 사람은 ×씨 바로 그 사람이었다.

×씨는 계면쩍은 듯이 미소를 띠며

"허어 늙은 사람은 못 올 데를 왔군. 진이가 오늘두 안 돌아오기에 궁금해서 들렀더니……"

세정이는 얼굴빛이 변하여 몸 둘 곳을 알지 못하는 눈치요, 동렬이도 고개를 들지 못한다. 가슴 속에서 두 방망이질을 하여 쉽사리 진정이 되지 않았다. ×씨는 그렇다고 멋쩍게 돌아서 나갈 수도 없어서

"거기들 앉게. 무슨 죄를 지었나?"

여전히 웃으며 자기부터 걸터앉는다. 동렬이는 고개를 숙인 채

"죄를 졌습니다. 제 자신의 약속을 범했습니다."

그 목소리는 약간 떨렸다.

"암 죄야 큰 죄지. 이렇게 늙은 홀아비 앞에서 그런 광경을 보였으니……"

하고 껄껄껄 웃어넘긴다. 옷고름만 해지도록 만지작거리고 있던 세정이가

"선생님은 왜 인기척두 없이 다니세요?"

곁눈으로 흘겨보며 한 마디를 쏴붙였다. 야속지도 않은 일에 포탈을 부리는 버릇없는 막내딸의 응석 같다.

"그럼, 세정이는 왜 소문도 없이 연애를 하나?"

일부러 위엄을 보이며 꾸짖듯 하는 것이 또한 이런 능사에는 실없어진 아버지의 행패였다. 잠자코 있던 동렬이는 떠듬떠듬하나마 저력 있는 어조로

"선생님, 용서해 주십시오. 저희 둘은 벌써 사랑한 지가 오래였습니다. 그러나 남의 앞장을 서서 한 몸을 희생으로 바치려는 사람으로 여자와 가까이 하지 말 것을 계명처럼 지켜 왔습니다. 선생님! 저 사람의 몸에는 아까 그 순간까지 손가락 하나도 대 보지 않고 지냈습니다. 참았습니다. 저희 둘이 청춘이라는 것도 잊어버리려 했습니다."

하고는 목소리를 한층 높여서

"'조선놈'이란 것이 사랑하는 사람을 껴안지도 못하게 했습니다. '무산자'라는 것이 여자를 거느릴 자격까지 우리에게서 빼앗고 말았습니다. 선생님! 그렇지만 세정이를 떠나서는 잠시도 살지 못할 것 같습니다. 저 사람에게도 더 오래 고통을 주고 싶지 않습니다!"

×씨의 눈에는 눈물이 핑 돌았다. 생각은 지나간 그 옛날을 더듬어 자기의 처자가 눈앞에 너무나 똑똑히 나타났던 것이다. 그는 동렬의 어깨에 손을 얹으며

"동렬이! 내게도 사랑하던 아내가 있었네. 살았으며 세정이와 같은 딸이

있었네. 마누라는 북간도서 십 년이나 넘는 고생살이에 토질에 걸려 죽은 것을 유언대로 그 시체도 내 나라 땅에 묻어주지 못해서 까마귀밥이 되었네. 딸자식은 ××사변 통에 사람으로는 못 당할 욕을 보고 생목숨을 끊었네. 들지도 않는 칼로 목을 난도질해서……"

가슴 속에서는 무슨 덩어리가 북받쳐 오르는 듯 말끝을 맺지 못하고 헉헉 느끼기만 한다. 세정이는 참다못하여 어린애처럼 엉엉 울며 ×씨의 무릎에 매달리면서

"아버지! 아버지!"

하고 연거푸 불렀다.

"선생님을 이제부터는 아버지라 부르겠어요! 전에도 말씀했지만 저도 어려서 아버지가 돌아가셨어요. 의병대장으로 총에 맞어서…… 저는 아버지의 얼굴도 모릅니다. 그렇지만 선생님은 제 아버지가 되시기에는 너무도 크십니다. 수많은 젊은 여자의 아버지시지요. 저희는 아무것도 모르는 철부지지만, 선생님 한 분을 아버지로 섬길 정성만은 있습니다. 아버지!"

×씨는 손수건을 꺼내어 세정의 눈물을 씻어주고 자기의 눈도 비볐다.

"세정아! 그럼 내 이제부터는 네게 해라를 하마. 내게는 과분한 귀여운 딸이다. 동렬에게 좋은 아내가 되려니와 조선의 모든 여자에게 모범이 될 만한 훌륭한 여성이 되어라. 그리고 훌륭한 ×꾼을 낳아라!"

××군이란 군자에게다 쌍기역을 써서 '꾸운' 하고 힘을 들여 불렀다. 그리고 동렬과 세정의 손을 갈아 쥐더니

"간략하나마 내 불원간 예식을 지내게 해주마. 형식이지만 늙은 내가 한번 보고 싶구나— 왜 그저 울기만 하느냐? 시집을 보내 준다는데 허어 미거한 자식이로군."

하고는 여전히 ×씨의 독특한 쾌활한 웃음을 웃는다.

세정이도 웃었다. 동렬이도 웃었다. 모두 눈물을 흘려가며 웃었다. 그들의 머리 위에는 이른 봄 저녁 햇발이 눈부시게 비쳤다.

진이와 영숙

온다던 날짜가 이틀이나 지나서 진이가 돌아왔다. 떠날 때에는 남경까지 다녀온다 하였으나 실상인즉 그곳보다 더 먼 곳에 가서 괄목할 만큼 모양이 변해 가지고 동지들 앞에 나타났다. 여러 사람들은 놀라지 않을 수 없었다. 다 떨어지고 때 묻은 중국 두루마기로 초라하게 몸을 담아 가지고 갔던 사람이 황갈색 군복에다가 붉은 줄친 바지를 금이 베 지도록 팽팽하게 다려 입고 무릎 아래까지 철썩거리는 털 망토를 둘렀는데 한 자락은 멋있게 뒤로 젖혔다. 더욱 이상한 것은 삐딱하게 쓴 모자에는 중국 군인의 별표가 붙은 것이다. 다른 동지들은 의심이 더럭 나서 번갈아 가며 그 이유를 캐물었건만 진이는 싱글벙글 웃기만 하고 말하지 않는다.

"저 친구가 또 누구의 껍데기를 벳겨 입구 왔노?"

하며 자기네들의 짐작이 틀리지 않으리라 하였다. 동렬이까지도 그 연극의 내막을 알 수 없었다.

진이는 한 걸음으로 ×씨의 집으로 갔다. ×씨는 굳은 악수를 주며

"그래 어떤가? 소원 성취를 했으니 한턱내야지."

앞으로 세우고 돌려 세우고 하면서 복장을 검사한다.

진이는 기계 모양으로 "돌아 섯!" "돌아 섯!"을 몇 번이나 하다가 ×씨 앞에서 직립 부동의 차려 자세를 하고 섰다. ×씨는 진이의 어깨를 딱딱 두드려 주더니

"거 훌륭하군, 훌륭해. 그래, 고생은 과히 되지 않던가? 거기 앉게."

그때야 진이는 휴식을 하며

"선생님! 어쩌면 그렇게 저를 속이셨습니까?"

책망하듯 질문하는 어조였으나 그 말속에는 감사하다는 의미가 포함된 것이었다.

"이 사람아! 눈치를 그렇게 못 채서야 수많은 병졸을 거느리겠는가? 꼭 될 줄로 자신하지 못한 일을 미리 말할 수가 없었지."

그는 반짝거리는 모자표를 유심히 바라본다.

실상인즉 박진이는 그동안 ×씨의 소개로 ○○군관 학교에 입학을 한 것이었다. 상해에 아직 큰 볼일은 없고 진이의 성격과 소원이 군일이라, 사람의 장처를 따라 그를 지도한 것이었다.

또 한편으로 중국 학생들의 사상 경향이 급격히 변해가는 때라 그들과 깊이 사귀어 연락을 취하는 동시에 유위한 인재가 그들의 속으로 파고들어가서 따로 당의 프랙션을 하나씩 조직해 두는 것이 일조에 유사할 때에 큰 힘이 되리라는 계획이 든 것도 사실이었다.

○○군관 학교에는 ×씨와 일본 어느 학교에서 동급생으로 의지가 상통하여 지내던 중국인 친구가 그 학교의 수석 교관으로 있었던 것이다. ×씨는 그에게

"이 청년은 군인으로서 매우 소질이 있으니 학기는 지났더라도 특별 보결생으로 편입시켜 주면 귀형의 우의를 감사하겠노라."

라고 간단히 쓴 소개장을 당자를 시켜서 전하게 한 것이었다. 진이는 그런 줄은 까맣게 모르고 '비밀서신인가 부다' 하고 조심스럽게 전했다. 사람이 무한 호인으로 생긴 군관학교 교관은 우선 진이의 체격을 검사하고 말을 시켜보았다. 진이는 문법은 틀리든 말든 그동안 배운 말 들은 말은 모조리 복

습을 하듯 뱃심 좋게 지껄였다. 그는 빙긋이 웃더니

"하우아(好邪)!"

하고 언하에 하관을 시켜서 입학 수속을 하는 한편 군복으로 갈아입히고

"이제부터는 이 학교의 특별 보결의 관비학생으로 입학된 것이니 학교의 규칙은 군대와 조금도 다름없이 지키라."

는 부탁을 한 후 자기 주머니에서 노자까지 후히 꺼내주면서 ×씨에게 답장을 전하고 돌아오라고 사흘 동안의 휴가를 주어 보냈던 것이다. 진이는 고두백배로 사례하고 그 날 밤차로 떠났었다.

'군인 중국인의 후보생? 불과 몇 달 동안에 몇 차례나 내 몸이 변했나?'

기차 속에서 남의 나라의 군복을 어루만지며 감개무량하였다.

……×씨에게서 나온 진이가 먼저 달려간 곳은 영숙의 숙소였다. 영숙은 신을 거꾸로 끌면서 내달아 그를 반겼다.

진이의 신변이 너무나 급격히 변한 것을 본 영숙이도 눈이 둥그레졌다. 진이는 간단히 그동안의 경과를 얘기하였다. 그리고 앞으로 이틀 동안밖에 더 만나볼 기회가 없으리라는 것을 선고하였다.

"이틀이요? 단 이틀밖에 안 남았단 말씀예요?"

영숙이는 손가락 둘을 펴들어 보이며 다져 묻는다. 진이 잠자코 머리를 끄덕였다. 영숙이의 눈에는 금방 눈물의 글썽글썽하였다. 속눈썹에 매달린 이슬방울이 하나 떨어지고 둘이 떨어졌다.

"내가 떠나는 것이 그렇게 섭섭하실까요? 조상호가 시종 노릇을 더 잘할 테니까 적적지는 않을 텐데……"

그 말에 영숙이는 고개를 살짝 돌렸다. 한참이나 외면을 하고 있다가 도리질을 치며

"참 정말이지 그이는 싫어졌어요. 어쩌면 남자가 그렇게 구축축하게 굴까

요? 이제는 집에 와두 따버리지요. 오늘두 땄어요. 몰살이 났다구요."

조상호에게는 조금도 미련과 애착이 없다는 것을 극구로 변명한다. 진이는 머뭇머뭇하다가 벌떡 일어서며

"우리 나갑시다."

하고 침상 머리에 걸렸던 여자의 목도리와 웃옷을 집어서 끼얹어 준다.

"별안간 어디를 가요? 네?"

"어쨌든 따라만 오시구려. 처음 겸 마지막 소청이니."

영숙이는 '저이가 설마 나쁜 데야 끌고 갈라구' 하면서 등을 밀리듯 군복 자락에 매달리듯 진이만 믿고 나섰다.

인적이 드물어진 아스팔트 위에는 갓 들어온 거리의 등불이 두 사람의 탐탁한 그림자를 기다랗게 끌어당겼다. 황포탄 공원을 끼고 돌려니 안개를 머금은 저녁 바람이 두 사람의 뺨을 촉촉이 어루만져 준다. 부두에 들어와 닻은 기선 객실의 수없는 등불이 얕은 하늘에 별이 깔린 듯 검푸른 물 위에서 자글자글 끓고, 멀리 포구에 닻을 준 외국 군함에서는 유량한 군악 소리가 바람결을 따라 울려오는 것을 항구의 상공을 나는 갈매기 떼가 가로채어 가지고 몇 번이나 사람의 얼굴에 똥을 깔겼다. 밤을 숨어 다니는 포르투칼 계집들이 술 취한 해군의 팔에 매달려 아양을 떨며 지나가는 것을 몇 축이나 지나쳤다.

복사천로(北四川路)를 지나 진이가 앞장을 서서 들어가는 곳을 서양 요릿집이었다. 두 삶은 신혼한 부부 모양으로 즐거이 식사를 마쳤다. 진이는 고기를 두 사람 분이나 더 시켜서 게 눈 감추듯 하였다. 그동안에 얘기한 것은 동렬이와 세정이가 정식으로 약혼했다는 것을 양념을 쳐 가며 영숙이가 보고했을 뿐이었다. 그 얘기를 듣는 진이는 표정이 몇 번이나 이상스럽게 변했을 뿐이요, 쓰다 달다는 말도 없이 먹기에만 급한 것 같았다. 차를 단숨에 들

이켜고 나더니

"실상인즉 노자가 좀 남아서 한 턱 내는 것이니 자아 이젠 구경 갑시다."

음식 값을 치러 주고는 또 멋없이 앞장을 서서 나간다. 새끼에 매달린 돌멩이처럼 따라갈 수밖에 없으면서도 영숙이는 저다지 사내답고 건강한 체격의 주인공과 작별할 생각을 하니 몹시 섭섭도 하려니와 상해 한편 구석이 훤하게 비는 것도 같았다……

활동사진은 구라파전쟁을 배경으로 한 군사 극이었다. 아슬아슬한 장면이 전개될 때마다 영숙이는 손에 땀을 쥐며

"에그머니나, 저를 어쩌나?"

소리를 곁의 사람이 들릴 이만큼 연발한다. 청년 사관이 사랑하는 아내와 작별하는 마당인데 서로 껴안고 차마 떨어지지를 못한다. 타고 온 말은 창밖에서 굽질을 하며 주인이 나오기를 재촉하고 호수는 취군 나팔을 몇 번이나 불었다. 그때에 오케스트라의 코오넷 잡이는 그림과 맞추어 청승맞게 나팔을 분다. 영숙이는 수건을 뗄 사이도 없이 운다. 사진 속의 사관은 억지로 아내를 뿌리쳤다. 그때에 그의 인형과 같은 딸이 달려들어 아버지 무릎을 얼싸안고 앵두를 똑똑 따더니

(영문 약)

"당신도 나와 같은 조그만 다른 계집애들의 아버지를 죽이러 가십니까?"

라고 쓴 자막이 비친다. 영숙이는 두 번 세 번 읽어 보더니 진이의 소매를 끌어당기며

"박진씨도 군인이 되시면 수많은 젊은 여자의 사랑하는 남편을 죽이시겠지요?"

진이는 소매를 뿌리치고 화를 더럭 내며

"그 따위 하나님 냄새나는 인도주의는 걷어치우시오. 우리는 눈에는 눈을

빼서 갚으면 그만이오!"

하고 부르짖듯 하였다.

두 사람이 나란히 서서 극장 문을 막 나서려 할 때에 위층에서 내려오는 칠피 구두에 하얀 각반을 친 청년과 마주쳤다. 조상호였다. 영숙이는 진이의 등 뒤에 숨는 것을

"영숙씨는 활동사진을 못 봐 몸살이 났다 길래 이렇게 동행이 되었소."

한 마디를 내던져 주고 진이는 망토자락을 펼쳐 영숙이를 에워싸듯 하고 전찻길로 뚜벅뚜벅 걸었다.

진이가 떠나는 날 새벽 정거장에는 동렬이와 세정이와 영숙이가 전송하러 나왔다. ×씨(이제부터는 부르기가 불편하겠으므로 '모씨'라고 쓰기로 한다)는 번잡한 곳에는 유표하여 출입을 하지 못하는 몸이라 그 전날 밤이 깊도록 여러 가지로 앞길을 분부한 후 미리 작별한 것이었다.

동렬이와도 마지막으로 세정이가 사준 이불을 둘이 덮고 누워서 장래에 관한 의견을 주고받으며 그 실행 방침을 의논하느라고 날밤을 밝히다시피 하고 잠깐 눈을 붙였던 것이다. 그러나 동렬이는 세정에게 대한 이야기는 끄집어내지도 않았고 지이 역시 영숙에 대한 자신의 향념을 토로하지 않았다. 머리카락의 수효까지라도 서로 알만큼 절친한 사이건만 어쩐지 여자의 말이 나면 피차에 불유쾌하였다. 동렬이와 세정의 관계는 이미 작정된 사실이언만 두 남녀의 결합은 동렬에게서 진이의 우정을 반 이상이나 빼앗아가는 듯하여 마음이 서운해지고, 진이와 영숙이의 사이는 아직 두드러지게 나타난 그 무엇이 없다하더라도 동렬이는 먼저 말을 꺼내기를 꺼렸다 제 자신의 굳은 약속을 깨뜨리게 된 것과 진이에게 아내가 있는 것은 별문제로 치더라도 여자는 물이 갓 오른 버들가지와 같아서 바닷가의 등 굽은 소나무처럼 때

아닌 풍우를 꿋꿋이 배겨낼 수 있는 사람으로는 인정되지 않기 때문이었다.

……출발 시간을 기다리는 동안 두 동지는 팔을 끼고 포도(鋪道)를 거닐며 아직도 미진한 얘기를 계속하였다. 차에 오르자 세정이는 책보에 싸가지고 나온 것을 진이의 가방 위에 올려놓으며

"변변치 못한 솜씨지만 차 속에서 시장하시거던 잡수세요."

그것은 그 전날 밤 정성을 다하여 점심을 준비한 찬합이었다. 그 다음에는 영숙이가 색스러운 종이로 싸고 또 싸고 조그마한 상자를 진이의 무릎 위에 올려놓으며

"이것은 거기 가서 아무도 없는 데서 상해 생각이 나시거던 열어 보세요. 비밀 상자예요, 꼭요."

묵묵히 앉았던 진이는

"네, 고맙소이다."

하고는 두 여자의 얼굴을 번차례로 유심히 바라본다.

그때에 차장은 호각을 불었다.

"나는 이것밖에 없네."

동렬이는 붉은 손을 내민다. 진이는 일어서서 그 손을 떨리도록 쥐었다.

"잘 있게. 내 자네 혼인날 옴세."

차는 움직이기 시작하였다.

세 사람은 황급히 내렸다. 두 여자는 기차에 붙어서 따라가며

"편지나 자주 하세요."

"언니 혼인날은 도망이라도 쳐 오세요."

하며 수건을 흔들었다.

진이는 승강구로 나와서 자세를 바로잡으며 손을 올려 동지들에게 경례를 붙였다.

출정하는 군인같이, 그들 전송하는 가족같이 떠나고 떠나보냈다.

기다란 기차가 꿈틀거리며 멀리서 북쪽으로 향하고 돌아갈 때까지 팔짱을 끼고 바라보던 동렬이는 숙소로 돌아갈 때까지 입을 열지 않았다.

장례 날이 되어 상여머리에 요령 소리가 들릴 때보다는 반우의 행렬이 들어와, 죽어나간 사람이 생시에 거처하던 곳을 보면 상제의 정말 울음이 터지듯이, 동렬이가 방에 들어서자 휴지 쪽만 흩어진 텅 빈 방 안을 둘러보니 이곳까지 같이 나와서 알몸뚱이로 고생하던 생각이 새삼스럽게 나고 개지도 않은 이부자리며 방구석에 벗어던진 양말 쪽까지라도 마음을 찔러 눈물을 자아내었다. 한바탕 울고나 싶은 것을 세정이를 보아 입술을 깨물며 꽉 참았다. 거기까지 따라왔던 세정이는 그 눈치를 보고

"참, 아까 정거장에서 수상한 사람을 보았어요."

"누구 말씀이요?"

"왜 상해에 처음 오시던 날 영대마로에서 의외로 만나서 신세를 졌다고 하시던 한윤식이라는 사람 말씀예요. 그 사람이 아까 정거장에 나왔어요. 중국옷에 목도리로 얼굴을 가리구요."

"그자가 확실하지요?"

"그럼은요. 그자가 우리 뒤를 따라다니는 게 벌써 여러 번째가 아녜요?"

"네, 압니다. 그자의 손에 벌써 여러 사람이 결딴이 났는데 만일 우리가 사무 보는 곳을 알면 큰일입니다."

예사로 대답하나 그자를 대단히 경계하고 있는 것은 사실이었다.

검은 그림자

그동안에 이야기할 것을 하나 빠뜨린 것이 있다. 그것은 한윤식에 관한 사실이다. 내지에서 무작정하고 떠난 사람이 동서를 분간할 수 없는 상해바닥에 내려서 방황하다가 이 한윤식이라는 사람의 손에 걸려들어 여관을 정하는 것이다. 또는 지도 분자들에게 신세를 입은 사람이 적지 않았다. 진이와 동렬이도 그 중의 하나였던 것이다. 그러나 그는 ××운동에 참가ㅏ여 얼마동안 미결감에서 고생을 했다는 이력밖에는 그의 신분을 똑똑히 아는 사람이 없어서 두고 볼수록 그의 정체가 몽롱해질 뿐이었다.

동렬이와 진이에게도 처음에는 입의 혀처럼 부닐며 친절히 굴더니 두 사람이 다 주머니 속이 빈털터리인 줄 알고는 발을 끊었다. 그 뒤에 다른 동포들이 전하는 말을 들으면 그 한가가 하는 일이라고는 ××정부 외교부에 이름을 걸어놓고 일을 보는 체하나 실상은 별로 볼일도 없이 운동의 거두라고 지목을 받는 이들의 집을 무상시로 출입하여 파벌을 알아 입을 놀려서 중상을 시키는 일이었다. 더구나 수상한 것은, 심심하면 산보 다닐 데도 많겠는데 하필 우편국과 부두와 정거장에는 매일 출근하듯 하는 것이었다. 듥 나는 사람을 일일이 훑어보다가 행색이 서투른 조선 사람이 내리면 그곳에 거류하는 동포를 대표하여 마중이나 나온 듯이 따라나섰다가 여관을 잡아 주고 성명과 이력을 안 뒤에는 종적을 감추는 것이 버릇이었다. 그러다가 근래에 와서는 깊은 밤이나 새벽녘에 발착되는 기차까지도 검찰을 하는 것이었다.

그는 하루에 두 번 혹은 세 번 옷을 갈아입었다. 생활비는 어디서 생기며 어디서 자고 어디서 먹는지 알 길이 없고 이따금 일본 총영사관이 있는 홍커우(紅口) 근처에서 그림자가 사라지더라는 소문이 들릴 뿐이었다. 두 사람은 처음부터

"한가는 수염 붙인 꼬락서니 하고 간나위새끼로 생겨먹었다."

하고 경계를 하였다.

한 번은 '뽀판'집에서 술이 얼근히 취한 그자와 만났었는데 제 생색을 너무도 더럽게 내는 것이 얄미워서 성미 괄괄한 진이가

"조놈의 자식 대갈통을 부셔놓고 말 테다."

하고 의자를 둘러메치려는 것을

"어쨌든 신세를 진 사람인데."

하고 동렬이가 뜯어말렸다. 그 뒤로부터 그자는 더욱 지궁스럽게 두 사람의 뒤를 밟았다.

어느 몹시 춥던 날 밤에는 두 사람이 묵고 있는 집 뒷문 앞에서 외투자락을 세워 얼굴을 가리고 감시병 모양으로 왔다 갔다 하는 것을 유리창 틈으로 내다보고 진이가 위층에서 발 씻은 물을 한 대야 뒤집어씌운 일까지 있었다.

그자는 그네들이 낮이면 모여드는 비밀한 장소를 알지 못하여 애가 마르는 눈치였다.

모씨도 그자를 뱀과 같이 싫어하였다. 찾아와도 면회를 거절하였다.

아까도 말했거니와 이 집 저 집에 박쥐 모양으로 돌아다니면서 이간을 붙이는 것이 일쑤요, 그네들끼리 오해를 했다가 풀고 보면 대개는 그자의 말전주로 터무니없는 짓을 꾸며낸 것이 탄로되었던 것이다.

상해는, 더구나 각국의 혁명객들이 보금자리를 치는 불란서 조계는 대단히 음험하였다. 오흥리(吳興里)나 보강리 같은 데는 집을 수리하려고 마루청

을 뜯으면 그 속에서 암살을 당한 시체가 뼈만 앙상하게 남아서 누워 있는 것을 발견하고 몸서리를 쳤다는 사람도 한둘이 아니었다. 진이는

"그깐 놈의 자식 하나쯤이야……"

하고 제 손에 걸리기만 하는 날이면 요정을 내고야 말겠다고 벼르고 있다가 떠나 버렸다.

사실 그때 그곳에는 신분이 분명치 못한 자가 어름어름 돌아다니다가 '저 자의 행동이 수상하다'고 일반에게 인정을 받기만 하면 며칠이 못되어 어느 귀신에게 등덜미를 잡혀갔는지도 모르게 그림자와 아울러 없어지고 만 일도 종종 있었다.

그러나 한윤식이는 표면으로 열렬한 ××운동자였다. 또는 동지였다. 말 잘하고 수완 있는 사람이라서 모모한 사람밖에는 일반이 그때까지 그를 그다지 의심하지는 않았다.

한 쌍의 동지

한 달 또 두 달이, 유랑하는 나그네의 흐트러진 머리 위를 흘렀다. 양수포(楊樹浦)의 수양버들은 잔잔한 물결 위에서 신록의 아지랑이를 피어올리고 용화사(龍華寺) 고탑 위에 아침저녁 울리는 종소리는 선남선녀에게 강남의 꽃소식을 퍼뜨렸다.

동렬이는 눈을 딱 감고 그 봄을 보지 않으려 하였다. 세정이도 고개를 돌려 봄바람의 유혹을 받지 않으려 하였다. 아침 일찍 자리를 걷어차고 일어나서는 일정한 일과표 밑에서 근근자자히 그 날의 직책을 다할 뿐이었다.

절기가 바뀌기로서니, 꽃이 피기로서니 그것은 인력거로 변동할 수 없는 자연의 현상일 뿐이다. 그렇다고 사람의 마음이 괜히 시룽새룽해지랴. 그것은 줏대가 서지 못한 사람들이 제출물에 놀아나는 것이라 하였다.

진이에게서는 일주일에 한 번씩 편지가 왔다. 영숙에게도 오고, 영숙의 조그만 꽃봉투도 온 수효보다는 갑절이나 진이의 군복 호주머니 속에서 연분홍빛의 꿈을 꾸었다. 어떤 날 동렬에게 온 편지는 대강 아래와 같았다.

……전략…… 닥치는 대로 막 먹고 뛰고 오후에는 안장도 짓지 않은 말의 갈기를 움켜쥐고 올라서 채찍질하여 중원의 벌판을 살같이 달린다. 중국의 씨말(種馬)은 거세(去勢)를 안 해서 여간 사납지 않고 요새는 새 풀을 뜯어먹어서 밤이면 암내를 맡고 마구간에서 쿵쾅거려 홀아비의 꿈길을 짓밟는다—

왜 청첩이 그저 오지를 않느냐? 책상머리에서 둘이 붙어 앉아서 꼬물거리지 말고 스피이드를 내어라. 갑갑하구나. 나는 그동안 체중이 한 관이나 늘고 중국말도 많이 늘었다. 연습을 나가서 병졸들을 모아놓고 한바탕 땅땅 얼러 붙이면 내 앞에서는 모두 설설 긴다.

……이 곳 일은 잘 되어 간다. 이 학교 안에 동지가 서너 사람이나 된다. 여름 안으로는 무엇이 하나 될 듯싶다. 까딱하면 큰일 나니 편지는 순 국문으로 써라. 참 세정씨에게 거듭 부탁해서 영숙의 감화 운동을 좀 더 맹렬히 해주기 바란다. 어제는 편지 속에 꽃 한 송이를 넣어 보냈는데 사연은 간이 간지러워 못 읽겠더라. 어쨌든 죄 없는 처녀다. 우리는 모든 사람을 포옹할 필요가 있지 않느냐? 취침나팔을 불어서 고만 쓴다. 요새는 통이불을 하고 자니까 편하겠다.

한편으로 모씨는 두 사람도 모르게 결혼식의 준비를 진행시켰다.

'두 손목 마주잡고 살면 그만이지 주의자가 예식이 아랑곳인가.'

하다가고 그들을 친자녀와 같이 사랑하는 노인의 마음이라 한 쌍의 동지를 자기 앞에 나란히 세워놓고 연설 한 마디쯤은 해보고 싶었다. 또는 그런 기회에 오래 흩어져 있어 격조하였던 동지들이 한 마당에 모여서 저녁이나 같이 먹으며 화기애애한 하룻밤을 보내는 것도 결코 무의미한 일은 아니라 하였다.

장소는 어느 예배당을 빌어 놓았다. 혼수라고는 이불 한 채, 반지 하나 그것밖에는 없었다. 자기 혼자의 생활비도 제때에 생기는 것이 아니라 그도 매우 옹색하였다. 그 다음에는 두 사람이 들어 있을 집이 문제였다. 모씨는 자기가 거처하는 뒷방을 치워다. 방은 좁아도 의초 좋은 내외의 보금자리로는 도리어 아늑한 맛이 있었다.

페인트칠을 새로 하고 자기 방에 놓였던 간략한 세간을 나누어 손수 낑낑 소리를 내며 옮겨다 놓았다. 물론 두 사람에게는 몰래 하는 비밀 행동이었다.

모씨는 두 사람의 생월생시를 보아 길일을 택하였다. 그것도 젊은 동지들에게 흉을 잡힐까 보아 주먹구구식으로 자기 속으로만 따져본 것이었다.

그는 사람이 없을 때면 그 방에 홀로 들어가서 애꿎은 담배만 뻑뻑 피우며 뒷짐을 지고 방 안을 거닐었다. 몇 번이나 죽은 자기의 딸을 생각하였던 것이다.

……혼인날은 앞으로 닷새밖에 남지 않았다.

결혼식 날은 돌아왔다. 청첩도 없이 서로 입으로만 전한 것이었건만 정각인 오후 여덟 시에는 한 시간 전부터 남녀 동지들이 각처에서 모여들기 시작하였다. 백 명 남짓이 수용될 만한 조그만 장소는 벌써 사람의 머리가 우글우글하고 떠들썩하여 운김이 돌았다. 전등불은 짙은 미색으로 장내를 은은히 비추고 천정에는 오색의 만국 국기를 우산살같이 늘였는데 내지에서는 구경할 수 없는 선명히 물들인 '옛날기'도 한 몫 끼어서 '나도 여기 있다'는 듯이 너풀거렸다.

문밖에는 건장한 청년들이 서서 모양이 수상한 잡인의 출입을 금하였다.

식장 안의 화영은 영숙이었다. 야들야들한 흰 비단으로 위아래를 내려 감고 뾰족한 구두부리를 제기며 장대를 분주히 들락날락한다. 발을 옮겨놓을 때마다 얇은 옷자락이 살에 스치는 소리가 사각사각하고 났다. 여러 사람의 시선이 더구나 야회복을 입고 참례한 조상호의 눈은 신부보다도 어여쁜 영숙이만 앞으로 뒤로 따라다녔다.

영숙이는 팔뚝시계를 몇 번이나 내보면서 안절부절못하는 눈치다. 시간이 되어 풍금 앞에 앉으면서도 삐걱 소리만 나면 정문 편을 바라보았다. 신랑 신부가 들어오는 것보다도 진이가 달려들 것을 고대하는 것이었다. 이틀

전에 전보를 쳤으니까 안 올 이치는 없다. 정 오지 못할 사정이 있으면 답전이라도 있을 텐데…… 노자까지 부쳤는데…… 차 시간은 지났는데…… 지금쯤 자동차를 내렸을까? 문을 열고 들어설까? 영숙이는 기다리다 못하여 암상이 나서 두 볼에 눈깔사탕을 물었는데 진이는 그저 오지를 않았다.

정각이 이십 분이나 지나서 식장 정면에 주례자인 모씨가 나타났다. 처음에는 얼핏 보아 누구인지도 모르리만큼 모양이 변하였다. 불빛에 눈이 부시도록 흰 설백색 조선 두루마기를 입은 까닭이다. 예복을 입지 않은 그는 세정이를 시켜 조선옷 한 벌을 지어 입었다. 그는 이십 년 만에 흰옷을 몸에 걸친 것이었다. 반백이 된 머리털이 벗어진 것과 여덟 八자로 뻗친 수염이 그날 저녁은 그의 풍채가 한층 더 위엄이 있어 보였다.

……풍금의 건반 위를 달리는 영숙의 손가락에서는 장중한 결혼행진곡이 울려나왔다. 정문이 열렸다. 여러 사람은 모두 기립을 하였다. 신랑은 검정 무명 두루마기를 입고 면사포를 벗어 버린 신부는 그 대신 흰 장미꽃을 한 아름 안았다. 눈을 아래로 깔고 발을 조심스럽게 옮겨놓는 그 날의 세정이는 백합꽃과 같이 청초하였다.

신랑 신부는 모씨의 앞에 나란히 섰다. 음악은 멈추었다. 진이의 그림자는 그저 찾을 수 없었다. 모씨는 우렁찬 목소리로 일반을 향하여

“지금부터 김동렬, 강세정 두 동지의 결혼식을 거행합니다.”

선언이 끝나자, 몇 사람의 청년은 앞으로 나가며 <인터내셔널>을 부르기 시작하였다. 여자의 새된 목소리도 섞였다. 여러 사람은 그에 화하여 목청껏 불렀다.

몇 십 년 동안 찬송가 소리에만 젖었던 예배당의 천정과 마루와 십자가를 새긴 유리창은 처음 듣는 <인터내셔널>에 놀라서 움쭉움쭉 사개가 물러앉는 것 같았다. 그때였다. 정문이 드르륵 열ㄹ며 끼끗한 군인 한 사람이 유난

히 큰 목소리로 그 노래를 맞추어 부르며 거침없이 들어섰다.

"박진씨다! 진씨가 왔다!"

영숙의 눈은 그를 맨 먼저 발견하였다. 진이는 여전히 그 노래를 부르며 두어 걸음 다가서더니 기착을 하고 모씨와 신랑 신부를 향하여 손을 들고 경례를 붙였다. 모씨는 고개를 끄떡여 답하였다. 그때에 뒤를 돌아본 신랑은 진이가 온 것을 알고 신부의 곁을 떠났다. 두 사람은 부지불식중에 달려들어 서로 어깨를 껴안았다.

"좀 늦었네."

"고마우이! 퍽 기다렸네."

두 사람의 우정을 찬미하는 듯 만당의 동지들은 부르던 노래를 더 높이 불러 주었다. 신부는 좌우를 불계하고 자리를 떠나 진이에게 악수를 주었다. 그 광경을 본 영숙이는 풍금 위에 엎드려 흑흑 느꼈다.

예식은 간단한 절차를 따라 진행되었다. 모씨의 의미심장한 식사와 여러 동지들의 축사도 짧게 혹은 빼고 식은 이십 분도 못 되어 끝났다.

뒤를 이어서 해삼위나 하바로프스크 근처에서 생장하여 상해까지 떠돌아온 청년들의 주최로 그곳의 습관을 따라 피로연 겸한 무도회를 열었다. 그 중에는 러시아 여자의 몸에서 난 튀기 여자들도 오륙 명이나 섞였다. 구름 같은 곱슬머리에 눈동자는 흑진주를 박은 듯이 윤택하고 살결은 말갛게 들여다보이도록 희멀건데다가 체격은 서양 여자 그대로 뽑아낸 듯 매끈매끈하였다. 그들은 '이랫씀둥, 저랫씀둥' 하고 함경도 사투리도 아니고 러시아 말도 아닌 이상한 악센트로 지껄였다. 루바시카를 입은 청년들은 악기 한 가지씩은 일제하 만질 줄 알았다. 식장의 의자를 한편으로 몰아 둥그렇게 둘러 놓고 마룻바닥에는 양초가루를 뿌렸다. 그 중에서 가장 나이가 어리고 말 동자 같이 생긴 색시가 내빈들에게 꽃을 팔아 다과며 소시지와 아라사 소주를 사들여다가 한편구석에 식탁을 벌여 놓고 밤을 새울 준비를 하였다.

임시로 조직된 관현악대가 왈츠(圓舞曲)을 불었다. 그 곡조는 일로전쟁 때에 패전한 러시아 군인들이 시베리아 눈벌판을 지나며 전사한 형제를 생각하고 군악대의 악장이 작곡한 것으로 창자 밑바닥을 훑어내는 듯이 그 멜로디는 구슬펐었다. 그네들은 그 곡조만 들으면 신이 저절로 나는 모양이었다. 쌍쌍이 껴안고 원을 그리며 빙글빙글 돌았다. 남자는 더운 입김을 담배 연기처럼 토하고 여자는 남자의 가슴 속에 머리를 파묻고 실눈을 감으로 할딱거리는 호흡을 머리에 서리는 입김을 받아서 잇는다.

이때까지 상대가 없어서 칠피 구두부리로 발장난만 치고 있던 조상호는 맞은편에 앉은 영숙의 눈치만 살폈다. 교회에서 자라난 영숙이가 무도를 배웠을 리가 없었다. 영숙이는 남들이 발을 떼어놓는 것만 유심히 내려다보며 걸상 밑에서 발을 들먹거리며 가만히 흉내를 내본다. 상호는 용기를 내어 영숙의 앞으로 가더니 공손히 허리를 굽힌다. 영숙이는 머리를 짤래짤래 흔들었다. 그때에 동렬이와 나란히 앉아서 들러리 노릇을 하던 진이가 벌떡 일어서더니 상호의 앞으로 가서 가로막으며

"나 하구 춥시다."

다짜고짜 영숙의 손목을 끌어당겨 일으켰다. 영숙이는 팔뚝을 맞던 생각이 나서 겁이 났건만 상호를 따돌리는 피난처로는 진의 가슴밖에 없었다.

"춤출 줄 몰라요. 정말 몰라요."

사양을 하면서도 팔을 끌려 앞으로 나섰다. 신랑 신부가 손뼉을 쳐 주었다. 진이의 춤은 뱃심 춤이었다. 음악 박자에는 발이 맞든 안 맞든 고추 먹고 맴맴 하듯 붙안고 돌기만 하였다. 스탭이 맞지 않아서 영숙의 신코만 납작하게 밟혔다. 영숙이는 얼굴이 능금 빛처럼 빨갛게 달아서

"고만이요. 네 고만이요."

하고 뒷걸음질을 치며 진이의 널따란 손바닥이 겨드랑이로 숨어들어 끌어당기는 통에 몽클한 젖가슴이 간지러지도록 간지럼을 탔다.

상호는 멀쑥하여 제 자리에 가서 앉으려니까 사십이나 넘어 보이는 절구통같이 뚱뚱한 마나님이

"나 하구서 추겠소꼬마?"

하고 디룩거리며 달려든다. 상호는 홧김에 그 절구통을 굴리느라고 땀을 수십 그람이나 흘린 것 같다.

한편에서 손뼉 치는 소리가 일어섰다.

"이번에는 신랑 신부가 추겠습니다."

어느 한 사람이 외쳤다. 여러 사람은 물결처럼 갈라서며 손뼉을 쳤다.

끌어 내세우는 바람에 할 수 없이 동렬이와 세정이는 서로 옷소매를 맞붙잡고 한바탕 돌았다. 여기저기서 끼얹어 주는 종이꽃과 테이프가 폭풍우에 낙화가 흩어지듯 두 사람 머리 위에 쏟아졌다.

조선 두루마기를 입고 서양 춤을 추는 꼴이란 참으로 가관이었다. 여자들은 새우처럼 허리를 펴지 못하고 웃었다. 세정이는 현기증이 나서 몇 번이나 동렬이와 이마 뚝을 할 뻔하였다.

…… 자정이 넘도록 봄날의 하룻밤을 마시고 노래 부르고 먹고 뛰고 하였다. 츠카스느카, 띠리솨불꼽바크 등 갖은 춤을 번차례로 추었다. 자기네의 세상인 것처럼 만판 뛰고 놀았다.

모씨와 신랑 신부는 먼저 빠져나갔다.

신방에는 붉은 촛불이 깜박거리며 나란히 놓여서 새 주인을 기다리는 베갯머리를 밝히고 있었다. 모씨는

"아들 낳을 꿈들이나 꾸어라."

하고 방문의 자물쇠를 침대 위에 던져 주고 쓸쓸히 돌아서 나갔다. 십 분

도 못 되어 그 방의 촛불은 꺼졌다……

—그날 밤 진이와 영숙이는 제가끔 외로운 꿈을 꾸게 되었다. 영숙이는 세정이가 침상까지 떠메어간 쓸쓸한 방 안을 한숨으로 지키고, 진이는 여관 구석에서 구두도 벗지 않은 채로 쓰러졌다. 온 세상 사람이 저 하나만을 배반한 것같이 졸지에 참을 수 없는 고적을 느꼈다.

첫날밤 신방에는 쥐 한 마리가 들어서 엿을 보았다. 오래 비었던 방에 인기척이 나니까 혹시 갉작거릴 것이나 있나 하고 마루 틈바구니로 머리를 내밀고 정경을 살폈다.

촛불은 꺼졌어도 밤눈이 밝은 터이라 신랑은 침대 위에 비스듬히 누웠고 신부는 그 곁에 앉아서 이마로 신랑의 손등을 비비며 울고 있는 눈치였다. 소곤소곤 이야기하는 소리는 들리건만 원체 중화민국 태생인 쥐가 되어서 어느 오랑캐의 말인지 도무지 알아들을 수가 없었다. 그래서 소설을 쓰는 사람이 불가불 통역을 하기로 한다.

—세정의 눈물은 사랑하는 사람과 결혼하여 기쁨에 겨워서, 또는 동지들의 호의에 너무 감격하여 흘리는 것도 아니었다. 그렇다고 천사와 같이 순진하였던 처녀시대와 작별을 하는 것이 새삼스러이 섭섭한 것도 아니었다. 이날 이때까지 가지가지로 근심만 끼쳐드린 고향에 계신 홀어머니를 생각한 것이었다.

'인생의 제일 행복하다는 혼인날 밤에 방자스럽게 내가 왜 눈물을 흘릴까 보냐.'

하면서도 주름살 잡힌 어머니의 얼굴이 활동사진의 환상 장면처럼, 머리를 들면 천정에서— 고개를 돌리면 맞은 쪽 벽에서 너무나 똑똑히 나타났다. 그의 표정은 바로 볼 수가 없이 측은하였다. 그 어머니는 유복자와 같은 외동딸의 장래를 생각하고 고달픈 봄바람에도 졸음을 참고 누에를 치고 길쌈

한 것을 푼푼이 모아 처음에는 돼지를 샀다. 몇 해 후에는 송아지를 암놈 수놈 하여 두 마리나 매게 되었고, 또 몇 해 후에는 밭 하루갈이가 이틀갈이로 불었다. '이것은 우리 세정이 시집보낼 사천이라' 하여 흉년이 들어 피죽으로 연명을 하던 해에도 한사하고 팔지를 않았던 것이다.

그 눈물 나는 밑천을 팔아 가지고 몰래 상해로 도망을 와서 시집을 가게까지 되었고 마침내 첫날을 치르게 된 것이었다.

그 고마운 어머니에게는 결혼한다는 통지조차 안 하였다.

'저것을 시집을 잘 보내야 할 텐데……'

하던 것이 그의 마지막 발원이었고

'사윗감은 어떻게 생겼을까?'

하는 것은 그의 공상의 전부였다. 그다지 인자한 어머니도 모르게 혼인을 하였다. 효심이 부족하다느니 보다는 만리타국에서 불성모양으로 성례한 것을 아시면 도리어 큰 유한으로 여기실 터이요, 그나마 당신의 눈으로 친히 보지 못하시는 것을 무한히 섭섭하게 생각하실 듯싶어서 그저 몸 성히 있다는 엽서만 이따금 부쳐 드렸을 뿐이었다.

동렬이는 등 뒤로 세정이를 안아주며

"누구나 다 마찬가지지요. 우선 나부터도 그런 설움을 가진 사람이요. 그렇기로서니 그런 생각만 자꾸 하기 시작하면 우리는 눈물에 파묻힐 수밖에 없지 않소? 잊어버립시다! 서로 참읍시다! 강철처럼 우리의 의지와 이성(理性)만을 날카롭게 벼러서 죄 없이 들볶이는 그네들 전체를 위하여 죽을 때까지 일합시다. 글쎄 그만 그쳐요. 저 선생님 같으신 분도 조금도 비관하시지 않고 일하시는 것을 보구려."

그래도 세정이는 눈물을 거두지 못하고 울음을 참느라고 가늘게 느끼기만 한다. 동렬이는 더 다가앉아서 세정의 두 손을 잡고

"당시의 어머니와 같은 설움을 당하고 있는 이가 조선에는 몇 만 명이나 되지 않소? 그러니까 그분 네들의 자손인 우리의 대에나 기를 펴고 살아보려고 이렇게 고생들을 하는 것이 아니요. 우리들은 그 중에 가장 행복스러운 사람이지요. 자! 이젠 우리 다른 이야기나 합시다."

세정이는 아무것도 아니라는 듯이 고개를 들고 한 가닥 두 가닥 흐트러진 앞머리를 쓰다듬어 올리며 딴전을 붙인다.

"참 영숙이는 가엾어요. 오늘 밤엔 혼자서 어떻게 잘까요?"

"진이는 어디로 갔을까? 아까는 부산한 통에 인사도 못했는데 또 골딱지가 났을 걸. 그 사람은 고적하면 사뭇 몸부림을 하는데……"

"왜 영숙이하고 걸맞지 않아요?"

"문제도 있지만 고생을 모르는 여자가 되어서……"

실상인즉 진이와 영숙이의 이야기를 길게 늘어놓고 있을 겨를은 없었다. 세정이는 그제야 구두끈을 끄르며

"지금 몇 시나 됐을까? 저것 보세요. 유리창이 벌써 훤해졌어요."

멀리 항구에서는 기선이 떠나는지 맥주병을 부는 듯한 기적 소리가 새벽 하늘의 괴괴한 공기를 헤치고 은은히 울려왔다.

동렬이의 손은 조심스럽게 세정의 허리를 더듬었다……

이때까지 빠주하게 뻗친 수염을 쫑긋거리며 두 사람의 거동을 엿보느라고 숨을 죽이고 있던 쥐란 놈은 이 위에 더 볼 것이 없다는 듯이 꼬리를 끌고 헛간 구멍으로 제 마누라를 찾아 들어갔다.

벼락 혼인

진이의 급한 걸음은 영숙이의 집 들창 밑까지 와서 멈추었다. 가쁜 숨을 돌리려니까 위층의 불은 그저 꺼지지 않았는데 남자의 목소리가 들렸다. 진이는 쓰레기통 위로 성큼 올라서서 벽에다가 귀를 바싹 붙였다.

"글쎄 그만 일어나세요. 그렇게 눈물을 질질 흘리는 남자는 난 싫어요. 벌써 닭 우는 소리가 들렸는데……"

"그럼 곧 잘 테니 한 마디만— 한 마디만 들려주세요. 네, 영숙 씨! 죽든 살든 간에 이 자리에서 결단이나 내게요."

"글쎄 더 말씀할 게 없다니까 어린애 보채듯 하시는구료. 고만 졸려서 자야겠어요."

남자의 목소리는 울음을 섞어 떨려 나온다.

"여기까지 당신만 믿구 따라온 사람을…… 영숙씨! 영숙씨는 너무나 심하시구료."

"왜 그렇게 말귀로 못 알아들으실까요. 내지서 지낼 때는 몰랐어도 인제 와서는 벌써 속으로 사랑하는 사람이 있다니까요."

"네, 병정 댕기는 박진이 말씀이구료? 무지막지하게 불쌍놈같이 생긴 놈을……"

창밖에서 엿듣던 진이의 눈꼬리는 금새로 샐룩해졌다. 그런지 조금 있더니

"아, 이게 무슨 짓이야요? 놓으세요, 놔요!"

철성을 띤 여자의 목소리가 진이의 귀를 찔렀다. 진이는 뛰어내려 어깨로 문짝을 들이받고 단숨에 위층으로 뛰어올라 방문을 활짝 열어 젖혔다.

조상호는 선불 맞은 짐승모양으로 비슬비슬 침대 곁으로 가더니 할딱할딱 숨을 몰아쉰다. 영숙이는 얼굴빛이 창백해지다 못하여 제 정신을 잃고 책상 모퉁이에 쓰러졌다. 진이는 상호의 앞으로 달려들더니

"너 이리 좀 나오너라!"

소리를 지르고는 상호의 목덜미를 바싹 추켜들고 층층대로 앞뒤 잡이를 시켜 질질 끌고 내려갔다.

"요런 ××같이 생긴 놈의 자식 같으니라구. 너 무지막지한 놈의 주먹맛 좀 보려느냐?"

무쇠장도리 같은 주먹이 한 번 올라붙자 상호의 눈에는 번갯불이 번쩍하였다. 상호는 한 대에 끽 소리도 못하고 그 자리에 고꾸라졌다. 진이는 바로 돌아서서 이층으로 올라가려다가 내려다보니 상호의 꼴이 한편으로는 가엾기도 하였다. 그는 상호의 스프링 코우트를 내다가 들씌워 주며

"옜다 이 못생긴 놈아, 너 다시 이 집에 발그림자를 했다가는 새 다리 같은 걸 꺾어놓고야 말 테다."

상호는 한참이나 무어라고 중얼거리다가 일어나더니 옷을 털면서 비틀거리고 바깥으로 나갔다. 속으로는 갖은 욕을 다하는 모양이나 범같이 무서운 진이의 앞에 달려들 용기는 없었다.

진이는 방 안으로 들어서자 문을 잠갔다. 그저 머리를 들지 못하는 영숙의 어깨를 잡아 일으키며

"여보, 못생긴 흉내 내지 말구 일어나 앉으시오. 오늘 밤 안으로 꼭 할 말이 있어서 왔소이다."

슬리퍼를 신은 영숙의 발가락이 걸상 밑에서 꼼지락거리는 것을 보니 기

절한 것은 아니었다. 그래도 영숙이는 죽은 체하고 일부러 숨을 죽였다 몇 번이나 흔들어도 대답이 없다.

"내 말을 안 들을 테요? 안 듣는다면 당장에……"

하더니 머리맡에서 별안간 쾅 하고 벼락 치는 소리가 났다. 영숙이는 얼떨결에 놀라서 멀리를 들었다. 애지중지하던 만돌린이 산산조각이 났다.

"이까짓 건 밤낮 만지고 있으면 밥이 생기오? 우리네 팔자엔 태지도 않은 음악이란 뭐 말라뒈진 게요? 걷어치워요. 걷어치워요."

진이는 만돌린 조각을 쓸어내리더니 발바닥으로 우지끈우지끈 밟는다. 영숙이는 하도 아처구니가 없어서 게슴츠레한 눈으로 만돌린의 무참한 시체를 내려다보았다. 그러나 이상스럽게 깨어진 것이 그다지 아까운 줄 몰랐다.

진이는 의자를 들고 바싹 다가앉으며

"이제 정신이 났거든 이야기합시다. 당신은 나를 사랑하시지요?"

당장에 무슨 일이나 저지를 듯이 위협하는 태도다. 영숙이는 비쌔듯 입을 꼭 다물었다.

"당신만 진정으로 나를 사랑한다면 난 오늘 밤에 장가를 들고 갈 작정이요. '예스'든 '노'든지 간에 대답하시오!"

단도직입이다. 대답 안하고는 배겨내지 못할 줄 안 영숙이는 한참이나 흥분된 진이의 얼굴을 말끄러미 쳐다보더니

"저 같은 게 무슨 자격이 있어야지요."

하고는 머리를 푹 수그렸다. 진이는 영숙이의 떨리면서도 그지없이 부드러운 그 목소리와 몸을 가누지 못하는 수태(羞態)를 보자 싱글벙글하면서 천천히, 그러나 힘 있게

"그만하면 알았소이다!"

하고 커다란 손을 영숙이의 무릎 위에까지 닿도록 내밀었다. 영숙이는 가

만히 손을 들어 남자에게 주었다.

진이의 여자에 대한 관념은 보통 남자와는 달랐다. 진이의 눈에는 제아무리 똑똑한 체하는 여자라도 '고양이' 이상의 아무것도 아니었다. 빛깔이야 누르는 검든 간에 털을 그슬리면 좁은 이마를 째브리고, 쓰다듬어 주기만 하면 함함해지며 다소곳하고 있다. 신기한 것을 쫓아서 하루도 몇 번씩 눈동자가 변하나 실상인즉 따뜻한 양지쪽을 찾아서 낮잠 잘 생각과 어떻게 하면 수챗구멍에서 나오는 쥐를 힘 안 들이고 잡아먹을까 하는 궁리뿐이다. 같은 가축 중에도, 개처럼 충직하지도 못하고 돼지처럼 잡아먹지도 못하는 치렛거리요, 그보다 지나치면 장난감밖에는 되지 못하는 것이라 하였다.

암상이 나면 아웅 하고 할퀴는 버릇이 있으나 그런 버르장이를 할 때에 목덜미를 쥐어 팽개를 치면 다시는 달려들 용기가 없다. 그야 외양을 따라서, 또는 경우를 좇아서 조금씩 다르기는 하다. 젊은 과부나 오올드미스의 겨드랑이 밑에서 자라나서 고기접시만 핥는 고양이도 있고, 곡식도 없는 광속에 갇혀서 햇빛도 못 보는 팔자 사나운 고양이도 있기는 하다. 그러나 동물학상으로 분류를 하면 그 본질에 있어서는 고양이 외의 아무것도 아니다.

그와 마찬가지로 여자들도 근래에 와서는 '해방'이니 '경제적 자립'이니 하고 노란 기염을 토하긴 하여도 결국은 선천적으로 남자에게 종속된 사람의 반편 이외의 아무것도 아니라 하였다.

남자의 곁에서 잠동무나 해 주고 밥 짓고 자식 낳고 하는 천직 이외에는 특별한 일에는 영리한 사람이면 이용이나 할 수 있을까.

한 걸음 나아가서 이성 간에 영혼이 서로 교통하고 빨간 하아트가 서로 가락지를 끼듯이 결합된다는 것은 망령된 생각일 뿐 아니라 저 스스로 제 자신을 마취시키는 아편적 관념이라 하였다.

실상 그 당시의 진이는 연애 길에 들어서는 제국주의자였다. 연애는 일종의 전쟁이다. 탐나는 것이 있으면 폭력의 무기를 휘둘러 빼앗아 가지고는 제 물건을 만들면 그만이다. 그래서 차차 길을 들이면 따르지 않는 여자가 없으리라 하였다.

먹기 싫은 음식은 개나 주려니와 사람이 싫은 것이야 어찌하랴. 목장의 소나 말과 같이 부모가 억지로 접을 붙여놓은 소위 아내라는 명색이 있어도 나와는 밟는 길이 천리만리나 되는 것을 어찌하랴. 귀밑머리를 맞 풀었기로서니 사랑이 없는 바에야 무엇이 그다지 소중한 것이냐? 불쌍하고 가엾다고 멀쩡한 나까지 따라서 불쌍하고 가엾어지란 말이냐? 그 따위 온정주의(溫情主義)는 내게는 비상이다. '조강지처'니 '해로동혈'이니 하는 것은 케케묵은 수작이요 썩어문드러진 관념이라 하였다.

그러한 여성관의 발동이 진이로 하여금 영숙이를 조상호에게서 전취하게 한 것이었다.

그 이튿날 이른 아침 진이는, 영숙이는 죽어라고 싫다는 것을 인력거에 태워가지고 모씨의 집으로 달렸다. 방문을 열고는 영숙의 등을 밀어 모씨의 앞에다 세우더니 굽실하고 예를 하며

"선생님, 저두 엊저녁에 장가를 들었습니다."

막 세수를 하고 수건질을 하던 모씨는 지난밤의 꿈인 듯 정말 같지 않았다.

하룻밤 사이에 두 볼이 여윈 듯 한 영숙의 수그린 얼굴을 유심히 보더니

"뭐? 장가를 들었어?"

"선생님께서 하루에 두 번씩 주례를 해 주시기가 어려우실 듯해서 저희끼리 그렇게 됐습니다."

모씨는 어제 저녁의 경과가 눈앞에 보이는 듯하였다.

"나도 짐작한 바는 있었지만…… 너무 속했는걸. 저 영숙이 아버지 배 장로가 알면 펄펄 뛰겠다. 하여간 모든 앞일이 걱정이다."

"실컷 뛰라지요. 하나님의 턱 밑까지 치받으라지요."

영숙이는 '장인에게 그게 무슨 버릇없는 소리냐'는 듯이 진이에게 눈을 살짝 흘겨 보였다.

그때에야 동렬의 내외는 아침을 먹으려고 식당으로 쓰는 응접실로 들어왔다. 영숙이는

"언니!"

하고 세정에게로 달려들어 웃는 것도 아니요 우는 것도 아닌 눈 표정으로만 간반을 지낸 일을 하소연한다.

동렬이는 진이와 영숙이를 번갈아 보더니

"자네 웬일인가?"

"나도 선생님께 결혼 도도께를 하러 왔네. 자네 결혼은 '진눈깨비' 결혼이요, 내 결혼은 '벼락' 결혼일세."

모씨의 좌우에서 두 쌍의 둥근 식탁을 에워싸고 조반을 마치었다.

그리하여 동렬과 세정과 진이와 영숙이 사이에 엉클어졌던 상해를 배경으로 한 로맨스도 이로써 끝을 마치였다.

삼년 후

세월은 똑같은 걸음으로 달려들어 누구에게나 똑같은 시간을 빼앗아서 가건만 바다 밖에서 그날그날을 일에만 골몰하고 갈수록 신산한 생활에 쪼들려 지내는 사람들에게는 파발걸음처럼 달리는 것 같았다.

그 뒤에 이태가 지나고 삼 년째 되는 여름철이 접어들었다. 그러나 그동안 모씨와 두 쌍의 동지에게는 신변에 별로 큰 변동이 없었다.

겉으로 보기에는 모씨의 머리에는 흰 터럭이 三분의 二나 점령한 것과, 여러 군데로 그들이 웅거하는 집을 옮겼을 뿐이었다. 그러나 그는 여전히 원기가 왕성하여 광동(廣東)·향항(香港) 등지로부터, 북으로는 멀리 해삼위(海蔘威)나 니콜스크 부근까지 다리 아래에 걸치고 동치서구(東馳西驅)하여 그야말로 자리가 더울 날이 없었다.

동렬이는 세정이와 여전히 상해를 지키고 모씨와 연락하여 뒷일을 보살피고, 한편으로는 어학을 계속해 공부하였다. 그동안에 새로이 시작한 러시아 말이 주의(主義)에 관한 새로이 출판되는 책을 뜯어볼 만큼이나 늘었다. 그가 거처하는 방에는 마르크스의 『자본론』을 위시하여 길책이 들이쌓이고 신문 잡지로 벽을 바르다시피 하였다. 그와 동시에 동렬이가 모씨의 대신으로 책임을 지고 지휘하는 당의 일은 그 세력이 내지(內地)에까지 뻗치고 그곳의 청년당원만 하여도 오륙십 명이나 되었다. 그들의 노력은 그동안 여러 파로 분열이 되어 서로 싸우는 중에서도 그 중의 대표적 존재로서 국제당의 인정을 받았다.

한편으로 진이는, 오는 가을이면 그 군관 학교를 졸업하게 되었다. 그동안 몇 번이나 갑갑하다고 상해로 뛰어 올라와서 함께 고생을 하며 일하겠다고 떼를 쓰는 것을 모씨와 동렬이가 성심으로 말렸다. 특별한 호의로 입학을 시켜준 것인데 당장에 나서야 할 형편이 되지 못하는 바에야 꾸준히 다녀서 업을 마치는 것이 그네들에게 대한 의리로나 또는 조선 사람의 신용 상 좋으리라 하여 굳이 계속하게 한 것이었다.

진이는 그 학교에서 인심을 얻었다. 그동안 중국말은 그네들과 조금도 다름없이 지껄이게 되었거니와 말 잘 타고 총 잘 쏘는 것으로는 진이를 누를 사람이 없었다. 춘추로 대연습 때면 그들은

"퍼어진! 퍼어진! (중국 발음으로 박진)"

하고 앞장을 내세워 전교 학생에게 호령하는 영광을 입혔다. 처음 입학을 허락해 준 교관은 교장으로 승진하여서 진이에게는 더구나 극진히 굴었다. 조선 사람으로 기병대의 반장에 된 것도 처음이요, 청하는 대로 특별한 휴가를 주는 것도 학교 규칙에는 없는 일이었다. 사실 중국인 학생 중에는 진이처럼 민활 호협한 청년은 드물었고, 더구나 군인은 위풍을 숭상하는 터이라 진이만큼 늠름한 체격을 가진 사람이 없었던 것이다.

영숙이는 그때에 울며불며 진이를 떠나보낸 후, 세정의 동서와 같이 또는 새로운 동지로서 서로 일을 도왔다. 만돌린이 깨어지는 통에 음악가가 되겠다는 공상도 깨어지고(그리고 이따금 꼬임을 받는 것이 사실이지만……), 그네들의 영향으로 이삼 년 전과는 사상이 사뭇 바뀌었다. 그의 아버지 배장로에게까지 주의 선전을 하게 되었고(돈이 아쉬울 때만은 편지 끝에 "하나님의 은혜가 영원히 아버님의 곁에 떠나지 마시압소사" 하고 써 보내지만……) 이따금 모이는 당의 회합에도 참예하여서, 어조가 빨라서 알아듣기는 어려우나마 짤막한 연설까지 할

만큼 단련이 되었다.

진이와는 삼 주일에 한 번, 어쩌다가는 한 달에 한 번씩 몇 백 마일을 격하여 장거리 연애를 계속하였다. 진이가 몰래 다녀가기도 하고, 정 만나고 싶으면 영숙이가 학교로 찾아가서 그 근처 여관에서 이틀 사흘 묵고 오기도 하였다. 그동안에 몸이 무거워졌다. 산삭은 차오는데 수토불복으로 위병까지 생겨서 할 수 없이 서울 어머니에게로 돌아간 지 한 달이나 되었다.

처음에는

"조년이 우리 교인의 집안을 망해 놓았다."

하고 천정이 얕아라고 뛰는 그의 어머니도 달이 가니까 한풀이 꺾여서

"순산이나 했으면…… 이왕이면 아들이나 낳았으면."

하고 하루바삐 외손자의 얼굴을 보고 싶어 하였다.

그 뒤에 조상호는 담배를 피우고 술을 배웠다. 이따금 앞을 가누지 못하도록 취해 가지고는 영숙이의 집 들창 밑까지 와서 외마디 소리를 지르고

"아아, 찢어진 나의 심장이여!"

"오오, 시들어 버린 청춘이여!"

하고 시 같은 글줄을 써 보냈다. 그러다가 나중에는 화류병까지 걸려서 입원을 했다는 소식이 들렸다. 영숙이는 상호를 생각할 때마다 꺼림칙하고 가엾은 생각이 나서 마음을 괴롭게 구는 것도 사실이었다.

또 한 가지 남았다. 그동안 한윤식은 제 버릇은 개도 못 준다고, 여전히 그 따위 행동을 계속하다가 그곳 동포들에게 쫓겨났다. 신변이 위험하니까 내지로 들어갔다. 떠난 지 얼마 안하여 월급을 백 원씩이나 먹는다는 소문이 상해 바닥에 쫙 퍼졌다.

그해 칠월 상순 어느 날, 동렬이와 그밖에 두 동지(소설에 나오지 않은 사람)는

모스크바를 향하여 비밀히 떠났다. 십여 일 후에 그곳에서 열리는 국제당 천년대회에 참여할 조선인 대표로 뽑혔던 것이다.

중국 철도로 만주리(滿洲里)를 거치려면 관헌의 조사가 엄밀하여 무사히 넘길 수가 없으므로 자동차로 고비사막을 뚫고 몽고를 지나서 치타까지 도착하는 노정을 밟았다.

일망무제한 사막! 뿌연 하늘과 싯누런 모래벌판 이외에는 아무것도 보이는 것이 없었다. 바람이 어찌나 세차게 부는지 타고 가는 자동차는 성냥갑같이 휩쓸려 갈 듯 하였다. 몇 번이나 자동차 바퀴가 깊이도 모르는 모레물결 속에 파묻혀서 죽을힘을 들여 파내면 뒤에 따르는 가솔린만 실은 자동차에서는 기관에 고장이 생겨서 반나절이나 뜯어고치기도 여러 차례 하였다.

캐러밴(隊商)들의 낙타의 잔등 위에서 연인을 찾은 애달픈 갈잎 피리 소리가 들리기는커녕 희멀끔한 밤이 깊어 가면 어디선지 송아지만큼이나 큰 승냥이가 수십 마리씩 떼를 지어 어슬렁거리며 자동차를 에워싸고 달려들었다. 처음에는 헤드라이트를 켜고

"뿌웅 뿌웅."

소리만 내면 놀라서 흩어지더니 나중에는 사람의 살 냄새를 맡았는지 극성스럽게 기어오르는 놈도 있었다. 그들은 일제히 육혈포를 빼들고 앞장선 놈을 쏘았다. 하나 쓰러지고 둘이 거꾸러지는 것을 보고 그제야 이상한 비명을 지르며 흩어졌다.

……치타에서 기차로 바꾸어 타고 북쪽 외몽고를 지날 때에는 사막에 자루를 박은 회오리바람이 천지가 막막하도록 모래알을 끼얹어 차 속에서 하루에로 두 번씩이나 옷을 갈아입었다. 귀를 후비면 먼지가 한 움큼씩 나왔다. 전속력으로 달리던 기차는 풍광이 명미하기로 이름난 바이칼 호수 근처에 다다라서는 천천히 그 주위를 돌았다.

하늘을 찌를 듯한 삼림이, 고기 떼가 노니는 것까지 말갛게 들여다보이는 새파란 수면에 그림자를 거꾸로 잠그고 고풍 범선이 한두 척 아득히 수평선을 넘는 것이 보였다. 그러나 여름철 되어서 천고의 비밀을 감춘 듯한 시베리아의 눈벌판이 오로라(極光)의 밑으로 끝없이 퍼진 경치를 보지 못한 것이 유감이었다.

혁명 당시에 극동정부(極東政府)가 있던 이르쿠츠크를 거치고 시베리아에서 제일 큰 도회였던 톰스크를 지났다.

정거장마다 노란 곱슬머리를 어깨까지 흩트린 채 맨발로 하얀 종아리를 부끄럼 없이 내놓은 시골 처녀들이 소시지와 삶은 달걀을 사라고 차창으로 몰려드는 것도 볼 만하였다.

……치타를 떠난 지 엿새 되는 날 일본 시간으로 아홉시 쯤 하여 오랫동안 동경하였던 모스크바 중앙 정거장에 도착하였다. 여러 날 같은 기차 속에서 기거를 하면서도 모르고 있었던 다른 나라의 대표들도 십여 명이나 함께 내렸다.

국제당 동양부에서는 환영하는 기를 들고 나와서 그들을 맞았다. 대표들은 서러 잃어버리지 않도록 팔에 붉은 휘장을 두르고 그들이 선도로 십여 대나 되는 자동차를 벌려 탔다. 좌우간 두리번두리번하고 따라다니는 것이 영락없는 공진회 보따리였다. 마중 나온 사람 중에는 조선 사람도 한 사람 끼어 있었다. 그는 얼굴을 살펴 일행 중에서 동포를 찾아냈다. 말을 잘 못 알아들어서 큰 고통으로 지내던 동렬이와 다른 동지는 그제야 마음을 놓았다. 그 중에 제일 모양을 낸 것은 세일러팬츠에 가죽 웃옷을 걸친 미국 대표요, 가장 협수룩하게는 머리에 수건을 칭칭 감은 인도 대표와 아래윗니를 까맣게 물들인 안남(安南) 대표였다.

자동차는 서울로 치면 남대문 통 같은 드벨스까야 거리를 지나 유명한 시인 푸시킨의 동상이 침침한 공중에 높이 솟은 그 밑을 돌아서, 모스크바에서도 가장 큰 뉴스호텔로 들어가 여장을 풀었다. 그 호텔은 제정시대에 각국의 사절이나 귀빈들만 주숙시키던, 치레를 다한 여섯 층인 되는 거각(巨閣)이었다. 벽은 전부 으리으리한 대리석이요 층층대는 밟기가 황송하도록 무늬가 찬란한 융을 깔아놓았다. 구석구석이 촛대 모양으로 아로새긴 전등 바탕은 황금 칠을 하여 눈이 부시어 바라볼 수가 없었다. 일행은

'혁명의 나라 같지 않구나!'

하는 첫인상을 받으면서 여러 날 기차 속에서 삐친 몸을 푹신한 침대 위에서 두 다리를 뻗고 하룻밤을 쉬었다.

그 이튿날 제일 먼저 안내를 받은 곳은 레닌의 무덤이었다. 혁명 전까지 황제가 거처하여 궁사극치를 다하던 크레믈린 궁궐의 성벽을 돌아서 레닌의 무덤이 있는 탑 아래까지 다다랐다. 안내자는 경건한 태도로 고인의 간단한 이력과 생시의 몇 가지 일화를 들려주었다. 일행은 대낮에도 전깃불이 껌벅이는 층층대를 밟고 지하실로 내려갔다. 정방형 유리관 속에 조금 뚱뚱하고 동이 짧은 레닌의 몸이 생시와 같은 모양으로 누워 있었다. 유명한 생물학자의 손으로 방부제를 써서 살은 조금도 썩지 않은 채로 있으나 얼굴빛은 흰 납과 같이 창백하였다. 군복을 입고 훈장을 차고 발에는 슬리퍼를 꿴 채 과격한 사무에 몹시 피곤한 몸을 잠시 침대 위에 눕힌 것같이 반듯이 누워 있다. 온 세계에 알려졌던, 이십 세기가 낳은 소위 영웅이란 그의 시체 앞에 그들은 모자를 벗고 이 분 동안 묵도를 올렸다. 종교를 배척하는 그네들이건만 신앙의 대상자 앞에 무릎을 꿇는 것과 같이 묵묵한 기도로 그의 정령을 위로하였다.

레닌의 무덤을 에워싸고는 그 좌우에 화단이 있는데 거기에는 혁명 당시

에 시가전을 하다가 희생당한 사백여 명 용사들의 무덤이 나란히 묻혀 있었다. 그 맞은편에는 짜리의 전제 정치가 마지막으로 극성을 부릴 때에 반역하는 자는 닥치는 대로 잡아 죽이던 교수대가 보였다. 벽은 충충하게 돌로 쌓았는데 항쇄족쇄를 하던 기구가 그대로 남아 있는 것을 보고는 일종의 아이러니를 느끼지 않을 수 없었다.

궁전의 광장을 나서려니 열두 시나 되었는데 공중에서 난데없는 노랫소리가 들렸다. 그것은 궁성의 높은 시계탑 위에서 종을 치는 대신에 기계장치로 <인터내셔널>이 울려나오는 것이었다.

일행은 그 맞은편에 있는 국영 상점을 위시하여 노동국 농민박물관 등을 참관하였다. 동렬이는 수첩을 꺼내들고 그네들의 새로운 문화시설과 소비에트 정부가 생긴 지 불과 몇 해 동안에 피와 땀으로 건설한 모든 기관이며 놀라울 만한 치적을 일일이 적어 넣고 일행의 맨 뒤에 떨어져서 중요한 통계표까지 베꼈다.

오후에는 속칭 공산대학이라는 K·Y·T·B대학으로 갔다. 기숙사까지 돌아나오려니까 안내하던 일본말 강사인 조선 사람이

"우리 동포도 오십여 명이나 이 학교에서 공부하는 중입니다."

하고 일러 주었다. 드나드는 학생들을 보아도 그들의 얼굴은 찾을 수 없었다.

……어느덧 전깃불이 들어왔다. 팽이를 거꾸로 꽂아놓은 것 같은 사원의 뾰족집은 황혼의 붉은 놀을 배경으로 그 윤곽만이 어렴풋이 솟아 있다. 까마귀가 한 마리 두 마리 역사 깊은 그 탑 위에서 배회하며 날개 질을 치는 것이 아득히 바라다보았다.

이번에는 대외문화협회(對外文化協會)의 지휘로 가로등이 휘황찬란한 말렌스키 극장 거리로 들어가 제일 크다는 볼쇼이 극장에서 하룻밤 연극을 구경

하였다. 만원인데도 장내는 쥐죽은 듯이 조용한데 관객의 대개는 도시 노동자와 근처의 농민들이었다. 그날 밤의 예제는《황제와 이발사》였는데 무엇보다도 무대가 엄청나게 크고 장치가 어마어마한 데는 모두 혀를 빼물었다. 동렬이는 프로그램의 설명을 읽지 않고도 연극의 내용을 짐작할 수 있었다.

……대회는 사흘 후 크레믈린 궁전 안에서 열렸다. 장내는 모두 새빨간 포장을 두르고 중앙에는 레닌과 마르크스의 사진을 건 것을 위시하여 각국 말로 쓴 슬로우건이 빽빽하게 가로 세로 붙었다. 모여든 대표는 일백 오십 명 가량인데 방청자는 세 곱절이나 되었다.

그들은 에스페란토로, 혹은 제 나라 말로 그 나라 그 지방이 정세를 보고하고, 장래의 방침과 전술에 관한 토론을 하느라고 사흘이나 보냈다. 나흘되는 날 동렬이는 조선말로 간단명료하게 보고와 격려하는 연설을 하였다. 동양대학의 교수가 통역을 하자 만장은 박수로써 알아들은 표시를 하였다.

—그리하여 일주일 후에 대회는 끝났다— 또 그리하여 십여 일 후에 동렬의 일행은 짧은 시일이나마 많은 실제의 견문을 얻고 상해로 돌아왔다.

……이렇게 간단히 그 노정만을 적고 여행 중의 여러 가지 감상은 쓰지 않기로 한다.

(日帝의 검열에 걸려 未完인 채 中斷)

출처:『조선일보』, 1930.10.29-12.10.

사랑의 水族館

金南天

(전략)

淡水魚의 視力(六)

얼굴로 올라 스치는 뜨거운 혈액이 머리를 한없이 혼란케 하였으나 광호는 끝까지 진정하랴 애썼다. 제 동생이라고 덮어두는 귀여워하고 옹호하고 그럴 생각은 처음부터 없었다. 그러나 지금 최 교원의 무책임한 모욕적인 언사 앞에서 광신이를 옹호하고 싶은 심정은 누를 길이 없었다. 학교 당국보다도 광신이가 정당하다!―이런 생각이 그의 가슴을 점령하기 시작하는 것이다.

"잘 알겠습니다. 그럼 원서를 써가지고 다시 오겠습니다."

가까스로 이렇게 말하고 그는 밖으로 나왔다. 가슴에 뭉켜 도는 감정이 가라앉지 않아서 그는 흐릿한 거리를 걸으면서 여러 번 헛눈을 팠다. 담임선생이고 교장 선생이고 감정대로 하면 한바탕 실컷 악담이라도 퍼붓고 싶었다. 그러나 그는 난생 처음 감정의 폭발 앞에 서서 끝끝내 자기를 제어할 수 있었다. 한편 생각하면 자기의 비상한 인내력이 반갑게도 생각되었다. 느린 전차 속에서 시달리기가 싫어서 그는 자동차를 잡아타고 한강통에 있는 회사로 출근하였다.

공무과장에게 귀경과 지각의 사연을 인사와 겸해서 아뢰고 난 뒤, 그는 잠시 오락실로 가서 「쏘파」 위에 누워 보았다. 최 선생의 말이 아직 귀밑에 남아 있었다. 생각하면 생각할수록 불쾌하고 분하다. 그러나 취할 수 있는 나머지 방도는 역시 퇴학원서를 제출하는 것밖에는 없을 것 같았다.

다시 공무실로 돌아와서 급사가 가져다주는 따끈한 차를 마시며 혼란한 머리를 털어 버리려고 애썼다. 차를 마셔버린 뒤엔 머리를 정돈하여 일을 시작하였다. 제도대 위에는 그가 상경하여 곧 착수한 만주국 길림(吉林) 부근의 「일 만 분지 일」 지도가 압정으로 눌리어서 깔려있다. 길림으로부터 사가방(四家房)으로 통하는 구십 「킬로」의 철도부설을 위하여 그 기초가 될 세밀한 지도를 꾸미고 있는 것이다.

만주처럼 아직 세밀한 지도가 되어 있지 않은 곳엔 험준한 산악이나, 어디가 어딘지 분간할 수 없는 산림 속에 무턱대고 측량기계를 들여세울 수가 없다. 그래서 이러한 곳엔 측량을 시작하기 전에 비행기로 사진측량(寫眞測量)을 하게 된다. 항공회사에 의뢰해서 이루어진 사진측량을 기초로 하여 「일 만 분지 일」 지도를 만들고, 이 위에 비로소 최단거리를 취하여 철로의 예정선을 그어보고, 이것을 들고 현지측량을 개시하게 되는 것이었다. 광호가 지금 종사하고 있는 제도는 사진측량으로 된 것을 엄밀히 계산하여 「일 만 분지 일」의 축도로 옮기는 작업이었다. 두 손에 제도기를 들고 도면을 마주하여 계산에 정신이 쏠리면 머리는 자연히 통일이 되고 잡념은 정리되었다. 도면에서 머리를 떼고 그는 얼추 되어가는 지도를 바라본다.

작은 내가 생겨서 커다란 강이 되고 그것이 바다를 향하여 흘렀다. 평야가 꽉 막히고 아아한 산이 가로 질려있다. 바다 같은 산림은 지도 우에서는 그대로 곱다란 잔디판 같다. 이 가운데로 철로는 최단거리를 취하고 난공사를 피하면서 교량으로 건너고 「턴넬」로 넘어서 목적한 지점에 도장처럼 정거장을 찍어 놓은 것이었다. 기관차가 이끄는 대로 그는 제도대 위에 「이메지」와 「이류종」을 그리면서 만주의 풍토를 느껴본다. 빙그레 웃고 그는 담배를 피운 뒤 다시 자를 들고 계산에 몰두하는 것이다.……

오후 세 시 전에 지도에서 손을 떼었다. 이루어진 지도를 과장에게로 넘겼다. 과장의 승인이 나면 청사진이 될 것이다. 그러나 그 다음부터는 광호의 일이 아니었다. 그는 오락장으로 내려가서 급사에게 「광신」의 도장을 새겨 오라고 부탁하고 「큐」를 들어 당구를 한 판 쳤다. 급사가 새겨 온 도장을 찍어서 간단한 퇴학원서를 꾸미고 저의 날인을 한 뒤에 그것을 「용달」에게 부탁하여 광신이가 다니던 학교로 보내버렸다. 광신이의 문제는 끝이 난 것이다.

네 시가 되어서 회사를 나왔다. 전차 안에서 경희와 만나게 된 약속을 생각하고 그는 본정입구에서 차를 내렸다. 그러나 아직도 네 시를 넘은지 이십 분이 못 되었다. 그는 차라도 마시면서 시간을 기다리려고 명치정으로 돌아갔다.

"김 선생님." 하는 여자의 목소리가 들려서 광호는 길 가운데 멈추고 머리를 돌렸다.

(중략)

미꾸리와 龍과(一)

이신국 씨네 원동 저택에서 설잔치가 벌어진 날 오정이 좀 넘어서 황금정에 있는 대흥상사 주식회사 사장실로 신문기자 한 사람이 찾아왔다. 급사가 들고 온 명함에는 신문사의 이름과 신석규라는 석 자가 쓰여 있었다. 이신국 씨는 언제나 하는 버릇으로 비서 송현도로 하여금 용건을 묻게 하고 질문 같은 데는 적당히 응수하여 그대로 물리쳐 버리라고 명령하였다. 바쁜 시간에 일일이 필요치 않은 일로 사람을 면대할 수는 없는 것이다. 그러나 응접실로 나갔던 송현도는 한참 만에 다시 사장실로 돌아왔다.

"새해의 감상을 들어서 신문에 실겠다고 하길래 바뿌다고 거절했더니 다른 요긴한 말루 좀 귀뜸해 드릴 일도 있다구 합니다. 바뿌시지 않으시건 잠시 만나 보시지오."

송현도의 그러한 말을 듣고 이신국 씨는 가만히 자리에서 일어났다. 그도 신문기관을 시끄럽게 생각하지만 선전가치라든가 또 다른 방면으로 이용할 모는 얼마든지 있다고 생각한다.

송현도는 앞서서 사장응접실로 들어갔다. 그리고 이신국 씨가 이어서 방안으로 들어서자,

"사장 선생이십니다." 하고 말하였다.

"내가 이신국이요."

신주사는 이날 머리도 새로 깎고 옷도 신문기자 티가 나게 차리느라고 무

한 애를 쓴 모양이어서 「쏘파」에서 일어나는 길로,

"아, 미처 뵈온 적 없습니다. 저는 ××일보사에 있는 신석규올시다." 하고 꾸뻑 인사를 하는 폼이 제법 익숙한 솜씨다. 송현도는 두 사람을 안내해 놓곤 다시 사장실로 들어가 비서과로 돌아가 버렸다.

「테불」 위의 담배를 권하고 이신국 씨는 저도 한 가치 피어 물었다. 여자 급사가 차를 만들어왔다. 그러나 신주사는 담배에도 손을 대지 않고 수첩 같은 것을 꺼내서 들고,

"이번 만주를 거처서 시베리아 경유로 구라파시찰을 떠난 만주중공업의 아까가와 씨를 만나셨다는 소문이신데 물론 좋은 수확이 많었을 줄 짐작됩니다. 그 계획에 대해선 차차 묻겠습니다만 우선 아까가와 씨의 이번 구주시찰의 중요성 같은 것으로부터 말씀해 주셨으면……"

"아까가와 씨를 만났다구는 허지만 그이가 이번에 시일이 촉박해서 서울엔 내리지도 않고 직행을 했는데, 나는 기중에서 만난 셈입니다. 간단히 인사나 하구 갈라 질려든 게 이야기가 길어저서 평양까지 동행을 했지오. 비행기 중에서 한 이야기라 잡담이 많지 무슨 사업에 대한 이야기랄 게 있을 수 있겠소. 그이가 아메리카를 가려다가 그만둔 것은 세상이 아는 바이고 결국 이번 여행의 목적도 마찬가지 기재도입(機才導入)에 있겠지오."

"대흥회사로서 만주진출을 도모하시는데 어떤 좋은 약속 같은 것이 되어지셨다는 소문이신데."

"소문이라면 그저 소문뿐이겠지오. 만주중공업이 작년에 자회사(子會社)에 불입한 총액이 삼억 육천백육십사만 원입니다. 재작년도의 불입 총액 일억 구백만 원에 비하면 약 세 배 반이 되지 않소. 그런 판에 우리 따위가 무슨 소용이 있겠소. 지금 만업자회사의 공칭자본총액이 팔억 팔천 오백만 원입니다. 그리구 이 대부분이 이미 전액불입이 된 것들입니다. 소화제강(昭和

製鋼), 만탄(滿炭), 경금속(輕金屬), 동화자동차(同和自動車) 같은 게 만업에 통제된 건 옛날이지만 그 후 만주광산(滿洲鑛山), 만주비행기(滿洲飛行機), 동변도개발(東邊道開發), 만주자동차(滿洲自動車), 협화광산(協和鑛山)의 신설, 어쨌던 만주산업 오개년 계획의 줄을 타고 뻗어나가는 세력인데, 우리 대흥 따위가 어느 틈에 가 백여 보겠소. 거 다 공연한 헛소문이지오."

이신국 씨는 쇄락하게 웃으면서 담배를 빨아 푸른 연기를 내뿜었다.

"그래두 저번에 창립된 남만주방적에는 대흥에서도 퍽 많이 관계하시지 않았었나요?"

이신국 씨는 머리를 썰레썰레 내흔들고,

"감사역을 한 자리 벌었달 뿐 별루 깊은 관계는 없오이다."

그리고 또 다시 나직이 웃는 표정을 지었다. 신주사는 거기서 일단 이야기를 끊었다.

미꾸리와 龍과(二)

"그러시면 이번 신년을 당하서서 특별한 계획이라시던가 또 그밖에 계획이나……"

"계획이 무슨 계획이 있겠습니까?"

"북지진출 같으신 거……"

"그것도 별반 계획이 선 건 없소이다. 그저 연구는 시켜 옵니다만……"

신주사는 여기까지 듣고는 버륵버륵 웃음을 낯에 띄우면서,

"지금 말씀하시는 걸 모두 발표하려는 것두 아니신데 그렇게 비밀주의를 쓰실거야 있습니까." 하고 말하였다. 이러한 말에 이신국 씨가,

"비밀이 무슨 비밀이겠소. 요즘 사업이란건 숨어서 남이 알기 전에 먼저 해버린다던가……그런 방식으론 되어지지 않습니다. 무엇을 하면 될 수 있을지, 그건 사업가가 한가지로 빤히 디려다 보구 있는 사정입니다. 그러니까 눈치가 빠르다던가 먼저 착안하는 기민성을 갖추었다던가 하는 건 적은 장사치들에게 필요한 것이지, 실상 사업설계에 비밀이란 게 없어진 지는 벌써 오래전 일이지오. 문제를 결국에 가서 결정하는 건 역시 다른데 있는 겁니다."

그러나 물론 신주사는 이 이상 질문을 가지고 추궁해 볼 생각은 본시부터 가지고 있지 아니하다. 그러므로 그는 이신국 씨가 질문의 화살을 피하여 달아나 버리는 것을 좇아가려고 하지는 않는다.

"그러시면 범박하신 대로 재계에 대한 감상 같으신 것을 말씀해 주셨으

면 감사하겠습니다."
"글쎄 늘 하는 말인데……"
이렇게 이신국 씨는 잠시 생각하는 척 하다가,
"무어 별달리 신통한 감상이 있겠소. 언제나 하는 말로 시국이 시국이니까 재계에서도 국책에 따라 그것을 실현하기에 전력을 다 해야겠지오. 새해를 당하여 그것을 일층 더 절실히 느낀달 뿐이겠지오."
신주사는 여기까지 듣고는 수첩과 연필을 포켓트에다 넣었다. 그러나 무엇을 생각하였는지 지금 넣은 수첩을 또 한번 꺼내서 펄깍펄깍 뒤적여 본 뒤에 그것을 다시 위 포켓트에 넣었다.
그리고는 이러한 말을 시작하였다.
"영감께서 토목사업에 관계하시는 건 니시다구미밖에 없으신가요?"
"네. 그것밖에 직접 관련된 회사는 없소이다."
"아, 그러시면 다행이십니다."
신주사는 벌씬하니 웃었다. 그러나 이신국 씨는 이 신문기자의 말을 이내 이해하지는 못하는 듯한 표정이다.
"참 다행이십니다. 물론 다아 아시고 게시겠지만 지금 본정경찰서에서 취조하기 시작한 토목 사기사건에는 아마 중요하게 걸리지 않은 회사는 니시다구미뿐인 모양이올시다."
이신국 씨는 처음 듣는 이야기였다. 그러나 신문기자 앞에서 새삼스럽게 놀래는 표정을 지어 본다든가 그런 실수를 하지 않을 만한 수련은 치러왔다. 그는 그저 덤덤히 앉아 있을 뿐이다.
"게재금지가 된 것이어서 널리 알려져 있진 않지만……물론 우리들은 그전에 일어났던 담합사건(談合事件)처럼 큰 것이라군 믿지 않습니다만, 토목기사들과 토지 뿌로카들과의 합작이 되어서 그렇지 않아도 시끄러운 지가(地

價)문제에 아마 적지 않은 센세숀을 일으킬 모양이올시다. 지금 검거된 자는 대부분이 그 뿌로카들이구 토목기사 중에 관계된 자는 신중히 조사해 가는 과정에 아마 검거하게 될 모양이올시다. 니시다구미에선 별반 큰 관계자는 없는 모양이고 한두 사람, 그쯤은 아마 면치 못할 사정이십니다. 아직 우리도 똑똑한 내용은 모르고 어째피 게재금지의 해금이 되면 곧 호외를 발행할 수 있도록 준비는 해두어야 하니까……그럼 일이 좀 더 벌어진 뒤에 다시 참고로 의견 같은 것을 들으러 오겠습니다. 오늘은 바쁘신데 귀중한 시간을 주서서 대단 황송하올시다."

신주사는 의자에서 일어났다. 그러고는 인사를 하고 방을 나갔다. 이신국 씨는 사장실로 돌아왔다. 잠시 동안 의자에 앉아서 가만히 생각해본다. 그러나 그는 이내 초인종의 단추를 눌렀다. 송현도가 들어왔다.

"지금 신문기자가 이상한 소문을 들려주구 갔는데……" 이렇게 나직이 이야기하였다.

미꾸리와 龍과(三)

"송 군은 무어 토목기사와 토지 뿌로카들과의 합작으로 사기사건이 발각되었다던가, 그런 소문을 들은 적이 없지?"

송현도는 사장의 「테불」 앞에 선 채 머리를 끼웃거리며,

"그런 거 들은 적 없는데요." 하고 대답한다.

"그럼 그게 무슨 소린구……"

혼잣말처럼 중얼거리더니,

"본정경찰청에서 취조 중이라는데 좀 알아볼 길이 없나? 그 사람 말이 우리 니시다구미만은 깊이 관련되지 않았다구 하는데……어쨌던 바쁜 건 아니고, 틈이 있으면 좀 주의해 보게."

송현도는 이러한 말에 그저,

"네." 하고 대답했으나 잠시 무엇을 생각하는 듯하다가,

"그럼 인제 어디 좀 알아보지오." 그리고는 손수 탁상전화를 들었다.

"김 형사 좀 대어 주십시오. 김 선생이시오? 아 나 대흥상사의 송현도올시다. 안녕하십니까? 온 별 말씀을. 연하장 올리는 거야 관례가 아닙니까? 아아 네 네. ……저 지금 바뿌십니까? 바뿌지 않으시건……그럼 잘 되셨소. 나두 오래간만에 점심이나 같이할까하는 생각이었는데 그럼 나두 그리루 가겠습니다. 네에 네." 전화는 끊었다.

"그럼 어데 좀 알아보고 오겠습니다."

송현도는 사장실을 나와서 비서과로 갔다. 외투를 입고 모자를 쓰고 그는 회사를 나갔다. 그가 나간 뒤 이신국 씨는 잠시 동안 지금 일을 생각해 보았으나 그 이상 더 괘념치 않고 이내 다른 서류에 눈을 옮기었다.

한 시간 뒤에 송현도는 밖으로부터 돌아왔다. 그가 김 형사와 만난 것은 사실이지만 물론 사건 이야기 같은 것을 하였을 턱은 만무하다. 그저 그전부터 친히 아는 사이라 세상 형편 같은 이야기나 수작질하여 노닥거리다가 들어왔을 뿐이었다. 외투를 벗어 걸고는 이내 사장실로 갔다.

"이재 만나본 형사가 제의 중학 동창인 까닭에 비교적 상세한 말씀을 들을 수 있었는데, 사건은 아직 윤곽만 나타났을 뿐이지 그 내용이나 범위는 측정할 수가 없다고 합니다. 토지관계뿐 아니라 요즘 토목이나 건축 같은 것을 위효해서 어떤 담합사건에도 비길 만한 범죄가 숨어 있지 않을까, 이런 걸 막연히 생각하고 우선 계재금지는 시킨 모양입니다. 만은 사건이 어떻게 될런지는 딱이 알 수 없겠다고 합니다. 단지 니시다구미에는 거기 기사로 있는 김광호 군이 다소 관련이 있은 듯하나, 물론 형사상으로 범죄를 구성할 정도는 아니고, 개인적으로 토목협회(土木協會) 같은 것을 통하여 징계 같은 것이 있을 수 있다면 그 정도로 낙착이 되던가, 혹은 제 스스로 그릇된 죄의 책임을 지는 반성의 태도를 취하면 그런 정도로 무사하리라 합니다. 내용인즉은 김광호 군이 직책상 철도예정선을 알고 있던 것이 있었는데 그것이 뿌로카에게 이용되었다고 합니다. 그 보수로 사례를 받았는지 어쨌는지는 알 수 없다고 합니다."

이신국 씨는 이야기를 듣고 있다가 이 대목에서 나직이,

"김 군이 보수를 받던가 그럴 턱이야 없지."

이렇게 김광호를 옹호하는 어조였다.

"그러시겠지오. 그저 악질의 뿌로카에게 이용된 정도이겠지오. 그러나 저

러나 토목협회 같은 데서야 문제가 되지 않겠습니까?"

이신국 씨는 그저 고개를 주억거려 보았을 뿐 송현도는 이렇게 보고해 놓곤 제 방으로 돌아갔다.

이신국 씨는 서류에다 다시 머리를 묻었으나 잠시 맞은편 바람벽을 바라보며 김광호의 일건을 생각해 본다.

'내가 신임하고 내가 추천한 유능한 기사가 이런 사소한 일에 걸려서 희생이 된다면 그건 가석한 일이다. 김 군의 성격으론 도저히 그러한 재물에 탐을 낼 사람도 아니고, 또 토목기사가 가져야 할 가장 큰 도덕을 그렇게 허술하게 하였을 턱이 만무하다. 그러나 일이 이렇게 된 이상 토목협회에서 어떤 징계가 내리기 전에 그의 전도를 보호해 주어야겠다.' 그런 궁리를 하고 있었다.

미꾸리와 龍과(四)

그날 밤—

이신국 씨는 아직 남산장 신년연회 석상에 있을 것이고, 원동 저택에서는 은주의 생각하는 바가 어떤 결과를 낳았을 시각에 송현도는 저의 집에서 원동으로 전화를 걸었다.

"부인이십니까? 나 송현도올시다. 결과가 어떠했어요? 잘 되셨어요? 하하아. 그럼 성공인 셈이군요. 난 실팬데요. 원체 사장의 신뢰가 대단한가 봅니다. 물론 그 정도를 가지고는 사장께서 그 사람을 잘못 생각지는 않을 것 같아요. 그 사람이 그럴 리가 없는데에—하는 그런 정도군요. 네. 그럽시다. 좌우간 당분간 두고 봅시다. 여자 편만 틈을 보아 제이단의 공작을 시작해 보지오. 그러나 저러나 사장 선생이 돌아오시건 한번 넌지시 눈치를 채 보시구료."

전화의 내용은 그러한 것이었다.

그러나 연회석상에서 이신국 씨는 옆에 와 앉은 니사다 씨에게 남들의 귀에 들리지 않게 이런 소리를 건네고 있었다.

"그, 김광호 군이 어떻습니까? 사람 된 품과 또 기술의 정도 같은 게……"

"아아 뭐 빈틈없는 청년이지오. 영감께서 추천하신 이라 역시 다루군요. 오래잖아 기술주임의 의자를 맡길까 합니다. 아시다시피 기술주임이란 건 오랜 경력이 필요한 자린데 김군은 그 직책을 넉넉히 다해 나갈 겁니다."

이신국 씨는 만족하였다. 그러나 그다음은 잠시 침묵하였다가,

"경찰에서 취조 중이라는 토지사건이 있다는 소리를 들었소?" 하고 물었다. 니시다 씨는 술기운이 낯에 발그레하니 나타난 표정을 갑자기 긴장시키며,

"그런 말 처음인데요." 하고 말한다.

"내 생각 같아선 무어 대단한 건 아닌가 본데, 경찰에선 범위를 확대시켜 볼려고 노력을 하는 갑디다. 내용은 지금 알려진 정도론 철도예정선을 중심한 토지문제인 모양이니까 대단한 건 아니고, 그런데 거기 김 군이 다소 관련이 있답니다. 범죄를 구성할 정도는 아니고 또 그런 일을 저질을 김 군도 아닌데 역시 토목기사의 직분으로서 실수인 건 사실이고……김 군이 알고 잇는 철도예정선의 비밀이 어떻게 뿌로카들에게 이용이 되었답니다. 그러니 김 군이 당분간의 실각은 면할 길이 없지 않소?"

니시다 씨는 이해할 수 없는 일이라고 한참이나 고개를 끼웃거린다.

"확실한 일입니까?"

"글쎄 내가 아는 것으론 확실한 이야깁니다. 어떻게 청년의 전도를 죽이지 않을 묘한 계책을 생각해 보십시오."

니시다 씨는 한참 궁리를 하였다.

"헐 수 없습지요. 만주국 관내로 전근을 시켜야지요. 결국 조선토목협회의 관내에서 축출을 시켜두었다가 얼마 뒤에 다시 데려오는 수밖에……"

"만주국에 보내면 거기서는 무슨 징계 같은 게 없을까?"

"거야 없습니다. 아직 그곳은 그런 조직체가 완비되어 있진 않으니까. 그러나 우리 구미의 공사장으로 그를 보내면 안 될 겁니다. 우리 구미가 지금 길림철도(吉林鐵道)의 일을 청부해 가지고 하고 있지만 그것도 외국출장이지 결코 조선토목협회의 관내를 벗어나는 건 아니니까. 그러니까 전직을 시키려면 길림철도소속으로 해 버려야 됩니다. 마침 길림철도에서 기사에 대한

후원을 자주 말해오던 중이므로 곧 그리루 보내지오. 길림철도기사로 되면 문제는 없을 겁니다."

"그럼 내일이래두 그저 아무 말 말고 그리고 전직을 시키도록 주선해 주시오."

이것으로 이야기는 끝이 났다. 그때에 누군가 밖으로 나갔다가 들어오며,

"눈이 오는구먼." 하고 말하였다. 그래서 그것을 받아가지고 니시다 씨는,

"금년에 산양 좀 해보셨습니까?" 하고 이신국 씨에게 물었다.

이신국 씨는 기생이 따르는 술을 받아 마시면서,

"아직 바뻐서 한 번도 못 갔는데요. 지금 눈이 온다니까 눈이나 많이 내리면 내일쯤 틈을 내가지고 가볼까 하는데……"

"퇴계원이나 의정부 부근에 멧도야지가 많다는데……"

"글쎄 어디 눈이나 내리면 거기나 한번 가볼까." 그들은 다시 술잔을 바꾸었다.

미꾸리와 龍과(五)

그 이튿날 아침—

김광호는 회사에 출근하는 대로 곧 사장의 부름을 받았다. 그가 사장실에 들어가자 니시다 씨는 그를 맞은편 의자에 앉히고,

"김 군 만주에 한번 가 보지 않으려나?" 하고 다짜고짜 물었다. 광호는 어인 영문인 것을 몰랐다.

집 사정을 이야기하고 양덕공사장으로부터 본사 근무가 된 것이 불과 몇 달 전인데, 지금 다시 만주로 갈 생각이 없느냐는 건 그로서는 이해할 길 없는 이야기였다. 그는 대답을 하지 못하고 잠시 사장의 얼굴만 쳐다본다.

집사정도 사정이려니와 솔직하게 말하자만 그는 이경희가 살고 있는 서울을 떠나서 만주까지 가고 싶진 않은 것이다.

"이야기가 너무 갑자기 된 게라서 김 군에겐 좀 당황한 말일지두 모르지만 사정이 그런 만큼 김 군밖엔 부탁해 볼 사람도 없단 말이오. 서울 계서야 할 사정이 있다는 것두 모르는 건 아니지만 회사와 회사 사이의 체면이라던가 그밖에 여러 가지 관계도 있고 하니 얼마 동안만 길림철도에 가서 일을 보아 주시오. 형식상 길림철도의 소속으로 전직이 되겠지만 몇 달 동안만 일을 보아 주시면 내가 또 생각하는 바가 따루 있으니까. 결코 섭섭하게는 하지 않을 터요. 그렇게 오래될 것도 같지 않구, 저이 말론 더두 말고 삼 개월만 빌려 달라는 것인데 서투른 기사야 어데 보낼 수가 있겠소. 그러니까 모든

사정 다 덮어 놓고 급히 서둘러서 떠나게 해 주시오."

잠잠히 듣고 있다가,

"말씀대로 하겠습니다. 언제쯤 떠나야 되겠습니까?"

"승락해주서서 고맙소. 그편에선 하루래두 이른 게 좋다니까 오늘이래두 떠날 수만 있다면야……"

"오늘은 아무래두 안되겠습니다. 짐도 싸고 준비할 것도 있고 하니까. 그럼 내일 오후 차로 떠나겠습니다. 소개서와 서류 같은 건 다 준비 되셨나요?"

"인재 곧 만들어 드리겠소. 그럼 내일 오후에 떠나게 해 주시오. 어제 마침 이신국 씨와 연회석상에서 김 군 이야기두 했었구 그때에 이 이야기두 해났었는데……"

사장은 그렇게 말하면서 빙그레 웃었다.

광호는 오후 두 시경에 사원들과 전직인사를 하고 서류를 챙겨 넣은 뒤에 회사를 나왔다.

집으로 돌아와서 어머니에게 만주전근을 말하고 짐 쌀 것을 부탁하였다. 어머니는 직업상 출장 같은 건 할 수 없는 일이라 생각하고 있었으나 만주까지는 뜻밖의 일이었고, 그래서 이런 돌연한 일을 만날 때마다, 그는 다시 죽은 맏아들과 쓸쓸해진 집안을 생각하며 눈물을 흘리는 것이었다. 광호는 일이 바빠서 오래 집에 있지도 못하고, 그길로 백부 댁을 들려서 거리로 나왔다. 일용품을 좀 사고 관광협회에서 신경을 거쳐 길림까지 가는 침대권도 사넣었다.

대강 할 일을 해 치운 뒤엔 아까부터 가슴속 깊이서 꿈틀거리고 있던 이경희의 생각이 정면으로 머리를 들었다. 저녁이나 같이 먹고 이별의 말이래도 나누려고 그는 삼청동으로 전화를 넣었다.

"거기 어디서요?" 하고 묻는다.

"큰 아가씨 몸이 아프셔서 전화 받을 수 없어요."

그리고는 전화는 끊어졌다.

그는 밖으로 나와 가까스로 자동차를 잡아타고 삼청동으로 갔다. 초인종을 누르니까 행랑어멈이 나왔다. 역시 경희는 앓아누워서 만날 수 없다고 한다. 부득부득 찾아 들어가는 수도 없어서 명함을 한 장 꺼내 주었다.

"이런 사람이 왔다구 아가씨에게 보여드려."

명함을 주어 들여보내 놓고 광호는 밖에서 경희의 앓아누웠을 병상을 상상한다. 그대로 쫓아 들어가서 앓아 누웠는 경희와 만나고 싶었다. 그러나 병상에 누워있는 그에게 어떻게 감히 이별을 입 밖에 낼 수 있을 것인가? 내가 만주로 갑자기 떠난다면 그는 얼마나 쓸쓸해 할 것인가. 대체 그는 무슨 병으로 누워있는 것일까?—이런 생각을 두서없이 되풀이하며 초조해 있을 때 들어갔던 행랑어멈이 다시 나왔다.

"만나실 수 없답니다."

彷徨하는 금붕어(一)

강현순은 이번 정초를 우울하게 보내었다. 아무런 즐거움이나 감흥이 없이 쓸쓸히 보내었다. 양장점 친구들이 찾아와서 영화 구경도 다니고, 마담의 초대를 받아 점원위안회에도 참여하였고, 또 이경희에게서 전화가 와서 초이튿날 그의 집으로 설 잔치의 대접을 받으려도 갔다. 그러나 기분은 명랑치 않았다.

경희네 집을 찾아간 것은 이번이 처음이었다. 호화롭고 웅장하였다. 그전 같으면 그것이 저에게 오히려 믿음직한 든든한 인상을 주었을는지도 모르나, 우정의 위치가 바뀌려는 지금의 현순의 마음에는 그것이 오히려 두 사람의 간격을 심하게 하였다.

이경희가 당대의 일류실업가의 맏딸이란 것을 몰랐던 것은 아니었다.

그가 얼마나 호사스러운 생활을 하고 있을는지 그것을 전혀 알지 못하고 그의 동무가 되고 탁아소의 협동자가 되었던 것은 아니었다. 그것을 몸으로 느끼고, 머리로 생각하면서 그의 친구가 되었고 그의 조력을 받아 오는 것이 아니었던가. 그러나 그때에 아무렇지도 않고 그 전날은 아무런 잡념이 끼이지 않았던 것이 김광호, 이 한사람의 청년의 위치가 결정된 자태로 그의 앞에 나타날 때에 강현순의 생각은 저 자신도 어떻게 할 수 없게 자꾸만 비틀어져 나가는 것이었다.

그것은 강현순 제 자신의 눈에도 명확하게 의식되었다. 이래서는 안 되겠다고 생각은 하는 것이나, 그리고 비틀어지고 이지러지는 제의 마음을 양심의 채찍으로 가책을 주는 것이나, 그것은 벌써 어떻게 할 수도 없는 자연스러운 추세였다. 이것이 바로 질투가 아니냐고 저의 감정을 물어뜯고 깨물어 보아도 원하는 이성(理性)은 그의 마음에 소생되질 않는 것이다.

아무것도 모르는 경희는 오히려 강현순의 마음을 괴롭게만 하였다. 한사코 붙들어서 저녁까지 먹고 돌아 왔으나 돌아올 무렵에 그의 방을 구경한다고 사랑으로 나갔을 때 책상 한구석에 장식으로 세워 놓은 작은 「코댁」의 광호의 사진을 발견하곤 그는 저의 가슴속에 의식하리만큼 명확하게 머리를 든 질투의 감정까지를 인정치 않으면 아니 되었다.

“왜 어디 머리가 아퍼?” 그렇게 경희는 물었다. 현순은 머리를 흔들어 보이며 그의 방을 나왔다.

“머리가 아프면 좀 누웠다가 가지. 약이래두 지어 먹구……”

그러나 이러한 친절한 말까지도 정상한 심리상태로 받아들일 수는 없었다.

방 가운데 번뜻이 누워서 이경희의 호사스런 방 치장에 위압을 느껴가면서, 책장 한구석에 당당히 세워 놓은 청년의 사진과 이경희의 관계를 생각하면서, 그리고 이경희의 명랑하고 자유롭게 까불어 대는 형상을 눈앞에 마주 보면서……

‘아! 나는 그토록 착한 마음은 준비하지 못하였다. 그런 알뜰한 수양은 미처 쌓지 못하였다!’

집으로 돌아온 강현순은 「벳드」에 누워서 창밖에 부는 겨울바람을 뼈아프게 느껴가며 밤이 새는 줄을 몰랐다.

지금 내가 누워있는 이 「벳드」! 그것도 또한 이경희의 덕택이고 신세가 아니냐고 생각하면 그는 안온히 이 방에 들어 누웠을 수도 없을 것 같았다.

나는 그의 친구될 자격이 없는 여자였다. 신분이 다르다! 그는 대부호의 영양. 나는 의지할 곳 없는 하나의 직업여성. 내가 어이 그의 우인이 될 수 있으며 그의 사업의 협동자가 될 수 있을 거냐.

모든 것이 미망이었다. 망령이었다. 환상에 불과하였다.

—꿈에서 깨어야 한다—김광호에 대해서 그리었던 막연한 환상은 이미 부서진 지 오래고 지금은 다시 생활의 토대를 그전 날의 직업 위에 세우기 위하여 이경희에 의하여 이루어졌던 일체의 망상을 부숴버리지 않으면 아니 된다.

새해는 이런 의미에서만 강현순이에게 새해다워 질 것이다. 모든 것을 다시 출발하여야 한다고, 마음을 부둥켜 세우고 새로운 아침을 맞이하였을 때 오정도 되기 전에 어디서 전화가 왔다. 또 경희게서 온 것은 아닌가하고 저으기 결심을 새롭게 하여 전화통에 갔었다.

"강 선생이십니까?" 목소리는 사나이, 그것도 바로 김광호였다.

彷徨하는 금붕어(二)

전화에서 들리는 목소리의 주인공이 김광호라는 것을 깨닫는 순간, 강현순의 가슴에는 우심한 동계가 일어났다. 그것이 어떠한 감정인 것을 그는 딱히 알지 못한다. 그러나 그는 잠시 동안 덤덤히 서 있다가 또다시,

"강현순 씨 좀 대 주서요." 하는 광호의 목소리가 들릴 때에,

"네. 제가 강현순이여요." 하고 대답지 않을 수는 없었다.

"네에. 그러신가요? 나 김광호올시다. 새해에 복 많이 받으셨나요?"

제 귀에나 들릴 수 있도록 현순은,

"네." 하고 애매하게 대답해 놓곤 이내 깜짝 놀래인다.

'내가 무슨 복을 많이 받았다는 것일까?'

그러나 김광호의 목소리는 그런 것을 알 턱이 만무하다는 듯이,

"일전엔 실례가 많았습니다." 그는 눈 오는 날 저녁의 이야기를 말하고 있는 것이었다.

현순은 아무 대답도 하지 못한다.

만일 광호가 현순의 표정을 눈앞에 친히 보았다면 지금 그의 말을 천연스레 계속하고 있진 못할 것이다. 그러나 광호는 다시,

"양자 씨두 가끔 만나시는가요? 전번에두 말씀 올렸지만 요즘 정초니까 겸사겸사해서 이야기라도 좀 나누었으면 좋겠는데……"

"해가 바뀐 뒤루 아직 만나지 못했어요……"

"네에 그러신가요? 그럼 시일을 좀 넉넉히 잡아서 팔구일께 쯤이 어떠실는지."

현순은 대답지 아니한다.

"그때까지는 한번 만나시게 되겠지오?"

광호는 재촉하듯이 말한다.

현순은 나직이,

"그전으루 만날 수야 있겠지오." 하고 대답하였다. 「만날수야」 있지만 당신의 초대에 응할 수는 없다고 대답하려던 것이었을까? 그러나 김광호는 이러한 강현순의 말에서 미묘한 「뉴앙스」 같은 건 알아듣지 못하는 것 같았다.

"그러시면 미안하지만 양자 씨와 함께 구일날 오후에 시간을 만들어 주세요. 오후 네 시에 우선 명과에서 만나기루 하시지요."

현순은 어떻게 대답할는지 알 수 없어서 그저 멍청하니 전화통에 귀를 기울인 채 서 있다. 못 만나겠다고 거절해 버리면 이유의 설명이 길어도 지려니와 언니의 대답까지를 도맡아서 초대를 거절해 버리는 것으로 된다.—내심으론 그런 생각을 희미하게 되씹고 섰었다.

"그럼 그 시각에 틀림없이 기다리겠습니다."

전화는 드디어 끊어지고 말았다. 확답은 주지 않았으나 승락인 건 사실이었다.—라고 생각한 것은, '김광호와 만난다!' 하는 것을 똑똑히 의식한 뒤에 따라 온 제 자신에 대한 설명이었다. 그는 제 방으로 돌아왔다. '어째서 너는 김광호의 초대를 거절해 버리지 못하였느냐?' 하고 저의 태도를 후회하는 생각보다 그의 잔등의 한 부분이 으쓱하도록 환희에 가까운 소름이 어깻죽지를 흐르고 스쳐가는 것이 실감이 더 하였다. 그는 아침을 지을 생각도 않고 다시 침대에 들어가 누웠다.

김광호! 그는 나를 어떻게 생각하고 있는 것일까? 내가 그를 어떻게 생각하고 있었는지 그리고 그의 애인이 이경희라는 것을 안 뒤에 내가 어떠한 생각을 품고 있었는지, 그것을 그는 아무것도 모르는 것일까?—그럴수록 망설이기만 하다가 기차를 놓쳐 버린 것 같은 이상한 심사가 나서 그는 안타까웁게 이불을 뒤집어썼다. 그러나 지금에 이르러서 그것이 무엇이랴! 내가 그의 초대를 받는 것도 한낱 괴로움만 더할 뿐이 아닐 것이랴!

나는 왜 수화기 앞에서 그의 초대를 명확히 거절해 버리지는 못하였을까!

"당신은 경희 옆으로 가 버리세요! 나의 눈앞에 어른거리지 말고 금만가의 딸한테로 가 버리세요!" 하고 수화기를 걸어 버리지는 못하였을까? 머리를 부여 뜯으며 그는 침대가 움직이도록 어깨를 추면서 울었다. 문을 두드리는 소리가 그때에 들렸으나 그는 울음을 멈추지는 못하였다.

彷徨하는 금붕어(三)

두 번이나 두드렸으나 안에서는 대답이 없었다. 그래서 문을 열어보았다. 문은 잠기지 않았었다.

"이 얘가 여태 자나?"

그러면서 침대 가까이로 걸어오고 있는 것은 강현순의 형 되는 박양자였다. 얼굴은 여름보다도 거칠하였으나 원기는 퍽 회복된 것처럼 느껴졌다. 조선옷을 길게 입은 위에 두꺼운 외투를 두르고,

"아침을 지어 먹구 이러구 있니?" 그러면서 침대의 이불을 들추었다.

현순은 베개에 낯을 묻고 그대로 슬픔이 가라지기를 기다렸으나,

"언니 저만큼 가. 인제 나 일어나께."

그렇게 얼굴을 들지 않고 말하였다. 망측스런 몰골을 형에게 보인 것이 그는 부끄러운 것이다.

양자는 침대의 「커틴」을 쳐주고 저편가으로 물러섰다. 그는 동생이 일어나는 동안 취사장께를 가본다.

현순은 침대 위에 올라앉아서 머리를 고치고 옷을 갈아입은 뒤에 침대에서 내려왔다.

"아침 아직 안 지어 먹었구나."

양자는 동생의 얼굴을 바라본다. 그러나 현순은 아무 대답도 안하고,

"어떻게 이렇게 일찌기 오셨수?" 하고 묻는다.

"이르긴 지금 몇 신데 이르다니. 너 정신이 나갔니?"

양자는 외투를 벗어 놓고 손수 물을 끓였다.

현순의 일신상에 무슨 일이 생긴 것을 그는 눈치 채고 있다. 그래서 그는 그 이상 동생의 낯을 정면으로 살피려고 하진 않았다. 형이 물을 끓이는 동안 현순은 방을 정리하였다. 그리고는 더운 물로 낯을 닦고 간단히 화장도 하였다. 양자는 아무 말도 건네지 않고 찬장을 뒤져 먹을 것을 만들어 상을 보아 주었다. 기분이 다소 전환되었는지 양자와 마주 앉아 현순은 아침 식사를 치렀다.

"난 구경이나 갈가하구 들렸더니……"

"날두 춥구 그래서 구경 생각두 없수. 저녁까지 여기서 놀다 가게 해 응?"

현순은 어디 나갈 생각도, 그러나 혼자 방 안에 들어앉았기도 을씨년스러운 것이다. 두 사람은 침대에 나란히 하여 걸터앉았다.

"너 무슨 일이 있었니?"

이렇게 양자가 물어본다.

"아아니."

"그럼?"

"누가 무어 어쨌나? 가끔 있는 일들 아니유?"

양자는 더 묻지 않고,

"그렇다면 몰라도……" 하고 낯을 창밖으로 돌린다.

그러나 물론 현순의 말을 그대로 믿는 것은 아니다. 한참 그렇거고 앉았는데,

"참, 광호 씨한테서 전화가 왔어. 오는 구일날 오후에 언니랑 함께 저녁이나 먹자는 가봐." 하고 현순이가 말하여서 양자는 낯을 돌렸다.

"광호가 저녁을?"

"응. 전부터 그래 오랬어."

"전화가 언제 왔는데?"

"조금 아까."

양자는 펀듯, '현순이가 침대에 묻혀서 울고 있던 것은 광호한테서 전화가 온 뒤의 일이 아닌가?'

그런 생각을 하였고,

'그렇다면 광호의 전화가 어떤 원인이 되었는가?' 하고도 생각이 갔다.

"그래서 그러자구 승락했니?"

현순은 잠시 동안 가만히 있었으나 이윽고 목을 주억거렸다. 그러나 이내,

"언니 혼자만 가. 난 고만둘 테야."한다.

"왜?"

"고야니."

"고야니두 있나. 너 싫으면 나두 그만 두지."

그것으로 또 대화는 끊어졌다. 침묵이 괴로워서 이번에는 양자가 화제를 바꾸어서 물어본다.

"그 탁아손가 한다든 건 그 뒤 잘 되어가니? 그리구 이경힌가 그 색씨두 잘 있구?"

현순은 이러한 물음에 고개를 수그리고 나직이,

"어저껜 그 집에 놀라 갔었어" 하고만 대답한다.

"그래 작년엔 집터나 좀 닦아 두었나?"

이러한 거듭되는 물음에 현순은 점점 더 시원치 않은 태도를 보이었다. 한참 만에 그는,

"나 탁아소 그만 둘려우, 언니따라 만주루 갈 테야."

彷徨하는 금붕어(四)

"만주라구 별덴 줄 아니? 거기두 그렇지 나두 지금 망서리구 있다."

이렇게 대답은 했으나,

'대체 이 얘가 어찌된 일인가?' 하는 의심은 더욱더 깊어갔다.

"나야 이왕 헐 수 할 수 없으니 거기나 가보자는 게지 거기라구 별 수가 있겠니? 공연한 고생뿐이지. 어서 마음을 돌려가지구 하려던 일이나 계속해 보아라."

"싫어! 탁아소는 안 할 테야! 여기 있지두 않을 테야! 아무것두 안 할 테야!"

그리고는 갑자기 언니의 어깨에 낯을 묻고 현순은 뒷덜미를 들먹거렸다.

양자는 아무 말도 하지 않고 동생의 상반신을 안아주었다.

"그만 둬라. 울 거야 무어 있니?"

형의 손이 동생의 머리를 만질 때에 현순은 소리를 내어 울었다. 양자도 동생의 머리카락을 꽉 껴안은 채 두 눈에는 흰 구슬이 담뿍이 고이는 것을 그대로 내버려 둔다. 구슬은 깨어져서 두 줄의 물이 양자의 볼 편을 빠른 속도로 흘러내렸다…….

이런 일이 있은 뒤 며칠이 지났다.

―내일이 김광호와 약속한 날인데 어떻게 할가?―

사정을 다 듣고 나서도 양자 언니는 모든 감정을 죽이고 그 사람의 초대는 감사히 받아야 옳다고 타이르는 것이었다. 김광호와 이경희에게는 아무 것도 알리지 말고 그대로 그들의 옆으로부터 물러나는 것이 마땅한 도리라는 것이었다. 양자와 함께 만주서 새 사업을 경영하기로 되었다, 봄에는 이곳을 떠나야 할 테니까, 나는 탁아소에 협력할 수 없게 되었소.—이렇게 구실을 만들면 그만이 아니냐. 양자는 그렇게 말하고 「아파트」를 나갔던 것이다. 그러나 현순은 그의 말대로 천연스레 김광호의 초대를 받을 용기는 나지 않았다. 그래서 아직 망설이면서 그래도 기운을 내어 처음으로 가게에 나갔는데 양장점으로 전화가 왔다. 김광호였다.

"나 강현순이여요."

"네에 나 김광호올시다."

간단히 인사의 말이 끝나고는,

"다름이 아니라 제가 이번에 만주로 전근이 되었어요. 길림성 길림으로 가게 되었습니다. 어저께 갑자기 사령이 내렸구, 또 오늘로 급작히 떠나게 되어서 선생님들께 약속했던 게 부실하게 되었습니다. 죄송스러운 말씀은 참 무어라 여쭈어야 좋을는지, 오늘도 찾아가 뵈옵고 사죄의 말씀이라도 올려야 할 것을 바빠서 전화로 이렇게, ……참 미안한 말씀은 이루 말할 수 없습니다. 그럼 안녕히 계서요. 오늘 오후 차로 떠납니다. 양자 씨한테도 사정의 말씀을 전하시고 죄송하다는 인사나 여쭈어 주서요."

아무 말도 건네지 못하고 머뭇거리고 있는 동안 김광호는 혼자서 그렇게 말해버리고 전화를 끊었다.

난로 앞에 우두머니 너서 현순은 뒤숭숭한 머릿속의 갈피를 잡지 못한다.

"만주?"

무턱대고 양자 언니와 함께 봄에는 만주로 떠나 본다고 결심처럼 해 본 것도 김광호 때문이 아니었던가. 김광호와 이경희의 앞날을 축복하면서 저는 그들을 떠나 멀리 만주로 몸을 피하려고 결심해 보았던 것이 아니었던가. 그러던 만주로 김광호가 먼저 앞서서 떠나간다.

만주라고 넓은 땅, 어디서 그를 만나 볼 순들 있을 거냐. 그러나 양자 언니와 이야기 해 본 것이 막연히 그저 「만주」였던 만큼 지금 「만주로 간다」는 소리를 들으면 그의 가슴에는 형언할 수 없는 생각이 떠오르는 것이다. 그는 아무도 없는 가게에 의자를 의지하고 기운 없이 걸터앉아 본다.

오후에 떠나는 신경행의 특급을 멀찌감치 붙여 놓은 기차 시간표에서 찾아보고 있다.

"만주."

그는 소리를 내어 지저귀듯 해보았으나, '나는 조선에도 만주에도 마음 붙여 살 곳이 없어지는 것이 아닌가' 하는 생각이 들었다. 그때에 가게 뒷방에서 「미싱」의 돌아가는 음향이 물결소리처럼 들려왔다. 「미싱」은 두 대 세 대—이리하여 그것은 커다란 폭포의 소리처럼 그의 귀에는 들려왔다.

愛慾과 함께 온 것(一)

가슴에 품었던 아련한 청춘의 꿈을 부숴 버리고, 머릿속에 그려 보았던 아름다운 무지개를 지워 버리는 날, 그의 몸을 부둥켜 세울 신념의 기둥은 역시 생활과 직업의 가운데서 찾아볼밖에 딴 방도가 없었다.―그것이 얼마 동안의 방황 끝에 얻은 강현순의 마음의 방향이었다.

우선 나의 직업에 충실하자―이렇게 생각하면서 그는 전날처럼 양장점에 규칙적으로 출근하였다. 마음의 자세가 얼마간 바로 선 이상, 인제 이경희를 만난다고 하여도 별로 이지러진 심리 상태를 경험하지는 않으리라―그런 자신이 생길 만치 되었다.

양자 언니와의 만주에서의 생활 설계를 대충 설명하고 정식으로 탁아소에서 발을 뽑을 것을 이야기하리라 생각하였다.

경희를 나오라든가 제가 그의 집으로 찾아가든가―여하튼 얼마간 소식이 끊어진 이경희에게 전화를 걸었다. 없다고 한다.

'경희도 광호가 만주로 갈 때에 가치 간 것은 아닌가?'

그렇게 생각하면서,

"어디 여행하셨세요?"

하고 다시 물었다.

"네. 한 주일 전에 떠나셨어요?"

"어디 먼 데루?"

"아뇨. 시골. 저어 온양온천에 몸 정양하려 가셨세요."

"언제쯤 돌아오시나요."

"그건 딱히 알 수 없습니다."

온천에 휴양을 가는 바엔 그리 바쁘지도 않은 길에 한번쯤 전화래도 걸 일이지—저의 여태껏의 행동에 대해서는 미처 생각할 사이도 없이 강현순은 이경희의 태도에 불만을 느낀다.

그러나 그가 돌아올 때까지 기다릴밖에 없었다.

"나는 청의양장점의 강현순인데 온천에서 돌아오시건 전화 좀 걸어 달라고 말씀 올려주세요."

이렇게 부탁하고 그는 전화를 끊었다.

그 이튿날은 공일이었다. 또 한 사람의 양재사와 한 주일씩 교대해서 이번에는 현순이가 노는 차례다. 일찌감치 양자언니의 숙소를 방문하고 할인 시간에 대어서 사진관엘 갔었다.

한 시가 넘어서 상설관에서 나오니 물기를 담뿍이 지닌 진눈이 함박으로 퍼붓고 있었다. 길 위에 떨어진 건 이내 물이 되곤 하였다. 사람이 다니지 않고 찬바람에 부딪히는 곳만 얼음이 되고 그 위에 쌓이는 눈은 얼마를 지나면 버석버석한 결정체가 되었다.

"아이 이거 미끄러워 어떻거누."

양자는 그러면서도 현순이를 데리고 본정으로 나가서 같이 점심을 먹었다.

"봄에는 만주나 북지루 가기로 결심했으니까 언니가 살 방도를 좀 연구해두슈."

밥을 먹고 나서 차를 마시며 현순은 형에게 다시 다짐받듯 한다.

"글쎄 나야 캬바레나 홀에나 닥치는 대로 설 수 있지만 너야 양재를 가지구 살아가야 하지 않겠니."

그렇게 말했으나,

"아무러나 가보구 볼 일이지. 네 직업이 나설 때까지 내가 벌어 섬기자꾸나." 그리고는 빙그레 웃었다.

"고야니 그 사람이 만주 가 있다구 마음이 들뜬 건 아니냐."

"언니두 참! 그이 가기 전부텀 만주 간다구 안했수. 어쨌던 그 사람들이야 서울 와서 살지 외지에서 지내겠수. 그러니까 내가 말하자면 도망가는 셈이지."

쓸쓸히 웃었으나, 식당에서 일어설 땐,

"날두 구질 구질한테 집에 가서 책이래두 끼구 누웠어야겠군……"

그래서 종로에서 헤어질 때엔 전차 속이지만 명랑하게 웃으며 갈라섰다.

「아파트」로 돌아와선 밖에서 작정했던 대로 책을 읽었다. 침대에 누워서 본다던 것이 단정히 책상에 마주 앉아서 보는 것이 다를 뿐이었다. 「스팀」의 주절대는 소리가 나직이 들리고, 밖에는 바람이 일어났는지 눈송이가 몹시 설렌다. 창문에 부딪히고는 닝닝거리며 밑으로 떨어지고, 이윽고 장안은 회색의 장막이 드리우기 시작할 무렵이었다.

현순은 잡념을 털고자 열심히 활자 위에 머리를 기울인다. 그때에 덤벼대는 어지러운 조자로 「녹크」 소리가 들렸다. 이런 시각에 저렇게 침착치 않은 「녹크」를 울리며 내 방을 찾을 사람이 누굴가?—그렇게 의아스레 생각하면서도 현순은 의자에서 일어나서 문 있는 편으로 걸어갔다.

愛慾과 함께 온 것(二)

현순이가 안으로부터 「또어」의 「핸들」을 돌릴 때에 밖에서는,

“아아 마침 있었군.”

이렇게 감탄이 섞인 어조로써 말하는 소리가 들렸다. 그 목소리를 듣고 현순은 지금 문 밖에 찾아온 손님이 신주사 아저씨인 것을 알았다. 문이 열리는 대로,

“아, 어디 갔었어.”

인사도 아무것도 다 빼어 버리고 대뜸 그렇게 말하면서 신주사는 방 안으로 들어왔다.

언제나 들고 다니는 손가방을 탁자 위에 던지듯이 하고 장갑을 뽑아서 그것으로 외투 위에 올라앉은 물방울을 털고 다시 모자를 벗어 들고는,

“이거, 눈이 녹아서 물이 되구 말은 또 얼음으루 변했네그려. 이런 경칠 놈의 날씨가 있나.”

그렇게 투덜거리면서,

“아, 그 현순인 노는 날은 좀 집에 붙어있지 어떻거누라구 그렇게 쏘다니나.”

제법 핀잔이 자자하다.

현순에겐 신일성 신주사의 두서없이 서둘러대는 품이 오히려 오래간만에 보는 희활극사진처럼 유쾌롭게 생각이 되었다. 그러나 그저 해죽해죽 웃어

만 보일 뿐 이렇다 할 대답은 하지 않는다. 신주사는 모자까지 탁자 위에 올려놓고는 여태껏 하던 말은 잊어버린 듯이,

"해가 바뀌어두 현순인 아저씨한테 세배하는 법두 없는가."

그러면서 의자에다 궁둥이를 올려 앉힌다.

"난 또 구식어른이라 음력설을 쇠시는 줄 알았구랴."

현순이는 비로소 농말조로 그렇게 말하면서 저만큼 침대 위에 가 걸터앉는다.

"음력설?"

현순의 말을 받아서 뇌이듯 하고는,

"그럼 세배는 그때에 받구, 또 세배돈두 그때에 주기루 허구……그런데 참 오늘 어디 갔었누? 열 시경에 들렀는데 없구, 그래 열두 시 경에 전화를 걸어두 없구, 양장점에나 나갔나 해서 그리루 들렀더니 거기두 없구, 명치좌에 물어봐두 안왔대구, 그래 또 두 시경에 또 한 번 여기두 들렀는데 그때두 없다지?"

"약초극장에 간 걸 자꾸 딴 데 가 찾으믄 되겠수."

"하하아. 그래 내 거기루 전화를 걸어 볼려다 그만 뒀더라니……"

"전활 걸어두 창피하지. 난 그 아무개 씨 전화왔어요, 하구 큰소리루 부르는 거 모두 창피해!"

신주사는 바쁜 틈에도 여유를 보이느라 곤지 담배를 한 가치 붙여 문다. 그놈을 한 모금 힘껏 빨아 마시고는,

"나 현순이 청이 한 가지 있는데." 이렇게 점잖게 이야기를 시작했다.

"자세한 이야기는 시간이 촉박해서 도저히 여기선 말할 수 없구……결론부텀 말하자면 한두 시간만 현순이 몸을 좀 빌려 달라는 걸세. 내 가면서 상세한 이야긴 말해 줄께. 무어 힘들거나 어렵거나 그런 건 아니구 또 현순

이 챙피할 일이야 내가 시킬 턱인들 있겠나. 어떻든 내 일생일대에 꼭 한 번이나 있을 수 있을 최대의 기회구, 이 기회를 서뿔리 놓쳐 버리는 날엔 내에겐 다시 성공이나 출세의 가망은 당분간 오지 않을 거야. 어때? 이런 때에 나를 위해서 한번 팔을 걷구 나설 수는 없어? 나두 오랫동안 허우적대기만 했는데 어디 이번엔 좀 싹이 보일려는가 몰라. 어쨌던 현순이 힘에 달렸는데……"

"아무리 바쁘더래두 그것만 들어 가지구야 알겠수. 무슨 소린지두 모르구 몸을 빌려달라니 그게 무슨 망칙스런 소리유 글세!"

신주사는 고개를 끄덕거린다.

"내가 말이 좀 실수가 됐네. 그거 머, 나 많은 아저씨가 표현이 좀 잘못됐기로니 그거 그다지 닦아 세울 거야 있는가. 난 현순이 참 그러지 않았으면 좋겠네. 온 무서워서 안심하구 의사표시를 할 수 있나."

현순이는 웃었다. 그리고 신주사 아저씨의 하는 말에 그다지 불쾌한 생각은 느끼지 않았다.

"그러기에 자세한 말은 그만두고라두 그 내용만 요점을 따서 말해 보세요. 내가 할 일이 무언지나 알구서야 힘을 도와두 돕는 게 아뉴? 아저씨가 나 같은 게 힘이 돼서 성공하게 된다문 거기서 더 기쁜 일은 없을 거구……"

愛慾과 함께 온 것(三)

"요어! 고맙소."

그러면서 바른손을 쳐들어서 이마빡에다 붙이듯 하고 신주사는 의자에서 일어났다.

"그래야지. 나두 오랜만에 달큼한 세상맛을 좀 보게 되어야지. 언제던 저 놈 가방만 들구 쏘다니구 지내겠나."

그렇게 뇌이듯이 중얼거리고는 의자를 손으로 잡고 기대서듯 하였다. 그러나 이내 그는 모자에 손을 대고, 이윽고 시간이 촉박하다는 듯이 그 모자를 집어서 머리에다 얹고, 다시 이야기를 시작하였다.

"혹시 소문으루 들었는가 몰라두 서양 사람들이 모두 인퇴해가는 무렵에 평안북도에 있는 서양인 소유의 모모금광두 역시 팔려야 될 운명에 섰단 말이여. 그까짓 것 현순이게야 무어 비밀이 있겠나 해두, 원체 금액이 엄청나니까 조선 사람이나 웬만한 적은 회사 따위는 드리대적두 헐 수 없구. 그래 제국광업(帝國鑛業)에다 말을 부처 보게 되었는데, 만약 이번 일이 내 손에서 성사만 되는 날엔 아마 일, 이백만 원 같은 건 문제없이 손에 들을 거야. 무어 결코 사나이가 고맛돈 앞에 목을 매어 끌려 다닐 필요 없지만 백만 원대에 오르면 그건 또 그리 흔하게 보는 적은 금액은 아니니께. 그래서 요즘 몇달은 그것으루다 아주 세월을 보내구 있는 판인데 무엇보다두 제국광업의 기사를 껴야 될 판국에 이르렀단 말여. 마침 몇일 전부터 그 기사부부가 여기

저 호텔에 와 있어서 그 자를 연금(軟禁)을 시키다 시피하구 공작을 계속하는 중인데 이 친구가 날 보구 꼭 우리 집 구경을 시키라는군 그래. 이 사람은 내의 형편은 아무것두 모르구 부인과 같이 조선 고유의 재미스린 제도와 풍속을 보구 싶다구 허니 이거 일 딱하게 되지 않었나. 그래서 거야 힘들겠냐구. 그러나 진짜루 당신이 여기 한다하는 궁터나 유적이나 그런데서 볼 수 없는 진기하구두 신비스런 것을 구경할 의사이거든 절에 가서 절밥을 먹으며 재 올리는 것두 보구……그런게 어떻겠느냐구 슬쩍 돌려꾸몃단 말이지. 그랬더니 부인두 좋아허구 또 사내는 마누라가 좋다면 으레 살 뚱 죽을 뚱 하는 여석이니 그럼 꼭 그걸 한번 안내해서 구경을 시켜 달라구……. 그런데 우스운 건 그 사람들은 내의 속살은 모루구 내가 또 한다허는 부호자의……이쯤으루 나를 짐작한단 말일세. 그러나 남을 속이는 건 안 되었지만 나 역시 일을 위해서 다아 그런 척, ……이래야 될 거 아냐?"

예까지 이야기하고는 신주사는 슬쩍 현순의 표정을 건네다 본다. 현순은 이런 판 속에 제가 할 역할이 무엇일까 하는 흥미보다도, 오히려 신주사가 펼쳐 보이는 그의 직업적 세계에의 재미를 느끼는지, 그저 진기한 이야기를 들을 때처럼 미소를 입가상에 그리고서 그의 아저씨의 설명을 듣고 있었다.

"무어 그렇게 비웃지 말어. 돈 가지구 왔다 갔다하는 세계는 다아 이렇게 협잡이 섞이구 음모가 끼이구 그런 게니까, 너무 아저씨를 나쁜 놈으루다 치부를 대이진 말란 말이여!"

"아저씨가 하는 일을 내가 여태 모르구 있었기에 새삼스레 놀래구 무어 그러겠수."

그러나 신주사는 또다시 목소리를 달리하여,

"그런데 딱한 일이 또 하나 생겼는데, 작자들이 양풍이 들어서 어델 가던 부부서 같이 다니는데 날보구두 부인과 꼭 가치 오시는 게 어떠냐는 말이여."

비로소 강현순이는 제의 역할과 용무를 깨달았다는 듯이 표정에 웃음을 걷어 치웠다. 이러한 기미를 눈치 채인 신주사는,

"그런데 내 대답을 좀 들어봐. 당신네는 우리네 풍속을 아직 모른다. 양반네집 가도로서 마누라가 남편과 함께 쏘다니는 건 습관이 허락칠 않는다. 이랬더니 그 마누라는 깜짝 놀래면서 아직도 조선 사람은 그런 인습에 잡혀 있느냐구. 그래서 그저 좋도록 대답해 버렸으면 좋았을 걸, 현순이두 알지만 내가 가끔 객적은 수작을 잘허지 않는가. 고야니 쓸데없게스리 체신머리 없는 허풍을 한번 쳤단 말이여. 그러나 그건 낡은 세대의 습관이구, 역시 누이나 내 딸들은 모두 신학문을 배웠구, 또 현재 내 작은 누이동생은 동경서 대학을 나와서 지금 여기 여성운동에 없어선 안 될 존재이구……이렇게 허풍을 쳤단 말이여."

愛慾과 함께 온 것(四)

신주사는 이 대목에서 잠시 말을 끊고 숨을 돌리듯 했으나 강현순은 긴장했던 표정을 풀어 놓진 않았다.

"나야 또 그만하구 말 줄 알었지. 그렇게 추근추근스레 굴 줄야 알었서야지. 기사 부인이 척 나서면서, 아아 그러시냐고 그럼 그 매씨를 한번 꼭 만나뵙구 조선의 앞날을 지도해야 할 신녀성의 포부와 경륜을 들어 보구 싶다고……. 이렇게 나오고 보니 나로서야 별 수가 있어야지 그럼 그러시라구, 이렇게 대답할밖에. 현순이! 사정인즉슨 이 지경으로 긴박하게 된 게니까 어쭙잖게 생각진 말구 한 번만 이 아저씨를 사지에서 구해달라는 말야."

그리군 모자를 벗어들고 꿈벅 인사를 하였다. 현순은 비로소 빙그레 웃어 보인다. 그러나 이렇게 대답한다.

"나더러 그래 아저씨의 매씨가 되란 말이죠? 강현순 일대의 영광인데……. 그러나 내가 구변이 좋구 지식이 있어야 그 무언가 여성 운동잔가 무엔가의 어려운 연극을 감당해 내지 나따위야 어디 명함이나 디려 보겠수. 여자대학을 나오긴 샘스러 여자대학의 교문두 구경하지 못한 것이 무슨 재주로 그건 배우노릇을 해 내치겠수."

"아따 별소리두 다 헌다. 내가 호부자의 행세를 허는 판인데 무슨 걱정야! 염려말구 나하라는 대루만 해요. 그럼 다 되는 수가 있을 테니까."

회중시계를 꺼내어 보군,

"이거 시간이 너무 지체가 됐어. 가만있게. 내 전화걸구 올께시니 그동안에 화장이나 간단히 하구 옷두 갈아입구 그래 응?"

이렇게 혼자서 서둘러 대면서 신주사는 문을 열고 복도로 껑충 뛰어 나간다.

"아저씨!" 하고 불렀으나,

"글쎄 더 이야기할 게 없다니까 그저 내 말 대루만 들어주어!"

그리군 문을 닫아버리는 것이었다. 딱한 간청이긴 하나, 거절해 버리기엔 너무도 신주사의 태도가 열심스럽다. 어떻게 이 기회에 성공의 터전을 붙잡아 보려고 저토록 애쓰고 있는 사나이의 희망을 헛되이 좌절시켜 버리는 것이 너무도 박정한 것 같다. 내가 한두 시간 배우로 사용된다기로니 그까짓 것이 대체 무엇이랴. 그것으로 사십 평생 밝은 태양을 맛보지 못한 신주사의 생애에 커다란 전환이 생기는 데 도움이 된다면 즐겨서 나서 주는 게 인정의 떳떳한 도리가 아니냐. 그는 거울에 마주 앉아 얼굴을 고쳐 보았다.

한참 만에 신주사는 돌아왔다.

"옹색하게 한 차에 탈 수두 없구 그래서 먼저 가라구 일렀군. 거긴 접대할 사람이 가 있으니까……"

신주사는 현순이가 화장하는 것을 물끄러미 바라본다.

"조금만 더 기다려요."

현순은 옷장에서 양복을 꺼내들고 「커틴」 속으로 들어갔다. 침대에 올라가서 그는 옷을 바꾸어 입는 것이다. 신주사는 멍청하니 서서 「커틴」 속에서 들려오는 옷 쓸리는 소리에 귀를 기울이고 있다. 밖은 아직도 눈이 내리고 있었다. 황혼의 장막이 장안을 덮고 사납게 바람이 일어나는 거리를 이윽고 두 사람은 자동차로 달리고 있었다.

"여자대학 이야기나 꺼내면 어떻거누. 큰일 아닌가."

현순이는 그런 것이 걱정인 모양이다. 그러나 신주사는 무엇을 혼자서 생

각하고 있었는지,

"응?" 하고 반문하듯 하다가,

"학교 이야긴 무슨, 동경 이야기는 몰라두. 그 여잔들 웬걸 여자대학에 다녔을라구. 그저 엄벙뗑 허구서 탁아소 이야기나 늘어놓아요. 그러면 다아 되는 거 아냐." 이렇게 태평세월로 대답하고 있었다. 차는 동대문 밖을 달린다.

현순은 차창 틈으로 스며드는 바람에서 얼굴을 피하여 가만히 밖을 내다본다. 인가가 잠시 드물어지고 논밭을 건너서 멀리 언덕이 보인다. 황혼이 점점 밤으로 접어들려고 한다. 풍경이 몹시 신산하다. 그는 문득 만주를 연상하였다. 그리고 이러한 풍경 가운데 서 있을지 모르는 김광호를 잠깐 생각해본다. 그러다 그때에 차는 왼편으로 「커브」를 돌았다. 사나운 길을 「첸」 소리를 요란히 내이면서 차는 멀리 까마득한 솔밭을 바라보며 달리고 있다.

愛慾과 함께 온 것(五)

자동차는 이윽고 영도사 경내 소나무가 우중충한 널찍한 뜰 안에 가 멎었다.

"날씨두 사나운데 운전수 수고했소."

신주사는 지갑에서 돈을 꺼내 주었다. 사례금이 상당하였든지 운전수는,

"고맙습니다." 하고 인사하고는 차에서 뛰어 내려 문을 열었다. 두 사람은 차에서 내린다.

"이 사람들이 여태 안왔나?"

신주사는 절 있는 편을 바라보며 그렇게 지저귀었으나,

"가만있어. 여덜 시나 되어야 재를 올린다니까 그 구경은 천천히 하기루 하고 우선 저어 그 사람들과 함께 차려 놓은 절밥이나 먹기루 하지……. 인제 기사네 부부두 곧 올 게로구먼……"

자동차는 부석부석 얼기 시작하는 인척기 없는 길 위를 요란스럽게 바퀴 소리를 내이며 되짚어 돌아갔다. 신주사는 어떡할지를 몰라 주춤거리고 섰는 현순이를 안내하듯이 하며 절간 옆으로 뚫린 작은 길을 더듬어 올라갔다.

"길두 참 사나우이. 날은 그리 차겁진 않은 게……"

중얼거리며 그는 어떤 작은 대문 앞에서 걷던 발을 멈추었다.

"박 주사" 하고 그는 불렀다.

"네에. 지금 오십니까."

머리를 빤빤히 깎은 사십 줄에 든 사나이가 호둘기바람으로 낡은 고무신

을 끌고 마당으로 내려서서 이어 대문께로 뛰어나왔다.

"여태 안 들어왔죠?"

"안 오셨는뎁쇼."

"그럼 들어가 기다리지. 방을 다아 치어 놓구 또 음식두 준비 되었지요?"

"네에 네. 누구 명령인뎁쇼."

두 칸 방은 실히 넘는 널찍한 방이었다. 현순은 구두를 벗어서 마루 위에 놓고 방 안으로 들어갔다. 방은 덥다. 평풍도 쳐 놓고 보료도 깔려 있고, 외지의 손님을 청할 만한 처소는 못되었으나 그만했으면 그렇게 누추하달 수는 없을 것 같았다.

"자아 현순이 추었지? 이 아랫목으로 와서 좀 목을 녹여. 아저씨 너절한 거 두면 이런 고생두 가끔 해야 되느니……"

그러고는 외투를 벗어서 모자와 함께 걸고 또 가방도 뒷목에 돌려놓았다.

"나두 좀 몸을 녹여야지."

현순이가 앉아 있는 옆으로 가서 보료를 들치고 그 밑에 손을 넣는다.

"어때? 마음이 불쾌하진 않어?"

사나이는 낯에다 불안스러운 표정을 그려 보이며 현순의 얼굴을 비스듬히 쳐다보면서 묻는다. 불쾌하기까지는 몰라도 결코 유쾌로운 심사는 아니었다. 그러나 현순은 그저 도리질을 간신히 하여 보였다. 신주사는 손을 뽑고 담배를 붙여 물었다. 방 안 천장에 높직이 매어달린 전등불이 불광을 낼 시각이 되었다. 그래도 손님은 오지 않았다.

"이거 어떻게 된 심판인가. 제길할 여석들."

그러고는 현순을 바라보며,

"외투나 벗지. 인제 방두 더운데……"

그러나 아무 대답도 행동도 취하지 않고 현순은 그린 듯이 앉아 있을 뿐.

드디어 저녁 밥상이 들어왔다.

"글쎄 온 그 녀석들 기다리다가는 허깃증이 일어나겠네."

상 들이는 것을 그렇게 변명하듯 하였으나 물론 그러한 말이 현순의 불안을 덜어 줄 만한 힘은 가지고 있지 못하였다.

"밖은 비와 눈이 섞여 옵니다."

상을 들이고 술 주전자를 신주사의 앞에 돌려놓고 나가는 사나이는 그렇게 말하였다. 심부름하는 사나이가 나가버린 뒤에 드디어 현순은 입을 열었다.

"어떻게 된 일이유? 대체!"

신주사는 주전자의 술을 따르려다가 깜짝 놀라는 듯이 손을 멈칫하고 낯을 들었다.

"어떻게 되긴 무에? 글쎄 그 사람들이 온다는 시각에 오질 않으니 우리부터 먼저 시작하는 게지 무어 그다지 어떻게 된 일일 것까지야 있나."

그러나 신주사는 현순의 낯을 정면으로 바라보기를 피하듯이 이내 얼굴을 돌리고 손수 술을 따라 들이마셨다. 비인 잔에 또 다시 한 잔을 따라 마신 뒤에

"자아 어서 저녁이나 먹어. 내 술은 권하지 않을게. 추운데 또 두어 잔 할려건 하든지."

현순은 자리에서 일어났다.

"두말 할 거 없이 난 갈 테유!" 그러자 신주사도 따라 일어섰다.

愛慾과 함께 온 것(六)

신주사의 얼굴에는 당황한 빛이 흘러갔다.

"왜 이리 다급하게 이러는가? 내 이야길 들어보구 가두 가는 것이지."

팔을 뻗어서 강현순의 옷자락을 잡으려는 것을 현순이가 한 발자국 물러서는 바람에 그는 헛되이 공기만을 휘젓듯 하였다.

"이야기가 무슨 이야기유. 지금껏 취해온 행동이면 그만 아니유."

현순의 얼굴에는 아직도 노기가 가라앉질 않았다.

"아따."

이렇게 한번 혀를 차고는 "십 분 동안만 내 이야길 들어봐! 그것두 안될 테야!"

현순이가 가만히 서 있는 걸 건네다 보고는,

"내 이야기를 마지막으로 들어 봐. 내가 무어 현순이 몸에 손끝 하나 얼씬할 텐가 그래!"

그리고는 맥이 풀린 사람처럼 먼저 자리에 물러앉았다.

"그러구 섰지 말구 잠깐만 더 앉아 들어."

"어서 이야기나 해요."

현순은 서서 딴 곳을 바라보며 야무진 목소리로 말하고 있다. 신주사는 곱보를 끌어다 술을 가득히 따라서 쭈욱 소리가 나게 들이키었다.

"한마디두 변명은 안할 테야. 아파트에서 한 이야기두 지금 여기 와서 한 수작두 모두가 거짓말이었어. 말하자면 내가 현순이를 속여서 이리로 데리구 온 셈이지."

현순은 이러한 신주사의 고백에서 저의 긴장했던 생각이 풀리는 것을 느꼈다. 그러나 그는 저의 그러한 심리 상태를 편달이라도 하려는 것처럼,

"능청맞게 그러구서 인제 또 무슨 수작유?"

이렇게 서슬이 퍼런 구조로 쏘아붙이고 있다.

"무슨 수작? 그것두 좋지. 아무런 악담두 내 달게 받을 참이여. 내가 취한 행동에 대해서 어떤 모욕을 던져두 내 죽었소오 하구 달게 받을 테야."

다시 술을 들이키는 소리가 들렸다. 현순은 흘낏 신주사에게로 눈길을 떨어트려 본다. 술로 인하여서인가, 상기된 그의 얼굴에는 어딘가 선량한 쓸쓸한 빛이 눈가상에 서려 도는 것처럼 느껴졌다.

"사십 평생 내가 불우하게는 지내왔지만 아직 누구의 앞에서 머리를 숙이구 무릎을 꿇어 본 적은 없다. 협잡두 했을 테지. 공갈두 했을 거야. 그 이상 가는 범죄래두 내에겐 겁나는 게 하나두 없었다. 아무게구 시침을 뚝 따구 해 내치었다. 그러나 내가 이렇게 어린애처럼 순진하게 내의 죄에 대해서 부끄러움을 느껴 보긴 이번이 처음이다.……내게 무슨 야심이나 그런 못된 생각이 들었던 것도 아니다. 그래서 현순일 이런 데루 꾀여갖구 나온 건 아니다. 단 한 가지 여기서 내가 하려던 건 오랫동안 내의 가슴에 품구 다니던 진심을 현순에게 고백하려든 것뿐이었어."

"이야긴 시내에선 못해서, 그래 가진 헛소릴 늘어 놓구 이렇게……"

말이 막히는지 현순은 빠른 속도로 쏘아붙이다가 잠시 머뭇거린다.

"어쩐지 시내에선 내의 이 늙은 사람의 쓸쓸한 고백이 어울리들 않더란 말야. 오랫동안 두구서 별러 왔어두 도무지 입 밖에 내어볼 엄두가 나질 않더란 말이여. 내의 이 추근추근한 비위를 가지구두 현순이한테 진심을 토로

해 내의 희망을 들려줄 용기가 나질 않았어. 모진 마음을 먹구 현순이 한텔 찾아 가두 어떤 셈판인지 현순이 얼굴만 보면 도무지 그럴 용기가 나들 않았어. 그를수록 현순이한테 싫컨 놀리우기나 하고 돌아오면, 그날은 잠을 이루지 못하고 그냥 싱숭생숭한 심사가 들끓어서 견데날 수가 없었지. 내가 아무렴 현순이 같은 얌전한, 그리구 또 하등 혈통관계로 상관은 없다지만 역시 나는 현순이의 아저씨가 아니야. 내가 무슨 낯짝으로 현순이에게 내의 먹은 마음을 털어 들리겠나. 왕진에 회쳐먹는 비위를 가졌다는 신일성이두 현순이 앞에 나서면 어쩐지 이상한 어린애가 된다는 거야. 그러니 어떻거겠나. 현순이가 내의 요구를 들어 주지 않는다 해두 정식으로 요구는 해 보는 게 그래두 들 섭섭지 않어? ……어떻거면 현순이에게 내의 진심을 잘 전달할 수 있을까. 이런 걸 나는 자나 깨나 생각하구 있었다."

愛慾과 함께 온 것(七)

현순은 아무 말도 건네지 않고 멍청하니 서 있다. 아무리 징그럽게 생각되던 사나일지라도 진심을 털어 놓는 순간에 동정 이상의 것이 가슴속에 떠오르는 것을 현순은 거부할 길이 없었다. 상처를 한지 십 년 가까이 독신생활을 하면서……물론 언제부터 현순이를 생각하고 있었는지는 모르나 현순이가 그것을 의식한 건 일 년이 훨씬 넘는 오래된 일이었다. 그동안 현순의 주위를 빙빙 감돌고 있던 신주사의 행동은 한마디로 말하면 '추근추근스레 쫓아 다녔다'는 것으로서 표현할 수 있겠지만 역시 이렇게 모든 것을 털어 보이는 고백에 부딪히면 현순의 가슴에는 어딘가 측은스러운 동정 이상의 마음이 생겨나는 것이었다. 그러나 그것이 비록 동정 이상의 어떤 마음의 상태라고는 하여도, 그것으로 신주사의 애정을 맞아 드릴 심리가 마련된 것이라고는 생각되지는 않았다.

사나이는 쑥스러운 고백을 늘어놓느라고 모든 사람이 이러한 고백을 할 때에 빠지는 예사로, 점점 연극조로 흘러갔고, 그리고 드디어는 그러한 고백담을 펼쳐 보이면서 어떠한 위안과 도취에 스스로 빠져가는 것이었다. 사십대의 「센티멘타리즘」은 때때로 자기 자신을 무대 위에 올라선 배우로 착각하는 폐단을 구질구질하게 즐기고 앉았다.

"강현순이가 김광호에게 사모하는 마음을 가지고 있다는 걸 발견한 다음부턴 내의 마음에 전날 없던 감정이 새로이 생겨났다. 그건 질투와 시기다.

나두 딱히 의식치 못하면서 나는 어느 새엔가 김광호를 멀리 쫓아 버리는 계책에 가담하구 있었더란 말이여, 얼마 전 일이지만. 지금 생각해 보면 모두 우수운 일이지. 현순이가 아무럼 김광호하구 결혼할 것인가. 또 광호루 말해두 대흥재벌의 사위를 겨누던 여석이 쭉지가 부러져두 학은 학이라고……"

"김광호가 내게 무슨 상관이란 말유?"

현순의 감정은 또 다시 이상스럽게 이즈러진다.

"그러게 말야. 나는 그런 것까지두 마음이 씨었던지 지내 놓구 보니 수상한 계책에 관련까지 했단 말이야. 그것두 허기는 모두 현순이를 남에게 빼앗기지 않으려는 생각에서 자연스레 생겨난 행동이지만……어쨋던 내의 진심은 이루 내의 재주루 설명할 방도가 없어. 그러니 현순이두 절반은 동정, 절반은 의리루 내의 간청을 들어 줘. 나두 오랫동안 허우적거린 보람이 있어서 많이는 모르나 일이만 원은 손에 잡혔으니께 내 현순이 일신상 고생은 안 시킬 테야. 현순이가 결혼에 한 번 실패는 했대두 아는 사람은 없을 테니까 아마 처녀로서 행세할 수야 있을 테지. 그렇거구 보니 어디 나 같은 늙은 것한테야 마음이나 먹어 보았겠나. 그래두 세상 일이라는 건 쳐다만 보구 사는 게 진리는 아니니까……"

현순이는 드디어 착잡한 여러 갈피의 감저에 붙들려서 잠시 어떻게 제 자신을 수습할는지 알 수 없었다. 낯은 새파랗게 질리고 입술은 경련에 떨고 있었다. 북받치는 울음이 노염에 질리어서 배 밑으로 가라앉으며 마치 그것은 커다란 구렁이처럼 설레고 돌았다.

"그랬으면 어쩌란 말야! 내가 처녀건 처녀 아니건 너 같은 여석에게 무슨 상관이냐 말야!"

그는 겨우 감정의 한 가닥에 작은 문을 열어 놓고 이렇게 저의 노염을 털어 보았다. 그러나 그것으로서는 가슴속에 설레대는 감정의 범람과 폭포의 세력으로 쏟아지려는 노염을 조종할 수가 없는지, 와락 한 다리를 들어 앞에 놓인 술상을 아무렇게나 한번 걷어차고 사나이의 놀래 어리둥절한 표정은 보는 듯 마는 듯 그는 미닫이를 열어젖히고 마루로 뛰어나갔다.

"현순이!" 하고 부르는 소리를 들었으나,

"내가 왜 처녀가 아니야? 이 엠병할……"

그러나 그것도 적당한 형용사는 아닌 듯이 그 다음은 그저

"나는 처녀다! 어엿한 처녀다!" 하고만 미친 사람처럼 지저귀고 있었다. 아무렇게나 「하이힐」을 발에다 꿰고 그는 길 밖으로 달음질쳤다. 신주사에게 붙들린다는 공포에서 보다도, 제 자신의 억제할 수 없는 감정에 쫓기듯이 그는 비와 바람이 소란한 캄캄한 밤길을 무턱대로 뛰어 가고 있었다.

愛慾과 함께 온 것(八)

"택시 불러 주께 타구 가라니까……이 비바람 부는 델." 이러한 신주사의 목소리를, 그러나 비와 눈과 바람조자 딱히 의식치 못하는 강현순이가 옳게 들었을 리 만무하다.

"온 계집애두 참 괴팩스럽게……"

겨우 이렇게 혼잣말처럼 뇌이듯 한 신주사는 가까스로 만들었던 단 한 번의 기회가 여지없이 부서지는 것을 통절히 느끼면서, 집주인에겐 지전 몇 장을 집어 던지고, 강현순이가 달아난 방향을 향하여 허둥지둥 캄캄한 길 위에 올라섰다.

솔밭을 지나고 인가가 드문드문 보이기 시작하는 길 위에 나섰다는 것을 희미하게 의식하는 순간 그의 귀에는,

"현순아!" 하고 불러대는 신주사의 목소리가 가느다랗게 들려왔다. 밑 배로 가라앉아 버렸던 울음이 솟구쳐 오르면, 사나운 풍설을 헤치고 나갈 기운이 떨리지 않을까 저어하며, 현순이는 다시 이따금씩 덩그러니 시산한 불광을 던지고 있는 가등을 목표로 전찻길이 놓인 방향을 잡아서 달음질을 계속하였다. 기적처럼 그는 미끄러운 빙판이 진 캄캄한 길을 용이하게 정복할 수가 있었다. 그러나 사나이의 속력을 끝끝내 이길 수는 없어서 전차 궤도가 가까운 인기척 드문 가로 위에서 드디어 강현순이는 신주사의 거치른 손아귀에 어깻죽지를 붙들리고 말았다.

"네가 가면 어딜 간단 말야."

신주사의 입에서는 가쁘게 쉬는 숨소리와 함께 그러한 무지스런 목소리가 튀어나왔다.

"도망이나 치면 장산가."

그 다음은 사나이의 두 손이 그의 얼굴을 더듬기 시작하는 것이다. 어깨와 목이 자유자재로 된 것을 느끼는 사나이의 목소리는 이윽고 나직하게 떨리는 것 같았다.

"현순이! 내가 이렇게 애원을 해두……"

현순이는 잠시 맥을 늦출 수밖에 없다. 그러나,

"현순이, 그러지 말구 진정해서 내 말을 들어봐." 하는 말소리와 함께 술기 품은 뜨거운 입김을 볼 편에 느꼈을 때 그는 갖은 힘을 다하여 몸을 떨치고 사나이의 엉키는 팔을 뿌리쳐 버리면서 전차가 방금 지나간 쪽을 향하여 발길을 돌렸다. 겨우 큰길 위에 올라서긴 했으나 그때까지 그의 몸뚱아리를 빙판 우에서 보호해준 그의 구두 뒤축의 하나가 사나운 돌부리에 부딪쳐서 부러져 나가고 말았다.

뒤뚝! 하고 그의 몸이 뒤로 자빠라지려는 것을 허리의 균형으로 겨우 몸뚱아리는 유지하고 그 여세를 타서 그는 서너 발자국 모으로 절름거리는 발자국을 옮겨 놓았다. 그 순간 현순은 요란스런 경적을 귀 밑에서 들었다. 동시에 저의 작은 몸뚱아리가, 촉수가 강렬한 「헷드·라이트」 속에 떨고 섰는 것을 깨달았다. 충격적으로 놀래이는 것도 짧은 순간이었고 드디어 그는 그의 상체를 자동차의 「휀다」에 맥없이 의지하고 말았다. 자동차의 문이 열리는 것이 멀리서 들려오는 것 같았다.

"어디 다치진 않었냐?"

차 안의 손님이 운전수에게 말하는 소리라고—혼미한 의식이 겨우 그런 것을 생각할 수 있을 때에 그의 몸에 와 닿는 운전수의 손을 뿌리치듯 하며 현순은 간신히 몸을 일으켰다.

"아무렇지도 않아요."

현순은 그렇게 말하면서,

"나를 시내까지 데려다 주세요." 하고 그때에 문을 열고 밖을 내어다 보는 손님의 자리로 고꾸라지듯이 몸을 들여 놓았다.

차 안에 탄 신사는 저쪽으로 자리를 옮기고, 올라타는 현순에게 옆자리를 비어 주었다.

"어디 상한 데나 없소?" 늙은 신사는 그렇게 물었다.

"없어요."

가느다랗게 대답하고 그는 다시 몸을 창 뒤에 묻어 버리듯 하였다. 잠시 동안 의식을 잃은 사람처럼 눈을 감고 누워 있었다.

"정신을 채리시오. 옷이 모두 젖어서 자칫하면 감기에 듭니다. 정신을 바짝 채려서 이내 댁으로 데려다 디리께 그때까지 몸을 조심하서야지……"

현순은 그러한 신사의 말에 낯을 들고 눈을 떴다. 어디 사냥을 나갔던 길인지 옆에 앉은 신사는 수렵복장으로 뚱뚱한 몸을 단속하고 옆에 세운 총자루 밑에는 그리 크지는 않으나 멧도야지 한 마리가 가로 누워 있었다. 방한모를 올려놓은 너그러운 얼굴이 현순의 쳐다보는 눈과 부딪치자 그는 애처롭게 웃어 보이고 있었다.

愛慾과 함께 온 것(九)

차가 동대문 옆을 지날 때에 현순은,

"저 여기서 내리어 주세요. 까렛지를 찾아서 탁씨루 바꾸어 타구 가겠서요." 하고 말하였다.

"괜찮소. 댁이 어딘지 거게까지 데려다 드리께 주소를 말하시오. 요즘 어디서 탁씨를 얻어타겠소. 이건 내 차니까 염려말구 댁에까지 태워다 드리리다."

옆에 앉은 늙은 신사는 그렇게 말하였다. 그리고는 현순이가 잠잠히 앉았는 것을 보고는,

"찬바람에 쏘이면 감기 들리리다."

하고 첨부하듯 하였다.

차는 종로 쪽을 향하여 달리고 있다.

현순은 차창 밖을 내어다 본다. 유리창에 저의 얼굴이 비친다. 그는 비로소 저의 옷주제에 신경이 미쳤다.

외투는 흠뻑하니 젖었고 머리카락은 눈과 비의 결정체가 설키고 얽히어서 어떤 곳은 제법 고드름처럼 매달렸다. 낯에는 뜨거운 혈조로 하여 눈이 녹아 화장한 것을 씻고 구접지근하게 물이 흘러 덜미와 가슴으로 스며들고 있다. 그는 여자다운 부끄러움을 느끼면서 얼굴을 밑으로 떨어트렸다. 양말은 젖고 흙물에 씻긴 구두의 한 짝은 뒤축이 부러져 없어졌다. 이 모양을 하고는 어디 길 위나 「까렛지」에서 자동차를 잡으려 낯을 쳐들 용기도 없을 것

같다.

그래서 그는,

"어디요? 댁 있는 데를 말해야지……"

하고 자동차의 주인이 말하였을 때,

"죽첨정 야마도 아파트얘요."

하고 나직이 대답지 않을 수 없었다.

"저어 죽첨정 야마도 아파트에 먼저 들렸다 가세."

이렇게 말하는 소리에 운전수는 앞을 바라본 채,

"네."

하고 대답하였고 이윽고 차는 속력을 더하여 사람 드문 차도를 질주하기 시작하였다.

이윽고 차는 「아파트」 앞에 와서 멎었다.

"감사합니다."

현순은 신사에게 공손히 머리를 수그리어 사의를 표하고 차에서 내려 누가 볼세라 현관을 들어선 즉 걸음을 바삐하여 제 방으로 들어갔다.

문을 잠그고 그는 외투를 벗어던진 채 침대에 파묻혔다. 그리고는 참았던 울음이 치받치는 대로 그는 몸과 마음을 맡겨 버렸다.

불도 켜지 않은 캄캄한 방 안에서는 오랫동안 여자의 오열 소리가 멎지 않았다.

이튿날 현순은 오한과 신열로 하여 그대로 침대에 누워있었다. 가까스로 용달을 불러 양자 언니에게 곧 와 달라고 기별을 하였다.

무슨 영문인지 모르는 양자는 편지를 받는 대로 이내 좇아 왔으나 현순의 변한 모양을 보고 질겁을 해서 놀랐다.

"아아니 너 어떻거누라구 이러니?"

하는 품이 그는 현순이가 쓸데없이 경솔한 잘못이라도 저지른 줄 아는 모양이다.

사실 양자는 침대에 맥없이 누워 있는 동생의 혈색과 체온을 만져보고 어떤 불길한 예측을 품었던 것이고 혹여 음독 같은 것을……? 하고까지도 생각해 보았던 것이다.

현순은 정신을 가다듬으며 대강한 이야기를 형에게 들려주었다.

"개 같은 녀석 같은이!"

하고 양자는 저의 아저씨를 욕질하고 나서,

"그런 인륜두 체면두 없는 짐승 같은 게 있담!"

양자는 신주사가 저의 아버지 박 씨 편으로 외척관계가 되는 아저씨인 때문에 애매한 현순의 봉변에 가볍지 않은 책임을 느끼고 있는 것이다.

현순의 병이 이내 회복되지 않아서 양자는 밤일을 쉬고 「아파트」에 같이 묵으면서 그의 간호를 하였다.

하룻밤을 지내고 나니 현순의 몸은 다소 평정한 상태로 회복되었다.

"언닌 인제 밤부터 가게에 나가 보우."

"글쎄 내 걱정은 말아!" 양자는 미음을 쑤어서 주면서,

"어서 한 이틀만 푹 누었거라. 그래야지 네가 몸이 제대루 되겠다."

그러나 현순은,

"온 언닌 별소리두. 내가 무슨 큰 변을 당하였수. 사흘씩 나흘씩 이불 쓰구 누었께……"

하면서 그러나 웃음만은 적막하게 웃어 보였다.

이때에 두어 번 「녹크」를 하고 신주사가 문 밖에 나타났다.

愛慾과 함께 온 것(十)

신주사는 방 안에 들어서서,

"양자두 어려운 행차를 하셨구……그런데 현순인 어쩐 일이야? 감기래두 들렸나? 이렇게 한가하니 침대에 누었게……"

엄벙뗑하니 지저귀고 있었으나 양자의 표정이 저으기 험악해져 있는 것엔 역시 마음이 쓰이지 않을 수가 없었다. 그는 일부러 양자의 눈길을 피하여 딴 곳을 바라보고 있다. 현순이는 신주사의 낯을 먼발로 힐끗 쳐다보고 다소 표정이 변하는 것을 경험하였으나 천정을 쳐다보며 마음의 평정상태를 꾀할 수는 있었다.

두 사람의 수상해 진 태도로 신주사는 이내 그들의 심리와 감정을 추측했으나 그러한 것에 개의 치 아니하고,

"어데 몸이 말째서 그러는가? 그러게 내 무어라구 했나? 차 불러줄께 타구 가라니까 종시 듣지 않구, 고야니 알지두 못하는 여석의 차에 오르더라니……참 그놈이 어떤 여석인데 그러나? 내가 쫓아가서 차를 멈추구 현순일 위급한 상태에 떨어트리지 않으랴 했는데 가까이 가기가 무섭게 차는 떠나구, 그 놈은, 그 늙은 놈은 뒷창으루 씽끗이 웃어 보이던 걸. 그래 내 무슨 사고가 일어나는 줄 알았더니 역시 이 모양이지……"

"아아니 그걸 수작이라구 지껄이구 있수?"

양자가 기어이 노염을 터트려서 신주사의 말에 저으기 충격을 느끼고 있

던 현순이는 반쯤 침대에서 몸을 일으키다가 그대로 누워 버리고 만다.

"응?" 하고 깜짝 놀래듯이 하며,

"이건 또 무슨 말인구?"

신주사는 그때에야 정면으로 양자를 쳐다본다.

"인제부턴 아저씨구 무어구 없다. 이, 여기 서서 되지두 않은 수작 지껄이지 말구 썩썩 물러나가! 괜히 또 일 치르지 말구……"

양자는 복도 쪽을 손가락으로 가리키며 신주사에게 호령을 퍼붓는다. 신주사는 코와 입술이 한쪽을 쫑긋하면서 웃어 보이고,

"너 참 말버릇 늘었다. 나이 삼십에 배운 게 겨우 그뿐이냐?" 제법 의젓하니 꾸짖고는,

"넌 아무것두 모른다. 현순이가 아무렴 사정을 고대루야 말했겠니. 돌아오던 차에 같이 탔던 그 늙은 것이 누군줄 알구서 이래? 그게 바루 대흥회사의 이신국 씨야. 호색한으루 유명한 이신국 씨말야. 한때에 명기라구 장안에 호까가 높던 평양기생 은주를 낙적을 시켜가지구 살림을 채린 당대의 호색한 말야. 그래 그놈이 제 자동차에 오른 색시를 가만 두었겠다구 생각해야 세상이 무사태평이란 말인가? 안 되지 안 돼! 내 눈알이 시퍼런 이상 그런 행동은 용서할 수 없을걸! 그게 또 남남이라면 헐 수 없지만 현순이에게 그 짓을 하구 그래 이 아저씨가 이렇게 청청하니 살아 있는데 무사할 수가 있을 줄 알구? 그 놈두 이번엔 잘못 걸렸지, 잘못 걸렸어. 그러니까 잔말말구 모든 걸 이 아저씨에게 맡기구……"

말이 채 끝나기 전에 침대에 누웠던 현순이가 벌떡 일어나서 잠옷채로 침대를 뛰어내렸다.

그는 온 몸뚱아리가 그대로 노염으로 찬듯이,

"듣기 싫여! 개 같은 수작 늘어놓지 말구……"

겨우 입 밖으론 그러한 한마디를 배앝았으나 전신으로 사나이의 가슴을 들이받으며 이때에,

"어서 나가 버려요! 고야니 추한 꼴 남 보이지 않을려건! 짐승만두 못한 것 같은이."

하고 팔을 낚아채듯 하는 양자와 함께 그를 문 밖으로 밀어내었다.

신주사는 두 여자를 상대로 씨름을 하는 것도 어이가 없다는 듯이 덜썩덜썩 밀리어 나가면서

"잘들 논다. 아무러나 오늘은 내 이대루 물러 나갈게, 현순이는 뒷날 일이나 벌어지건 증인이나 바루 서게. 그때두 또 이러저리 말을 피하구 그럴게 없이. 물론 그렇게까지 버러질 리도 없겠지만……" 그러한 말을 남겨 놓고 나가 버렸다.

신주사가 나간 뒤 방 안은 이상한 침묵에 씌어 있었다. 두 여자는 침대에 나란히 앉아있다.

"이 일을 어떻거나." 나직이 한숨조로 지저귀는 말에 양자는,

"별 수 있니. 미리 알려 주어야지. 그이가 바루 경희 아버지 아니냐?"

하고 말하고는 아무 대답도 없는 동생의 어깨를 가만히 안아 주었다.

氣質의 風土記(一)

서모, 은주의 입으로부터 김광호에 대한 추잡한 이야기를 듣고,

"나의 문제는 내가 처리할 테얘요." 하고 원동 댁을 나와 혼자서 삼청동으로 돌아와 버린 이경희는 책상에 엎드려서 한참 동안 울음에 젖었다가 그대로 자리에 쓰러져서 그 이튿날 아침이 되어도 일어나지 못하였다. 어머니의 돌아가시던 때를 빼고 나면 그것은 이경희가 여태껏의 생애에서 맛볼 수 없었던 가장 커다란 충격이었다.

이미 돌아가신 어머니에 대해서는 체관(諦觀)과 단념이 따를 수 있었으나, '아—김광호! 어엿하니 살아있고, 지금도 나의 머리에 빙빙 떠돌고, 그리고 그에게서 받은 감촉을 아직도 내의 입술이 잊어버리지 않은 지금' 김광호에게서 받은 타격은 그대로 몸과 마음을 대번에 부숴버리고 어떤 깊은 구렁텅이로 그를 떨어트려 버리는 것 같이 생각되었다.

딱히는 모르나 대강한 추측을 세울 수 있는 아주머니와 올케는 번갈아 그의 방을 찾고,

"아무도 오지 말구 아무 말도 하지 마세요. 얼마 동안만 날 혼자 내버려 두세요." 하고 지껄여 대고는 홱 잔등을 돌리고 돌아누워 버리는 경희에게,

"얘 그러지 말구 의사래두 불러서 진맥을 보구 약이래두 써야지 그러다 정말 병이래두 되면 어떻거니."

이렇게 권면을 아끼지 않았다. 미음과 우유와 「오트밀」을 조금씩 먹고는

그는 그대로 자리에 누워서 아무도 방에 들이지 않고 멍청하니 생각에 잠겨 있었다.

생각이라고 제법 순서있게 차근차근히 전개되는 것이 아니었다. 아무리 냉정히 전후의 사연을 따져 보려고 하여도 사색은 자꾸만 뒤엉키고 혼란해졌다. 그리고는 냉철한 추리나 분석의 능력을 눌러 버리고 자꾸만 어지럽고 추잡한 환상만이 눈앞에 떠오르는 것이다. 서모와 광호가 술이 잠뿍 취하여 장난치고 희롱하고 있는 광경, 서모는 다른 여자로 변한다. 그것은 강현순이가 되기도 한다. 또 이경희가 알고 있는 모든 여성이 되기도 한다. 그러나 그것은 다시 서모 은주로 또는 강현순이로 되어버리고 은주, 강현순, 강현순, 은주……그러다가 딱 강현순의 얼굴로 정착이 되어지기도 한다.

'강현순이!'

어지러운 그림자가 여기서 멎어 버릴 때 그의 생각은 겨우 새로운 추리작용을 시작하려고 한다.

'그렇다! 강현순과 김광호의 관계. 눈 내리던 날 저녁부터 이상스럽게 달라지던 그의 태도, 탁아소에서 발을 뽑으려는 전혀 이해할 수 없는 수수께끼 같은 그의 행동'

서모에 대해서 취하는 것과 같은 행동을 김광호는 강현순에게도 그리고 그밖에 모든 여성에게도 한가지로, 그러니까 이경희, 자기 자신도 결국 그러한 많은 여성 중의 하나에 지나지 않는 것은 아닌가.—

이러고 있을 때에 광호에게서 전화가 왔다고 전하였다. 그리고 얼마를 지난 뒤엔 광호가 대문 밖까지 찾아 왔노라고 명함을 들여보냈다. 그를 맞대 놓고 면박이라도 주고 싶었다. 그러나 그의 명함을 쓰레기통에다 집어 던지며 행랑어멈에게는, "아무두 만나지 않는다는데 명함은 다 무슨 명함이냐. 누가 그런 것 받아 들구 다니라더냐."고 핀잔까지 주어 버렸다.

'무슨 체면에 그러고도 나를 만난다고 전화를 걸고 찾아오고 하는 것일까?'

여름부터 지금까지 광호가 취하여 온 모든 행동을 생각해보면,

'남자란 과연 저런 것일까?—저렇게 뻔뻔스럽게 아무런 모순도 양심의 가책도 느끼지 않고 표정 하나 헝크러뜨리지 않으면서 이중 삼중의 성격을 숨기고 천연스레 행동할 수 있을 만큼 자기와는 전혀 별개의 세계에 사는 종족들인가? 그토록 현대청년은 타락하고 있는 것일까?'

—그런 생각이 그를 한없이 슬프게 하였다.

그러나 오랜 동안에 착잡한 감정과 심리의 격류가 합하여 폭포처럼 떨어져서 도달하는 결론은—이경희 자기 자신이 받은 참을 수 없는 모욕이었다.

氣質의 風土記(二)

사나이들의 생활이나 세계를 소상히 알고 있노라는 자신을 가져 본 적은 물론 없었다. 남자동무를 많이 가지고 있지 못할 뿐 아니라 이경희는 단 하나의 오빠조차 한 집에서 오랫동안 살아 본 경험이 없었다. 그러나 그는 막연한 추측과, 소설이나 영화를 통하여, 현대청년의 정신세계와 그들이 영위하고 있는 일상생활의 분위기 같은 것을 짐작할 수 있다고 생각하였고 대체로 그들의 기질이나 성품이나 소행 같은 것에 대해서도 그다지 동떨어지지 않는 이해를 가지고 있노라는 자신을 품어 볼 때가 있었다.

그러므로 김광호가 과거나 현재에 있어서 흰 종이 같은 순백한 단순한 청년이거나, 술과 계집의 세계에 대해서 전혀 아무것도 알지 못하는 무경험자이거나, 그런 철부지 같은 청년이리라고 믿었던 것은 아니었다.

만약 김광호가 저의 여태껏의 생활을 고백처럼 털어놓으면서, 어떤 여자와의 가벼운 관계를 들려준다든가, 혹은 「빠아」나 요릿집 같은 데서 계집과 지껄이고 장난을 치면서 술을 마시고 노닥거리는 김광호를 친히 바라보았다든가, 그런 경우를 이경희가 당한다면 그는 얼마든지 김광호를 용서하고 그를 재미스런 청년이라고 반겨할 수 있으리라고 생각하고 있었었다.

'요즘 청년이 그렇지두 못하면 무슨 짝에다 쓴담! 술두 남 하는 만큼은 하구, 여자가 어떤 겐지두 짐작이나 해야지, 어데다 놓아두면 놓아둔 대루 꾸어 온 보릿자루처럼, 사람이 무어 돌루 깎아 세운 망주석인가 그래!'

기가 나고 기분이 뻗힐 때엔 말만이 아니라 속으로도 그렇게 생각하고 있었던 것이다.

그러나 가는 길 오는 길에 들리는 정거장처럼 수많은 여자 중의 한 사람으로서 자기 자신이 취급을 당하였고, 아직 아무개한테도 받아본 적이 없는 처녀의 「푸라이드」를 모욕과 유린으로써 여지없이 짓밟혔다고 생각하면 김광호를 용서할 마음은 생겨나지 않는 것이다.

사나이가 아무런 짓을 했더라도 너그럽게 이해할 수 있을는지 모른다. 그러나 위엄과 자랑과 권리가 모욕으로 유린되는 것은 참을 수 없다고 그는 생각하고 있는 것일까?

광호를 만나지 않는 것이 그것에 대한 하나의 항쟁으로도 해석되었을 때, 그는 이불 속에서 저의 꺾이었던 마음이 자세를 고치기 시작한 것이라고 믿을 수가 있었다. 그런 때엔 김광호가 다시 찾아오기를 은근히 기다려지기도 하였다. 타락한 현대청년의 윤리생활을 끝까지 폭로하고 규탄해서 한마디의 숨소리도 나지 못하게 하고 싶은 욕망—잔인하기는 하나, 그의 마음은 그런 것을 은근히 기대하고 있었다. 그러나 광호가 다녀간 지 이틀이 지나서 경희는 봉투지 한 장을 받아 들었다. 글씨를 보아 이내 광호에게서 온 것임을 알 수 있었다.

'편지루다 무슨 변명을 늘어놓을 참인구?' 마치 그는 광호에게 모든 사연을 알리기나 한 뒤인 것처럼 봉투지를 들고 그러한 착각을 맛보았던 것이나, 피봉의 뒷면에서—안동 과차, 차중에서—란 글자를 발견하고 깜짝 놀래인다.

—병이 어떤지도, 병명이 무언지도 모르고 먼 길을 떠나게 된 내의 마음은 기차에 실려서 자꾸만 경희 씨가 계시는 고향에서 멀어져 갈사록 한없이 초조하고 불안해 가기만 합니다. 돌연한 명령이어서 다시 찾아뵈올 여유도 없었고 댁에 찾아갔다 면회거절을 당한 뒤 다시 찾을 용기도 나지 않어서 친구

들의 송별회로 하루를 보내고 이렇게 만주로 가는 기차에 실려 지금 국경을 넘고 있는 길입니다. 만주는 처음은 아니나 제가 가는 길림부근은 생소한 곳이라서 앞으로 생활 같은 것 도무지 예상할 수 없습니다. 무엇보다 경희 씨의 병세가 근심되오니 길림 우편국보관으로 전보나 편지를 주시기 바랍니다.—

이러한 사연을 읽으면서 경희는 서운한 마음을 금할 수는 없었다. 그러나 그는 자기의 이러한 심리상태를, 겨누었던 싸움상대자가 없어졌을 때 느끼는, 그러한 섭섭한 감정이라고 해석하였고, 그래서 그는 편지를 그대로 쓰레기통에 찢어 버리고 그날 오후 두 시 급행으로 덕희를 데리고 온양온천을 향하여 서울을 떠났다.

氣質의 風土記(三)

추운 겨울의 한 고비를 온천의 「호텔」에서 보낸다는 것은 유쾌로운 일임에 틀림없었다. 이경희는 일체의 잡념을 털어 버리고 책이나 읽으며 정신의 안정을 꾀하려 하였다.

—그만 것이 무엇이랴! 김광호에게 모욕을 당했다는 것 쯤, 강현순에게서 배신을 당하였다는 것쯤, 한평생 지내일 긴 생애에 비하면 하나의 적은 물거품이 아니냐.—이렇게 제 마음을 넓게 가지려고 애써 본다.

모든 것을 털어 버리고 새로운 마음의 용의와 신념을 가지고 탁아소의 설치에나 전념하리라 김광호도 갈 데로 가거라, 강현순이도 가고 싶은 데로 없어져 버려라. 내 혼자, 혼신의 정력을 다하여 나는 내의 이상에 매진할 뿐이다.—

그러나 책을 읽다가도 문뜩문뜩 광호의 생각이 머리에 떠올랐다.

—그는 어째서 또 공교롭게 이러한 때에 멀리 만주로 달아나게 되었는가.

—지금쯤 집에는 그의 편지가 와 있을는지도 모를 것을.

—그는 아직도 내의 병에 대해서 소식을 기다리고 있을까?

"언닌 무얼 그리 생각하누?"

덕희는 책상에서 커다란 「단젱」을 입고 글을 읽다가 멍청하니 의자에 앉아서 「베란다」의 창문을 바라보며 글줄에서 눈을 떼고 앉았는 경희에게 그렇게 말을 건넨다. 깜짝 놀라듯이 낯을 돌리며,

"책 속에 씨인 게 무슨 소린지 몰라서 생각해 보누라구 그런다." 하고 가냘프게 웃어 보인다. 그리고는 다시 책상 위로 눈을 옮기는 것이나, 마치 한 번 허락하였던 입술에서 김광호의 흔적을 뜯어 버리기나 하려는 듯이, 이빨로 아래 입술을 몇 번인가 빨고 빨고 하였다.

그러다가는 다시 눈앞에 어지럽고 추잡한 환영이 얼른거리는 지,

"덕희야 탕에 가자." 하고 책을 집어 놓는 것이다. 수건을 들고 덕희를 일으켜 세우며,

"신경통에 걸렸나 하루에 다섯 번 여섯 번씩. 남이 보면 돈값 단단히 한다구 흉보지 않나." 하고 의아스레 생각하는 덕희의 한 팔을 옆구리에 꼭 껴보듯 한다.

덕희는 개학이 가깝다고 닷새 만에 서울로 돌아가야만 하였다.

"언닌 안 갈래?"

"난 좀 있다 가겠다. 집에 가야 춥기만 하구 난 여기서 책이나 보다가 가겠다. 가건 언니나 보내라."

정거장에서 차가 떠날 때엔,

"무사히 갓 건 이내 편지해라."

하고 경희는 타일렀다. 물론 의례히들 주고받고 하는 단순한 「프랫폼」의 인사였으나, 서울 소식이 궁금치 않은 것은 아니었다. 그러므로 이틀 만에 온 덕희의 편지를 받고,

―"만주국 길림성에서 편지가 온 것이 한 장 있고는 서점에서 온 책 광고 등속, 그밖엔 아무것도 없습니다. 편지는 그리로 회송을 시킬까 하였으나 인제 새언니 가는 편에 보내려구 그대루 보관해 두었수." 하고 쓰인 대목을 읽으면서는 저으기 서운하였다.

"편지를 이내 보내지 어째 그렇게 묵혀 둔담!"

그는 이렇게 속으로 뇌까렸으나, 이내 다시 이렇게 생각한다.

'그까짓 편지 같은 게 인제 무슨 소용인가.'

그래서 다시 수건을 들고 탕으로 가선, 마침 아무도 없는 것을 다행으로, 두 손으로 푸르게 「타일」이 비치는 맑은 물을 뚜들고 뚱그치고 끼얹고 하면서 실컷 분풀이를 하였다. 한참 동안 그렇게 장난을 치면 가슴이 후련해지는 것 같아서 가만히 가슴을 가리고 물속에 누워 본다.

—"나는 나대로 간다."

—"나는 나의 길이 있다."

—"나에게는 내가 가야하고 또 나만이 갈 수 있는 길이 있다."

—"아무도 방해하지는 못한다. 감정이 무시되고 심리가 무시되어도 이 길을 걷는 것만이 가장 온당하다."

—"이것이 이경희의 생활강령이다. 처녀의 새로운 생활강령이다."

그렇게 빨간 입술로 읊조리고 있는 것이다. 그렇거고 사흘 만에 올케가 왔다.

"양장점 강현순이한테서 전화가 한 번 왔었구 이거 편지가 두 장!"

올케가 던지는 편지를 들고 경희는 또 다시 가슴이 뛰는 것을 느끼지 않을 순 없었다.

氣質의 風土記(四)

날짜를 보고 먼저 붙인 편지부터 뜯었다.

—안동현서 붙인 편지는 보셨을 듯 합니다. 이튿날 오전 열한 시 반 신경에서 내려서 새로 한 시 차에 바꾸어 타고 길림역 목적지에 도착한 것은 동네 시 오십 팔분이었습니다.—

이것을 읽으며 경희는 차 시간을 또박또박 기억해서 말하는 광호의 버릇을 생각하였다.

—회사는 남대마로(南大馬路)에 있으나 우선 길을 물어 우편국, 여기 말로 우국(郵局)을 찾아갔습니다. 그러나 경희 씨한테서 전보는 와 있지 않었습니다. 그곳을 나오면서 아직 전보가 올 만한 시각이 아닌 것을 깨달았으나, 역시 병세에 대한 근심은 덜리지 않었습니다. 여관에서 하루를 묵고 회사를 찾아가서 인사를 하고 길림시 팔경로(八經路) 백호로 우선 숙사를 정했으니 물론 곧 옮기게 될 것입니다. 또 다시 우국에 들렀으나 우편물은 없었습니다. 그 이튿날도 없었습니다. 오늘이면 아무리 늦게 회답을 부쳤어도 이곳에 도착할 수 있으리라 생각하여 초조한 생각으로 회사를 파하자 우국에 달려가 보았으나 역시 편지는 없었고 집에 와도 배달될 것은 없었습니다. 내일 아침엔 사가방(四家房)까지 화물자동차로 현지를 답사합니다. 주소는 일정치 않으나 우국으로 하시면 틀림없이 받아 볼 수 있겠습니다. 회사로 해도 되겠습니다. 남대마로 「후지삘딩」 구 호실입니다.—

편지 사연은 대충 그러한 것이었다. 평상시에 침착하던 김광호가 생소한 곳에 처음으로 가서 두서없이 서두르고 있는 향상이 편지의 글발에도 반영이 되어있어, 그것을 생각하며 경희는 약간 빙그레 웃음을 그려 본다. 그러나 그는 다음 편지를 펼쳐 보았다. 그것은 길림서 사가방까지 시찰을 하고, 길림으로 다시 돌아와서 쓴 것인데, 역시 경희의 병에 대해서, 그리고 소식이 없는 것에 대해서, 근심과 섭섭한 마음을 간단히 기록하여 있었다. 그러나 이러한 것을 기록한 한 장이 넘어가면 그것과는 딴 판으로 철도선에 대한 이야기를 한 발이나 늘어놓았었다.

철도에 대한 이야기라고 하여도 그가 시찰한 연선의 풍경을 기록하거나, 그런 것이 아니었고 길림사가방선이 부설되는 의의 같은 것으로 시작하여 내용은 적지 않게 전문적인 방면에까지 탈선해 나가는 것이었다. 가령 일절을 소개하면,

—서란탄광(舒蘭炭鑛) 때문에 부설되는 이 철도의 연선에는 그러니까 많은 광업소가 있습니다. 항요(缸窯) 부근에는 매요광업소(煤窯鑛業所), 이도하자(二道河子)에는 막석(莫石)광업소, 그리고 사가방 가까이 가서는 봉추(棒槌)광업소 등이 이것입니다. 아시다시피 서란탄광에는 (그러나 물론 이경희는 이런 것을 알고 있을 리 만무였다.) 수억 돈의 매장량이 있는데, 탄질이 불량하여 전부를 인조석유(人造石油)로 만드는데 사용하게 되는 겁니다. 길림 인조석유주식회사는 석탄을 액화(液化)하여 석유를 만드는 회사입니다. '명일의 석유를 지배하는 자는 명일의 세계를 지배하는 자다.' 그러나 석유의 막대한 부족을 경험하고 있는 지금 현상에 있어서 석유유전의 개발, 「오일·쎌」(頁岩)의 액화, 천연와사의 이용, 전분이나 기타 탄수화물(炭水化物)의 「알콜」화, 석탄의 액화 등을 들 수 있는데, 마지막 석탄액화의 방법이야말로 원료나 기술상으로 검토하여 가장 적절한 대책이라고 인정되었습니다. 석탄액화의 방법은 오늘 그 종

류가 십여 개에 이르고 있으나, 공업으로서 성립될 수 있는 것은 직접액화법과 합성법의 두 개입니다. 유래로 인조석유제조법 중 석탄직접액화법은 대단히 곤란한 기술로 되어 있는데 만주에서 나는 역청탄(瀝青炭) 같은 것은 갈탄(褐炭)의 경우와도 달라서 액화공업화는 전혀 절망시 되었으나 과거 십 년 동안 해군과 만철의 협력고심의 결과 드디어 과학은 결실을 보게 된 것입니다. 일본질소(日本窒素)는 여기에 착안하여 북조선 아오지(阿吾地)에 이것을 위한 회사를 창립하고 그 후 만주에까지 진출을 보게 된 것입니다.—편지는 그칠 줄을 몰랐다.

氣質의 風土記(五)

편지는 장을 거듭할수록, 그러나 글자도 하나 틀리지 않게 꼬박꼬박 인조석유에 대한 상세한 설명으로 깊이 빠져 들어가는 것이었다. 석탄 직접액화법을 이야기하고, 그것이 공업으로서 성공함에 이르기까지의 과학자의 끊임없는 초인간적 노력을 침착하게 기록하고, 끝으로는 그것이 만주에 진출하여 작년 구월에 만주국 특수법인(滿洲國特殊法人)으로서 제2차 산업 5개년 계획의 하나로 「길림인조석유」가 일억 원의 자본금을 가지고 설립된 경위까지 기록하여 있는 것이다. 그리고는,

—경희 씨. 언제도 말씀한 것처럼 우리는 기술이 하나하나 자연을 정복해가는 그 과정에 흠뻑 반하고 맙니다. 철도는 석탄의 운수를 위하여 필요합니다. 석유가 어디에 쓰이는 것까지는 기술자는 묻지 않습니다. 그것이 어디에 쓰이건 석탄을 가지고 석유를 만드는 것만은 새로운 하나의 기술의 획득이었고, 그것을 운반하는데 철도로 하여금 충분히 그의 힘을 다하게 만드는 것만이 우리의 의무올시다. 그러나 상세한 말씀은 차후에 다시 여쭙겠습니다.—

잊어버렸던 것을 다시 한 번 회상이나 한 듯이 이름까지 쓴 뒤에야,

—경희 씨의 신환이 속히 나으시기를—하고 첨부하였다.

마지막에 쓰인 구절이 없다면 경희는 편지를 읽고 있다는 감상을 품지 않았을는지도 몰랐었다고 생각한다. 경희는 편지의 마지막 장을 던지듯이 하고 옷을 갈아입고 있는 올케를 쳐다본다. 올케는 「단젱」을 입고 마주앉으며,

"만단사연이 다 무슨 소리신가?" 하고 놀리듯 한다. 두 사람 사이에 어떤 오해가 생겨서 그것을 변명하고 증명하고 호소하노라 이렇게 긴 편지가 쓰인 것으로 짐작하는 모양이있다.

"언니 목욕하기 전에 이걸 좀 읽어 보우."

첫장 하나만을 빼고 경희는 올케에게 편지를 주었다.

"남의 편지를 읽어두 좋을가?"

그러면서 또 올케는 광호에게서 온 편지를 다 읽었다.

"그러니 그게 대체 어떻다는 거유?"

경희는 다 읽는 것을 기다려서 그렇게 빼앗듯 말하였으나 올케는 아무 대답도 하지 않고 수건을 들며 일어섰다. 그때에 하녀가 숙박기를 들고 들어왔으나,

"내 쓸게 어서 탕에 다녀나 오우."

올케는 탕으로 가고 경희는 숙박기에 올케의 이름을 적었다. 하녀가 나간 뒤에 그러나 경희는 또 한 번 편지를 차근차근히 읽어 보았다. 읽은 뒤에 처음 편지와, 둘째 번 편지의 첫 장을 구겨서 쓰레기통에 넣어버렸다. 인조석유에 대한 설명만 남겨 놓는 것이다.

그는 혼자서, 편지를 쓰고 앉았을 때에 김광호의 심리나 심경을 상상해 본다. 기록되어 있는 사연에 마음이 잡혀있지 않으면 이런 기다란 설명을 쓰고 앉았을 수가 없었을 것 같다. 그는 이것을 쓰면서 기쁨과 만족을 느꼈을 것이다. 모든 것을 잊어버리고 이것에 열중했을 것이다. 그러니까 편지를 다 쓰고야 경희 생각이 나고 병세가 궁금해서 그는 마지막에 다시 한 구절을 첨부하듯 한 것이 아니냐? 그러나 이경희는 알 수 없었다. '어째서 이런 쑥스러운 편지를 쓰고 앉았을 만큼 제의 직업과 과학에 대해서 진지하고 정렬적인 사람이 여자와의 관계에 있어서는 전혀 새로운 딴 사람처럼 음흉하고 징

그럽고 복잡하고 타락적일 수가 있는 것일까?'—그것은 그에게 영원히 알 수 없는 수수께끼 같았다. 현대청년의 정신생활의 어떤 비밀한 한 구석을 엿본 것 같은 생각이 들어서, 이경희는 그것이 긴박한 제 자신의 상관된 문제가 아닌 것처럼, 잠시 동안 제 삼자의 입장에서 그것을 관망해 보고 있었으나, 올케가 탕에서 돌아와서 그는 생각으로부터 머리를 털었다.

저녁을 먹고 나란히 이불을 깔고 누운 뒤에야 올케는 편지에 대한 이야기를 시작하였다.

"제가 하는 일에 열중하는 사람이 제일 좋지 않수?"

올케는 이런 식으로 나직이 말을 건넸다.

"글쎄 그렇긴 하더래두 남의 정신상태를 뒤집어 놓구 인조석유의 강의는 어떻거란 소리유?"

氣質의 風土記(六)

경희의 하는 말이 통명스럽게 들리는지 올케는 나직이 웃었다. 그러나 그는 사나이의 편을 변호나 하듯이,

"그 사람이야 지금 경희의 정신상태가 어떤 겐지 알 턱이나 있겠기에 그런 소릴하시누."

"제가 한 짓을 제가 몰라."

"그 사람이 무슨 짓을 했기에?"

그러나 김광호가 서모에 대해서 한 짓이나, 또는 그와 강현순이와의 관계 같은 것을 올케에게 털어 놓고 싶은 마음은 생기지 않았다. 잠시 동안 침묵이 흘렀다. 「스팀」이 새는지 김빠지는 소리가 나직이 들려왔다. 그것을 언저리로 경희는 이불 속에서 빠져나왔다. 「스팀」을 매만져서 소리가 나지 않게 나사를 조절하고 그는 전등을 껐다.

"눈이 시그러워 잘 수가 있나." 다시 자리 속으로 기어들면서 그는 그렇게 말하였다.

올케는 제가 생각하는 것을 읊조리듯이 혼자서 이야기를 계속하였다.

"제가 골똘히 생각하구 있는 걸, 딴 사람이 생각지 않는다구 투정을 부리는 건, 사랑싸움이니까 재미두 나겠지만 남이 보면 숭헌 일이유. 남자는 남자루서 제의 본업이 있는 거니까 거기 열심하는 걸 나무렐 턱이야 있수. 오빠가 미국 간지 벌써 몇 해가 되나. 일 년에 몇 장씩 오는 편지나 가지구 세

월을 보내기엔 세속말 같지만 젊은 청춘이 너무 불상하우. 그러나 오빨 그렇다구 나무랄 수야 있수."

"언닌 몰라!" 강하게 경희는 올케의 말을 가로챘다. "쳇 내가 말하는 건 그런 게 아니야. 언닌 아무것도 모르면서……"

잠시 말을 끊었다가 그는 저에게 타이르듯이,

"인조석유의 강의루다 책을 지어 보내두 내가 무슨 불만이 있겠수. 재미나게 읽을 뿐이지. 시시펑덩한 수작이나 되지두 않은 풍경묘사를 하느니보다 침착하게 제가 가지는 세계의 한 가닥을 적어 보내는 게 얼마나 아름답구 타근하겠수. 다른 편지 천 장을 받는 것보담 그런 거 한두 장 받는 데서 행복을 느낄만한 준비는 내에게두 있었수. 그래두 이건 그런 게 아니야. 언닌 아무것두 몰라. 내의 속은 아무것두 몰라."

경희의 목소리는 어둑시근한 여관의 밤공기에 가느다랗게 떨리는 듯이 느껴졌다. 그러나 한참 만엔 나직이 한숨을 짚으며,

"그러나 인저 난 그 사람과 아무 인연두 없어졌수. 난 나대루 살 테야. 사내가 무언구? 사내 없인 못 사나?"

"사내가 없어서 못 살기야 할가?"

"그럼 무어란 말유?"

대답이 없으니까,

"혼자서 지낼 수 없을 때 아무것하구나 결혼하면 그만이지……" 하고 몸을 뒤채졌다. 이윽고 나직이 느끼는 소리가 들려왔다.

그 이튿날 하루를 지내고 저녁을 먹을 때에 서울서 편지가 왔다. 광호의 편지를 회송한 것이었다. 미간을 약간 찌푸려 보였으나 물론 가슴은 가벼운 동계로 하여 설레었다. 뜯어보았다. 작은 사진이 한 장 나왔다. 우선 그것부터 본다.

긴 장화를 신고, 가죽외투를 입고 머리에는 비행사처럼 털모자를 푹 눌러 썼다. 옆에는 측량기계가 서 있고, 배경은 작아서 똑똑히 알 수 없으나, 멀찌감치 커다란 교량이 보이는 것으로 미루어 철로부설의 현장인 것을 알 수 있었다. 경희는 광호의 웃는 얼굴을 한참이나 드려다보았다.

"이 양반 사진 좀 보우. 쑥이지 쑥이야. 누가 제 사진 보구 싶다누."

올케가 사진을 드려다 보는 동안 경희는 편지 사연을 읽는다.

아무 소식이 없으니까 병이 다 나아서 어디 여행하신거나 아닌가고 생각한다. 그러나 사람이 그런 법도 있나, 여기는 영하 삼사십 도, 이런 이역에서 거치른 생활로 날을 보내는 나에게 편지 한장 없다는 건 너무 심하지 않으냐 ―이런 투정을 늘어놓곤, 그러나 마지막엔,

―사진 일 매 동봉. 이것으로 가히 내의 근황을 짐작하실 줄 믿습니다. 멀리 보이는 게 송화강(松花江)의 상류에 걸리는 커다란 교량의 하나. 나는 니시다구미가 하는 공사를 조사하는 철도 회사의 기사요―

장난조로 편지를 끝막았다.

氣質의 風土記(七)

사진동봉의 편지를 마지막으로 광호에게서는 소식이 끊어지고 말았다. 다시 편지는 오지 않는 것이다. 한 주일이 넘었다. 여지껏 온 분수로 치면 적어도 한 장은 왔어야 할 것이었다. 다시 또 닷새가 흘러갔다. 그러나 서울서부터 회송되어 오는 우편물 중에 김광호의 필적은 섞여 있지 않았다.

'인제 그는 완전히 노하여 버린 것일까?'

이경희는 그런 것을 생각해 보지 않을 수는 없게 되었다.

편지를 기다리지는 않는다고 경희는 말하여왔다. 소식도 듣고 싶지 않다고 말하여왔다. 열심히 정성을 들여서 써 보내는 편지를 그는 갈기갈기 찢어 버리거나 아무렇게나 구기어서 쓰레기통에 넣어 버리곤 하였었다. 사진은 차마 찢어 버릴 수 없었든지, 가죽외투 입고 장화 신은 김광호의 사진만은 읽지 않는 책갈피에 꽂아서 「스츠·케스」에 넣어 두었다.

'인제 그는 다시 편지를 보내지는 않으려는 것일까?'

돌이켜 생각해 보면 무리는 아니었다. 넉 장의 편지에 그는 한 마디의 회답도 쓰지 않은 것이 아니냐. 떠나기 전에 찾아왔을 때엔 대문 밖에서 그대로 쫓아 버리지 않았는가.

소식이 오지 않으면 역시 궁금하였다. 실컷 약을 올려 주었다. 안타깝게도 해 주었다. 골릴대로 골려 주었는지도 모른다. 그러나 그의 마지막 선언이 오지 않았다. 선언이 오면 그것이 마지막이 될 것이다. 판결이 나지 않은 소송처럼 이대로 소식이 끊어진 채 민밍해져 버리는 것은 어쩐지 궁금하다.—경희는 저의 초조한 심리를 마지막 최후의 선언을 기다리는 안타까움이라고 제 깐으로 해식하는 것이다.

—이것으로 그와 나와의 관계는 백지상태로 환원되어 버리는 것일까—

그러나 이경희는 혼자 방 안에 남아 있을 때엔—그래두 헐 수 없는 일이다. 편지가 와두 안와두 김광호와 나와의 새에는 마지막의 「피나레」가 왔다—그렇게 저의 가슴에 타이르듯이 되풀이하여 보는 것이었다.

온천도 실증이 날 만치는 되었다. 단조로운 생활이 너무 오래 계속된 것 같았다. 그런 때에 불쑥 송현도가 서울서 나타났다. 저녁을 먹고 앉아서 올케와 함께 「트럼프」를 놀고 있는데 하녀가 명함 한 장을 들고 왔다.

"어떤 분이 십 호실에 드셨는데 잠간 뵈옵자고요."

명함을 보니까 송현도였다.

"언제 왔어?"

"저녁 전에 오셨습니다."

"그래, 간다구 여쭈어."

그는 별로 생각지도 않는 듯이 양복으로 바꾸어 입고,

"내 좀 다녀오께요." 그리고는 방을 나갔다.

송현도는 온천물에 벌겋게 된 발을 까치다리로 앉아서 담배를 빨고 있었으나 경희가 들어오는 것을 보고는,

"아, 어서 들어오십시오. 오랜만에 뵈옵겠습니다. 찾아가 뵈어야 하겠는걸 오시래서 죄송합니다. 역시 제가 찾아가는 건 여러 가지로 실례가 될 것 같아서……그동안 머 별고 없으셨지오? 두 분께서 모두……" 하고 「단젱」의 앞섶을 여미었다.

"네." 하고 경희는 짤막하니 대답한다.

"서울서도 두 댁이 모두 무고 하십니다. 사장께서도 잘 계시고, 일전엔 산양을 가셔서 멧도야질 쏘아 오셨던 걸요. 처음 저하구 같이 가셨던 날은 아무 것두 못 잡고 빈손으로 돌아 왔는데 그다음 당신 혼자 가셔서 멧도야질 잡아 오서서 요즘까지 아주 대만족이십니다."

재미나게 듣기는 했으나 경희는 물론 아무 대꾸도 하지 않았다.

"이번 오게 된 건 다른 일이 아니라 탁아소 때문인데……"

말머리를 돌리더니 송현도는 책상 위에 놓은 서류가방을 끌어다가 무릎 위에서 뒤적거리며,

"그저께 날짜루 재단법인수속이 완전히 등기제(登記濟)가 되었습니다. 어저께 재판소에서 신문에 공고두 냈더군요. 이게 그 등기초본이올시다."

서류를 이경희의 앞으로 내밀었다. 경희는 가슴이 뛰는 것을 느꼈으나 침착히 그것을 옮겨 받으면서, "고맙습니다." 하고 머리를 수그리었다.

氣質의 風土記(八)

서류를 한 장 한 장 모조리 읽어본 뒤에 그것을 다시 송현도에게 돌려보내려니까,

“두고 보시지오. 저야 다시 그 문제에 상관있겠습니까.” 껄껄껄 웃으면서, “입춘이 지내구 인제 곧 봄인데 건축에 대해서두 머리를 써야 할 시기가 왔습니다. 일전 나가보니까 밭고랑을 흥클어서 지정을 닦다가 그만두었두군요. 그것두 재촉해서 어서 일을 끝마치게 하고 물재두 지금부터 서둘어서 모아 드리도록 니시다구미에 좀 강하게 재촉을 하구, 그래야겠습니다. 학교와는 달라서 사 월에 개학할 필요는 없을는지 몰라두 어쨌든 재촉은 좀 심히 해야 할 걸요.”

그런 말을 들으면서 이경희는 저의 마음이 감동되는 것을 느낀다. 사실 이렇게 한 달 가까웁게 온천에 와서 뒹굴고 노닥거릴 한가한 몸이 아닌 것을 깨닫는 것이다. ‘중대한 사업을 등한하게 내버려 두지는 않았는가! 연애나 결혼 같은 것, 그까짓것 때문에 사업을 잊어버리고 온천에 와서 울적한 날을 보낸다는 건 용서할 수 없는 일이다!’

그는 내심으로 그렇게 책하고 있었다. 그리고는 제 일처럼 열심히 돌보아주는 송현도에게 가벼운 감사의 마음이 움직이는 것을 느끼고 앉았다.

“이거, 사장 영감께서 가는 길이건 전해달라고 편지 한 장과 돈 삼백 원.” 봉투 두 개를 다시 가방에서 꺼내준다.

"돈은 가지구 왔는데……"

이렇게 입속으로 읊조리듯 하였으나 그는 내미는 봉투를 받았다. 잠시 서류와 봉투를 든 채 앉았다가,

"그럼 편히 쉬이십시오. 내일 아침 다시 뵈옵겠습니다." 하고 인사하고 송현도의 방을 물러나왔다. 복도를 걸으며 그는 아버지에게도 새삼스럽게 감사한 생각이 가는 것을 느꼈다.

탁아소엔 반대하고 자선사업은 흉보면서 사생활에 있어서는 가장 퇴폐적이고 부패한 분위기만 짜내고 살아가는 회의적인 김광호 따위보다는, 실질적으로 낙관적으로 정력적으로 실무에 충실한 송현도 같은 인물이 얼마나 필요한가를 경희는 절실히 느끼고 있다.

'역시 아버지가 팔다리처럼 부리는 사람은 다르다!'

그래서인가 방에 돌아와선,

"언니, 탁아소의 재단법인 등기가 인제 다 끝났어, 이거 보아. 그리구 또 아버지한테서 돈두 왔구. 아버진 무어 멧도야질 잡아 왔다면서?" 그렇게 명랑하게 까불어대었다.

서류를 받으면서,

"내가 멧도야지 잡아온 이야길 안 했던가?" 올케도 마주 웃으면서 서류를 들여다보았다.

경희는 생글생글 웃으면서 아버지의 편지를 뜯었다.

―무고히 지낼 줄은 알지만 너무 오래되어 근심되도다. 서울 각 댁은 내외가 다 무사하니 안심하라. 송 군 편에 여비에 보태라고 일금 삼백 원 부송하니 사수하되 몸이 정양되었건 상경함이 여하. 그리고 누차 말하였던바 네의 결혼은 송 군의 형편도 있고 하니 급속히 결정함이 좋을 듯. 내가 약간 언질을 준 것도 있고 하여 입장이 매우 곤란하니 늙은 애비의 마음을 깊이 생

각하여 곧 결정하게 하되 그 문제로 하여 다시금 이 애비의 머리를 번거럽게 하지 않아 주기를 바라노라. 부 평서—

편지를 읽고 경희는 잠시 생각한다. 그러나,

"언니?" 하고 아직도 서류를 읽고 있는 올케를 부른다.

"응?" 올케는 낯을 들었다.

"언니 나 결혼할까봐."

"결혼?"

"그래. 그런데 언니 왜 그렇게 놀라? 내가 결혼하면 안 될 거 있어?"

"안되기야 무어. 그저 갑자기 하는 소리니 그러지."

"결혼할까봐. 아버지두 권하구 그러는데."

"누구하구?"

"저어 송 선생."

"송 선생?" 올케는 참말로 놀래인다.

"그래 송 선생, 왜 그렇게 놀래유?"

그러나 올케는 대답지 아니하고 멀끔히 아직도 경희의 얼굴만 쳐다본다.

"왜 자꾸 쳐다봐?"

입술이 약간 경련하듯 하면서 경희의 두 눈에 물기가 핑 도는 것 같아서 올케는 낯을 떨어트렸다.

봄은 水族館에서(一)

이튿날 일찍이 일어나서 탕을 하고 아침을 먹은 뒤 경희는 송현도의 방을 찾아갔다. 송현도는 지금 한창 식사를 하는 중이었다.

"어서 오십시오. 안녕히 주무셨지요? 벌써 아침진질 잡수신 뒤이군요? 허허어. 이거 안 됐는 걸. 오래간만에 온정을 하구 피곤한 몸을 마음대루 타악 풀어 놓았드니 기어 새벽잠에 취하구 말었죠. 허허어 참. 저기 앉으십시오. 저 방석을 깔으시구. 그럼 전 먹던 걸 마저 먹어야겠습니다."

그리군 빈 밥공기를 하녀의 앞으로 내밀면서,

"한 공기만 더—" 하고 버특버특 웃었다.

이경희는 아무 말도 하지 않고 그의 인사에는 가벼이 머리를 수그리었고, 그가 앉으라는 자리에, 하녀가 깔아 주는 방석 위에, 잠자코 무릎을 꿇고 앉았다. 그는 아침 일어나서부터 여태까지 올케에게도 아무개에게도 입을 떼서 말을 건네지 않은 것이다. 이윽고 송현도의 식사가 끝이 났다. 차를 마신 뒤에,

"실례했습니다."

그리고는 경희에게 다시 한 번 허리를 굽혔다.

"저어 과일이나 좀 가져와!"

상을 들고 나가는 하녀에겐 그렇게 타이르고,

"오신 지가 상당히 오래 되셨지요?"

이번에는 이경희의 얼굴을 쳐다본다. 경희는 그저,

"네." 하고만 대답한다.

송현도는 새침해 앉았는 경희의 마음을 제 깐으로 해석하면서 담배를 꺼내서 붙였다.

"송 선생 언제 가시겠어요?"

처음으로 경희가 말을 걸었다.

"나요? 나야 오늘 낮차루래두 가야지오. 한가하게 온천에 묵어 있을 팔자가 되어야죠."

"그럼 저두 그 차루 가겠어요."

송현도는 반가워했다. 그러나 무어라고 대답할까를 잠시 주저주저하다가,

"그러시지오. 가만 차가 몇 시던가?" 가방을 뒤적여서 기차 시간표를 꺼내 보고,

"이거 모두 천안가서 지체하게 생겼는걸. 여기서 한 시 십 분에 떠나는 놈은 천안서 한 시간 남아 기다려야 하겠구, 네 시 사십칠 분에 떠나는 놈은 한 삼사십 분 지체하지만 그건 또 연락되는 게 특급이 아니니, ……옳지 우리 자동차로 갈까요?"

"자동찬 춥지 않아요?"

"하긴 그렇기도 하겠구. 그럼 하이야루……아, 참 그건 또 휘발유 절약에 위반되겠구……그럼 천안가서 한 시간쯤 기대릴턱 대구 역시 한 시 십 분 차루 가시지오."

"네." 짤막하게 다시 대답하고,

"그럼 준비두 있으니까 가 보겠습니다." 하고 경희는 일어섰다.

"왜, 과일이래두 좀 깎으시구 가시지 그렇게 서두십니까?"

그러나 경희는 아무 말도 건네지 않고 그저 해슥히 웃어 보인 뒤 송현도

의 방을 나왔다. 결코 차 시간을 묻고, 약속하고 그러기 위하여서만 송현도의 방을 찾아갔던 것은 아니었다. 좀 더 다른 것을 이야기하려 들렀던 것이다. 그는 제 방으로 돌아오자,

"언니 한 시 차루 갑시다. 송 선생두 그 차에 간다길래 같이 가마구 약속했어." 하고 말하였다.

올케는 화장을 하고 앉았다가 흘낏 경희의 표정을 쳐다보았으나,

"어서 가야지. 서울로 가야지……" 하고 중얼거리며 방 안을 왔다 갔다 하는 그를 오래 바라보지는 않았다. 입술에다 「루주」를 바르고 나서 그대로 거울을 들여다보며,

"결혼하자는 이야기도 했우?" 하고 물어본다.

"결혼?"

이렇게 되묻듯 하면서 경희는 방 가운데 발을 세우고 바른 팔로 「베란다」에 통하는 문설주를 잡았다.

"그 사람에게 이야기할 필요야 있나. 아버지한테 말하면 그만이지."

그렇게 혼잣말처럼 뇌이었으나 이내 무엇을 생각하였는지 「스츠·케스」에 짐을 챙기기 시작하였다. 책을 옮겨 넣다가 광호의 사진을 발견하였다. 그는 사진을 한참이나 물끄러미 들여다보고 있었다. 그러나 그는 성난 사람처럼 그것을 갈기갈기 찢어버렸다. 이윽고 세 사람은 예정과 같이 온양온천을 떠나서 네 시가 넘어서 서울에 도착하였다.

봄은 水族館에서(二)

차에서 내리는 대로 세 사람은 무거운 것도 없다고 각각 가방을 하나씩 들고 출구를 나왔다.

"번호를 타가지구 언제 택씨를 얻어 타겠습니까. 잠시 여기서 기다려 주십시오. 내 회사에 전화 걸어서 차 보내라구 이르구 오겠습니다."

송현도는 두 여자를 역구내에 세워 놓고 공중전화 있는 데로 갔다. 한참 만에 그는 돌아 왔다.

"마침 사장 영감께서도 나가시지 않았고 하드송두 차고에 있다길래 두 대를 다 보내라구 했습니다. 사장 영감 뵈옵지 않고 곧장 들어가시겠습니까?"

"뒷날 찾아가 뵈어야죠. 회사루야 가겠어요."

경희는 그렇게 말하고는 올케를 가만히 건네다 보았다. 올케는 목도리에 낯을 묻고 외면을 한 채 송현도와 이경희의 대화에는 일부러 귀를 기울이지 않는다는 태도였다. 그러나 이경희와 송현도의 새에도 별반 이야기는 계속되지 않았다. 경희는 땅바닥을 물끄러미 내려다보고 있다. 한참 만에,

"아, 우리 차가 옵니다." 하는 송현도의 목소리에 그는 낯을 들었다. 「클라이슬아」와 「하드송」이 앞뒤를 맞붙듯이 엇대고 비스듬히 광장을 돌아 미끄러져 들어왔다. 운전수는 차에서 내려서 인사를 하고 문을 열었다.

"두 분께선 사장 영감의 차루 가시게 하시지오. 난 또 회사에 들렀다가 가겠습니다."

송현도는 두 여자를 앞 차로 안내하고 운전수에게는,

"삼청동 댁으로 모셔다 드려." 하고 타일렀다. 앞 차가 떠난 뒤에야 사나이는 차에 올랐다.

경희와 올케를 태운 자동차는 태평동으로 들어서서 총독부 앞을 휘돌아 이윽고 삼청동 자택 앞에 와 멎었다. 운전수가 가방을 날랐다. 운전수를 앞세우고 두 색시는 안으로 들어갔다. 먼저 안방으로 들어가서 아주머니를 뵈옵고 각각 제 방으로 들어갔다.

경희의 쓰는 방은 오랫동안 비워 두어서 퀭하니 냉기가 돌았다.

"방이 찰겁쇼. 인제 곧 불을 지피겠습니다 아가씨."

그러나 그러한 하인의 말에 개의치 않고 경희는 그리운 생각이 드는지 방 안의 사방을 둘러보고 섰었다. 그동안 미처 회송하지 못한 우편물이나 없는가, 방 안에도 무어 변한 거나 없는가—그렇게 생각하면서 이 구석 저 구석을 만져 보고 돌아보고 하는 것이었으나 변한 것도 새로이 생긴 것도 눈에 뜨이지 않았다. 책장 한구석에 작은 광호의 사진을 세웠던 것이 지금도 그대로 놓인 채 있어서 그것을 오히려 신기해하며 책상 서랍에 파묻듯이 챙겨 넣어 버렸다. 외투만을 벗어서 옷장에 걸고 그는 다시 안방으로 들어왔다.

"현순인가 그 색시한테서 어저께 또 전화가 왔더라. 그래서 간지두 인제 오래되니까 금명간 올게라구 오늘 내일 새루 또 한번 걸으라구 그랬다."

아주머니의 그러한 보고를 들으면서 경희는 아무 대답도 하지 않고 잠잠히 앉았다.

"급히 이야기할 게 있다구 돌아오건 저두 전화 다시 걸겠지만 경희한테두 전화 걸어달라구 그래 달라구……"

그래도 경희는 아무 말도 하지 않았다. 그러나 가만히 일어섰다. 그리고는 전화통 있는 데로 나갔다. 전화통 앞에 가 서서 전화번호를 생각하는 듯이 잠시 덤덤히 서 있었으나, 그는 수화기를 귀에다 대인 즉 강현순이를 부르지 않고 회사로 아버지를 불렀다. 아버지는 금방 원동 댁으로 퇴사하셨다고 한다. 그래서 그는 다시 원동으로 걸었다.

"아버지 방에 대 주세요. 나 경희얘요."

한참 만에 아버지가 전화통에 나왔다.

"저 경희여요."

"응. 잘 다녀왔단 소식은 지금 회사에서 송 군한테 들었다."

"아버지두 안녕히 계셨어요? 그리구 멧도야지두 다아 쏘아오셨다지요?"

"응. 그래 그 소식이 벌써 네게까지 갔느냐?" 그리고는 유쾌히 웃는 소리.

"내 편지 받았지?"

"네, 삼백 원 주셔서 돈이 남아 막 빼기구 호사했어요."

"잘했다. ……"

잠시 말을 끊었다가 아버지는 또 한 번,

"내 편지 읽어 보았지?"

봄은 水族館에서(三)

아버지가 연거푸 재촉하듯이 다급스레 구시는 게 좀 언짢아서 경희는,

"네, 자세히 읽었어요." 하고만 대답한다. 실인즉 자기의 결심한 바를 알려서 한시바삐 아버지를 즐겁게 하려는, 그러한 마음으로 전화를 걸었던 것인데, 아버지가 난데없이 조급하게 묻는 것에 그는 다소 마음에 불쾌한 생각을 품는 것이다.

"그래 잘 생각했니?"

또 한 번 그렇게 묻는 말에,

"네 잘 생각했어요. 아버지를 괴롭게 굴어서 죄송합니다. 그래두 정식회답은 내일루 미루겠어요."

그러니까 아버지는,

"응. 그러렴. 무어 정식이구 무어구 있니. 그러니 네 생각대루 해라. 내일 회사루 나오겠니?"

거절이면 정식이고 뭐고 없을 거니까 이신국 씨는 경희의 태도가 다소 완화된 것을 느끼면서 결혼 문제가 급작히 결정을 볼 것을 은근히 믿고 있는 어조였다.

"그럼 내일 찾아가 뵈옵겠어요. 언닌 내일 밤에나 찾아가 뵈옵게 될 거애요."

"응. 머, 안오면 어떤가."

이것으로 전화는 끊어졌다. 경희는 전화통 앞에 잠시 서 있었다. 처음은

강현순이한테 걸어 볼 생각으로 나왔다가 그것이 아버지가 되었고, 아버지한테 걸 때엔 송현도와의 결혼 승낙을 하려던 것이 정작 걸 때엔 그것을 내일로 미루어 놓았다. 내일로 미루었다고 사건의 내용이나 성질이 변하는 것은 아닐 것이다. 아버지에게 다짐을 받아둘 결혼 조건을 그는 생각하고 있는 것이다. 그 결혼 조건에 대해서 좀 더 신중히 생각할 여유를 가지려는 것이다.

강현순이한테 전화를 걸까하고 다시 처음 생각으로 돌아왔으나, 어쩐지 그렇게 할 용기가 생기지 않고 마음이 내키질 않았다.

'사람의 관계란 이렇게 변하는 것일까? 내가 그를 협동자로 끌어드린 뒤 여태껏 그에게서 이러한 불쾌한 생각과 간격을 느껴 본 적은 없었다!' 그러나 그는 종내 그에게 전화를 걸지는 않았다.

"몇일 뒤에 천천히 걸지."

그렇게 생각하며 그는 방으로 돌아왔다.

옷을 갈아입고 들어온 올케를 보고 저도 조선옷을 갈아입고 싶어서 침모를 시켜서 옷을 녹이도록 하였다.

"아버지한테 언닌 내일 밤에나 인사하러 간다구 말했우."

"난 오늘 밤이래두 가볼까 했었는데……누인 안 갈래?"

"난 내일 회사루 나가마 했어."

사랑에서 냉기가 가실 무렵에 경희는 제 방으로 나와서 옷을 갈아입고 결혼 조건 같은 것을 생각해 보았다.

언젠가 본 소설에 결혼 생활은 형식적으로만 하고 실제에 있어서는 독신 생활을 시켜줄 조건으로 결혼을 승낙하는 경우를 그린 것이 있었다. 그러나 소설이니 말이지 그런 것이 저의 경우에 가능할 것 같지가 않았다. 그는 또 독신주의를 상당히 경멸하던 사람이었다. 그래서 그런 것이 머리에 떠올랐달 뿐 깊이 고려하지는 않았다.

그 다음은 재산 같은 것을 생각해 볼 수가 있었다. 제 앞으로 오는 유산을 어떤 조건 밑에 확보해 두는 것. 그러나 이것도 곰곰이 생각해 보면 우스운 수작이었다. 아들 낳고 딸 낳으면 그것은 남편의 자식인 동시에 틀림없는 저의 자식이 될 것이요, 장차 재물을 물려주는 경우에도 결국 그 자식들을 내어놓고 딴 사람이 관여하게 될 턱이 만무하였다. 그러고 보면 그런 것을 야속하게 치켜들어 보았자 치사스럽기나 한 일이지 별반 뾰족한 수가 생기는 것은 아니었다. 가정생활에 있어서의 아내의 자유 같은 것? 이런 것도 공연한 수작이고, 그밖에 사나이의 행동을 제한하고 견제하는 것 같은 그런 맹랑한 소린 철부지 기독교 여학생이나 생각할 일이고……그러자니 아무리 생각해 보아도 결혼 조건이라고 내세울만한 것은 아무것도 없었다.

'그저 완전한 희생!'

이것이 희생이 아니라고 생각하기 위하여는 그는 송현도에게 대하여 애정을 발견하는 것이 필요하였다. 에네르기, 실무주의, 실용주의, 행동가, 실업가적 수완—그것은 물론 하나의 매력이 될 것이요, 여기에서 새로운 애정의 원천을 구해야 될 것이다.—이런 결론을 짓고 있는데 강현순이한테서 전화가 왔다고 한다.

봄은 水族館에서(四)

경희는 생각하던 것을 덮고 전화 있는 데로 갔다.

"나 이경희얘요. 네 안녕하셨어요? 오늘 오후 차루 왔어요. 네. 지금 집에 와서 들었습니다. 여러 번이나 죄송합니다. 네? 네. 집에 있겠어요. 그럼 이리루 오시지오. 기다리겠습니다."

역시 오래간만이기도 하지만 급히 아뢰올 말두 있어서 꼭 만나 뵈야 되겠다는 전화였다. 온다면 안 만날 필요는 없을 것 같다. 어차피 한번은 만나서 결말을 지어야 할 일이므로 지금 생각이 헷갈려서 두서는 없지만, 일이란 언제나 겹쳐서 몰려오는 것이 버릇이니까, 올 테면 모든 일이 한꺼번에 쏟아져 오라고 생각하는 것이다.

이미 중요한 문제가 결정을 보았겠다, 일체의 문제를 그것에 의하여 잘 드는 칼로 삼단을 베이듯이 한칼로 찬연하게 잘라 버린다—그러한 생각도 들었다.

저녁때가 되었으므로 그는 안방으로 들어가서 가족들과 함께 저녁을 먹었다.

"언닌 조선옷 입어보니께 재미가 나서 자꾸 입네." 덕희가 경희를 놀려대었다.

"양복보다 더 숙성해 보이죠?" 그리군 올케와 아주머니를 돌아보며 웃는다.

"못된 년 같으니. 한두 번 입구 빨기가 무엇해서 더럽힐려구 입는데 재민 무슨 재미란 말이냐?"

경희의 이러한 말에 덕희는 지지 않고,

"그럼 언니두 절약사상으루 조선옷을 입었군. 요지음 시체 여성하군 사상이 건실해서 매우 좋소." 마지막을 그가 언제나 흉내 내는 저의 학교 수신 선생의 말본새로 꾸며서 일동은 와그르르 쏟아 놓고 웃었다.

"덕희 까부는 거 보기 싫어서 사랑으루 나가야겠다."

그리구 일어서니까,

"덕희가 지금 이질애질해서 죽겠나봐. 형보구 못 살게 굴땐 아무래두 제 혼수가 늦어진다는 투정인가부지."

올케가 덕희를 놀려 주어서 덕희는 또 무어라고 올케에게 대들고 있었다.

경희는 사랑으로 나와서 넓은 방 안에 단정히 앉아본다. 생각을 정리하려고 머리를 고즈넉하게 안정을 시킨다. 탁아소를 중심으로 하는 사업을 중추에 놓고 그 나머지 문제를 전부 여기에 비준해서 정리해 본다. 그러나 그 다음은 결혼을 중심으로 해서 그 문제를 되짚어 보기도 한다.

이렇게 이것저것 손을 바꾸어서 문제를 정리해 보아도 희생되고 거부되는 것은 역시 연애와 그것과 부수되는 심리와 감정이었다. 이것만은 솟아날 길이 없었다. 그러나 연애 같은 것, 그리고 그것에 부수되는 애정심리나 연애감정 같은 것, 넉넉히 무시하고 뿌리쳐 버리고 나갈 것 같았다.

그렇게 생각하고 있는데 강현순이가 찾아왔다고 한다. 기왕 심리와 감정과 정의감(正義感)을 처치해 버릴 생각이라면 강현순이한테도 전과 다름없이 허허탄탄한 마음으로 대할 수 있을 것 같았다. 그는 친히 현관까지 마중을 나갔다.

"오래간만입니다."

"추운데 오셨군요. 밖이 몹시 춥지요?"

“별루 추은 줄은 모르겠어요. 요즘 몇일 더웁구……인제 또 봄이 아니여요.”

“하긴 참 봄이군요. 입춘이 재냈으니까……”

경희는 손님을 제 방으로 안내하였다.

“어디 앓았수? 신색이 좀 못된 것 같은데……”

경희는 현순에게 오래간만에 느끼는 인상을 그렇게 솔직히 말하였다.

“나요? 앓기야 무슨. 겨울이 너무 춥구 을씨년스러워서 그런게지오. 나두 나려니와 경희 씬 참 어데 앓으셨수? 온천에 가서 그렇게 오래 묵으시구 또 그래서 그런지 신관두 좀 원기가 없으신 거 같은 게……”

“온 참! 오래간만에 만나니 모두 인사말이 이렇게 불길하기만 하구……어쨌든 젊은 여자의 건강이란 건 한난계 같아서, 좀 좋게 보였다 못 되어 보였다 수다스럽게두 변덕이시지……”

이렇게 경희가 까놓아서 두 사람은 함께 웃어버렸으나, 역시 속으론 모두 저편의 보는 눈이 그다지 틀리지 않았다고 생각하는 것이었다. 식모가 차와 과자와 과일을 날라와서 그러지 않아도 잘 어울리지 않으려던 좌석에 침묵이 잠시 흘렀다.

봄은 水族館에서(五)

"이걸 좀 들어보세요." 하고 손수 경희는 과일을 베껴 권해 본다. 자꾸만 어색한 침묵이 흐르려고 해서 경희는 생각에 없는 입도 놀려 보고, 필요치 않은 손도 움직여 보고 하였으나, 한편 강현순은 차를 들어서 한 모금 마시고는 경희의 태도를 덤덤히 살피면서 이야기의 실마리를 잡으려고 애쓰고 있다. 이윽고 현순은 생각해 가지고 온 대로 이야기를 펼쳐 보기 시작한다.

"김광호 씨가 만주루 가셨더군요." 하고 말해 본다. 경희는 펀듯 현순의 낮을 건네다 보았다. 그리고는 그의 낮에 떠오르는 어색한 표정을 미처 지워 버리지 못한다. 현순의 눈에는 그것이 당황한 표정으로 비치었으나,

"글쎄 그런가봅니다." 하는 대답 뒤에 온 것은 확실히 평상되지 않은 심리 상태였다. 강현순이는 이러한 이경희의 태도를 이해할 수는 없었다. 그래서 그는,

"아니 경희 씨께선 그걸 딱히 모르셨나요?" 하고 물었으나 정작 물어놓고는 저의 실례된 질문을 후회하였다. 그러나 그러한 말에 이경희가 그토록 불유쾌한 표정을 노골적으로 털어 보일 줄은 짐작치 못하였었다.

"어째서 그걸 묻는 겁니까?"

경희는 이렇게 되짚어 반문하는 것이었다.

"아아니, 무어 특별히 물을 필요가 있다는 것보담……"

현순은 경희의 노여움까지가 서려 도는 표정에 면바로 부딪치면 역시 주

저거리지 않을 수는 없었으나,

"김광호 씨가 만주로 전직이 된 것과 관련해서 제가 좀 귀띔해 드릴 말씀도 있고 해서……" 하고 계속하여 말한다.

"무어 말입니까? 현순 씨가 저보다 그이에 관해서 자세한 지식을 가지고 있는 줄은 알고 있지만 지금 제에게 그런 걸 들려주실 필요가 있을까요?" 평상시의 이경희의 말로는 도저히 생각할 수 없는 불순한 언행이었다. 현순은 이야기를 계속할 수가 없었다.

'경희가 오해를 품고 있다.'

그런 생각은 먹을 수 있었으나 이러한 이경희의 태도는 현순에게 대하여 적지 아니 모욕적으로 들려지지 않을 수는 없었다. 현순은 가만히 앉아 있다. 피차간 자기네들이 주고받고 한 말의 내용을 반성해 보는지 두 사람은 각각 딴 데를 보면서 무거운 침묵을 만들고 앉아있다.

"경희 씨는 저에게 무슨 오해를 품고 계십니다. 그럼 그 이야긴 그만두고 딴 것으로부터 이야기를 시작하겠습니다. 이야기를 죄다 들으신 뒤에 저에게 대해서 가졌거나 느꼈거나 하신 생각을 들려주세요. 그러니까 우선 제의 말씀을 들어 주세요."

경희는 아무 대답도 하지 않고 가만히 앉아있다. 현순이는 잠시 동안 더 이야기의 두서를 가려 가지고 이렇게 그의 말을 계속하였다.

"혹 아시는지 모르지만 제의 언니, 그러나 아버지가 다른 이성형님으로 박양자라는 이가 있습니다. 이 언니 쪽으로 그러니까 양자 언니의 아버지와 고종사촌이 되는 아저씨루 신일성이라는 분이 있어요. 일정한 직업은 없고 뿌로카나 그런데 얼버무려 다니는 분인데 참말 언젠가 수운정 아파트에 있을 때 경희 씨가 들어오시기 바로 전에 다녀 나간 사십 줄에 나는 남자가 있지 않았어요?"

경희는 현순이가 말하는 인물을 곧 회상할 수가 있었다. 「수운정 아파트」의 현관에서 본 일이 있고, 그 뒤에 송현도와 그가 옥정 부근에서 무엇을 상론하고 갈라지는 것을 본 적이 있었다. 그때에 느꼈던 불쾌한 인상을 지금 다시 회상시키면서 그는 현순의 말에 귀를 기울인다.

"그 아저씨벌 되는 양반이 얼마 전 눈과 비가 섞여 오구 바람이 세게 불던 날 저녁에, 나를 교묘하게 꾀어가지구 시외의 절간으로 갔었던 일이 있어요."

이렇게 말해 놓고는, 그때에 경희가 얼굴을 들어서, 그는 낯을 발그레하니 붉혔다. 경희는 이내 딴 데로 눈을 피하였다. 현순은 잠시 더 저의 창피한 이야기를 부끄러워하였으나, 그런 걸 숨기면서는 사실을 이해하리만큼 전달할 재주가 없어서 다시,

"들어 달라기두 거북한 얘기지만……" 하고 말하던 것을 이어나갔다.

봄은 水族館에서(六)

“절간에 들어서 보니 처음 약속과는 달라서 즉시 방을 뛰쳐나왔지요. 밖은 비가 내리고 바람이 부는 캄캄한 밤입니다. 가까스루 도망을 처서 전차길까지 나왔는데 그때 지내가는 자동차를 한 대 만났어요. 만났다기보다는 내가 구두 뒤축이 부러져서 차바퀴 옆에 고꾸라졌던 겁니다. 그래서 그 차에 올라타구 시내에까지 들어왔는데, 그 다음 다음날 내가 앓아누웠고 양자 언니가 간병을 하구 있는데, 그 신일성이라는 아저씨가 또 찾아 왔군요. 찾아와서 하는 말이, 일전에 너를 태우고 간 사람은 바루 산양을 나갔던 경희 씨 아버지시라구료. 그이가 너를 데리구 어디를 가서 무얼 했는지 나는 그이한테 가서 시비를 걸겠다구 합니다. 그래서 언니가 막 야단을 치구 쫓아 내버렸는데 그이가 무슨 짓이건 못하지 않을 사람이니 아버지께선 저를 도와주시고 공연한 화를 당하시지 않겠어요. 그렇다고 제가 아버지를 찾아 뵙구 여쭈자니 그것도 무엇하구, 그래서 이런 것 저런 것 부탁두 하구 사죄두 하구 그럴려구 찾아 온 겁니다.”

경희는 다 듣고 나서 저으기 감동이 되었는지 낯을 들어 서슴지 않고 현순이를 쳐다보았으나 다시 광호에 대한 일건이 어떤 것인지를 몰라서 아무러한 말도 건네기를 주저하였다. 현순은 잠시 숨을 돌리듯 하고는 다시 새로운 이야기로 말머리를 돌렸다.

“그리구 딱히는 나두 알 수가 없지만 김광호 씨가 이번 만주로 가게 된 것도 어떤 복잡한 사장이 있는가 봐요. 어떤 계책 같은 것이 있어서 갑자기 그리루 전직이 되셨다는 것과 그 계책에 지금 말한 신일성이라는 양반이 관계를 했다는 건 명확한 사실인데, 그것이 무엇인지 어떤 건지 그런 건 제의 상상력으론 알 수가 없었어요. 경희 씨께선 혹시 김 선생께서 만주로 전근이 되신 사정을 들으신 일이 있는가요?"

이렇게 현순에게 질문을 당하고 보니 대답할 말이 없었다. "저는 아무것도 모릅니다."

그러나 신일성이라는 그 파락호가 그것에 관련이 있다면, 옥정에서 소화동으로 나오다가 무엇을 수군거리고 갈라지던 두 사람, 신일성과 송현도의 관계를 생각지 않을 수는 없었다.

송현도?—그러나 그 이상의 것을 상상할 수는 도저히 없는 일이었다.

"내일 내 아버지를 회사루 찾아가마 했으니까 현순 씨 이야기는 그때에 여쭈어 두겠어요. 이름이 신일성이오, 그리구 표방하는 직업은 아무것두 없는가요?"

"글쎄 이렇다 할 직업은 없을 겁니다. 혹시 광업가라든지 그밖에 무슨 정체모를 회사의 이름을 빌려 가지고 다니는지 몰라두……"

이야기는 일단 끝이 났다. 경희는 수수께끼 같은 소리를 김광호의 일신상에 관하여 한 가지 얻어 듣기는 했으나, 강현순에게 대하여 품었던 감정이 활짝 풀어지는 것은 아니었다. 또 다시 아까와 같은 침묵이 찾아 오랴고 한다. 현순은 생각하고 왔던 것을 모두 이야기해 버리려고 다시 새로운 화재로 옮아간다.

"그리구 탁아소에 대해선 요전 번에두 말씀 올려 두었지만 아무래두 저는 책임을 감당할 것 같지가 않아요. 이번 아저씬지 한 양반한테 그 봉변을 당한 걸 기회삼아 언니와 함께 그가 없는 곳에다 다시 새로운 생활 설계를 세워야 하겠어요. 그래서 대충 복안 같은 것도 선 것 같으니까 제의 경솔한 짓은 모두 눌러 보아 주시구 아주 인제 저를 완전히 그곳에서 면제해 주시기 바랍니다."

경희는 이러한 현순의 말에도 이렇다 할 대꾸를 하지 않았다. 그의 얼굴은 오히려 무표정에 가깝게 그저 멍청하니 현순의 이야기를 듣고 있을 뿐이었다. 그러나 한참 만에 딱 잘라서 이렇게 말하였다.

"광호 씨는 나와 인제 아무 관계도 없어졌어요. 그러니까 그 사람 때문에 품었던 감정 같은 것을 그대로 내에게 옮겨 가지시진 마세요. 다른 사정으로 탁아소를 그만두시겠다면 할 수 없는 일이겠지만 그 가운데 김광호 씨와의 문제가 끼었다면 그것만은 깨끗이 털어버리세요. 인제 그이는 나와 아무런 관계두 없는 입니다."

봄은 水族館에서(七)

경희는 그렇게 말해 버리고는 저의 말에 제가 격하여서 흥분이 얼굴에까지 솟쳐 오르는 것을 느끼고 있다. 그러나 저의 흥분된 상태를 남에게 보이는 것이 부끄러운 듯이 이윽고 낯을 외면하고 가만히 심장의 동계를 헤이듯 하였다.

현순은 오히려 침착하게 경희의 말을 들을 수가 있었다. 예상했던 것처럼 경희가 저와 광호의 관계를 의심하고 있는 것이다.—그래서 그는 나직이 이렇게 말하였다.

“경희 씨는 저와 광호 씨의 관계에 대해서 오해를 하십니다. 아까두 잠간 여쭈었지만 내의 형되는 양자라는 분 말씀이얘요. 그이가 부끄러운 말씀이지만 생활 문제 때문에 어느 빠에 나가 있었어요. 아마 그런 관계로 알으셨겠지만 그 양자 언니와 광호 씨의 백씨로 지난 여름에 돌아가신 분과 잠시 동안 동거생활을 한 적이 있었습니다. 그분은 옛날엔 사상운동도 하고 그런 분인 모양인데 그 뒤 신념과 건강을 동시에 잃어버려서 돌아가시기 전의 생활이나 정신 같은 것은 아주 말이 아니었습니다. 제가 광호 씨를 처음으로 안 것은 그이 장례 때 화장장에서 였습니다. 그때 잠간 인사를 여쭙고는 전번 눈 오는 날이 처음이었어요. 그날 제가 명과에서 기다리는 경희 씨에게, 오래간만에 그리운 친구를 만났다고 한 것이 알고 보니 김광호 씨였다고, 그것을 가지고 광호 씨의 관계를 의심하려 드는 건 너무 단순하지 않으세요?”

제가 혼자서 광호 씨를 사모하였다는 것—그것은 결국 자기 혼자서 한 일이오, 자기 외에 아무러한 영향도 줄 것이 아니라고 생각하여서, 현순은 끝끝내 그것만은 고백할 필요를 느끼지 않는다.

"현순 씬 아무것도 모릅니다. 아닌 게 아니라 내가 현순 씨와 광호 씨의 관계에 대해서도 오해를 가졌던 것만은 사실이어요. 그러나 단순히 그것만을 가지고 그런 오해를 품게 되었던 건 아닙니다. 김광호 씨와 현순 씨의 관계는 아무것두 아닌지 모르나 제가 받은 타격은 결코 그런 것만은 아니였어요. 그것 때문에 공연히 현순 씨한테까지 오해를 품었던 건 미안하게 되었습니다. 그러나 광호 씨는 제에겐 너무 심하셨어요."

"글쎄, 내용이 어떤 겐질 몰라서 말씀 드리기는 거북하지만 내에 대한 경우처럼 공연히 오해하고 계시지는 않아요? 그이에게 면대해서 담판이래도 해 보셨어요?"

경희는 낯색이 저으기 파리하게 질리어서 가만히 머리를 뒤흔든다.

"그럼 그이와는 만나 보지도 않았습니까?"

현순은 책망하듯이 날카롭게 묻는다.

"그이가 만주로 떠나기 바로 전에 안 일이라 만날 새인들 있어서야죠."

현순이는 잠시 말을 끊었다. 그에게는 확실히 어떤 오해가 이경희와 김광호 새에 끼어 있다는 것을 느끼는 것이었으나 그렇다고 사건의 내용을 털어 보랄 수는 없는 일이었다.

"사사로운 일에 참견하는 것 같지만 경희 씨께서 그것을 안 날짜와, 광호 씨께서 만주로 떠나게 된 날짜가 일치하는 것과, 광호 씨가 만주로 가게 된 것이 어떤 술책에 빠졌다는 것과, 그 계책에 신일성이 같은 악질의 인물이 끼었다는 것을 냉정히 생각하셔서 경희 씨가 알아들었다는 사실의 내용과 그것을 전달한 분의 입장이나 위치를 다시금 곰곰이 따져서 생각하시기 바랍니다. 나의 보기엔 김광호라는 분은 결코 인격이나 소행 같은데 실수가 있을 분이 아닙니다. 돌아가신 그이의 백씨도, 그것은 늘 말씀했습니다. 냉정한 것, 지나치게 침착한 것이 기술가다운진 모르나 내의 열정에 비하면 그것이 결점이면서 또한 장점이라고, 언제나 그렇게 동생의 말씀을 하셨어요. 그건 어쨌건 남의 말만 듣고, 한번 면대해서 당자와 담판도 아무것도 없이 일방적으로 일을 처리하시는 건 이경희 씨답지도 않은 경솔한 행동입니다. 얻어들은 말씀이 내에 대해서 가지셨든 것처럼 오해가 아니라고 누가 보증하겠어요. 중상이 아니라고 누가 보장하겠어요? 벌써 신일성이 같은 악질의 인물이 관계했다는 것만 보아도 짐작이 가지 않아요?"

경희에 대한 우정과 광호에 대한 애정을 위해서 마지막의 정성을 기울이고 외로이 돌아오는 강현순의 눈에서는 눈물이 그칠 줄을 몰랐다.

봄은 水族館에서(八)

강현순이가 다녀간 뒤 하룻밤을 뜬 눈으로 새우다시피하면서 처음부터 냉정히 사리를 따져서 생각해 보고 이튿날 아침 아버지가 출근하였을 시각을 기다려 경희는 황금정에 있는 대흥회사를 찾아갔다. 아버지는 금방 출근하시는 길이었다. 아버지가 자리에 앉아서 주위가 조용해지기를 기다려 경희는 순서를 따라서 이야기를 시작하였다.

"아버지 신일성이라는 사십 줄에 나는 놈팽이가 찾아 온 일 없어요? 얼굴이 검어테테하구 어덴가 음흉하게 생긴……"

"신일성이? 그런 사람 생각나지 않는 걸." 경희는 초조한 듯이,

"얼마 전 눈 오구 비 오구 그러던 날 동대문 밖에서 젊은 여자하나 차에 올려 태운 일은 계시지오." 하고 물으니까 이신국 씨는 다소 불유쾌한 표정을 지었으나,

"그래서?" 하고 그 다음 말을 재촉하듯 한다.

"그 여자가 제가 아는 동무였어요. 그 뒤 그 일루 협박이나 공갈을 하려 찾아 왔던 작자 그게 신일성이어요."

이신국 씨는 잠시 어리둥절해 있었으나 책상 앞에 꽂아 놓은 많은 명함들을 뒤적여 보더니,

"신문기자 신석규말이냐?"

"아버지두! 그게 신문기자 무슨 신문기자유. 아주 고약한 협잡꾼이구 그

런 놈인데, 그럼 그 놈이 이름을 속이구 그런 직함을 가지구 찾아 왔었군요? 그래 그걸 어떻게 처리했어요?"

"송 군이 알아서 처리했다."

이렇게 나직이 말하더니,

"그런데 넌 어디서 그 사람의 본성을 알아 가지구 다니냐?"

"그 여자한테서 들었죠, 먼 아저씨뻘이 되나마나한 여석이래유. 그래서 아버지한테 여쭈어 달라구 허던걸요."

이신국 씨는 더 묻지 않고, 또 그 문제에 대해서는 더 생각하고 싶지도 않은 듯이 담배를 붙여 물었다. 경희는 그때에 '송현도가 맡아서 처리했다'는 아버지의 말을 생각해 보고 있었으나 그것을 입 밖에 내서 추궁하지는 않고,

"김광호라는 토목기사가 무엇 때문에 만주루 전직이 되었어요?" 하고 새로운 것을 물어 보았다.

"김광호?"

이렇게 반문했으나,

"그거야 내가 알 턱이 있나. 니시다구미에서 하는 일을……"

그러고는 물끄러미 경희의 낯만 쳐다본다.

김광호가 만주로 간 뒤 얼마 아니하여 송현도는 그가 친하다던 형사에게서 들은 말이라고, 한때에 사건이 될 듯하던 토목기사와 토지 「뿌로커」의 합작으로 된 사기사건은 취조해 본 결과 아직 범죄 구성이 될 만한 정도에 이르지 않아서 그대로 경찰이 단념해 버렸다는 정보를 가져왔다. 이것으로 걱정과 근심은 덜었으나 김광호를 서둘러서 만주로 보낸 것은 우습게 되었다고, 그 뒤 이신국 씨와 니시다 씨는 함께 이 이야기를 하면서 웃어 버린 일이 있었다. 그러나 이신국 씨는 이런 것을 딸에게 이야기할 필요를 느끼지 않는다.

"아버진 니시다구미의 중역이 아니세요?"

"아니 너 정신이 나갔냐? 중역이라구 남의 인사관계에까지 간섭하는 법두 있니?"

더 물어야 소용이 없을 것을 알고 경희는 일어섰다.

"저어 결혼에 대한 말씀, 몇일만 더 참아 주세요. 그리구 아버지 자동차 좀 빌려주세요." 하고 사장실을 나왔다. 아버지는 무슨 영문이냐고 더 붙들었으나 경희는 그대로 웃어 보이기만 하고 장난처럼 까불어 대면서 방을 나왔다.

아버지의 차를 차고 백화점으로 가서 길림까지 가는 차표를 샀다. 그러나 길림에 있는 김광호의 주소를 알 수가 없다. 그에게서 온 편지를 모두 없애 버린 것이 후회되었으나 어쩔 수 없는 일이었다.

"가회동으로 가요." 차에 올라서 운전수에게 그렇게 말하면서,

'광호가 소식을 끊은 지 한 달 가까이 되었으니 인제 찾아가도 만나주지 않지는 않을까?' 하는 근심을 품어 보았으나,

"어떻게든지 만나야지!"

이렇게 소리를 내서 지저귀고 자동차가 가회동 골목을 달릴 때에,

"차를 어디 세워놓고 운전수, 나와 함께 집 좀 찾읍시다. 가회동 ××번지……" 하고 말하였다.

봄은 水族館에서(九)

운전수가 앞을 서서 광호네 집은 이내 찾을 수가 있었다. 문패는 아직 「김광준」인 채 그대로 있었다. 문패 밑에 있는 초인종을 누르니까 식모가 나왔다.

"어머님 계세요?"

계시다고 한다. 그래서 잠간 뵈옵자고 하였더니 광호의 어머니가 대문간까지 나왔다.

"아유 참 오래간만이구려! 그새 다 안녕들 하셨지?" 하고 광호 모친은 반가워하였다.

"해가 바뀌어두 찾아뵙지도 못해서 죄송합니다."

경희도 허리를 구부려서 공손히 인사를 한다.

"자아 좀 들어오시지. 저 양반도 누구신지 좀 들어오시고……"

"아뇨. 바빠서 들어가진 못하겠어요. 잠시 물을 말씀이 있어서 왔는데……저어 김 선생 계신 만주 주소를 좀 알려고 온 건데요……"

그리고는 운전수에게는 차에 가서 잠깐만 기다려 달라고 말하였다.

"만주 주소요? 아니 그 애한테서 거긴 무슨 기별이 없었나? 벌써 한 이십 일채 병으루 누워서 입원을 했다구 해서 일전에 제 동생이 만주루 떠난 걸……"

경희는 깜짝 놀래인다. 이것으로 그에게서 소식이 끊어진 이유는 알 수 있었으나, 한없는 자책이 그를 엄습하기 시작하는 것이다. 그는 아무 말도 못하고 서 있다.

"가만 있수, 내 편지 봉투를 가져다 드릴께……"

광호 모친은 「길림시, 대마로, 동양의원(東洋醫院)」의 활자가 인쇄된 봉투지를 들고 나왔다. 그것을 받아서 보고,

"병세는 어떠신지오?"

"독감이라구 한 때는 퍽 위중했던가본데 우리 작은 아이가 가서 편지한 걸 보면 인제 어려운 대목은 넘긴 모양이유."

그것까지를 듣고 경희는 광호네 집 대문을 나서서 자동차 있는 데로 돌아왔다. 삼청동까지 와선 일단 차를 돌려보내고,

"세 시 사십 분 노조미에 나갈 수 있도록 또 한 번 와주세요. 바빠서 못 오겠으면 택시래두 보내주세요." 하고 다시 운전수에게 부탁해 두었다.

시간이 촉박해서 종두증명서만을 준비하고는 양복도 입은 데로 외투만은 추운 고장으로 간다고 아직 조선 안에서는 한 번도 입어 보지 않은 털로 만든 「페샤닉크·코트」를 꺼내어 입었다. 그는 점심도 먹지 않고 시간을 기다렸다. 자동차가 시간 전에 와서 경희는 가방만 하나 들고 혼자서 정거장까지 나가고 또 혼자서 「노조미」의 침대에 겨우 몸을 실을 수가 있었다.

차가 서울을 떠난 뒤에야 그는 식당차로 나가서 간단히 점심을 먹었다. 차는 이윽고 평양에 잠시 들렀다가 밤중엔 국경을 넘어서 남만주의 넓은 벌판을 달리었다. 경희는 잠깐잠깐 잠이 들었으나 여러 가지 생각이 머리에 떠올라서 깊은 잠을 들 수는 없었다.

그 이튿날, 낯을 닦고 식당차로 나가서 아침을 먹고 돌아와 앉았는데 벌써 기차는 신경에 와 멎었다. 오정이 되기 조금 전, 길림으로 가는 차는 새로 한 시에 있어서 그는 그 한 시간 동안을 신경 시가를 「드라이브」하면서 보내었다. 길림이 가까워 오니까 초조한 마음은 더하였으나 다급스레 군다고 빨

리 갈 수도 없는 일이니까 마음을 느근하게 먹고 될수록 침착한 심리상태를 가지려고 애쓰는 것이다.

길림 가는 차는 완행이어서 정거장마다 들리면서 오후 네 시가 되어서야 목적지에 도착하였다. 「만주」라면 곧 광막한 벌판을 생각하였으나 길림 역에 내린 경희는 멀리 아름다운 산을 바라볼 수 있는 것이 의외였다. 그러나 시가의 인상을 향락할 여유가 없어서 기차에서 내리는 대로 그는 역전 광장으로 나갔다. 바른쪽에 웅장한 철로국. 앞은 그대로 순환식 광장을 넘어서 널찍한 건축기지. 자동차와 마차와 「버스」가 있었으나 자동차는 전부 자가용 같았고, 그래서 그는 마차를 탔다. 봉투지를 보고 옆에 섰던 사람이 만주말로 설명을 하여 주어서 마부는 연해 고기를 주억거리며 그를 태우고 거리를 달리기 시작하였다. 일본상점이 많아서 그는 이것이 상부지(商埠地)인가 하고 생각해 본다.

마차는 한 십여 분만에 그를 동양의원으로 안내하였다. 「우께쯔께」를 찾아서 김광호를 불렀더니 한참 동안 조사해 본 뒤에 오늘 아침에 퇴원하였다고 들려준다.

봄은 水族館에서(十)

맥이 탁 풀리는 것을 느꼈으나 퇴원이면 병이 쾌차했다는 것과 마찬가지이므로 안심은 되었다. 그러나 병원에 있을 것을 생각하면서, 병실에 들어가서 무어라고 이야기를 걸 것인가, 그의 병은 어느 정도로 쾌차한 것일까, 그가 만약 저와 마주 대하기를 꺼려한다든가 노염을 가지고 대해 준다면 자기는 어떻게 이야기를 펼쳐 볼 수 있을 것인가—이런 것을 골똘히 생각하고 있던 경희는 갑자기 마음을 돌릴 자리를 붙들어 볼 수가 없었다. 가까스로 저의 마음을 격려하면서 퇴원해서 나간 주소를 물었다. 그건 알 수 없다고 한다. 다시 입원하던 때의 주소를 물으니까 장부를 들쳐보더니, —북길림삼가자(北吉林三家子) 길림철도숙사(吉林鐵道宿舍) 독신료(獨身寮)—라고 종이 조박에 옮겨서 그것을 경희에게 주었다.

읽어 보았자 어디가 어딘지 알 턱이 없다. 어느 방면쯤 되느냐고 물으니까 북쪽이지만 여기서는 상당히 멀다고 한다.

무턱대고 찾아갈 용기는 나지 않았다. 흐릿한 날씨는 어느새 벌써 황혼이었다. 말도 통하지 않는 마차에 몸을 맡기고 그에게 낯설은 거리의 안내를 구하기는 싫었다.

그는 잠시 동안 멍청하니 서 있어 보았으나, 광호가 다니는 회사를 물어서 전화를 걸어보는 것이 첩경이라고 생각한다. 그때 마침 「택시」 한 대가 병자를 태우고 들어왔다. 그것을 얻어 타고 정거장에 가까운 「호텔」로 안내해 달라고 부탁하였다. 차는 「일청(日淸) 호텔」로 그를 안내하였다. 방으로 들어가서 시간을 보니 여섯 시였다. 회사에서는 모두 퇴근시간이 지났을 것이다. 그는 하는 수 없이 짐을 풀었다.

외투만 벗고 의자에 멍청하니 걸터앉았으나 뾰족한 생각이 솟아나진 않았다. 우선 목욕을 하였다. 하루 동안이지만 고된 여행이었다. 목욕을 한 뒤에 저녁을 먹고 나니까 몹시 피곤하였다. 그러나 그는 하녀에게 부탁해서 길림철도의 주소와 전화번호를 알아두었다.

―내일 아침 일찌기 회사로 알아보자.―

그렇게 생각하면서 그는 옷을 갈아입고 침대 속에 들어간 것이다.

몸은 몹시 피곤하였으나 잠은 오지 않는다. 이역의 「호텔」에서 만날 사람을 만나지 못하였고, 외롭게 새이는 밤은 그에게 한없는 적막을 가져다주었다.

모든 의혹이 다 풀렸으나 김광호가 어떻게 해서 만주로 전직이 되었는지, 그와 서모와의 관계란 어떻게 된 일인지― 이 두 가지가 아직도 그에게는 수긍할 만치 똑똑히 이해되지가 않았다.

일찍이 제가 품었던 생각에 착오가 있다는 것은 느낄 수 있었으나 그럴수록 그것을 똑똑히 알기 전에는 마음이 깨끗칠 않은 것이다.

그러나 물론 그런 것을 한시바삐 명백히 알고 싶다는 생각보다도 어쩐 셈인지 병상에 홀로 누워서 회답 한 장 없는 저를 나무라면서 허구한 날을 보내었을 김광호의 처지가 머리에 떠올라서 그는 자꾸만 광호에게 미안한 마음을 느끼며 자책으로 밤을 새이게 되는 것이었다.

남자에 대해서 가졌던 이해가 얼마나 천박하였던 것인지, 그것이 지금 눈앞에 낱낱이 폭로되려고 한다. 세상이란 게 얼마나 험하고 거치르고 복잡한 것이었던지 자기는 그것을 아노라고 자처하였고, 그러므로 자기는 편협하게 되지 않으면서 누구보다도 앞서서 사회와 싸워 나갈 수 있다는 자긍을 품어

본 적도 있었으나, 기실은 아무것도 알고 있지 못하였다는 것이 지금 여지없이 폭로되려고 한다.

'나 같은 철부지가 무슨 사회사업을 한다고 우쭐대어 보았던 것일까!'

그는 비로소 넓디넓은 대륙의 한 중복판에 혼자 외로이 누워서 뼈아프게 저의 실력을 검토하고 있는 것이다.

'나는 한 사람의 사나이를 믿음을 걸고 사랑할 자격도 없던 것은 아니었던가!'

하룻밤을 그렇게 새이다가 잠이 들었던 것이나 이튿날 아침을 먹고 출근시간을 기다려서 수화기를 들 때에는 새로운 긴장과 희망과 안타까움으로 하여 마음은 저으기 뛰고 있었다.

남대마로 「후지삘딩」 구 호실이 전화 앞에 나왔다.

"길림철도입니까?" 그의 목소리는 약간한 동계로 하여 떨리는 것 같았다.

봄은 水族館에서(十一)

전화에 나온 사원은 사무적으로 간단히 대답했으나,

"김광호 씨요? 병으로 동양의원에 입원했었는데……가만 계서요."

그리고는 동료에게 자세한 이야기를 묻는지 잠시 이야기를 끊었다가,

"병이 차도가 있어서 어제 아침에 퇴원하고 오후 두 시 반 길림을 떠나서 고국으로 정양하러 가셨습니다." 하고 대답한다.

"네?" 하고 반문하였으나 말하는 뜻을 몰라서 다시 물어보는 것은 아니었다.

"두 시 반 길림을 떠나 신경서 여섯 시 오십 분에 떠나는 노조미로 고향에 돌아 가셨답니다."

또 한 번 되풀이하고는 전화는 끊어졌다.

그는 한참 동안 수화기를 놓지 못하고, 방금 태엽이 끊어지는 시계의 상태를 왼 몸에 경험하였으나 이윽고 전화기를 던져 버리듯 하고는 정신 나간 사람처럼 창문 있는 쪽을 바라보고 있었다.

짜증이 나고 분풀이라도 해 보고 싶었으나 모든 것의 원인이 된 것은 자기 자신의 불찰이었다. 병이 차도가 있었으니 퇴원한 것이요, 퇴원을 했으니 하루바삐 정양할 곳을 찾아서 고향으로 돌아간 것에 지나지 않는다. 찾아간다고 기별을 했던 것도 아니요, 내가 가도록 떠나지 말라고 전보를 쳤던 것도 아니니 누구에게 짜증을 퍼 부울 수도 없었다. 침대 위에 몸을 눕혀 보았으나 저에 대한 자책만이 더하여 갈 뿐, 그는 한시를 다투어 고향으로 돌아

가야 할 것을 생각하고 하녀에게 차 시간을 물었다. 특급과 연락이 될 것은 어저께 광호가 타고 돌아갔다는 그 차밖에 없었다. 광호보다 완전히 하루가 늦어서 서울에 돌아가게 되는 것이다.

시간이 아직 좀 남았으나 시가지 구경도 아무것도 하기 싫었다. 송화강은 어느 쪽으로 흘러가고 있는가. 만주국에서도 제일가는 풍광명미한 곳이라지만 탐승할 겨를도 없거니와 그럴 마음도 생기지 않았다. 광호가 얼마 전에 장황하게 적어 보냈던 인조석유의 이야기가 생각에 떠올라서 서탄탄광과 그것을 통과하는 길림 사가방선이 어느 방향으로 놓이는지 그리고 그의 숙사는 어떠한 곳이었는지 그런 것이 잠시 마음에 쓰였고, 이어서 작년에 양덕 공사장에서 처음으로 그를 보던 때의 일이 머리에 떠올랐으나 그는 나직이 한숨을 토하듯 하고는 이내 머리를 털었다. 여관에 말하여서 차표나 사다 달라고 부탁하고는 시간이 되도록 방 안에 있었다.

작정한 대로 오후 두 시 반에 길림을 떠났고 신경을 거쳐 그 이튿날 오후 두 시 반에는 나흘 전에 떠났던 서울의 흙을 다시 밟을 수가 있었다. 「택시」를 얻어 타고는 집에도 들를 겨를이 없는지 곧바로 「스츠·케스」도 든 채 가회동 김광호네 집으로 차를 몰았다.

차에서 내려서 광호네 집 대문 앞에 와서는 역시 집에 들렀다가 올 것을 하고 후회하였다. 길림까지 찾아갔던 것을 알리고 싶지 않은 것이다. 그러나 광호가 있는지 없는지조차 궁금하여서 그는 이내 종을 눌렀다. 식모가 아니고 광호의 동생이 나왔다. 머리를 듬뿍이 기른, 중학생 같으나, 또 반드시 그렇지도 않아 보이는 그런 생도가,

"누구를 찾수?" 하고 물었다. 광호를 찾는다고 말하였더니,

"당신 누구요?" 하고 또 퉁명스럽게 묻는다. 이름을 대니까 그는 안으로 들어갔다. 잠시 동안에 다녀 나오더니 들어오시라고 한다. 중문에 들어가기

전에 옆으로 작은 문이 있어서 그리로 사랑에 통하게 마련이었다.

광신이는 사랑 마루께까지 안내하고는,

"그리루 들어가십시오." 하고 저는 안으로 들어가 버린다.

방 안에서는 아무 소리도 없었다. 경희는 마음이 긴장하는 것을 느꼈으나 침착하니 마루 위에 가방을 놓고 그 위에 두꺼운 외투까지 벗어서 놓았다.

기침을 나직이 하니까,

"안으로 들어오십시오." 하는 광호의 목소리가 방 안에서 들려왔다. 그는 「핸드빽」만 들고 조용히 미닫이를 열었다. 그리고는 들어서기 전에 광호가 있는 아래쪽을 내려다보았다. 이부자리는 깔아 둔 채였으나, 그 앞에 흰 저고리를 입은 광호가 앉아 있었다.

피나레(一)

자리에 누워서 글을 읽던 중인지 광호는 책을 덮어 놓고,

"들어 오시지오."

그러나 맞받아 일어서거나, 그의 낯에 어떠한 감격적인 표정이 나타나거나, 그런 것이 보이지 않는 것 같아서 경희는 적지 않은 불안을 품고 방 안에 들어섰다. 경희는 아무 말도 건네지 못하고 그저 허리를 구부려서 인사만을 하였다.

"오래간만이올시다. 어머님한테서 수일 전에 집에 들려서 주소를 물으셨다는 말씀은 들었으나……"

그리고는 아직도 머뭇거리면서 자리에 앉지 않는 경희에게 방석을 권하며,

"이쪽으로 내려앉으십시오. 거기는 방바닥이 찰 겁니다."

그제서야 경희는 무릎을 꿇고 방석 위에 올라앉아서 낯을 정면으로 들고 광호를 쳐다보았다.

"그동안 시골 가 있다가 몇일 전에야 올라왔습니다. 주소가 변동되었을 것 같애서 들려보았다가 입원하셨다는 말씀은 그때에 비로소 알었습니다. 인제 완전히 쾌차하신 것 같애서 대단히 감사합니다."

저의 말이 어딘가 어색한 것 같아서 다시,

"인제 괜찮으신가요?" 하고 정성을 들여서 물어본다.

"네. 열도 없고 또 입맛도 돌아섰습니다. 몇일 있으면 나다니게 되겠지오.

그건 그렇다치고 경희 씨의 신환은 그 뒤 오래 가셨나요?"

경희는 이내 대답지 못한다. 광호의 문안 뒤에는 오랫동안 편지 한 장 없었던 경희의 태도에 대한 가볍지 않은 비난이 풍겨 도는 것처럼 느껴졌기 때문이다. 수그렸던 머리를 다시 쳐들어서 광호의 낯을 바라본다. 면도만은 하였으나 이발도 하지 못한 얼굴에 병후의 피곤한 빛이 아직도 남아 있었다.

"이내 났습니다."

간단히 대답하는 경희의 말을 다시 추궁하지는 않았다. 그러나 이번에는 한참 만에,

"내가 만주서 온 것은 어떻게 알으셨나요?" 하고 물어본다.

"어머님 말씀이 몇일 뒤엔 오실는지 모른다고 하셨기에 미심결에 들려본 겁니다."

길림을 다녀왔다는 말을 살짝 뽑아 버린다.

"어머니가요?"

광호는 의아스러운지 그렇게 되묻듯 하였다. 아무런 기별 없이 만주서 왔기 때문이다. 그러나 경희가 아무 대답도 하지 않으니까 다시 채치려 하진 않았다.

경희는 그때에 화제를 완전히 돌려서 질문을 펼쳐 보기 시작한다.

"오늘은 김 선생께 급히 물어 볼 말씀이 있어서 겸사겸사 들렸습니다."

경희는 사나이처럼 이야기한다. 광호는 묻겠다는 것이 무엇이냐는 듯이 물끄러미 다음 말을 재촉하면서 경희의 낯을 건네다 본다.

"만주로는 무슨 일루 전직이 되셨어요?"

"그거야 회사루서의 필요에 좇아서 되는 인사 변동이니까 나두 잘 모르지만, 경희 씨가 그건 알으셔서 무슨 소용입니까?"

"회사의 인사변동이면 다른 회사루 전직이 됩니까? 니시다구미에서 좇겨

나시지 않았어요?"

광호는 빙끗이 웃었다.

"글쎄 쫓겨났던 아무랬던 그게 무슨 문제꺼리가 됩니까."

"그런게 아냐요. 좀 더 기밀에 속하는 말씀을 듣구 싶은 겁니다. 또 혹시 광호 씨께선 아직 그런 걸 아무것두 모르구 계시지나 않어요?"

광호는 그대로 입술가에 미소를 그린 채 창문께로 낯을 돌리면서 이렇게 말하였다.

"어저께 밤에 니시다구미의 친구가 찾아와서 대강한 말은 들었는데 우스운 이야깁니다. 옮길 말도 못 되지만……어느 경찰서에서 토목기사와 토지 뿌로카들의 합작으로 무슨 협잡사건이 탄로되었다는 소문이 돌았는데 거기 내가 관련했는지두 모른다구해서 나를 보호해 주노라고 길림철도로 전직을 시켰답니다. 그러나 그 뒤 그 사건은 성립도 되지 않았고 또 내에 관한 이야기두 무근한 '떼마'란 게 알려졌다든가 어쨌다든가 그런 겁니다. 난 아직 사장이나 그밖에 니시다구미의 간부와는 만나지 못했으니까 무슨 소린지 모르지오."

광호의 말을 듣고 나선 "또 하나 묻겠어요." 정색한 채 말하는 것을 광호는,

"거 서슬이 대단하시구료." 그저 그렇게만 말한다.

피나레(二)

경희는 새침한 몸자세를 헝클지 아니하고,

"작년 초겨울께, 양덕서 본사근무가 되셔서 상경하셨을 때 제의 아버지 댁에 들르셨던 일이 계세요?" 하고 물어본다. 그리고는 광호의 표정을 똑바로 주시하고 있다. 광호의 얼굴에는 검은 구름이 휘끈 지나갔다. 벌써 이 한 마디의 물음으로 광호는 이경희가 묻고자 하는 사연의 중심을 추측할 수가 있었고 경희는 경희로서 광호의 표정에 떠오른 동요의 빛으로 하여 서모가 말한 것이 생판 거짓은 아니었다고 생각하게 되는 것이었다.

그러나 광호는 짤막하게,

"네." 하고만 대답하고는 애써 무표정한 태도로 그 다음을 재촉하듯 한다.

"그날 저녁에 제 서모와 함께 저녁 진지를 잡수신 일두 계셔요?"

질문의 화살이 점점 급처를 찌르려고 하는 것을 느꼈으나, 경희의 두 달 가까운 동안의 풀 수 없던 행동이나 처사의 원인이 이런 것과 관련된 일인 것을 알고 본 즉, 오히려 김광호는 태연스런 태도까지 취할 수가 있었다. 그는 또 다시,

"네." 하고 대답할 뿐이다.

경희는 이 이상 질문을 진전시키지는 못한다. 서모의 하던 말이 결코 지어낸 「떼마」는 아니었구나 하는 것을 지금 통절히 느끼면서 앉았는 것이나 한편 김광호의 태연자약한 짤막한 대답에 대해서 희미한 낙관도 가져 보는

것이다. 그러나 이 이상 노골적으로 질문을 들이대일 수는 없는 일이었다. 집안에 대한 체면—서모는 그것을 노골적으로 털어 보이고도 낯색 하나를 움직이지 않을 경력을 쌓았는지 모르나, 경희는 그러한 말을 입에 담을 수는 없었다. 그래서 그는 잠시 동안 망설이던 끝에,

"어째서 그걸 여태 제에게는 숨겼었던가요?" 하고 물어 본다. 그의 어조는 몹시 날카로웠다. 이 날카로운 어조는 광호의 입술 위에 고소를 떠오르게 하였다.

"일상생활의 전부를 경희 씨에게 보고해야 될 의무가 나에게 있었던가요?"

"그건 궤변이십니다. 적어도 그날 밤의 일만은 아무렇지도 않은 일상생활의 한 토막은 아니었다고 저는 생각합니다. 그렇지 않으시다면 김 선생께서는 그러한 일을 매일매일 일상생활의 한 부분으로 되풀이하고 계신다는 말씀이신가요?"

김광호는 경희의 추궁에 잠시 대답할 말이 없었다. 은주라면 이신국 씨의 부인이요 경희의 서모다. 그가 저에게 취한 행동을 그것만으로 쓸어쳐 버리지 않고 그것을 경희에게 말하여서 자기를 중상까지 하였다는 것은 광호로서는 상상조차 하기 힘든 일이었으나 지금 경희의 태도는 그것 이외의 다른 것이 아니었다.

그러나 이 자리에서 은주 부인의 하던 행동을 하나하나 묘사해서 들려줄 수는 도저히 없었다. 은주는 그것을 능숙하게 털어 보이고도 눈살 하나 찌푸리지 않았는지 모르나, 그리고 그것은 은주로서 얼마든지 있을 수 있는 행동이었는지 모르나, 광호로서는 그의 태도를 모방하거나 되풀이할 수는 없는 것이었다. 아직도 그는 이신국 씨의 부인이오 경희의 서모다. 면대해 놓고 남의 집안에 대해서 모욕을 퍼부어 줄 수는 없는 일이 아닌가.

"경희 씨네 가정의 존엄과 경희 씨의 서모의 인격에 대해서 경솔한 판단을 내리는 것을 나는 삼가고자 하였습니다. 지금도 나는 그렇게 생각하고 있습니다. 이 이상 경희 씨의 물으시는 말씀에 염치없이 대답하고 앉았는 것은 결코 경희 씨에 대한 대접도, 또한 신사로서의 취할 행동도 아니라고 생각합니다. 신사는 숙녀에 대해서 반듯이 숨겨야 할 비밀을 가져야 합니다. 그것이 숙녀에 대한 신사의 예의올시다. 이야기하지 않아야 하고, 또 이야기하지 않아도 좋은 일에 대해서는 이야기를 삼가는 것이 마땅하다고 생각합니다."

광호는 될수록 용어는 삼갔으나 어떻게 해서든지 진상을 충분히 전하려고 단호한 어조로서 말하였다. 경희는 낯을 수그리었다. 다시 얼굴을 들고 사나이를 건네다 볼 때에,

"그러한 서모를 가지신 경희 씨가 불행하다는 생각은 가졌습니다." 하고 광호는 또 한번 힘을 주어서 말하였다.

피나레(三)

경희는 초침한 낯색을 감추지 아니하고,

"잘 알겠어요." 하고 대답하였으나 지금 광호가 들려준 사건의 내막을 정확하게 다시 한 번 따져 보듯이 가만히 저의 마음을 살펴보았다. 광호가 말한 사연이 그의 서모에 대해서 적지 않게 단정적인 언사인 것을 그는 지금 생각해 보고 있다. 그러한 서모를 가진 경희 씨가 불행하다고 광호는 말하였으나, 만약 내가 불행하다면 그러한 여자를 부인으로 가지고 있는 아버지는 더 말할 것도 없고, 그러한 분을 집안에 용납하고 있는 이씨네 일족이 또한 다시없이 불행할 것이다. 그러나 그는 서모의 일상행동에 대해서 이 이상 더 깊이 들어가서 생각해 보기를 피하려고 하였다. 서모가 광호에게 대해서 아름답지 못한 행위를 하였고 그것을 가져다가 광호와 경희와의 이간책으로 역용하였다는 것이 명백히 되었다면 이러한 계책 뒤에 숨어 있는 서모의 심리나 뱃심이란 생각만 하여도 무섭고 추접한 일이었다.

지금 이것을 뚱그러 놓으면 집안의 질서는 뒤죽박죽이 된다. 집안의 평화가 깨어지는 것을 헛되이 모피하려는 것은 아니나 그것은 단행하기엔 물증이 될 만한 재료도 재료려니와 마음의 상태가 아직 준비되지 않았었다. 경희는 지금 자기 문제를 해결하는 것에 분주한 것이다.

광호에 대한 사죄, 여태껏의 저의 행동에 대한 양해가 무엇보다 급하였다.

서모에 대한 격분된 마음과 광호에 대한 새로운 신뢰의 마음이 합쳐서 그

의 얼굴에는 흥분의 빛이 서려 돌았다. 긴장한 젊은 여자의 아름다움을 잃지 않으면서,

"광호 씨가 말씀하시는 대로 저는 불행했습니다. 그러나 그 불행은 한 달 동안에 지나지 않았어요. 그동안 광호 씨에 대해서 쓸데없는 오해를 품었던 것은 불행 중에서도 가장 큰 불행이었습니다. 그러나 그 불행한 한 달 동안 온실 속에서 자라나서 외풍을 쏘이지 못하였던 저는 새로운 경험과 귀중한 체험을 겪을 수 있었습니다. 그동안의 제의 취한 행동에 대해서는 널리 용서해 주시기 바랍니다."

경희는 진심으로 머리를 수그리었다.

"용서가 무슨 용섭니까. 사람이 당하는 불행에 대해서 용서구 뭐이구 있습니까." 하고 광호는 말한다. 경희는 입술가에 부끄러운 웃음을 실으면서 고개를 들었다.

"감사합니다."

또 한 번을 그렇게 머리를 수그린 뒤 낯을 들고 사나이를 바라볼 때에 그의 미간에는 어떤 결심의 빛이 떠올랐다.

"저어, 제가 좀 당돌하게 청할 말씀이 있는데 들어주실 수 있을까요?"

이렇게 경희는 물었으나, 광호의 대답을 기다리지 않고,

"만일 저이 집에서 청혼이 있다면 승낙해 주실 수 있을까요?" 하고 물었다.

광호는 너무 돌연스런 말이어서 이내 대답지 못하고 그저 경희의 낯만 건네다 본다.

"좀 급한 사정이 있어서 예의를 가추지 못하고 제가 당돌히 이렇게 말씀 올려서 죄송하기 그지없습니다."

경희의 하는 말이 무엇인지를 잠시 동안 똑똑히 생각해 보고 저의 청각에 대해서 적확한 신뢰를 따진 뒤에야 광호는 저의 가슴속에 피어오르는 감동

을 적당히 조절하면서 동떨어진 문제로부터 이야기를 시작한다.

"경희 씨를 불행하게 만드는 근본적인 원인이 한 가지 그대로 남아 있습니다. 경희 씨에게 붙어 있는 막대한 재물, 그것을 적당히 처리하시는 게 좋을 것 같습니다. 그것을 사회에 내놓고서 탁아소의 재단법인을 확대하여 커다란 사회사업단을 만들어 보십시오."

"그게 결혼의 승낙조건이세요?" 하고 경희는 웃어 보인다.

"그렇게 생각하서도 무방합니다." 경희는 손을 읍하고 장난처럼 절을 하면서

"무엇이든지 소청대로 하겠습니다." 그리고는 자리를 일어섰다.

"뒷날 다시 뵈옵겠어요. 그리구 혼담은 정식으로 아버지로부터 김 선생 백부 댁으로 청하게 하겠습니다."

광호는 떨리는 다리로 겨우 일어서서 경희의 뒤를 따라 미닫이 문설주에 몸을 의지한다.

"저 가방은 웬겁니까?" 하고 광호는 묻는다.

피나레(四)

"가방은 가방이지요. 웬거긴 무에 웬거야요." 하고 경희는 마루에서 웃으며 대답한다.

"거 또 야단스런 외투며……"

경희는 「스츠·케스」 위에 놓았던 털외투를 입으면서,

"외투는 이렇게 입는 거구 가방은 이렇게 드는 거지요." 장난조로 그렇게 말했으나,

"저 시골서 지금 오는 길이여요."

"머 시골서 얼마 전에 오셨다더니 또다시 내려 가셨었나요?"

"네. 시골이 재미나서 자꾸 다니는 거얘요." 그러나 자꾸만 생글생글 웃는다.

"제가 지금 다녀오는 시골이 어디신지 아시겠어요?"

"글쎄요."

광호는 그렇게 대답하였으나, 그때에 갑자기 현기증이 일어나는지 바른손으로 머리를 붙들고 눈을 감았다.

경희는 쫓아와서 광호의 몸을 붙들었으나 한참 만에 광호는 눈을 뜨면서,

"괜찮습니다. 몸이 너무 쇠약해서……"

"어디 갔었는지 가르쳐 드릴까요?"

경희는 광호의 상체를 붙든 대로 가만히 광호의 귀밑으로 입을 가져가며,

"저두 길림 갔었어요." 하고 말한다.

광호는 깜짝 놀랜다.

"길림요?"

그러나 가까이 오는 경희의 입술을 피하려고 하진 않았다.

집으로 돌아와서 경희는 여장을 풀고 이내 원동 댁으로 전화를 걸었다. 저녁 후에 찾아갈 터이니 두 분께서 모두 외출하시지 말라고 말해 둔 것이다.

저녁을 먹고 경희는 원동으로 갔다. 아버지와 서모가 마주 앉은 자리에서 경희는,

"결혼 때문에 오랫동안 심로하시게 해서 죄송합니다. 인제 결정했으니까 그대로 해 주세요. 오랫동안 생각해 보고 조사해 본 결과 김광호 씨와 결혼하는 것이 가장 행복될 것으로 생각되었어요. 이건 제가 아버지나 서모나 여러분의 의견을 참고로 하고 오래 생각해 본 결과 결정한 것입니까 이대로 꼭 작정해 주세요. 반대하실 이유도 없겠지만, 어떤 반대가 있어도 다시 변경할 수는 없겠어요."

아버지는 적지 아니 실망했으나 서모 은주는 경희의 서슬을 눈치 채고,

"반대를 누가 반대하겠니. 네 생각이 제일일지. 네가 주장이 아니냐. 그렇지요? 영감." 하고 이신국 씨를 건너다보았다.

"글쎄. 당자가 그렇다면 할 수 없는 일이지." 하고 이신국 씨는 대답하고 있었다.

××

이것으로 이야기는 일단 끝이 난다. 김광호와 이경희는 봄을 기다려 결혼식을 올리게 될 것이다. 그러나 경희 앞으로 있는 백만 원이 넘는 재산이 그들의 생각했던 결혼 조건처럼 사회사업단 조직에 쓰이게 될는지, 그것은 확실히 알 수 없다. 금전에 대한 그들의 생각이 달라질는지도 알 수 없고, 설사

청년다운 결벽성이 오랫동안 변하지 않는다고 하여도 그들의 생각이 실현되려면 많은 굴곡을 지난 뒤에 가능할 것이다.

탁아소만은 생각대로 건축도 진척되어서 예정보다는 좀 늦었으나 이상적으로 성남의 공장지대에 완성되었다.

그 뒤 송현도와 은주 부인의 흑막은 탄로가 나지 않았는가. 다행히 아직 폭로가 되지 않았다. 사회적으로 개인적으로나 악덕이라고 불리워지는 행위는 우리가 단순히 생각하는 것처럼 그렇게 용이하게 밖으로 폭로가 되지 않는 모양 같다. 어쨌든 그들은 아직 건재하다. 송은 그대로 이신국 씨의 쟁쟁한 비서요, 은주는 아름다운 사장의 영부인이시다. 앞으로 이들과 김광호, 이경희의 새에 어떠한 갈등이 일어날 것인가—이것을 위하여는 새로운 한 편의 소설이 필요할 것이다.

다만 강현순이는 광호와 경희의 결혼식이 있기 전에 그의 형 박양자와 함께 만주로 떠났다. 떠나는 날 봄비가 내려서 그들은 더욱 적막하게 고국을 떠났다.

신일성 신주사는 가끔 송현도를 괴롭게 시끄럽게 굴어서 용돈이나 얻어 쓰면서 여전히 가방을 들고 종로에 나타나는데 그제나 이제나 분주하긴 일반인 모양이다.

광호의 동생 광신 군은 양자와 현순이가 떠날 때에 혼자서 정거장에 전송까지 하였는데 곧 고등학교 시험을 치르러 역시 서울을 떠났다. 어느 시골 고등학교에 들어갔다는 소식이 그 뒤에 있었으나 자세힌 모르겠다. 그러나 물론 이러한 모든 이야기는 벌써 이 소설의 영역이 아닐 것이다.

(끝)

출처: 『조선일보』, 1939.8.1-1940.3.3.

大地의 아들

李箕永

1. 初秋(一)

지평선(地平線)과 하늘이 맞붙은 들 가운데 느릅나무 한 주가 우뚝 섰다. 나무 밑에는 조그맣게 검은 벽돌로 지은 당집이 있다. 만인(滿人)의 신사(神社)다.

넓은 농장 안에는 길찬 벼가 쪽 고르게 들어섰다. 바람이 지나칠 때마다 벼 이랑이 굼실거린다.

저편 강기슭 일면으로는 푸른 물감을 칠해놓은 것 같은 버들 밭이 우거졌다. 거기에 연달아서 갈대꽃이 부옇게 피었다. 그것은 마치 유록장 옆에 백포장을 친 것 같아서 이 고장이 아니고는 볼 수 없는 일대 장관을 이루었다. 그 밖에는 붉은 이삭이 팬 고랑 밭이 둘러있다. 만국지도와 같은 그 위에 팔월의 태양이 내리비친다.

황건오(黃建吾)는 행길 옆 저습지에서 낫으로 새(塋草)를 후리고 있었다. 논두렁 풀은 벌써 다 깎아버렸으나 황지에는 잡초가 무성한 채 그대로 있다.

행길 위로 짐마차가 들들 굴러간다. 그 뒤에 긴 채찍을 든 만인이 따라간다. 농립 밑에 푸른빛 아래위 옷을 입었다. 재 가루 같은 흙먼지가 길 위로 풀풀 날린다. 구수한 흙냄새가 풍긴다.

"쩟! 쩟!"

만인은 채찍을 높이 들어 말 궁둥이를 갈긴다. 그러나 비루먹은 회색 말은 매를 맞을 그때뿐이었지 다시 느럭느럭한 걸음으로 울퉁불퉁한 행길 위를 비적거리며 끌고 간다.

풀밭에서는 여치가 찌르르 운다. 언뜻 오후의 태양은 구름과 싸우기에 지친 듯이 서천에 넌지시 걸렸다. 한낮은 아직도 몹시 더웠으나 그것은 불과 서너 시간이다. 대륙적 기후라 그런지 아침저녁으로는 복중에도 제법 시원하였다.

건오는 낫질을 하다가 꾸부렸던 허리를 편다. 풀숲에 기대세운 낫이 일광에 번쩍인다. 그는 멀리 지평선 저쪽을 바라보고 있었다.

망망한 광야가 끝없이 내다보인다. 그것은 언제 보아도 싫지 않은 희망과 동경(憧憬)을 자아내게 한다. 참으로 아득한 저 하늘 밖에는 알지 못할 무엇이 있는 것 같다. 그만큼 끝없는 벌판을 내처서 걷고 싶게 한다. 지금도 건오는 그런 충동을 일으켰다.

논도랑에서는 아이들의 재잘거리는 소리가 들린다. 그러나 그들은 행길너머 벼논 속에 있기 때문에 잘 보이지 않았다. 덕성(德成)은 학교에 갔다 와서 지금 아이들과 물고기를 잡는 중이었다, 그들 총중에는 귀순(貴順)이도 따라 나왔다. 그는 덕성이와 짝인 것이다.

귀순이네는 덕성이와 한 마을에서 산다. 올해 열네 살을 먹은 귀순이는 차차 몸태가 나기 시작한다. 길동근 얼굴이, 워낙 살결이 희여서 그런지 만주의 거친 바람에 그을어도 유난히 해맑아 보인다. 약간 커 보이는 두 눈은 언제나 실안개가 도는 호수 물 같았다. 그렇다면 그의 긴 속눈썹은 호수(湖水)가에 둘러선 창포(菖蒲)라 할까. 그는 커갈수록 낫게 자라서 차차 뭇사람의 귀여움을 받게 되었다.

귀순이네는 덕성의 부친 황건오의 부름으로 만주에 들어왔다. ××도 일대에 홍수가 터지던, 바로 작년 일이다. 전장을 몽땅 떠나보내고 일조에 적신이 된 귀순이네는 할 수 없이 정든 고향을 떠나지 않을 수 없었다. 그래 그들은 남부여대(男負女戴)의 네 식구가, 한 동리에서 살던 건오를 멀리 개양툰(開陽屯)까지 찾아 들어온 것이었다. 건오는 종종 소식을 고향에 전하기 때문에 귀순이네도 들어갈 뜻을 미리 알려 두었던 것이다.

이제는 일 년이 가까워 오지만은 작년 가을에 귀순이네가 들어온다는 말을 듣고 은근히 좋아하기는 누구보다도 덕성이었다. 한 살을 더 먹은 덕성이는 그때 얼굴도 모르는 귀순이를 남몰래 가슴 속으로 그려보고 있었다. 이 고장 사람들은 색시가 있는 집이 들어오는 것을 제일 환영하였다. 그것은 물을 것도 없이 결혼의 대상이 되기 때문이다. 덕성이도 그런 마음을 품고 있었다. 그래 귀순이가 온다는 날 그도 정거장으로 마중을 나갔었다.

"넌 뭘 하러 나간다니. 집에서 공부나 하지 않구."

그때, 어머니가 이렇게 제지하는 것을 덕성이는

"혹시 짐이 많을는지 누가 아루? 그럼 나두 지구 올 테야."

하고 그럴듯하게 대답하였더니, 할머니가 무슨 생각을 하였는지 두 눈을 깜짝이며 마주 보다가

"뭘, 네 속을 다 안다, 귀순이가 보구퍼서 그러지?"

하고 별안간 깔깔 웃는 바람에 모두 웃었다. 덕성이는 어쩔 줄을 모르고 머리를 푹 숙였지만. (조모는 일상 우스운 소리를 잘하였다.)

"할머니는 참…누가-"

그러나 그때 덕성이는 속으로 여간 좋지 않았다. 아닌 게 아니라 조모는 그의 맘을 잘 알았다.

더욱 그것은 궁금하던 귀순이의 얼굴을 대해 봄에 그립던 비와 같이 그리 다르지 않기 때문이다. 덕성은 지금도 그때 일을 생각하면 제절로 가슴이 울렁거려진다.

1. 初秋(二)

논도랑 속에는 개흙 같은 거문진창이 수렁처럼 발이 빠진다. 거기에 흙탕물이 흥건히 괴였다. 진한 뜨물같이 걸쭉해 보이는 물이다. 어떤 데는 자직자직 물이 잦은 데도 있다. 그런 데는 물고기가 떼로 몰려서 아래위로 쏘알거린다. 큰놈은 푸드득거리며 꼬리를 헤젓는다.

덕성이는 물속에 들어서서 지금 한참 고기를 움키기에 정신없었다. 그가 고기를 움켜서 논둑으로 내던지면 귀순이는 좇아다니며 그것을 고기 그릇에 주워 담았다.

조금 전까지도 귀순이는 제몫으로 따로 잡았었다. 그러나 덕성이가 고기를 많이 잡는 바람에 그것을 주워 담기도 한사람의 일거리가 된다. 그래 그들은 한데 잡기로 한 것이다. 그들은 윗물을 미리 막아놓았기 때문에, 물이 차차 빠져갈 수록 고기떼는 아래로 내려몰린다. 그러는 대로 덕성이는 연신 흙탕물 속에서 붕어를 잡아 내던졌다.

“아이 저기, 저기-? 저리루 두 놈이 올라가네.”

하고 귀순이는 신이 나서 고기가 파묻힌 곳을 손가락질한다.

“응 어디?-가만 두라구. 제가 올라가면 얼마나 가겠니.”

덕성이는 알았다는 듯이 두 눈을 찌긋하며 차곡차곡 앞에서부터 잡아나간다.

“오래 있으면 어디 가 숨지 뭐.”

귀순이는 그놈을 놓칠까 초조해한다.

"내가 들어가 잡을까?"

부드러운 목소리가 또 한 번 덕성이의 귀가에서 울렸다.

"가만 두래두 그래, 자-이것 보아라."

별안간 덕성이는 메기 새끼를 잡아 내던진다.

"아니, 메기야!"

귀순이는 그대로 좋아한다.

조무래기 아이들은 큰 도랑을 덕성이한테 빼앗기고 나서 저녁 논꼬를 더 듬어 올라간다. 논 속에도 물이 있는 곳에는 붕어가 없지 않았다.

"아이 따위! 따위!(큰고기! 큰고기!)…"

만인의 아이들도 그들 틈에 섞여서 허둥거리며 고기를 움킨다.

큰 봇도랑의 것은 요전에 어른들이 물을 빼놓고 말끔히 잡았다. 해마다 거기서는 물고기를 수백 톤씩 잡아낸다. 메기, 가물치, 붕어가 많고 잉어도 큰 강에서 들어온다.

논에는 벼가 잘되는 만큼 물고기도 새끼를 얼마나 잘 치는지 모른다. 논배미 속에도 붕어 새끼가 송사리 들끓듯 한다. 이 고장의 봇도랑에는 어디나 물고기가 흔해서 농가에서는 여름 한철의 천렵(川獵)이 성행한다. 도회지에 비해서 아무런 오락기관이 없는 그들에게는 물고기를 잡아서 풋고추에 지져놓고 값싼 "찐주"를 마시는 것이 한철의 재미였다. 그들은 여름내 잡아먹고도 논에 물을 겅글 때에는 큰 보물을 막아놓고 대량(大量)으로 천어(川魚)를 잡는다. 그것은 어디나 연중행사(年中行事)로 되어있다. 그럴 때는 고기를 수태 잡아서 집집마다 몇 섬씩 나누었다. 큰 고기는 말리고 붕어는 골라서 젓을 담는다. 덕성이와 귀순이네도 네댓 섬씩 잡아서 더러는 말리고 더러는 붕어젓을 담았다. 새우젓이 귀한 이 고장에서는 그것을 대용품으로 그 이듬해 봄까지 두고 먹는다는 것이다.

해가 어슴푸레 하자 건오는 마지막으로 벼 깔은 새를 묶어세우고 집에 갈 차비를 차렸다. 그는 행길 위로 올라와서 벼논을 건너다보다가 덕성이와 귀순이가 고기를 잡으며 도란거리는 목소리를 듣고 그리로 슬슬 가보았다.

"고만들 가지, 얼마나들 잡었니?"

그는 귀여운 듯이 먼저 귀순이를 바라보고 그 앞에 놓인 고기 그릇으로 눈을 돌린다.

"아이구 많이 잡었구나. 그만하면 저녁 반찬은 훌륭하겠다."

"네!"

덕성이는 손을 씻고 논둑으로 나왔다. 그들은 지금 무슨 이야기를 속삭였는지 잠간 당황한 모양의 눈치다. 그것은 귀순이의 귀밑이 빨개진 것으로 보아 알 수 있었다.

그런 생각이 들자, 건오는 더욱 그들이 귀여워 보였고 그만큼 귀순이를 장래의 며느릿감으로 금을 놓고 있었다.

'약혼을 하다시피 하였으니 염려할 건 없겠지만…그래도 사람의 일이란 모르는 법이야. 그네들 말투로 여기가 어디라고 내후년 쯤은 성례를 갖춰야 할 텐데…'

건오는 이렇게 저 혼자 마음속으로 꿍꿍이 셈속을 따져보며 그들을 앞세우고 행길 위로 걸어 나갔다. 마을에서는 개 짖는 소리가 컹컹 울린다. 어느덧 저녁연기가 이집 저집의 높은 굴뚝에서 떠오른다. 바람에 불리는 연기는 쉴 새 없이 공중으로 올라가다 사라진다.

1. 初秋(三)

"아버지 그릇 하나만 내보내주시우. 우린 고길 아주 씨처 가지구 들어갈 게."

마을 앞 우물에 당도하자 덕성은 이런 말을 소리치며 눈으로는 귀순이에게 동의를 구하는 것처럼 끔적한다.

건오는 앞서가던 놈을 추종하며 반사적으로 홱 돌이켜보다가.

"그럼 그래라-얼는들 씨처 가지구 들어온나."

하고, 다시 걸음을 내걷는다. 그는 큰 기침을 두어 번 한다. 샘가에는 아무도 없다. 귀순이는 잠간 어리둥절하다가 샘 쪽으로 덕성이 뒤를 따라 들어가며

"집으로 들어가지 뭘 하러 그릇은 내오래여?"

덕성이의 등 뒤에다 가만히 소곤거린다.

"어머니한테 야단만 나게."

"야단은 무슨 야단?"

귀순이는 눈웃음을 치며 덕성이를 곁눈질로 본다.

"저두 잘 알면서 괜히 말 시킨다. 그까지 것을 비린내 나는 데 뭘 하러 잡어 왔느냐구 구박 할 테니 말야."

"으-참! 니 어머니는 물고기를 좋아하지 않는다지."

귀순이는 그제야 덕성이의 말을 알았다는 듯이 얼굴에 생기를 띄우며 생글생글 웃는다. 그들은 물고기를 헹구었다. 귀순이가 두레박으로 물을 퍼서 붓는데 덕성이는 꾸부려서 다래끼를 두 손으로 들고 추썩인다. 진흙물이 빠

지는 대로 깨끗한 고기들만 눈이 부시게 펄떡거린다.

"그런 게 아니라 고기를 노나야지!"

덕성이는 소담스런 고기를 주무르며 옆에 선 귀순이를 돌아본다.

"그까진 걸 뭘 노누니. 그냥 가지구 가지!"

"그럼 네가 다 가지구 갈 테?"

덕성이는 고기 다래끼를 얼른 쳐들어서 귀순이 앞으로 내민다.

"건 왜?-제가 잡지 않었남?"

귀순이는 잠깐 등을 비꼬며 살짝 돌아선다.

"그게야 상관있니? 너두 같이 잡었는데-"

"그래두 난 싫여!"

"그렇지만 너두 빈손으로 들어가긴 안 되지 않었니?-계집애가 뭘 하러 여적 싸다녔느냐구 니 어머니가 야단 칠 거 아냐!"

그 말에는 귀순이도 풀이 죽어 보인다. 그는 별안간 머리를 숙이면서 누가 들을까봐 가는 목소리로

"그렇지만 나두 건 싫여…니 아버지가 보셨는데…"

"뭘 그게야…내가 다 너를 주었다면 아버지두 잘했다 하실 텐데…"

"어째서?-기애는…"

하다가 귀순이는 별안간 얼굴이 새빨개진다. 그래 그는 어쩔 줄을 모르고 사방을 회-둘러보다가

"그럼 내가 노누께?"

하고 덕성이 옆으로 앉으며 고기 그릇을 뺏으려 든다. 두 사람은 마주 웃으며 다래끼를 놓지 않았다. 그럴수록 귀순이는 부끄럼을 탔다.

"내가 노늘 테니 넌 가만히 있어!"

"왜 난 노눌 줄 모른다드냐 뭐!"

귀순이는 종시 제 고집을 세우려든다.

"그런 게 아니라 이 고기는 내가 잡었으니까 권리가 내게 있거든."

"아이그 장한 것 가지구 권리 부리러든다."

귀순이는 입술을 삐죽거렸다.

"그래두 이건 내 손으로 잡은 게야!"

덕성이는 물고기를 두 몫으로 나누기 시작했다. 그는 말로는 똑같이 놓는다고 하면서도 실상 한쪽에 놓는 놈은 작은 놈뿐이었다.

그런데 무슨 생각으로 그러는지 다래끼 속에는 큰 놈으로 끌러놓고 샘가로 내놓는 놈은 작은 놈들 뿐이었다. 귀순이는 반신반의하여서 인제는 덕성이가 하는 양만 우두커니 볼 뿐이었다.

나중에 알고 보니 그것은 귀순이가 참견을 못하도록 속임수를 쓴 것이다.

귀순이 동생 귀남이가 빈 그릇을 가지고 나오자 덕성이는 다래끼 속에 담은 것을 귀남이에게 쏟아준다. 그제야 귀순이는 비로소 덕성이의 의문스런 속을 알아채고 다시금 놀라지 않을 수 없었다.

"아니야 이걸 가져갈 테야!"

귀순이는 덕성이의 다래끼를 뺏으려 했다.

"그만 두구 어서 고기 배나 따 가지구 들어가자구."

덕성이는 빙그레 웃으며 그러지 말라고 눈으로 군호를 한다. 귀순이는 그대로 마주 눈을 흘기었다. 그러나 그는 털털한 덕성이의 성미가 언제 보아도 풀 지고 구수하였다.

"귀남아! 너두 배 좀 따라!"

그들은 부랴부랴 고기 배를 서둘러 땄다. 귀남이는 자기 집 몫이 큰 것을 보고 내심으로 좋아했다. 어느덧 해는 져서 어슬핏한데 낙일(落日)의 후광(後光)이 훤하게 지평 끝으로 틔워있다. 대지(大地) 위로는 황혼(黃昏)이 기어든다.

1. 初秋(四)

귀남이 모친은 지금 한참 저녁을 짓기에 분주하였다. 무엇 때문에 그랬는지 가득이나 저녁이 저물어서 화가 나는데 보릿짚을 때는 불까지 내서 그는 또 한바탕 푸념이 나왔다.

"염병할 놈들이 이걸 집이라구 지었나 뭐라구 지었나?…어찐 놈의 집이 방 한가온데에다 신작로를 내구…내 그 놈의 깡인지 지랄인지 보기 싫어! 정지와 방안을 구별 못할 놈의 집이 세상천지에 어디 있더람! 제일 사람이 내워서 살수가 있어야지-빌어먹을 놈의 깡 다보지! 아이 지겨워…이 년의 간난년은 또 왜 안 올까? 누가 저보구 고기 잡아 오랬나! 이런 때에 불을 좀 때주면 등살 나까바서…"

귀남이네는 올 봄까지도 남의 곁방사리를 하다가 만인의 집을 사서 여름에 이사를 하였다.

당초에는 새집을 지어볼 생각이 있었으나 농번기라 그럴 틈도 없었거니와 암만 예산을 쳐보아도 돈이 많이 들것 같아서 그냥 미뤄왔는데 마침 만인이 이 집을 판다고 내놓은 것을 사서 든 것이었다.

그런데 쓸데없는 부엌만 커다랗고 캉(방)이라는 것은 명색들이었으나 한가운데를 중간부터 길을 내놓았기 때문에 잘 자리를 하나씩 밖에 못 깔게 되었다. 그러니 살림살이는 어디에 놓고 발은 어디로 뻗고 자라는지 도무지 모르겠다. 게다가 방문이 없고 보니 마치 허영벌판과 같아서 허전하고, 어설퍼서 도무지 방속 같은 생각이 안 난다.

그래 그는 이사를 오던 날부터 집이라고 맞갖지가 않아서 급한 성미대로 하면 불이나 싸지르고 싶었다. 그는 고향에서도 역시 초가집 일망정 온돌위에 살던 생각을 하면 더욱 정이 떨어져서 못 살 것만 같다.

그보다도 문이라고는 부엌문밖에 없으니 대낮에도 굴속같이 어둠침침하다. 그것은 그대로 참는다 할지라도 제일 내워서 못살겠다. 그것은 오늘같이 불이 내지 않는 때에도 연기가 빠질 곳이 없으니 방안과 부엌 안이 온통 연기속이라. 지금은 날이 더우니까 그래도 부엌문이나 열어 놓을 수 있지마는 장차 겨울이 오는 때는 어떻게 할 셈인가? 부엌문마저 닫아걸고 이 속에서 조석을 해먹다가 너구리는 누가 잡고, 눈은 누가 머느냐 말이다.

그런 생각을 한다면 하루바삐 방을 고쳐야 하겠는데 쓸개 빠진 남편은 벌써 언제부터 말만 내세우고 여적 꿈도 안 꾸는 것이 더욱 속상해 죽겠다.

"남이 당하는 것이니까 그저 만사태평이지! 요새야 뭬 그리 바뻐서 그까진걸 못 고친담!"

"아니 불이 대단히 내나? 애들은 다 어디로 갔어!"

밖에서 무엇을 치우던 석룡이가 부엌으로 들어오며 아내의 눈치를 본다.

"보다 모르겠소! 이런데서 밥을 어떻게 해먹겠소!"

아내는 모래 불을 후후 불다가 불길이 활 내미는 바람에 부지깽이를 내던지고 벌떡 일어선다.

"갱칠 놈의 바람! 난 저녁은 굶어두 불 못 때겠소."

"일간으로 고처야지! 웬 바람이 이리 불까."

석룡이는 어설픈 동작으로 아내 대신 엎드려서 무서리는 불을 입으로 분다.

"저리 비켜오! 수염 태우지 말구-밤낮 일간이지…"

"밤낮은 누가-품을 사자니까 그렇지."

"고만 두고 저리 가오."

아내가 대들어서 다시 불을 붙이는데 귀순이 남매는 그제야 고기 밸을 따가지고 들어온다.

"이놈의 새끼들, 누가 니 보구 고기 잡아 오라던! 다시 들어오지 말구 아주 나가거라! 이 쌍놈의 새끼들!"

모친은 이제껏 치받히던 화를 일시에 폭발시켰다.

"이 간나새끼! 커다란 계집애년이 뭘 하러 해나 다 빠지도록 싸다니노? 머슴애들과 부끄러운 줄두 모르고…냉큼 와서 불을 때겠니!"

그는 아래윗니를 앙당그려 물고 주먹을 겨누며 대드는 바람에 귀순이는 찔끔해서 부친의 등 뒤로 돌아가 숨는다.

"누구랑 고기 잡으러 갔었니? 어서 불 때라!"

"덕성이랑 갔었대요."

귀남이도 모친에게 얻어 맞을까봐 비슥하다가 부친을 똑바로 쳐다보며 얼른 대답한다.

"응 그럼…"

석룡이는 귀남이를 데리고 깡으로 들어간다.

"웨 그럼야! 커드란 년이…"

모친은 그들이 들어가자 귀순이를 다시 곁눈질로 무섭게 흘겨본다. 그는 귀순이가 덕성이와 가까이 하는 것을 내심으로 좋지 않게 생각하고 있었다. 귀순이도 그 눈치를 채였다.

1. 初秋(五)

귀순이네 집에서는 저녁이 저물어서 이렇게 한참 짝짜꿍을 치는 한편에 덕성이네는 벌써 설거지까지 다 해치우고 고부와 내외의 세 사람이 솥발처럼 마주 앉았다. 희미한 등잔불이 불똥이 앉아서 이따금 깜박깜박 불춤을 춘다.

저편 방에서는 덕성이 남매의 도란거리는 소리가 들린다.

"그런데 참, 여보-"

아내 순복이는 별안간 무슨 생각이 들었는지 깜짝 정신이 난 것처럼 남편에게로 얼굴을 돌리면서

"저-귀순네 방은 언제 뜯기로 했수?"

"건 왜?"

건오는 아내의 심각한 표정이 의심스러워서 대답을 하기 전에 도로 물었다.

"글쎄 말야-고칠나면 가슬 바슴 하기 전에 어서 해야 되지 않겠소?"

반지 그릇을 뒤지던 아내는 다시 손을 멈추고 근심스런 얼굴빛을 짓는다.

"웨 누가 뭐라구 하던가?"

"좀 수상한 소리가 들리기 말야…"

"무슨 수상한 소리?"

건오의 두 눈이 빛난다.

"귀남 어머니가 아래로 와서 방 고칠 걱정을 한다디 그려-제일 연기가 찌고 내워서 못 살겠다구요…그런데 그 뒤에 들리는 말이 툰장 집에서 돈 때

문에 고칠 수 없겠거던 가을 후에 갚어도 좋으니 꾸어다 쓰라구 그랬다나요…"

"뭐? 툰장 집에서-"

여태까지 정숙을 피우며 며느리의 말을 듣고 앉았던 시어머니는 두 눈이 회동그래지며 시선을 쏜다. 그는 과부가 된 뒤에 담배를 배웠지만 고향에서는 곰방대로 피우던 것이 만주에 와서는 담뱃대로 길어졌다. 만주는 담배가 흔하기 때문이다.

그러나 건오는 아내의 말을 듣자 더 물을 것이 없었다. 그는 저녁 때 들에서 집으로 들어올 적에도 자기 혼자 그런 염려를 했었기 때문이다. 다만 그것이 자기 생각보다는 너무 일찍 아퀴가 텄다는 점에 은근히 놀랐을 뿐이었다. 그리고 이제는 더 의심할 여지가 없게 되었다 할 뿐이다.

"예가 어딘 줄 아니? 여긴 만주다!"

그는 이 말투가 자기한테도 예외로 빼놓지 않고 습격(襲擊)해 올 줄을 몰랐다는 것이 도리어 자기의 어리석음을 깨닫게 하였다.

"그렇대요."

"아니, 툰장 집은 충청도 양반이라구 우리 같은 사람하구는 혼인을 않는다며?"

"그러기에 큰아들은 고향에서 양반 혼인을 했다지 않아요-그렇지만 작은 아들은 공부두 더 안 시키고 농사를 짓게 한다니까 장가나 일찍 드릴나구 그러는지 누가 아나요? 그리구 고향에 가서 혼인을 하자면 돈이 많이 들 뿐 아니라 누가 보든지 귀순이는 탐나게 되지 않았어요? 그러니까, 실그머니 그 구렁이가 욕심을 낸 게지요!"

따는 며느리의 말을 들어보니, 그렇겠다.

"아이구 야야 그럼 저 일을 어찐 단 말인가. 일껀 데려다가 남 존 일을 시키다니."

시어머니는 생각할 수록 금시에 파혼이나 되는가 싶어서 가슴을 조인다.

"그렇지만 자기네두 염치가 있겠지…약혼을 해놓고서 아무 까닭도 없는데 파혼 하자겠소?"

건오도 속으로는 염려가 되었으나 겉으로는 그들의 약한 마음을 누르려고 안간힘을 썼다.

"당신두 그렇게만 알았다가는 큰 코 다치리다-지금이 어느 세상이라구…하긴 귀남 어머니가 사람은 좋지요! 그 대신 변덕이 좀 많지 않아요? 어머니…그런 사람은 열이면 일야덟은 남의 말에 잘 씰리는 법이여요. 그런데 자기네에게 유익한 말로 누가 꾀여 봐요. 열 번 찍어 안 넘어가는 남기 없다고 웨 안 넘어가겠어요-깨고리가 올창이 적을 생각한답디까?"

"하-"

건오는 답답한 듯이 숨을 크게 내쉰다. 그는 한참 만에

"그 애들의 사이는 괜찮은 모양 아냐?"

"저의들 끼리는 싫지 않아 하는가 봅디다마는…"

"오늘두 고기를 잡으려 갔었다며?…"

모친의 안타깝게 묻는 말이다.

"그렇지만 그것들이야 뭘 알겠어요-부모가 꼬댁이면 좋다가두 싫여질 수 있는 게지요."

"그야 그렇지!"

건오는 석룡이만 꿋꿋 한마음을 가졌으면 아무 염려할 것이 없었으나 사실 그는 그렇지 못한 것이 탈이었다. 그는 남한테는 둘째로 제 아내도 호여잡지 못하는 용해빠진 사람이었다.

2. 황소(一)

정대감(鄭大監)네 냉면집에는 벌써 저녁 마실 군들이 한패 와서 떠들어댄다. 이 부락에 하나 밖에 없는 음식점이라 언제든지 이 집에는 사람들이 동리사랑처럼 잘 꾀이었다.

"황소 저녁 먹었는가?"

건오가 들어가니까 정대감이 희영수를 먼저 건다. 그들은 건오가 황가성을 가진 데다가 일을 잘하고 일상 말이 없이 입이 뜸하기 때문에 언제부터인지 모르되 "황소"라는 별명으로 부르게 되었다. 정대감의 말에 여러 사람들은 일시에 건오를 쳐다보며 빙그레 웃는다.

"미친 놈 같으니-진지를 자셨습니까?"

건오는 그 말은 들은 척도 않고 부락장(部落長)과 강주사(姜主事)에게 인사를 한다. 그는 석룡(尹錫龍)이 앞으로 자리를 잡고 앉았다. 램프 불을 켜놓은 방안은 도배장판을 새로 한 조선식 온돌이다.

"건온 오늘 뭘 했는가?"

부락장은 담배를 피우다가 태우는 꽁지를 재떨이에 비벼버린다. 고향이 충청도라는 홍승구(洪承九)는 약간 손님 터가 있는 얼굴에 나레나룻(구레나룻)이 한데 연한 수염을 점잖게 쓰다듬고 있다.

"새를 좀 베였지요."

홍승구는 강노인과 함께 이 동리에서는 유력 인물이다. 더욱 그는 자기의 농장을 가진 만큼 돈의 세력은 강노인보다도 더 있는 편이었다.

"병호는 오늘도 안 온 모양인가?"

이제껏 잠자코 있으면서 담배만 피우던 강주사가 화제를 바꾼다. 그는 산호 물 뿌리에 "스피아"를 피워 물었다. 머리에는 서릿발이 내렸으나 오히려 근력은 정정해 보인다.

"아마 안 왔나 봅지요."

정대감이 대답하였다.

"그 사람이 뭘 하러 오래가 묵을까?"

"글쎄요. 선태(고리대금)를 내러 갔다던가…"

"의원을 보러 갔다기두 하던데…"

"또 탈난 사람 아닐까?-요새 선태는 왜 내느냐 말야! 벼가 익기도 전에…"

부락장이 별안간 역정을 낸 사람처럼 언성을 높인다.

"남의 말 할 건 없지마는-선태를 쓰는 놈들은 미친놈으로 아는 걸-글쎄 가을이면 벼 한단에 이십 원도 넘는 것을 웨 미리 빚을 내 쓰고 십여 원씩이나 손해를 보느냐 말야-불과 한두 달 만인데-영감 그렇지 않습니까?"

"그야 그렇지-선태를 쓰는 놈은 미친 놈이구 선태를 주는 놈은 악한 놈이구."

부락장은 강주사에게 동의를 구하려다가 의외에 주먹을 맞은 셈이었다. 왜 그러냐하면 그도 부락장이 되기 전에는 동리 간에서 변놀이를 했기 때문이다. 방중의 다른 사람들도 그 속을 잘 아는 만큼 부락장의 얼굴이 빨개지는 것을 간지럽게 쳐다보고 있었다.

"그렇지만 주는 사람이야 나쁠 것 뭐 있습니까. 그런 줄 알면서 쓰는 사람이 나쁘지요."

정대감이 부락장의 비위를 맞추려는 듯이 어색해진 좌석을 꿰매려 든다.

"쓰는 사람이 나쁘다면 주는 사람두 나쁘겠지."

"하하하…"

부락장과 강주사는 동리 일을 손 맞잡고 하는 터이나 속으로는 늘 서로 응수였다. 그것은 하나는 곧이곧대로 하라는데, 하나는 협사(挾私)를 하려들기 때문이다. 그래서 강주사는 너무 고지식하다는 평판을 듣고 부락장은 먹구렁이라는 손가락질을 뒤통수로 받는다.

사실, 부락장은 뱃속이 검기 때문에 돈을 모았고, 강주사는 청렴하기 때문에 모인 것이 없다.

그러나 그들 둘이 서로 겨루고 다투는 바람에 동리 일은 도리어 바로잡힌 것이 많게 되었다. 그것은 첫째 강주사 같은 청렴한 이가 없었으면 안 되었겠지마는 부락장같이 떡심이 질긴 사람이 없었어도 곤란한 일을 끝까지 끌어나가지는 못했을지 모른다.

그는 뱃심이 좋고, 어질지 못한 대신에, 탁탁 끊어버리는 결단심이 강하였다. 말하자면 단적이요, 음험하고 권모술수를 부리는 책사였다. 그와 반대로 주사는 인자하고 강직하고 결백하여, 의가 아니면 천하를 주어도 안 받는 대설때주의였다. 그러나 이 두 사람의 극단적인 성격이 맞부딪치고 조화되는 가운데, 도리어 어려운 문제를 무난히 해결 짓는 수가 많았다. 이야말로 모순의 발전이라 할까?

2. 황소(二)

정대감은 그전에는 한참 부락장과 의가 좋게 지냈다. 아니 그들은 지금도 심정이 걸맞았다. 사실 이 동네의 흥아조사는 모두 그들 둘이 부리고 꾸미고 하는 셈이었다.

정대감은 위인이 능갈처서 간에가 붓고 씨에가 붓고 한다. 그래 그는 강주사와 부락장 사이를 물고기가 자맥질 하듯 능란히 오고가고 했다.

그러나 강주사는 워낙 대범하고 정직하기 때문에 감히 그 앞에서는 물의 한 일을 하자고는 못하였다.

정대감은 이 고장에 들어와서도 농사보다는 음식점을 부업으로 하였다.

그것은 더욱 부락장과 음모를 꾸미기에 좋은 틈을 주게 되었다. 그러나 그들은 제가끔 이해타산을 가지고 사교적 친분을 교란했을 뿐이었다. 속으로는 서로들 저편의 흉을 잡아냈다. 그들의 교훈이란 마치 비 오는 날 개구렁에 빠진 사람을 쳐다보고 웃어주는 폭밖에 안 되는 셈이었다. 정대감은 술꾼과 놀음꾼을 부쳐 먹고 부락장은 그 뒤에서 변놀이를 하기 위하여-.

약삭빠른 부락장은 취리를 한 그 돈으로 전장을 사곤 했다. 그것을 비싼 주자(租子)로 소작을 주고 자기도 머슴을 두고 농사를 지었다. 친한 만인의 땅을 싸게 얻어서 없는 사람에게 방전(半作農)을 주기도 하였다.

방전제도이란 이 고장 농가의 크나큰 폐풍이었다. 그것은 제 손으로는 농사를 짓지 않고도 가만히 앉아서 짓는 사발농사다. 농사가 무엇인지도 모르는 도회지에 있는 사람들이 자기 권리대로 만인의 땅을 얻어서 작인들에게 최저한도의 농량(소금, 좁쌀)을 대주고 경작을 시켜서는 주자(小作料)와 증자대와 농량의 선대한 것을 모두 제한 뒤에 남는 것을 가지고 작인과 반분(半分)하는 것이다.

가령, 방전살이(半作農民)를 하는 한사람이 두 쌍(二垧) 내지 세 쌍(一垧二千坪)을 경작할 수 있다면 평균을 두 쌍 반으로 잡고 한 쌍에 십칠 단씩 수확을 할 수 있는 수전이라면 총 수확이 사십 이 단(일단은 이백 육십 육 근 넉 냥 중=길림(吉林)부근조사)이 된다. 그중에서 한 쌍의 주자를 보통 사 단으로 쳐서 십 단을 제하고 기타 잡비용-증자대금, 농량대금(좁쌀, 소금)으로 일단을 제하고 나면 삼십일 단이 떨어지니 이것을 반으로 나눈다 하더라도 십오 단 반의 소득을 가만히 앉아서 먹는 셈이다. 반작농한 사람 앞에 이러하니 만일 열 사람을 경작시킨다면 일백오십오 단일 것이요 쉰 사람을 시킨다면 칠백칠십오 단이 되니 그것을 조선 석수로 치면 거의 천석 추수를 당년에 할 수 있게 되는 셈이 아닌가?

그들은 이렇게 도시에 가만히 앉아서 투기적 금광 하듯 중간 농사를 지었다 한다. 농촌 뿌로커들이 이렇게 어부의 이를 좌수(坐收)하는 숨은 속에는 애매한 농민들만 헐벗고 못 먹으면서 피땀을 짜내게 된 것이다. 그러나 정대감은 그때 한참 이럭저럭 잘 벌어들인 돈을 술로 다 마시었다.

만일 그도 부락장처럼 제 실속을 차려서 알뜰히만 하였다면 지금 그와 마주 어깨를 견주고 이 동네에서 부명을 들었을 것이다.

그는 하루도 술을 먹지 않고는 못 견디어 낸다.

당초에는 그도 농사를 지어보려고 서간도로 들어왔었던 것이나 더구나 제 손으로 못 짓는 농사를 지어보면 일 년 술값이 부족하다. 그래서 가는 곳마다 그는 음식점을 시작하고 농사는 부업으로 짓는 둥 마는 둥 하였다.

미상불 그리고 보니 가는 곳마다 술장사도 해롭지 않았고 술 먹을 기회는 날마다 생기었다. 누가 안 사주면 제술을 맘대로 먹을 수 있고 남을 사주기는 제 집 것이니 수월하였다.

그래도 그는 술을 사줄 만한 사람이 안 사주면 성을 내고 시비를 걸었다. 그것은 그의 말을 빌어한다면 다만 남의 술을 얻어먹기만 위한 치사한 생각으로가 아니라 한다. 그 보다도 그는 주붕(酒朋)으로서의 정의를 계속하자는 것이었다. 그는 저 사람이 술을 내면 자기도 술을 내는 건 물론이요 술을 더 내도 그것을 도리어 만족하게 한다는 것이었다.

그의 "대감"이란 별명도 실상은 여기서 나왔다. 그는 마치 대감마마처럼 술을 자주 안사주면 노염이 잘 붓고 그랬다가도 술을 사주면 고사를 받은 귀신처럼 그 즉시로 도로 풀어지기 때문이라던가. 그는 그전에 아편중독이 되기까지 하였다 한다.

2. 황소(三)

병호가 돌아오기는 그 뒤에도 이틀이 지난-마을에서 동리의 우물을 치던 전날 밤이었다. 우물을 치던 날엔 그도 역군으로 나왔다.

황건오는 이날 식전에도 들 논을 한 바퀴 돌고 와서 일 나갈 차비를 차리었다. 이제는 논꼬까지 파 놓은 바에야 별로 거둘 일이 없건마는, 그는 날마다 한차례씩 들안을 돌고 와야만 마음이 놓이었다.

"굿복은 어디 있나…어머니 못 보셨수?"

건오는 혼잣말처럼 중얼거리다가, 모친에게 물어본다.

"굿복은 웨?…물속에 들어갈나우?"

어느 틈에 아내가 들어와서 그들이 궤짝 속과 선반을 뒤지는데 참견하는 말이었다.

"그럼, 누가 들어갈 사람이 따루 있는 줄 아나."

건오는 언제와 같이 무뚝뚝한 말투로 내부친다. 본래 태생이 그런데다가 만주로 오더니만, 성미가 더 무뎌진 것 같다. 아내는 그것이 늘 조금 불만이었다.

"아이구 당신두 인젠…그런 일엔 좀 나서지 말우! 젊은 사람이 수두룩한데 뭘 하러 낫살 먹은 이가 번번이 그럴 것 뭐 있소? 웨 그 사람들 좀 못 시킨다우!"

아내의 어조에는 약간 역증이 섞이었다. 그의 두드러진 아랫입술이 뾰족해진다.

"그게야 누구나 마찬가지 안야. 그 진 일 좋아할 사람이 누가 있는가."

"그러기에 말이지요, 당신만 마터 놓구 그럴 건 또 무엇 있소."

아내는 비위가 틀려서 더 말하기 싫은지 돌아서 나가버린다. 그는 부엌으로 들어가서 아침상을 보았다.

건오는 아내의 말을 등 뒤로 잠잠히 들었을 뿐, 모친이 찾아주는 굿복을 바꾸어 입기 시작했다.

옷을 입으며 생각하니 따는 아내의 말이 귀에 남는다. 그는 이제껏 심상했던 나이가 또렷해진다. 서른다섯이라면 스물 안팎의 소년이 이 동리에도 많지 않은가.

그러나 그들은 서로들 꾀만 피웠지 하나도 진심으로 제일처럼 일하는 사람은 없었다. 그럴 때에도 건오는 힘든 일을 자진해서 대들어 한다. 그는 그들이 서로

"네가 해라! 나는 싫다."

하고 떠미는 것을 보면 그 꼴이 당장 보기 싫어서

"이 사람들아 그렇게 모를 것 뭐 있는가! 아무나 손가락이 있는 사람이 했으면 고만이지."

하고, 그 일을 숫제 뺏어가 버린다. 그러면 싸우던 사람들은 제풀에 멀찍해져서 물러서고, 다른 사람들도 내심으로는 건오의 건장한 체력과 희생심을 부러워하며 칭찬했다.

그래서 이제는, 그게 아주 관례가 되다시피 힘든 일에는 의례히 건오를 불러대게 된다. 건오는 그것을 모를 리 없었다.

그런데, 아내는 건오의 그런 짓을 못난 편으로 돌리어 들었다. 그가 보기에는 세상에서 잘난 사람은 힘든 일을 안는 것 같았고, 같은 일꾼이라도 약

둥이는 일자리를 살살 빠지며 남을 시키는 것 같았기 때문이다.

물론 그렇다! 건오는 여적 한 번도 자기를 잘났다고 자긍해 본적이 없다. 그렇다고 그는 자기를 못났다고도 생각하고 싶지는 않았다. 왜 그러냐 하면, 제가 잘났다는 사람도 별수 없어 보이기 때문이다. 아니 그보다도 그는 고향에서 보통 학교를 겨우 졸업한 것 뿐 아닌가. 그러면 그런 자신이나 그나마도 못 배운 무식한 농군들이 죽으면 썩을 몸을 아껴서 저할일을 남한테만 미루고 안 하려드는 것이야말로 옳지 못하고, 못난 짓이라 할 것이다. 이런 고지식한 성미를 가진 건오는 그래서 언제나 묵묵히 자기의 맡은 일을 꾸준히 하여왔고 또한 남들이 싫다고 차 내던지는 일까지 가로 맡아서 하기를 좋아하였다.

그래서 입빠른 사람들은 그를, 일복을 많이 탄 사람이라고 조소하였지마는, 그가 듣는 데서는 감히 그런 말을 누구도 못하였다.

그것은, 그가 그런 말을 들으면 성을 낼까 무서워서만 아니었다. 워낙 매사에 점잖게 구는 그의 인금을 누구나 감히 누를 수가 없었기 때문이었다.

아내는 그동안에 아침상을 차려다 놓았다. 그는 남편이 기어코 굿복을 입은 것을 보고

"저러니까, 황소 소리를 듣지 당신두 참…"

하고 숫제 웃어 버렸다. 덕성이 남매와 모친이 밥을 먹다가 그 말을 듣고 따라 웃는다.

"황소가 웨 어떻기에 정말로 황소만 같았으면 좋겠다."

"황소가 기운은 세지만 미련하지 뭐…"

아내는 밥숟갈을 떠놓다 말고 또 흐흐 웃는다.

"흥, 무슨 소리야! 자고로 장한 사람은 인간의 황소라네!"

밥상을 물리기 전에 남매는 학교로 뛰어가고 건오는 일터로 좇아갔다.

2. 황소(四)

우물을 치던 일군들은 한나절까지 일을 마치고 제각기 집으로 흩어졌으나 한패는 정대감네 냉면집으로 몰리었다.

건오도 병호에게 끌리어서 집으로 가던 길을 그리로 돌아섰다.

"냉면은 무얼! 집에 가서 밥 먹지."

건오는 이렇게 말하였으나 그도 한나절동안 힘찬 일에 지친만큼 잔주 한 잔이 생각나지 않는 것은 아니었다.

그들이 들안으로 들어가자 정대감은 병호를 마주보며

"어서 들어오게! 그래 개성 가서 재미 많이 보았나?"

하고 의미 있게 웃는다.

"재미는 무슨 재미. 약 지러 갔었는걸!"

병호는 빙글빙글 마주 웃으며 대꾸한다.

"약은 무슨 약! 수박씨 많이 깠지?"

"수박씨커녕 호박씨두 못깠다."

"호박씬 똥구멍으로 까지 않나! 하하하!"

"옛기! 인제 보니까 어룬보구 욕하랴구…"

병호는 주먹을 둘러멘다.

"하하! 그래 개판스(開盤子)도 못했어? 술 한 잔 사주게!"

"약 지러 갔대두 그래-그게야 어렵잖지-아주머니!"

병호는 여전히 기분이 좋아서 부엌을 내다보며 쾌활한 목청을 지른다.

부엌은 만인의 가옥처럼 되었으나 방안은 조선온돌로 꾸민 집이다. 저편 구석방에서도 한패가 얼려서 떠든다.

"그래 정말로 약을 지러 갔었나? 들리는 말에는 선태를 내러 갔다던데."

주인은 그제야 들어와 앉으며 담뱃갑을 조끼에서 꺼낸다.

"속병으로 의원을 보러 갔었대두 그래-그러나 돈이 있어야지. 할 수 없이 빚을 좀 얻었지!"

병호는 시뻘건 눈알을 두리두리하며 큰 입으로 여전히 느물거린다. 무릎 밑까지 걷어 올린 장딴지에는 산돼지 털 같은 굵은 털이 시커멓게 내리 났다. 그는 다시 두 팔을 쭉 뻗치고 허풍을 친다.

"네 병은 속병이 아니라 술병이다. 술 좀 작작 먹어라."

"아이구 남 말 말구 네나 좀 그러렴!"

병호는 기가 막힌 듯이 껄껄 웃으며 정대감의 유난히 빨간 콧잔등을 노려본다.

"그래두 대감은 아직 병은 안 났거든 에헴!"

"장담 말어! 저게 터질 날이 며칠 안 남았어…허허허-"

병호는 정대감의 코를 손가락질한다.

"어-망할 자식-재수 없게…"

정대감은 다시 투덜거린다. 여태 말이 없이 그들의 대화를 듣고 빙글빙글 하던 건오가 정색을 하며

"그래 약은 지여 왔는가?"

"지여 왔어! 뭐 위장이 상하구 속이 냉해서 그렇다든가…"

"그런데, 약을 먹으며 술을 먹으면 무슨 효험이 있겠는가?"

"아니, 아직 시작은 안했거든-복약할 동안은 물론 술을 금해야지"

"그럼 오늘만 마음껏 먹어보세-"

"이 사람들 괜한 소리 말구 어서 냉면이나 한 그릇씩 먹구 나가세."

건오는 그들의 술자리가 길어질까 염려가 되어서 벌써부터 마음이 쓰인다.

"가만있어. 나가면 무슨 할 일이 있거디! 그리 서둘 것 뭐 있는가?"

"그래, 우리 오늘만 실컷 먹고 나 병 나을 동안까지 안 먹기로 해볼까? 사실 술 먹는 놈은 매사에 낭패가 많으니…"

"그렇지만 여보게 황소! 만주 벌판까지 뒤울려 와서 그래 술두 안 먹으면 무슨 재미로 산다던가!"

정대감이 언제와 같이 호기 있는 질문을 한다. 그러자 술상이 들어오자 그의 의기는 더한층 충천해졌다. 그들은 우선 술을 따라서 한잔씩을 쭉 돌리었다. 안주로는 돼지고기와 닭의 찜 한 접시씩 들여왔다. 붕어를 호꼬즈로 지진 것도 있다.

"대감 말이 옳긴 옳아! 하지만 너 같은 놈 때문에 만주들을 버려놓는단 말야!"

"왜 내가 어째서?"

"너같이 술 농사와 피 농사만 짓고 돌아다니면 말야!"

"이놈아 니가 돌피농사만 짓고 다녔지, 아따 그놈 짼짼한 소리두 한다."

"나두 그랬지만 너두 그렸지 뭐야-하하하-"

정대감과 병호는 술잔이 거듭할 수 록 차차 취기가 들며 허튼 소리가 비틀걸음을 친다. 대감은 자기 차례의 술을 마시고 나서

"그렇지만 걱정할거 뭐 있니, 여기 황소가 있는데!…돌피 밭이 묵은 것은 황소가 갈면 되지 않나? 허허허-"

"하하하-참 황소가 여기 앉았네 그려-조선 황소가 인제는 만주 황소 노릇을 한단 말이지-하하하"

그들은 여전히 허튼 소리를 하며 유쾌하게 웃어댄다.

2. 황소(五)

"이 사람아 고만 가세! 고만 가-"

건오는 그런 말은 타내지도 않고 병호를 가자고 한손을 잡아 일으켜 보았으나

"가만 있어 대감의 이야기 좀 더 듣고…집에 가면 뭘 하나-한잔만 더 먹구 가세."

하고 병호는 팔꿈치를 뿌리치며 도로 주저앉는다.

"이야긴 무슨 이야기야 어서 고만 가자구."

"아니 잠간만…자넨 아마 못 들었을 거야-대감이 피 농사 짓던…"

건오는 할 수 없이 병호의 옆으로 다시 앉았다.

"이 자식아 피 농사는 웨-난 술 농사 지었지 피 농산 안 지었다"

"넌 별 농사를 다 짓지 않았니 아편 농사두 짓구 갈보 농사두 짓구…"

"하-네야말로 두만강에서 밀수단에 끼여 다녔다든구나."

"그래 나두 했다마는 너두 했단 말야-여보게 건오! 대감이 서간도서 처음 농사짓던 이야기 좀 들어보랴나?"

병호는 말끝을 되채지도 못하며 별안간 무슨 생각이 들었던지 "피!" 하고 홍소(哄笑)를 터치더니 드립다 웃기만 한다.

"무슨 이야긴데?"

건오는 영문을 알 수 없어서 두 사람의 얼굴을 번갈아 보았었다.

"아니 저 자식이 공연한 미친 소리야!…자 우리는 술이나 먹자구."

대감은 창피한 생각이 들었던지 건오에게 말을 못 듣게 헤살을 부렸다. 사실 그는 그 말이 나면 창피하였다. 어느 때 술김에 단둘이 한 말인데 병호는 지금까지 그 이야기를 잊지 않고 있는 것이 놀랄만한 일이었다.

그가 서간도에서 처음으로 만인의 논을 얻어서 농사를 지었는데 만인 지주가 술을 좋아함으로 자연 술친구로 친해졌었다. 그래서 주자도 싸게 사오 쌍수전을 지어서 해마다 농사가 잘 되었으나 그전부터 술은 물론이요 아편에까지 중독이 되어가는 그는 생기는 대로 털어먹었다. 그 바람에 신용을 잃고 지주에게 소작료도 내지 않기 때문에 필경은 그 논이 떨어지게 되었다한다.

그제서는 대감도 정신이 펄쩍 났다. 육칠십 석씩 농사를 잘 질 때도 못 살았는데 일조에 땅까지 떨어지고 보니 그는 당장 살아갈 일이 난감하였다.

이에 느낀 바 있어 하루는 술 한 병을 사들고 만인 지주를 찾아가서 잘못된 사과를 하였다. 처음에는 만인도 대감의 외교적 사과를 그리 달게 받지 않았으나 그 역시 차차 술잔이 들어갈수록 마음이 호활하게 되었다. 그래서 제 술을 다시 내서 먹고 또 먹고 하는 바람에 두 사람이 대취했는데 어떻게 된 셈인지 그들은 같이 자살하기를 약조하고 산으로 올라갔다는 것이다.

그것은 대감이 취중에 더욱 눈물을 흘리며 잘못했다고 백배 사죄를 한 연후에

"정말로 귀하에게는 만사무석의 죄를 지었습니다. 나는 지금 참으로 회개하였습니다. 나의 그 잘못은 주검으로써 대속할 수밖에 없사오니 지금 귀하 앞에서 나는 죽어야 하겠습니다." 하고 대감은 그때 정말로 미리 준비했던 명주수건으로 목을 매여 죽는 시늉을 하였다. 만인이 이 거동을 보자 대단히 감격하였다. 그래 하는 말이

"당신의 뜻이 참 장합니다. 만일 당신이 그렇게 죽는다면 나로서 살기가

미안한즉 그럼 우리 같이 죽읍시다.”

하고 정사(情死)를 하자 해서 그렇게 산으로 올라간 것이었다. 산으로 올라간 그들은 즉시 목을 매기로 하였는데 대감이 명주 수건을 가진 만큼 자살 집행인이 되었다한다. 그래 그는 먼저 만인 지주의 목을 매고 다른 한 끝으로는 자기의 목을 맨 연후에 서로 버티면서 목을 조르게 되었다. 그런데 만인의 목은 뒤로 졸라매고 대감은 앞으로 졸라매가지고 서로 당기게 되었으니 누가 먼저 다급할 것은 뻔히 알 노릇이었다. 만인이 먼저 숨을 통치 못하고 쩔쩔매는 중 일각을 참을 수가 없어서 그는 목을 늦추자고 우선 청한 후에 논을 도로 줄테니 우리 죽지 말자고 강화를 청하였다는 것이다.

대감은 그래도 죽어야 한다고 한참 동안은 강경히 버티었다던가. 그러다가 못 이기는 척 하고 나중에는 물러났다지 그러니 만인은 감쪽같이 속고 말았다. 그는 대감을 도리어 고맙게 생각하고 논을 다시 주었는데 그 뒤에 그는 또 주자(小作料)를 떼먹고 그때는 아주 달아났다는 것이다.

건오는 병호의 입으로 그 이야기를 다 듣고 나자 비록 지난 일일 망정 가슴이 찔리고 대감의 얼굴이 다시 쳐다보였다.

(참으로 대감이구나!)

건오는 무심코 이렇게 마음속으로 부르짖었다…

2. 황소(六)

병호가 이야기를 끝마치고 한바탕 웃으며 물러나자 대감은 얼굴이 뻘게서 앉았다가

"이놈아 그래도 난 너처럼 밀수는 안했단다. 너는 나라의 법률을 위반하는 큰 죄를 진 놈이 남의 말은 수월하게 잘한다."

하고 눈을 흘기며 쳐다본다. 그의 두 눈에서는 벌써 지게미가 꼬약꼬약 나온다.

"흥! 그래두 밀수단 때문에 먹구 산 사람이 얼마나 많은데!"

"야-, 넌 지금이라도 알기만 하면 당장 때갈 놈이야!"

정대감은 복수심이 불끈 치받쳤다.

"때가긴 왜 때가-저건 공연히 속도 모르고 저러겠다. 네 말대로 한때는 밀수장이 노릇을 하긴 했다-그러나 너 정말 밀수장이가 누군 줄 알기나 아니? 아니 도문이나 남양에서 큰 강 사처 놓고 밀수를 안 한 사람이 내외국인 간에 몇이나 된다던? 그리구 사변후의 도문 시가가 너 무엇 때문에 번창한줄 아니? 그게 다 밀수 바람야!"

"그러니 어떻단 말이냐?"

"허니까 말야, 니 같은 말째가 그런 밀수단 밑에서 심부름해주고 짐짝을 저다 준 것쯤이야, 뭐 그리 큰 죄 될 게 있겠는가?-흐참! 그때 한창 세월이 좋을 때는 밀수단의 인부가 도문과 남양에 천여 명씩 들썩대였거던-여관에는

신경 동천의 대상들이 몇 달씩 와서 복잭거리구…왜 그랬느냐구? 밀수품을 사가려구 그랬지.…참 그때 한창은 세월 좋았느니, 막벌이꾼들도 십 원짜리만 척척 꺼내구-그들이 술값을 치를 때 어디 세준다던가. 그저 잡히는 대로 꺼내 던졌지…여북했어야 유곽이나 요리 집에서는 양복장이보다도 노동자를 더 환영했다나! 참 돈들 잘 썼느니…"

하고 병호는 그때의 황금시절이 동경되는 것처럼 군침을 꿀떡 삼킨다.

"너두 그래 희떱게 써 보았니?"

"그럼 쓰지 않구-워낙 그런 판국에 있으면 돈을 안 쓸 수 없겠데-생명을 내놓고 하던 장사인걸, 돈 두구 안 쓰면 뭘 하겠나. 한 시간 뒤라도 여차직하면 죽을 판인데-그런가가 뭐야? 여보게 자네들! 밀수를 어떻게 하는 줄 알기나 아는가? 두만강이란 원래 수심이 얕아서 여름에는 발을 걷고 건늘 수 있고 겨울에는 빙판으로 통래할 수 있거던-그러니까 밀수를 하기가 용이하단 말야-가령 광목이나 필육 같은 것을 남양의 상인과 연락해서 옮긴다구 하세. 새벽에 그것을 강으로 내다가 배에 실는단 말야! 그 배는 낮에는 배 밑 구멍을 뚫허서 물속에 가라안첫다가 소용될 때 살짝 건저내도록 한 것인데 강 양편으로는 수십 명씩 파수군을 세워놓고 회중전등으로 암호를 해가며 세관의 감시대를 경계하도록 아조 빈틈없이 짜구 한단 말일세. 그렇게 감쪽같이 건너온 물건을 미리 등대했던 수십 명 인부들이 어둠을 타서 등으로 저 나르는데 그것을 저-도문시가지의 남쪽 높은 지대로 옮겨놓고 상인과 직접거래를 한단 말야. 만일 그게 위험할 것 같으면 저-남구(南區)의 세 갈래진 잔골목 뒤 어떤 으슥한 집에다 잠시 숨겨 두어두 좋겠지. 그랬다가 여인네를 고용해서 가만히 상점으로 옮겨가면 고만일세그려-그러면 그담부터는 벌써 밀수품이 아니거든-버젓하게 짐을 풀어가지고 자동차나 우마차에 실어서 저-훈춘이나 용정 국자가 왕청 등지로 보내고-멀리는 돈화까지 기차로 실어 보내거든! 여보게 밀수가 한창 대규모로 병행될 때에는 밤마다 수십 거씩 생기는데 아까도 말했지만 그 물건이 나중에는 신경 봉천 길림등지로 막 들어갔다네! 그래서 이 밀수상의 싼 물건 때문에 정당한 장사들이 장사를 할 수 없다고 영사관에 진정서를 제출했다면 더 말할 것 없지 않어! 그 뒤로 국경경찰대가 생겨가지고 밀수취체가 엄중한 바람에 밀경은 밀수단과 경관대가 접전을 해서 사람이 상하기까지 했다데만-. 그들의 폭력 행위는 필경 비적으로 몰렸다네. 그 뒤로는 워낙 취체가 대단하니까 차차 줄어들었지-그런데 그 대신 밀수 경기가 없어진 뒤로는 도문이 아주 쓸쓸해저서 모두들 그런 시절이 다시 오기를 은근히 바랐었다네-지금도 크게 장사를 하는 대상들은 모두 그때 밀수 통에 수를 본 사람들이래! 그렇다면 말일세. 도문 시가를 크게 발전시킨 것은 정작 생명을 내걸고 밀수단 밑에서 직접 물건을 저 나른 인부들이 아니겠나. 그런데 나두 그런 밀수단 밑에서 일을 좀 보았기로 그게 뭐 그리 큰 죄를 졌단 말인가. 허허허"

하고 병호는 술김에 풍을 친다.

"그래서 네가 만주로 다시 들어왔구나!"

정대감은 무엇을 짐작함이 있는 듯이 두어 번 고개를 끄덕인다.

2. 황소(七)

"그럼 죽을 고비도 여러 번 겪었겠구나!"

정대감은 다시 술 한 잔을 따라서 병호에게 잔을 들어 권하며 호기심에 잠긴 미소를 보낸다.

"암 그야 물론-"

병호는 지난 시절의 통쾌매를 씹어보라는 새 기억을 가지가지 느끼며 잔을 받아든다.

"함벗하면 내가 참척을 물번 했구나-그런데 애비를 찾어서 이렇게 멀리 왔으니 기특하다! 인제 다 키웠거든 허허허…"

정대감은 너털웃음을 또 한 번 치며 희영수를 부친다.

"예 이 자식! 버릇없이 까불지 마라!"

병호는 술을 마신 뒤에

"참 밀수 말이 났으니 말인데-"

하고 다시 무슨 이야기를 꺼내려는 모양으로 입을 뻥긋뻥긋한다.

"또 남은 얘기가 있니?"

"응 있어!"

병호는 닭의 다리를 집어서 질겅질겅 씹으며 새로운 얘기를 꺼낸다.

"아까 한 밀수 얘기는 으른들의 얘기지만 지금 말하랴는 것은 아이들 얘긴데-"

"아니, 애들도 밀수를 하나?"

건오가 놀래며 묻는 말이었다.

"그럼 하구말구-남녀로소간 안는 사람이 몇이 안 된대두 그래! 남양서는 도문으로 학교를 다니는 애들이 많은데 두만강 다리를 건느면 바로-도문이니까-이건 바로 나 아는 선생에게 들은 얘기야."

"그래서?"

대감이 입맛을 다시며 시선을 쏜다.

"나두 그 얘기를 듣고 보니 미상불 가엾은 생각이 들데-요놈이 밀수를 어떻게 하는고 하니…"

병호는 좌중이 근청하자 자기도 신을 내서 말한다.

"하루는 세관관리가 보니까 어떤 학생이 변또를 두개씩 가졌드라나 그래두 처음에는 심상히 보고 내버려 두었다지-혹시 같은 동무의 변또를 대신 들고 오나 해서…그런데 그 애를 눈여겨본즉 날마다 그라드라거든-하두 이상해서 하루는 변또 그릇을 조사해보니까 하나는 빈 변또에다 소금을 갔득 노었드라지-그래서 고만 그 애를 잡어다가 닥달을 해보니까 이놈이 들어올 쩍에는 소금을 담어다 팔고 나갈 쩍에는 두 변또에다 쌀을 사서 가뜩 담어가지고 안팎 밀수를 해먹은 게 들어났단 말야.…그 선생 말이 그 애가 며칠째 안와서 수상히 알던 중에 하루는 세관에서 호출이 나왔드라지 웬일인지 몰라서 쫓아가보니까 대뜸 하는 말이 '당신이 학생들에게 글을 가리쳤소? 밀수를 가리쳤소?'

하더라나 선생은 크게 놀래서 그게 무슨 말이냐고 다급하게 물었더니 그제야 그 애의 전호사실을 죽 말하며 당신이 책임을 지면 그 애를 내보낼 터니 다려가라구 하더라나"

"하하-고놈 참 맹랑하군!"

정대감과 건오는 감심해서 차례로 부르짖는다.

"그래서?"

"그런데 요놈 말을 들어보면 더 맹랑하지-선생이 학교로 다리고 와서 일장 훈게를 한 후에 다시는 그런 짓을 않겠다는 맹써를 하라한즉 저는 '맹써는 못하겠습니다' 그리더란 말야!"

"아니 저런 놈 보았나, 그건 또 웬 일야?"

"그놈 참 맹낭한 놈인걸!"

대감과 건오는 일제히 부르짖는다.

"그래 어째 그러냐고 선생이 물어보니까 '전 밀수를 안 하면 내일부터 학교를 못 당기게 됩니다.' 그렇다래! 그제서야 알어본 즉 그 애 집은 몹시 가난해서 그 애가 밀수로 벌어먹고 살어가는 모양이라거든. 하루에 두 행보씩 그렇게 하면 날마다 삼십 전 이상을 벌수가 있다네 그려-그래서 그 애는 그 돈으로 월사금도 낼 수 있고 밥을 굶지 않는다구-선생이 그 말을 듣고 난 뒤에는

"다시 그 짓을 말어라!" 소리가 잘 안나오더라나네-그 뒤에 그 선생이 그 애 집에를 가본즉 과연 형편이 말 아닌데 그 애 부친은 중병이 들어서 위석해 들어 누었고 어미가 겨우 이웃집으로 돌아다니며 빨래가지와 일을 해주고 쌀되박과 찬 밥술을 얻어다 먹더라니 정작 그 애의 벌이가 큰 수입이요.

그 힘으로 살어 온 것이 괜한 일 아니겠나."

"그럼 그 애는 그 뒤에 어떻게 되었다던가?"

건오는 궁금해서 뒷말을 채근했다.

"무얼 어떻게 되여! 그 선생이 가본 것도 그 애가 그 이튿날부터 안 오기에 가봤다는데 나무하러 갔다고 해서 그 애는 보지도 못하구 그냥 왔다데."

"흥! 가엾은 일이로군."

그들은 취중에도 강개무량한 표정을 짓고 한동안 서로들 멍하니 앉았었다.

그러나 짜장 그 애가 지금 이 동리에서 사는 원일여의 아들 복술인줄을 알았다면 그들은 얼마나 더 놀랬고 감격했을는지 모를 일이나 그 속을 아는 사람은 아무도 없었다.

(중략)

3. 懷古談(五)

치성에 실패한 건오는 언제나 제힘을 믿을 수밖에 없다는 신념이 더욱 굳어졌다. 그는 인제 공부를 더 못할 바에는 살림이나 근간히 해보자 하였다. 그러나 좁은 산속에서 남의 밭갈이나 부치고 나뭇짐을 해 판대야 그것으로는 겨우 연명이나 해갈까? 그것도 풍년이 들어야 말이다. 아무리 생각해보아야 그대로 있다가는 식구만 늘어가고 점점 생활은 곤란할 것 같다.

그러자 보통 학교를 같이 다니던 김병호(金炳浩)가 살림을 털어 없고 간도로 들어간다는 말을 듣고 건오도 같이 가볼 생각이 있었다. 병호는 저만 잘했으면 살기는 그리 걱정 없을 처지였었다. 그는 어렵지 않은 살림을 가지고도 학교를 졸업한 후 그대로 놀다가 부친상을 당하자 난봉을 피우기 시작했다. 그는 읍내 출입이 잦아지며 거기 따라 주색에 눈을 떴다.

그 바람에 불과 몇 해 안가서 살림은 빚으로 집행을 당하고 식구들은 풍비박산 하게 되었다. 아내는 친정으로, 모친은 외가로-.

급기야 병호는 혈혈단신으로 고향을 떠나게 되었다.

그때 건오는 가족 관계로 같이 떠나진 못했으나, 들어가서 자리를 잡는 대로 통지해 달라는 부탁을 신신이 해 두었다.

그런데 병호는 들어간 지가 수삼 년 되도록 일자소식이 없다. 따라서 그의 생사까지도 모르고 있었는데, 뜻밖에 만주에서 잘 있다는 편지가 왔다.

그것을 증명하기에 족한 부탁까지 하기를-이번에 가족을 데려가려고, 모친에게 여비를 부쳤는데 농사를 짓고 싶거던 그편에 같이 들어오면 피차간 형편이 좋겠다는 것이었다.

그 편지를 바다보고 건오는 좋은 기회를 놓치지 말자 하였다. 그 이튿날 그는 ○○으로 병호의 모친을 쫓아갔다.

과연 거기도 그런 편지가 와서 부랴부랴 지금 길 떠날 준비를 한다는 것이었다.

그때 건오는 자기한테도 편지가 왔다고 같이 갈 뜻을 말하니 그러지 않아도 여자들만 먼 길을 가기가 염려되는 차에 작히나 좋으라고 반가워한다.

건오는 그들과 ○○정거장에서 그달 그믐날 첫차로 떠나기를 약속하였다.

건오는 돌아오는 길로 풋바심을 서둘러했다. 하루라도 더 춥기 전에 들어가야 한다 해서 날짜를 바듯하게 작정했기 때문이다.

그러나 그때 그 말을 듣고 모친은 마치 다시 못 올 사람처럼 낙심을 하며 슬퍼했다. 그날은 한사하고 못 가게 한다.

"좌우간 가보아서 인차 나올 테니 염려치 마서요. 남들이라 들어갔을 나구요…돈 몇 십 원 술 사먹은 셈치고 구경 삼어 가보구 오겠소."

건오는 이렇게 그들을 위로하였다.

"그래두 근 백리를 찻길에서 더 들어간다는 걸 날은 차차 추어지는데 어떻게 간다구 그러나…"

"뭐 괜찬허요. 그까진 백리 쯤야-여자들두 가는데요."

건오의 결심이 굳은 것을 알자 고부는 더 만류하지 못하였다. 하긴 건오의 생각에도 이번에는 우선 구경으로 가보고 싶었다. 그래서 내년 농사를 지을 수가 있다면 집안을 정리해가지고 봄에 다시 들어갈 작정이었다.

그런데 막상 그때 들어가 보니 일은 예상대로 되지 않았다.

병호가 있는 곳은 ○○에서 오지로 더 들어가는-송화강 지류로 연한 강벌이었다.

강 좌우일대에 있는 황무지가 질펀하게 외로 묵어 자빠졌다.

건오는 병호의 가족을 인솔하고 들어가면서 차속으로만 내다보아도 망망한 광야가 끝없이 연한 것이 엄청나보이었다. 그렇게 들 속으로만 차를 타고 왔건마는 ○○역에서 내려가지고 병호 있는 고장을 들어가는 곳이 역시 무변대해와 같은 벌판이다. 그는 만주 벌판이 넓단 말은 들었지만, 이렇게까지 굉장할 줄은 몰랐다.

그것은 더구나 산속에서만 자라난 건오로서는 상상치도 못할 일이었다. 그는 동해바다의 넓은 것은 보았으나 평지가 이렇게 넓은 것은 못 보았다. 더구나 눈이 하야케 덮인 평원광야는 온통 그것이 전장(田庄)으로 연한 것만 같았다.

그때는 만주의 넓은 들은 땅에 주린 건오의 마음을 우선 푸근하게 해주었다. 그것만도 구경 온 보람이 있을 것 같았다. 그것은 마치 부잣집 큰집에 온 것처럼 제절로 배가 불러진다. 이런 것을 일러 농민의 본능이라 할는지는 모르나. 그때 건오는 여비를 써가며 온 것도 아까운 줄을 모르고 오직 앞날의 할일과 동경에 가슴이 기껏 벅찼을 뿐이었다.

4. 都市의 誘惑(一)

그러나 그 뒤의 건오가 만주에 발을 붙이고 정작 소원대로 농사를 지어본 결과는 어찌되었던가? 지난 일을 지금 생각하면 그는 모든 것이 아득한 꿈이었다. 자칫 했더라면 정말 좋은 꿈이 현실로 나타났을 번 하였다. 어느 때는 그 꿈이 이루어졌다가 경각간에 다시 연기같이 자취를 감추게 된 것이야말로 이고장이 아니고는 도저히 있을 수 없는 것 같기도 하였다.

그때 건오는 병호의 가족을 영거하고 들어와서 이내 눌러 있다가 이듬해 봄부터 농사를 시작했다.

그것은 물론 병호의 주선이었다.

그가 병호의 주선으로 만인의 황지판을 얻어서 신풀이를 하게 되었는데 그때만 해도 송화강 연안을 끼고 있는 벌판에는 처녀지대와 비옥한 진펄이 얼마든지 차고 남도록 많이 묵어나 자빠졌었다.

병호는 수년 채 농사를 잘 지었다고 그해에 집까지 새로 지었다한다. 그래서 가족을 드려오게 한 것이라는데, 그날 그는 도야지를 잡고 술을 통으로 사다가 십여 호 사는 동포를 빠짐없이 청해서 진종일 잔치를 베풀고 즐기었다.

손님들이 흩어져 간 뒤에 병호는 술상을 새로 차려가지고 잘 자리로 들어와서 단둘이 정배를 나누게 되었을 때

"그래 자네는 이번에 어떻게 하기로 들어왔나?-자, 한잔 들면서 얘기도 하세."

하고 의미 깊은 질문을 꺼내었다. 건오는 한잔 받아 마시고 그 잔에다 다시 따라서 주인을 권한 후에

"글쎄-우선 자네를 만나보고 형편을 알아볼 겸 구경 삼어 들어왔네."

하고 건오 역시 그때 마음먹은 대로 이실직고하였다.

"구경을 왔으면 바루 나가겠단 말인가?"

"그럼 나가야 할 것 아닌가?"

건오는 병호의 재차 묻는 말이 도리어 의아하게 들리었다.

"내 말은 내년 농사를 안 짓고 그냥 나가겠는가 그말이야?"

"내년 농사를 짓더라도 한번은 갔다 와야 할 것 아닌가-식구들을 데려 오자면…"

"식구는 나중에 데려와도 좋단 말일세."

"그럼 나 혼자 여기서 농사를 지란 말인가?"

건오는 즉시 병호의 하는 말이 수긍되지 않았다.

"못 지을 건 뭐야-자네 혼자 한해 농사를 지어놓고 내년이나 후년 가을쯤 식구를 불러들이는 게 제일 좋을 것 가태서 말야."

"대관절 농사치는 구할 수 있는가?"

건오는 반신반의 하는 표정을 지으며 병호의 심중을 떠보았다.

"그야 농사를 짓겠다면야 내가 어떻게든 변통을 해보지. 자, 어서 들게!"

"글쎄…이건 너무 취하는걸!"

독한 짠스가 들어갈수록 창자가 짜르르하여 벌써 취기가 돌아온다.

"취하긴 뭘까-여깃 술은 암만 먹어야 뒤탈은 없느니-후 골치두 안 아프구."

"그런가! 술맛이 향취가 도는 게 조선서 먹어본 배갈과는 술맛이 아주 다른데."

건오는 술을 마시고나서 안주를 집은 후에 주인에게 또 한잔을 권하였다.

한동안 술잔이 왔다 갔다 하며 술 얘기가 계속되었다.

"그거와는 다르지-조선 배갈이야 어디 진짜인가, 그건 조선서 만드는 조선 배갈이지 허허허"

그럼 어떻게 할까…한해 농사를 우선 지여볼까?"

건오는 자기의 사정으로 생각이 옮기자 어느 편이 나을는지 몰라서 잠시 난처한 빛을 보이었다.

"그건 자네 생각대로 하게마는 고향에 안 나가두 상관만 업거들랑 기왕 들어온 길이니 내년 농사나 한번 지여보게-어디 시험쪼로-"

건오는 한참 생각해보다가

"그럼 자네말대로 그래볼까. 원체 내 생각에두 고향에를 갔다 오자면 사실 안팎 노자가 적잖게 들 터엔데 그것두 어렵구한즉 어디 그대로 있어보겠네-. 그렇지만 모든 것을 자네만 믿고 해야 할 테인데 그럼 자네 댁에 폐가 매우 될 것 가태서 아까두 선뜻 대답 못한 건 그래 미안해서…어디 한겨울동안 벌이 할 곳이 없겠는가?"

건오는 진정으로 병호에게 청하는 말이었다.

"원 천만의 소리를 다하네그려. 그만 일자리도 없거니와 있더라두 건 그만둬야 하네!"

"왜?"

"왜라니 남의 집 고용을 살기로 말하면 내년농사를 어떻게 짓느냐 말야-그런 염려는 말구 우리 집에 그냥 있다가 해동이 되걸랑 일을 시작해보세."

그리하여 건오는 그 이튿날 집으로는 편지를 써 부치고 병호의 집에 이내 눌러앉아서 머슴처럼 집안일을 거들어주고 있었다.

4. 都市의 誘惑(二)

그럭저럭 고대하던 새봄이 돌아왔다. 음력으로 춘분절호가 지나면서부터 눈 속에 얼어붙었던 땅은 차차 풀리기 시작한다. 그러면서 지동 치듯 연일 부는 봄바람은 유명한 이고장의 흙먼지를 날리었다. 그것은 토우와 같이 천지가 자옥하야 지척을 분별할 수 없게 하고 눈코를 못 뜨게 했다.

그러나 시꺼먼 흙속에서는 어느 틈에 새싹이 일제히 움터 오른다. 푸실푸실한 흙덩이가 떡 조각처럼 갈라진다.

건오는 농사철이 되자 겨우내 가두었던 정력을 일시에 해방하여 신풀이를 시작했다. 거기는 바로 병호가 개척한 논으로 연접한 저습지(低濕地)였다. 이 땅 역시 병호가 얻어짓는 만인지주의 소유인데 그는 건오가 안 들어왔으면 자기가 더 짓던지 누구에게나 방천을 주려고 연두리(年頭附)로 얻으려던 것이었다.

병호는 그동안의 경험으로도 이 고장의 사정을 통하게 되었다. 첫째 그는 만주 말을 할 줄 알고 거기 따라서 그들의 생활풍속을 짐작하게 되자 차차 그들과 접근할 기회를 가졌다. 그래서 만인의 지둥(地東)-地主-과도 알게 되었는데 그도 처음에 이곳에 들어왔을 때는 한 해 동안 방천사리를 살아보았었다. 그것은 병호 뿐 아니라 남만주나 간도로 들어왔던 이주민들 속에 인중이 많아질수록 거기서도 땅이 귀해서 주점할 수 없는 사람들은 차차 북만의 오지로 밀려들어왔었고 그런 사람들은 대개 방천사리를 할 수밖에 없었다.

그래 이때쯤 해동이 될 무렵에는 방천사리를 구하러 들어오는 사람들이 여기저기서 적지 않았다한다.

그런데 건오는 다행이 병호의 발련으로 초대로 들어왔으면서도 수월하게 싼 땅을 얻을 수 있었다. 그는 여섯 쌍을 주자는 한단씩 주기로 얻었기 때문이다.

그때 이웃사람들은 혼자 손포에 그렇게 짓기는 너무 과하다고들 하였다. 그러나 건오의 생각에는 남의 끔설(나)만 부지런하면 될 듯 싶었다. 그보다도 제일 땅에 주리던 그때 생각으로서는 어디 한 번 기껏 농사를 지어보자는 욕심이 치받쳤다.

과연 여기 땅은 정말로 농군의 비위를 있는 대로 동하게 한다. 건오가 처음 그 땅을 얻은 뒤에 해동이 되기 전부터 틈틈이 나가보면 제절로 군침이 삼켜졌다. 그리고 그는 어서 농사를 시작했으면 좋겠다 싶었다.

그가 병호와 같이 괭이를 둘러메고 첫날 들일을 나갔을 때 얼마나 큰 희망에 가슴을 불태우고 있었던지 모른다.

이 넓은 들안을 논을 죄다 풀어서 만일 풍년이 들 수 있다면 당장 올해 안으로 한 밑천을 잡을 수 있을 것 아닌가. 그런 생각을 하니 그는 금시에 온 들안의 마른풀이 황금 같은 벼이삭으로 들어선 것처럼 황홀하게 보이었다.

사실 그것은 조금도 몽상(夢想)이 아니었다.

여기농사는 조선같이 못자리를 하지 않고, 더구나 신풀이는 거름도 안준다니 힘들 것이 별로 없지 않은가. 그래 처음에는 거짓말같이 들리었으나 먼저 해본 사람들이 그렇다고 우기니 믿을 수밖에 없었고 그들이 하라는 대로 배울 수밖에 없었다.

황사판의 신풀이는 논바닥을 쪼일 것도 없다한다. 그것은 대충 지면을 골라서 물을 가둘 때에 수평(水平)이 되도록 해놓으면 그만이었다. 그리고 논배미를 구분해서 논둑을 만들어놓고 그 안에 물을 대도록 만들면 우선 개간된 수전으로 될 수 있다는 것이었다.

히긴, 건오가 얻은 황지에는 약간의 포자(泡子)-(天然水溜池)가 끼여 있었다. 그러나 거기는 그리 깊지 않아서 근처의 높은 데를 까뭉개다가 메우기만 하면 이공보공이 될 수 있었다. 돌멩이는커녕 모래 한 알도 없는 흙 땅이라 그것을 파내기도 수월하였다.

그리하여 그는 병호가 시키는 대로, 풀밭에다 물을 가두어 넣고 볍씨를 뿌려두었다.

그 볍씨가 아지를 틀 무렵에 하루는 낫을 들고 들어가서 마른 풀의 우둥지를 처내었다. 그랬더니 물밑에 든 풀뿌리는 썩어버리고 그 위로 새파란 벼싹이 커 오른다. 그것은 참으로 신기한 일이였다. 풀뿌리는 제물로 거름이 된 것이다.

만주의 토질은 이상하다. 시꺼먼 땅이 푸석해 보이여서, 비가 오면 곤죽같이 개개풀어지는 게 끈기라고는 조금도 없다. 그렇다가도 마르기만 하면 그놈이 돌덩이처럼 딴단하게 굳어진다. 그런데 이런 땅이 걸기는 무척 걸다 한다. 이와 같은 토질은 대륙적 기후와 보조를 맞추어 나갔다. 해동이 되면서부터 기온(氣溫)은 갑작이 올라가서 인제 봄인가 했는데, 어느덧 더워진다. 그러는 대로 벼는-한 달 동안에 훌쩍 커버린다. 그것은 벼키가 크는 것이 눈으로 뵈는 것처럼 빠르게 된다. 날마다 가보면 키가 달러진 것 갔다. 건오는 듣던 말과 역시 풀리지 않는 이 광경을 보고 다시금 놀라기를 마지않았다. 그와 동시에 매일 새벽부터 나가서 한여름동안을 들 속에서만 살았다.

그리하여 그는 불과 서너 달 동안에 한해농사를 푸짐하게 잘하였다. 그해는 도처에 풍년이 들어서 누구나 수전을 진 사람으로는 낭패를 보지 않았다.

병호도 농사를 잘 지어서 그들은 추석전후에 추수를 해 들였다.

4. 都市의 誘惑(三)

그해 가을에 병호가 목돈을 해 쓰려고 한목 벼를 판다는 바람에 건오도 계량할 것만 넉넉히 남겨놓고 두 집 추수한 것을 몽땅 할빈 역으로 실어냈다. ○○정거장까지는, 당일 우마차로 실어 날랐다.

그때 건오의 생각에는 그 벼를 팔아가지고 고향으로 나갈 작정이었다. 그것은 식구들을 데려올 생각으로 그랬던 것이다.

대도회를 처음 가보는 건오는 정신이 얼떨떨해졌다. 그는 차에서 내리자, 도무지 어디가 어딘지 어수선해서 향방을 차릴 수가 없었다. 더구나 꼬부랑 글자밖에 안 보이는 데는 금시로 눈뜬장님이 된 것 같다. 다행히 병호는 다소간 발길이 익은 모양이었다. 하긴, 건오는 병호가 아니라면 이런 데로 벼를 팔러 올 염도 못 냈을 것이다마는.

그들은 우선 근백 석 되는 벼를 짐을 풀어서 조선인정미소에 맡기도록 하였다. 역에는 정미소사람들이 나와 있었다.

건오는 지금 생각해도 그때 할빈으로 간 것이 잘못이었다. 그것은 설령 돈푼이나 더 받는다 할지라도 안팎 로비와 객돈이 부서지니 앉아서 밑지고 파는 것이 도리어 실속 있는 장사로 볼 수 있기 때문이다.

그것은 병호도 그런 생각이 없진 않았다. 그러나 그도 아직 「할빈」 같은 번화한 대도시에는 지나는 길에 잠간 겉으로 들려보았을 뿐! 한 번도 속 구경을 못하였다. 그는 이런 기회에 구경도 하게 되면 그야말로 일거양득이 아니냐고 건오한테도 같이 가자고 꾀인 것이었다.

그러나 그들은 이 속구경이 일이었던 것을 나중에 알고 후회했다. 할빈이란 어떤 곳인지 그들은 뜨거운 국 맛을 잘 몰랐다. 그것은 마치 무성한 풀 속에 숨어서 개구리가 뛰어들기를 기다리는 뱀처럼 화려한 도시 속에 앉아서 농민의 주머니를 노리는 불한당(不汗黨)이 있는 줄을 어찌 알았으랴?

정미소에서는 벼 시세가 아직 눅으니 좀 더 기다려보고 팔자는 것이다. 그들에게는 그 말이 당연이상으로 당연하게 들리었다. 가령 벼 한 근에 일전씩만 더 받는다 해도 한 섬에 이원각수의 이해가 붙지 않는가. 그만해도 백 섬이면 이백여 원의 손해를 보게 된다.

그래 그들은 차일피일 시세가 오르기만 고대하고 있었다. 시세는 곳 오른다는 바람에-.

처음 며칠 동안 그들은 구경바람에 말리었다.

송가리(松花江)는 배를 타고 구경했다. 그들은 송화강의 거친 파도를 헤치고 내려가 보기도 하였다. 여긴 뽀이의 설명으로, 그들은 태양도(太陽島)의 해수욕장 이야기를 흥미 있게 듣고, 연인의 풍경을 놀라운 눈으로 둘러보았다. 여름 아침에는 태양도 일대에 수만 명의 남녀 나체군(裸體群)이 들끓는다 한다. 그것은 참으로 진풍경을 이루는 것이 장관이라 한다. 그러나 지금은 쓸쓸한 강변에 배 한 척 볼 수 없고 오직 성난 파도가 런지를 물어뜯고 있었다.

할빈도 역시 들 가운데 버려진 도시었다. 수많은 양옥집이 근검하게 공중으로 솟은 옆으로 송화강의 도도한 탁류가 한 구비를 돌아나갔다. 넓은 벌판은 소슬한 가을 바람에 불리어 더욱 광막히 보이는데 몸부림치는 낙엽들만 이리저리 뒹굴다가 다시 공중으로 떠올라간다.

까마귀 한 떼가 송화강 저편으로 날고 있었다.

거기서 그들은 시가지로 다시 발길을 돌리었다. 꽃밭 같은 노인묘지(露人墓

地)와 극락사(極樂寺)를 구경하고 제일 번화하다는 「기다이스카야」 거리를 가 보았다. 유명하다는 「추린」 백화점에도 올라가 보았다. 학교나 공원이나 관청 회사 할 것 없이 모두다 근검한 설비와 굉장한 규모를 가진 건물들이었다. 그들은 모든 것이 처음 보는 광경이요, 가는 곳마다 놀라운 눈을 크게 떴다.

밤에는 역시 여관 사람의 안내로 밤거리를 구경나섰다. 「로스케」의 「딴스홀」과 「캬바링」을 들여다보기도 하였다.

그들이 처음 보는 서양여자들이 전등불 밑에서 찬란한 의상을 나부끼며 나비처럼 춤추는 광경은, 참으로 말만 듣던 서양에나 온 것 같이 호기심을 자아냈다.

그들은 저녁마다 밤거리로 구경을 나섰다. 중국인의 유곽을 배회하며 꾸냥(姑娘)들을 놀려먹었다. 거기가 제일 만만하기 때문이다. 여관에서는 그들이 벼를 싣고 온 줄을 알자 청하기가 무섭게 여음령 시행이다. 그들 역시 현재 주머니는 비였어도 마음은 푸근하였다.

정미소에 맡겨 둔 벼를 팔면 내일이라도 당장 큰돈이 들어온다. 그들은 제가끔 이런 공산을 할 때마다 할빈 바닥이 오히려 오죽잖게 깔보이는 것이었다.

그러나 건오는 병호를 은근히 경계하였다. 그것은 병호의 과거를 잘 알기 때문이다. 그래서 그는 병호가 객쩍은 돈을 쓰고 싶어 하는 눈치를 볼 때마다 이리저리 핑계를 대고 낭비를 못하도록 간섭하였다.

4. 都市의 誘惑(四)

어언간 그러는 중에 덧없는 객지의 세월은 빨라서 삼사일이 훌쩍 지나고 오륙일이 닥쳐왔다. 그들은 구경을 다니기도 인제는 시들해지고 그 대신 집 생각이 자주난다. 첫째는 주머니에 돈이 없으니 구경을 다닐 멋도 없다. 이래저래 그들은 초조해서 날마다 한차례씩 정미소를 가보았다.

그러나 정미소에서는 여전히 그런 말을 진정처럼 되풀이한다. 마침내 그들은 객지의 옹색을 참을 길 없어서 하루아침에는 일찍이 정미소의 주인영감을 만나보러 전차를 타고 도외 남마로(道外南馬路)에 있는 ○○정미소로 찾아갔다. 모은단 조끼위로 청배자를 입은 주인영감이 그들을 방안으로 맞아들이면서

"웬 일들이어-이렇게 일찍이?"

눈망울을 굴리며 거만스런 목소리를 꺼낸다.

"영감님! 오늘 시세는 어떻겠습니까?"

병호는 다짜고짜로 볏금부터 물어보았다. 그들은 시세가 엔간하다면 오늘 안으로 당장 팔아 달랄 심산이었다.

그러나 이목이가 다된 정미소영감은 벌써 그 눈치를 모르지 않았다. 그는 대뜸 한손을 넘겨 집고, 태연하게

"글쎄 아직 모르겠네마는, 아마 오늘도 시세가 무시할 것 같은데."

영감은 돋보기 너머로 흘려보며 우선 공짜를 놓는다.

"오늘두 못 팔면 그럼 탈인데요, 어서 속히 좀 넘겨주셔야겠습니다."

건오도 한마디를 졸라보았다.

"탈은 무슨 탈?"

영감은 연신 그들의 눈치만 살피었다.

"아-어서 팔구 내려가야지요. 물밥 사먹구 공연히 객지에서 묵을 수 있나요."

"허허-그야 그렇지만 시세가 워낙 눅은 걸 어찌하나! 그래두 볏금이 오르기만 하면 그게 다 게 있는 걸 그래! 이왕이면 구경두 할 겸 며칠간 더 들두구 보소."

"그렇지만 어디 한많이 묵을 수가 있어얍지요-집안일두 궁금하구…"

"그럼 이렇게들 하지-둘이다 묵구 있자면 비발이 더 날 테니 하나만 떨어졌다가 팔구 갔으면 되지 않나-한동네에 산다면 그래도 좋지 안허?"

영감의 생각에는 두 사람보다는 한사람을 다루기가 홀가분해서 제 속셈만 따지고 하는 말이었다. 그러나 건오는 그 말을 반대했다.

"어디 그럴 수야 있습니까? 제가끔 쓸 소용이 따루 있어서 온 겐데요."

"그럼 더 기다릴 수밖에 없지-일껀 여기까지 처 실고 와서 헐하게 넘길 테면 뭘 하러 왔어-앉은자리에서 팔아 버리지. 그러니까 두말할거 없이 좀 더 참어보라구-그래야만 손해를 안 볼 테니까…"

"그럼 그러세-별수 없지 않은가?"

병호는 건오를 돌아보며 의논조로 말한다.

"글쎄 원…"

건오 역시 어찌했으면 좋을는지 모르겠다. 그밖에 별도리가 없어 보인다.

"그럼 영감말씀대로 합지요. 그런데 영감님! 나중에 회계해 드릴 테니 돈 오십 원만 취해 주실 수 없겠습니까?"

병호는 제 돈을 쓰면서도 머리위로 손이 올라가며 미안한 태도를 보이었다.

"돈은 뭘 하게? 그렇게 많이"

주인영감은 펄쩍 뛰며 짐짓 놀라는 척한다.

"잔돈두 띨어지구요. 어디 옹색해서 견딜 수가 있어얍지요"

"그럼 조금씩만 갔다 쓰지. 오십 원 턱이나 뭘 할나구…젊은 사람들이 돈을 가지면 못 쓰는 법야-더구나 할빈 같은 이런 데서는…허지만 옹색하다니 자-우선 이십 원씩만 갔다 쓰소-공연히 객적은 돈은 아여 쓸 생각을 말구-"

영감은 이렇게 승을 떨며 지갑을 꺼내더니만 십 원 지폐 넉 장을 세여 준다.

"고맙습니다. 그렇게까지 생각해주시니…"

병호는 사실 그의 진정이 고마워서 두 손으로 방바닥을 집고 공손히 절을 했다.

"그럼 심심한데 구경들이나 슬슬 다니소-자고루 늙은이의 말 들어서 하나두 낭패 본일 없는 거야 허허허-"

"녜 지당한 말씀이올시다."

그들은 활기가 나서 그길로 여관으로 돌아왔다.

여관에 돌아와 앉았으니 역시 심심해서 견딜 수 없다.

"여기 조선 음식점이 있나요?"

"그럼 있구 말구요-색시 있는 술집두 있지요"

여관집주인은 묻지도 않는 말을 한술을 더 떠서 대답한다.

"우리 조선집을 한번 가보세-이런데 오니까 고향 생각이 더 나는데!"

"글쎄…"

그날 밤에 그들은 여관 뽀이에게 물어가지고 색시 있는 조선술집을 가만히 찾아갔다.

4. 都市의 誘惑(五)

그들이 찾아간 음식점은 요릿집을 겸한 얼치기 음식점이었다. 건오는 병호가 가자는 바람에 술이나 한잔 먹어보려고 따라나섰다. 촌티가 질질 흐르는 그들이 찾아온 것을 보고 술집에서는 벌써 어떤 사람들인 줄을 짐작할 수 있었다.

만주의 도시는 비단 할빈 뿐 아니라, 거의 농촌 속에 둘러싸여있다. 넓은 들안에 있기 때문이다. 그만큼 가을의 수확기가 돌아오면 해마다 한 번씩 추수 때의 대목함을 보려고 누구보다도 노골적으로 덤비기는 요릿집이었다.

그들은 추수기가 임박하면 다투어가며 색시들을 사온다. 그리고 농군들을 낚으려고 고대한다.

촌사람들이 일년 내 농사를 지은 것을 가을이면 소바리로 실어낸다. 그들은 할빈 같은 도회지로 달려 나온다.

그들이 처음에 들어올 때에는 도시의 유혹성(誘惑性)을 경계한다. 그래 그들은, 제가끔 마음을 도슬러먹고 주머니 끈을 옹똥그려 맬 것부터 작정한다.

"어림없지! 어떤 놈들이 내 돈을 먹으려 들어?-이 벼가 어떻게 된 곡식인데…"

이런 굳센 맹서를 누구나 다하고 오기는 일반이리라. 그러나 그들은 정미소에서 우선 병호와 같이 발목을 잡히게 된다. 그러면 벌써 요릿집에서는 누가 벼를 팔러왔다는 기별을 듣게 되고 미구에 그 고기떼가 몰려든다. 그것은 병호와 같이 제품에 들어오기도 하고 여관의 조망구니가 몰고 오기도 한다. 그러면 고만이다. 그들은 여자의 홀림에 넘어가서 어느 귀신이 잡아가는지도 모르게 주머니를 몽땅 털리고 만다.

이런 줄을 모르고 병호가 제 발로 찾아갔으니, 그 집 사람들이 여북할 리가 있느냐. 그야말로 칙사대접이상이다. 건오는 슬그머니 겁이 났다.

"어서 들어 오십시요! 두 분이 십니까?"

꽃 같은 색시가 일편 맞아들이는 품이 마치 구면인거나 같이 있는 정을 담쏙 쏟는다.

병호는 여자가 예상한 이상으로 다정할 뿐 아니라, 인물이 해사한 것이 우선 마음이 솔깃해진다. 그리고 제 딴은 시굴난봉으로 자처도 해보고 만주에 들어와서도 여러 곳을 방랑해 본 터이었다.

술집 계집을 더러 다루어본 경험이 있는 그는 설마 저의들한테 바가지를 쓰냐고, 그래 계집들의 대우가 깍듯한 것을 도리어 사람을 알아보나 보다 하고 자만하였던 것이다. 이에 그는 서슴지 않고 술을 청했다. 둘이 먹을 바에야 기껏해야 십 원 이내 밖에 더 되냐고-.

"술 한 잔 먹을 수 있겠소?"

구석진 방으로 끌려들어간 그들은 방석 위로 자리를 잡고 앉자 우선 병호가 이렇게 말을 붙였다.

"그럼 있구 말구요-뭐 정종으로 드려올까요?"

여자는 생글생글 웃으며 교태를 있는 대로 보인다.

"아니, 짠주로 드려오!"

"녜!"

여자가 나가더니 조금 있다가 다시 들어오는데 그의 꼬리를 물고 다른 색시들이 두서넛 따라온다.

"영감! 못 본새 안녕합시요? 영감! 안녕합시요!"

평생 처음 듣는 영감소리가 어색하다.

그러나 그때 병호의 마음은 마치 남원부사를 새로 부임한 변학도가 된 것 갔고 첫 공사로 기생 점고를 받을 때처럼 어깨가 우쭐해진다. 그는 큰기침이 제절로 나왔다. 그와 동시에 그는 속으로 감심하였다. 과연 큰 도시라 다르구나! 할빈이 국제도시라더니 그만큼 개명한 도회가 되어서 이런 요릿집도 다른 데보다는 더 친절하고 계집들까지 다정한가 보다 하였다.

거무하에 간단한 술상이 들어왔다. 여자들은 서로 다투어가며 술잔을 권하고 「불로초」를 부른다.

한잔 두잔 술이 들어갈수록 그들은 차차 취기가 돌았다. 술이 취하고 보니 건오도 마음이 쾌활해졌다. 어찌 됐던지 먹구 보자-술값이 몇 십원 갈 것이냐? 이왕이니 한번을 먹어보자!-하고 더욱 병호는 만사태평으로 허리끈을 늘였다.

그러는데도 계집들은 서로들 그들의 비위를 맞추려고 애를 쓴다.

그들은 연해연신 두 사내를 추어올리고 비행기를 태웠다. 건오도 처음에는 그들이 피새를 부리는 줄만 알고

"색시들은 우리 같은 촌사람은 싫으면서두 공연히 건성으로 그러겠나!"

하고 한번 퉁기어 보았다. 그러니까 한 색시가 정색을 하며

"아니야요. 나는 진정으로 농사짓는 촌양반이 좋아요."

한다.

"나두!"

또 한 여자가 맞장구를 치며, 추파를 보낸다.

"어째서?"

"그것은 순박하니까-난 정말로 영감 같은 촌양반이 제일 좋아요!"

하고, 먼저 병호를 안내하던-옥화가 눈웃음을 생글생글 친다. 그 바람에 병호는 더욱 혼이 빠져서 권하는 대로 연신 술을 들이켰다.

4. 都市의 誘惑(六)

얼마를 먹었던지 술이 매우 취한 줄을 깨달은 건오는 정신이 펄쩍 나서 그만 가자고 병호의 어깨를 흔들며 지갑을 꺼내들었다.

"얼마야? 술값이…"

"왜 고만들 잡수시게요?"

어느 틈에 다른 여자들은 다 나가고 방안에는 옥화와 계향이만 단둘이 남아있다.

"고만 가야지 술값이 얼마야?"

병호는 거슴츠레한 눈으로 옥화를 쳐다보며 고개를 가누지 못하고 근드렁거린다.

"뭘 얼마나 잡수셨나요-오 원만 내십시오."

"오원! 아니 여태 그밖에 안 되었서?"

사실 건오의 생각에는 적어도 십 원은 달아날 줄 알았는데 겨우 오 원을 내라는 데는 놀랄 만큼 술값이 싸다.

"그럼요 그밖에 더 안됩니다."

"거-대단히 술값이 싼데-촌 술집보다도 싸니 웬일야?"

건오는 병호가 낸다는 것을 고만두라고 오 원짜리 한 장을 골라서 꺼내주었다. 십 원짜리는 안 거슬러올까 무서워서.

"아니 정말로 가실래요? 약주가 취하셨는데 어떻게들 가신다구 그래…"

취중에 들리는 여자의 목소리가 더한층 아리땁다.

옥화는 뽀이를 불러서 돈을 내주고 그들의 눈치를 번갈아 본다. 계향이도 그의 밀을 부추긴다.

"못가십니다. 지금이 어느때라구…"

"뭘 못가-여기서 여관이 그리 멀지 않지?"

"쓸쓸한 여관에가 주무실 거 뭘 있어요, 아무데서나 한심 주무시지"

"그럼…옥화! 나 좀…재워주려나 아이 취한다."

"그러서요. 정말로 주무시구들 가서요!"

병호는 취안이 몽롱한 눈으로 옥화를 홀린 듯이 다시 본다. 그는 자고 싶은 생각이 없지 않았다.

"정말루 못가십니다. 여기는 밤중에 통행하기가 위험하답니다-"

계집들은 쳐놓았던 그물을 인제야 바짝 줄을 채기 시작했다.

"자기는 어서 잔다구 그러나 늦어두 가야지"

"이 영감은 왜 그러신대요! 못 주무실 건 또 뭐있어요"

계향이는 더한층 애교를 부리며 건오의 손들을 잡는다. 건오는 생각할 수록 사정이 맹랑하다.

"아니 그럼 옥화-우리가 잘 수 있는 빈방이 있겠소?"

"그러서요-제방으로 가서요. 정말이여요!"

옥화는 병호의 한 팔을 잡아당긴다.

"하하하-말은 고맙다마는…자네 같은 사람하구는 무서워 못자겠네-고만 두소"

병호는 땅길성이 없지 않았으나 그 역시 뒷일이 켕기어서 다시 정신을 차리었다.

"무섭긴 누가 잡아먹나 뭐"

"아니 그런 게 아니라-내같은 사람이야 어디 도…돈이 있어야지 말야!"

병호는 취중에도 이렇게 우멍을 까보았다.

"아따 누가 영감을 돈 바라구 그러던가요! 이런데 있는 사람이라구 돈만 아는 화냥년으로만 보지 마십시오."

옥화는 금시로 실쭉해서 입술을 내밀며 능청을 떨었다. 그 말은 더한층 병호의 가슴을 찌른다.

"하하하-옥환 그렇지 않은가 그럼 잘-잘못했으니 허들치 말구려!"

"그럼 여기서 주무서요! 네?-난 영감들을 처음 뵈와두 참 어쩐지 마음에 끌려서 진정으로 하는 말인데 우리가 무슨 돈이나 바라는 줄 알구…겁을 내시구…아이 참, 영감들두 졸장부들이 십니다? 숙박 돈 안 받을 테니 안심하시구 주무시구들 가서요."

"우리가 정말루 당신들 맘에 그렇게 들어?"

"그럼 들구 말구요! 난 영감한테 정말로 반해서 그런대두-호호호…인제 자구가시지요?"

옥화는 이 말이 떨어지자 무작정하고 병호를 제방으로 끌고 들어간다. 건오도 할 수 없이 계향에게 끌려갔다.

병호는 옥화의 말이 진심으로 곧이들리자 슬그머니 어떤 충동이 불 일 듯했다.

건오 역시 혼자는 갈 호기가 없었다.

할빈에서는 대낮에도 자동차를 타기가 위험하다니 더구나 밤중이랴? 운전사는 초행객인줄 알면 교외(郊外)로 태워가지고 가서 재물을 뺏고 사람도 죽이기를 예사로 한다는 것이다.

그들이 다른 방으로 끌려들어가자

"그럼 곤하실 테니 어서들 주무셔요."

하고 여자들은 자리를 깔아주고 나간다. 어쨌든 기왕 일이 이렇게 되었으니 숙박료를 물 셈 잡더라도 잘 수밖에 없었다.

그들은 웃옷을 벗고 요 위로 드러누웠다.

××

얼마쯤 잣는지 모르겠다. 방안은 전등불을 꺼서 캄캄한데 보드라운 알살이 드러난 이성의 팔이 건오의 가슴 위에 척-얹혀있다. 꿈인가 생시인가? 잠자리는 분명히 병호와 단둘뿐이었다. 여자들은 나가고 없었는데 그런데 윗도리를 벗은 여자가 포근히 이불 속으로 들어와 안긴 것은 웬일일까? 그래 깜짝 놀라서 그만

"누구여?"

하고 얼결에 소리를 쳤다.

"저여요 그렇게 곤하서요!"

그때 계향이는 옆으로 돌아누우며 건오의 귀에다 가만히 소곤거리고는 다시 그의 목을 구렁이 몸뚱이 같은 팔로 끌어안는다…

4. 都市의 誘惑(七)

그 이튿날 식전에 깨여보니 그들은 서로를 한사람의 여자와 같이 잔 것이 알려졌다. 병호는 옥화와 같이 건오는 계향이와 같이 잔 것이다.

여자들은 병호와 건오가 곯아떨어진 것을 보고 다시 들어와 거사를 한 것이다. 더욱 정신을 모르는 병호는 옥화가 아랫방으로 끌어가고 건오만 그 방에 두었다가 계향이가 살그머니 들어와 잔 것이다. 이런 줄은 모르고 그들이 잠을 깨서 생각하니 참으로 간밤 일이 꿈결 같다. 미쳐도 분수가 있지 이게 도무지 무슨 짝들인가!

그러나 일은 이미 저질러 놓았다. 인제는 아무리 후회해야 쓸데없었다. 그들은 오직 여자들의 처분만 바랄뿐! 두 놈이 퀭한 눈을 멀뚱멀뚱하니 뜨고 앉았다. 여자들이 안 보이는 게 더욱 수상하다.

"이 사람아 어서 가야 할 터엔데…어떻게 한단 말인가?"

"글쎄…좌우간 무슨 말이 있겠지."

그들은 마치 재판장의 선고를 기다리는 죄수와 같이 불안한 공포에 쌓여 있었다.

기다리던 두 여자가 들어왔다. 무슨 선고가 날는지 또 겁이 난다. 그들은 화장을 다시 했다.

"퍽들 곤하셨지요? 세수들 하서요."

하고 여전히 여자들은 아양을 떤다.

"세수는 뭘-여관에 가서 하지."

건오는 퉁명스럽게 대꾸했다. 그는 어서 달아나고만 싶었다.

"아니에요! 세수하시구 해정 좀 하시구 가서요."

하고 계향이는 건오의 팔을 잡는다. 그는 사실 간밤에 겪어본 건오의 건강에 놀라서 지금도 얼굴이 다시 쳐다보인다.

"해정은 뭘…세수나 좀 하구 갈까-입안이 텁텁하니-"

병호가 세수를 하고파하는 눈치를 보고 건오는 더 욱이지 않았다.

"그러서요! 저 영감두 세수하서요."

옥화는 건오를 쳐다보며 의미 모를 미소를 보낸다.

"세수하긴 어렵지 않지만 대관절 얼마야?…"

병호는 묻기가 좀 거북한 말을 꺼내보며 옷소매를 걷어 올린다.

"뭘 얼마여요?"

옥화가 눈을 똑바로 뜨고 묻는 말을 되묻는다.

"숙박료가 말야!"

"웨 여기가 여관인가요?"

옥화는 눈 흰자위가 외로 돌아가며 한마디로 톡 쏜다.

"여관은 아니라도 남의 집에서 잤으니까 말이지."

"그런 말씀은 마시래두-어제 밤에두 말씀 드리지 않었서요! 돈은 안 받을테니 제방에 서 주무시구 그냥 가시라구요…언제 영감들이 주무시자구해서 주무셨어야 말이지 그렇지 않아? 계향아!"

옥화는 계향이를 돌아보며 한 눈을 찌그둥 한다.

"그럼 그렇구 말구-난 정말이지 이 영감한테 반했어…입은 뜸하서두 그 속은 퍽 살가웃어…호호호-"

별안간 계향이는 치마끈으로 입을 가리고 간드러지게 웃으며 머리를 수

그린다.

사실 건오는 이제까지 방외색은 해본 일이 없었다. 더구나 이런 요릿집에서 명색 기생으로 있는 여자들과는 육체적 접촉은 물론이요 그들 앞에서 술 한 잔을 먹어본 일도 없었다.

그런데 천만뜻밖에 난생 처음으로 계향이와 같은 아리따운 여자와 비록 하룻밤일망정 애정을 느낄 수 있었다는 것은 다시없는 행복으로 돌릴 수밖에 없었다. 그것도 그들이 괄시를 하였다면 또 모른다. 그들은 언어 행동에 농군이라고 조금도 차별을 두지 않는다. 여자들의 그런 태도에 반한 것이었다.

"너두 그러냐? 나두 이 영감한테 아주 반했단다-호호호"

하고 옥화는 병호를 쳐다보며 눈웃음을 살살 친다. 건오의 생각에 이쯤 들었다면야 병호는 더 말할 것도 없었다. 그는 옥화에게 진정 미칠 지경이었다. 그리고 그전에 고향에서 외입했다는 것은 공연히 헛돈만 내버린 것 같았다.

그들이 세수를 하구나자 일변 해장국이 들어왔다. 곰국이다!

"이것은 저의가 드리는 술이니 한잔씩 잡숫구 가서요! 그리고 틈 있는 대로 떠나시기 전에 또 놀너 오서요! 네?"

하고 두 여자는 아양을 떨며 한사람씩 사내의 얼굴을 뚫어지게 쳐다본다. 그리고 따끈따끈한 정종을 권한다. 이야말로 또한 꿈인가 싶었다. 그들의 하는 꼴은 점점 도수가 더 하여 한입에 꼴딱 삼키고 싶도록 얄미워 죽겠다.

"그렇지만 이건 미안한데!"

"뭬 미안하서요! 또 오시지요? 언제 오실래요?"

여자들은 한사람씩 붙들고 조른다. 건오는 병호를 쳐다보아야 도무지 아무 눈치를 안 보인다. 그래 그는 십 원짜리 한 장을 꺼내서 계향이 손에 쥐어주며 자리를 일어섰다.

"아이 영감두 망령이야-도루 노서요. 이 돈을랑!"

병호도 옥희에게 돈을 주려다가 안 받아서 그들은 해정만 또 다시하고 그냥 나올 수밖에 없었다.

여자들은 중문까지 쫓아 나오며 흔연히 그들을 배웅하였다.

4. 都市의 誘惑(八)

요릿집에서는 정미소와 내약이 있는지가…그들에게 한손을 늦추어 준 것이다.

그들의 다년간 경험으로 본다면 농군이란 의심이 많고 좀스럽고 뜬뜬하기 짝이 없다. 그들은 조금이라도 수상한 점을 보면 곧 겁을 먹고 꽁무니를 빼려든다. 그들은 그만큼 담이 작고 파겁을 못하여서 매사에 조심조심하다. 그래서 같은 돈을 쓰게 한대도 목돈을 쓰라면 겁을 낸다. 가령 일원씩 열 번을 쓴 것이라면 아까운 줄 몰라도 십 원을 한목 쓰자면 십리만큼 달아난다.

이런 기미를 잘 아는 도회 사람들은 우선 순진한 태도를 보여서 그들에게 의심을 사지 않도록 마음을 눅여준다. 그렇게 꼼작 도수 없이 속아 넘어가게 만든 연후에 비로소 본색을 탄로내서 그들을 함정으로 빠져버리는 것이었다.

그런데 그때 병호와 건오는 그런 속은 전연 모르고 다시 감심하기를 마지않았다. 그것은 무엇보다도 계집들의 너무도 순진한 태도였다.

자-그러고 보니 그들은 그냥 있을 수가 없었다. 정이 들었어도 갈수밖에 없었고 안 들었으면 인사성으로 불가불 또 한 번 안 갈수 없는 형편이었다. 가자니 빈손으로 갈수 없었고 여자가 반했다는 바에야 그들도 모양을 내고 싶었다.

그런 생각이 들며 그들은 제가끔 제 몸들을 훑어보니 너무도 촌티가 흘러 보인다. 우선 더부룩한 머리가 그렇고 텁수룩한 수염이 그렇다. 목욕을 오래 못한 몸뚱이가 불결해 보인다. 동정이 새까매진 조선옷이 그렇다. 발에 꼬인

고무신이 그렇다. 그래 그들은 머리를 깎고 그 길로 목욕탕을 갔다.

그러나 정작 옷을 사 입고 구두를 사 신자니 이십 원씩 타가지고 축낸 그 돈으로는 부족하다.

이에 그들은 다시 의논한 결과 정미소로 가서 돈을 더 취해 올 수 밖에 같은 도리는 없었다.

"영감님! 아주 백 원 턱으로 육십 원만 더 줍시요!"

병호가 쫓아가서 이렇게 청하였을 때 정미소주인은 그를 흘끗 쳐다보더니 한번 빙끗 웃으면서

"돈은 또 뭘 하게?"

능구렁이가 벌써 다 속을 알면서 건성으로 묻는 말이었다.

"저-옷주제두 시꺼멍구…신발두 하나씩 사 신어야 겠어요…창피해서 어디 나다닐 수가 있어얍지요."

병호는 요전처럼 한손으로 뒤통수를 긁으며 하소연하듯 말한다. 주인영감은 우선 병호가 하이칼나 머리를 깎아서 기름을 반지르르하게 재워 바른 것을 보고 속으로는

(흥! 너들 기어히 속혓구나!)

하고 코웃음을 쳤지마는

"그러게-그럼 갖다 써야지 옷 사 입는다는 거야 못한달 수 있나. 하지만 아여 객돈을 낭 쓰지 마소!"

하고 겉으로는 가장 점잖게 훈계를 하여 그럴듯한 외면치레를 하였다.

"네! 그 다 이를 말씀니오니까. 벼나 속히 좀 팔아주십시요."

영감은 마지 못하는 모양으로 돈을 육십 원을 꺼내준다. 병호는 그때 그 돈 육십 원이 어찌도 고마운지 몰랐다. 한편으로는 양심의 가책을 느끼면서.

그러나 그는 오늘밤에 옥화를 다시 만날 일을 생각하니 그보다 더 큰 행

복이 없을 것 같았다.

그는 한달음에 여관으로 뛰어가서 건오를 끌고 나섰다.

그들은 여관사람을 데리고 구둣가게로 갔다. 우선 구두를 한 켤레씩 사 신은 후에 그길로 양복점으로 가서는 쪼메에리(쪼끼에리)를 한 벌씩 사 입었다. 신사복을 사 입자니 부속품도 많이 들뿐 더러 "넥타이"를 매기가 갑갑하고 거북하기 때문이었다.

그러고 나니 자기네도 금시로 양복쟁이 신사가 된 것 같다.

여관사람들은 느닷없이 연신 그들의 인물을 추어주었다.

그날 저녁에 그들은 약조나 한 것처럼 그 집을 다시 찾아갔다. 옥화와 계향이는 예기했던 것보다도 더욱 반갑게 그들을 영접한다.

한데 그보다도 또 한 가지 놀라운 일은 그들이 똑같이 두 사람의 옷 한 벌씩과 모자를 사다두고 기다렸다고 내오면서 어디 맞는지 입어보라는 것이었다.

"아니 이건 웬일들이야?"

두 사람은 너무나 의외이다. 정말로 어인 영문을 모르게 했다. 그때 옥화와 계향이는 조금도 안색을 변치 않고 태연한 자세로 입을 연다.

"웬 웬일이여요? 등이 맞나 입어들 보서요! 어젯밤에 옷을 보고 치소금을 대강 재서 했지마는-모자두 겨냥을 내구…그렇지만 안 맞으시면 고처야지요-"

"아니 그런데 이게 무슨 짓들이야-그러지 안허도 우리가 미안한데…"

"원 천만의 말씀두 다 하시지-아니 정든 양반의 옷 한 벌쯤 못해 들일 거 뭐 있어요-우리가 아무리 이런 데는 있을망정 그만 돈에 부자올 하진 안합니다-자 들어서 입어보서요!"

두 사람은 할 수 없이 제가끔 양복을 벗고 새 옷을 입어보고 모자도 써보았다.

4. 都市의 誘惑(九)

모시바지 저고리에 법안조끼를 입고 털양말에 대님허리띠까지 일신하게 맨 연후에 그 위에다 모직 두루마기를 입고 나서니 그들은 한다는 일류신사 같이 보인다. 그러나 값진 것은 아니요 모두가 눈가림이었다. 더구나 그들은 머리를 새로 깎고 목욕을 깨끗이 한데다가 의복이 날개라고 새 옷을 입었으니 미상불 딴 인물이 튀어난 것 같다.

"아이구 어쩌면 이렇게들 꼭 마지실까-아주 □□선비님 같으신데…호호호…"

여자들은 새 옷을 입은 사내들의 앞뒤를 훑어보며 입에 침이 마르게 추어댄다. 그들은 한바탕 짝짜꿍을 놓았다.

병호와 건오는 여자들이 이렇게까지 할 줄은 모르고 처음에 들어올 때 생각에는 술이나 돈 십 원어치쯤 먹고 돌아갈 작정이었던 것이 또한 낭패를 보았다.

여자들은 참으로 자기네에게 반해서 그런 것인가? 그렇다면 너무도 시간이 빠르고, 과분한 대접이다. 이런 도회지에서 자기네와 같은 남자를 처음 만났다는 것도 안 될 말이고 그렇지 않다면 돈을 많이 쓴 것도 아닌데 어째서 한번 보고나서 당장에 그렇게 반할 수 있을 것인가? 아니라면 그들의 말속으로 과연 자기네의 순진한 농군들의 마음씨를 취한 때문일까?

그런즉 술만 먹고 그냥 갈수도 없는 사정이요, 그렇다고 또다시 자고 갈

수도 없는 사정이다. 일이 이쯤 된 바에는 역시 여자들의 처분만 바랄 수 없다고 그들은 제가끔 내심으로 불안한 생각에 쪼들릴 뿐이었다.

술상이 들어오자 여자들은 또 한패가 들어와서 한잔씩을 따라 올리며 권주가를 부른다.

그들은 주는 대로 받아 마셨다. 술이 얼근해지니 좀 전까지 근심되던 것도 차차 없어진다. 장차야 어찌 되었던 지간에 지금은 누구도 말도 들리지 않는다. 옥화와 계향이는 제가끔 사내의 무릎 앞에 앉고 그 외의 여자들은 마치 여왕을 둘러싼 시녀(侍女)처럼 좌우로 옹위해서 늘러니 앉았다.

그리하여 그들은 그날 밤에도 취하도록 마신 후에 한사람씩 여자의 방으로 끌려가서 자고 말았다.

이틀 밤을 자고났다. 그들의 사이는 아주 □□해저서 여자는 그들을 정말로 제 사내나 된 것처럼 매사에 참견을 하려든다. 따라서 남자들도 그들이 하자는 대로 할 수밖에 없었다. 절에 간 색시가 아니라 이건 요릿집에 붙들린 셈이었다.

그러나 그들은 보가비를 잡혔다는 생각보다도 일이 이쯤 된 바에는 될 대로 되라고 방심하였다. 그들은 어언간 여자와의 정이 들었다. 그뿐 아니라 벼는 안 팔린다. 여관에서 땟거리 없이 앉았기도 무료하다. 이래저래 자연이 생각나는 것은 여자들과 술이었다. 병호는 더 말할 것 없고 건오까지도 차차 그런 생각이 들었다.

그는 한편 자기를 반성하기도 하였다. 그러나 당초에 그런 데를 간 것이 불찰이지 이미 관계가 깊어진 바에야 자기 혼자 발을 뺄 수도 없는 일이였다. 그리고 무슨 그리 큰일날것도 없을 것 같다. 내일이라도 볏금이 올라서 팔리게 되고 그래서 떠나게 될 때에는 그들이 섭섭하지 않도록 무슨 패물이나 사주든지 돈 백 원이나 주면 될 것 아니냐고-이렇게 그 역시도 마음이 커졌다. 왜 그러냐하면 여자들도 그들을 단순하게 생각하고 거기에 반했다 하기 때문이다.

그런데 사정은 다시 제삼기(第三期)로 발전해서 그들은 생각지도 못한 딴 국면이 새로 버러질 줄을 누가 뜻이나 하였으랴!

그들이 세 번째 그 여자들 있는 집을 찾아갔던 날 밤이다.

여자들은 전과 같이 그들을 흔연히 맞아들여서 술자리를 벌리 게 되었는데 옆방에 친한 손님들이 와서 논다고 인사를 붙이는 것이었다.

병호와 건오는 그러거니 하고 무심히 저편과 인사를 통하였다. 그 좌석에는 ○○정미소에 사무원으로 있는 정도도 끼어있음을 보고 그들은 도리어 안심하였다. 혹시 수가 빠지더라도 그가 있으면 눌러보리라 싶어서.

그럴 바에는 피차간 합석을 하자고 정가가 발론을 해서 사이문의 장지를 떠놓고 두 자리를 합하였다. 마침 저편에서는 지금 화투를 하다 말았다고 모이쬬의 투전판을 다시 벌리는 모양이었다.

그것을 보자 여자들이, 우리 편에서도 같이 해보자고 조르기 시작한다. 그들은 심심풀이로 장난삼아 하자는 것이었다.

병호와 건오는 술김에 역시 무심히 듣고 그들이 하자는 대로 화투판으로 쫓아갔다.

이리하여 술판은 필경 화투판으로 벌어지고 말았다.

4. 都市의 誘惑(一○)

건오는 취중에도 놀음을 하는 것은 잘못이란 생각이 들었다. 뿐더러 그는 화투를 할 줄 모른다. 더구나 투전식의 모이쬬는 숫자푸리도 어떻게 하는지 모른다.

"난 할 줄 몰라 못하겠네."

그래 건오는 퇴침을 비고 핑계 김에 벌렁 드러누웠다.

"정말로 하실 줄 모르서요. 그럼 내가 대패로 해 드릴께!"

건오는 계향이가 조르는 것을 이렇게 두말을 못 부치게 뚝 잡어 떼였다. 이 거동을 엿보고 있던 옥화가 계향이에게 눈을 끔적끔적한다. 그는 병호를 붙들고 화투판으로 가서 애기패를 보고 있었다.

계향이는 건오가 쑥스럽게 구는 바람에 어찌할 줄을 모르고 무렴하니 앉았다가 옥화의 군호를 눈치 채고 별안간 요염한 웃음을 머금으며 건오 앞으로 달려든다.

"그럼, 우린 얘기나 하구 놉시다. 나두 화투는 잘 할 줄 몰라."

건오는 넌지시 계향의 손목을 잡는다. 그 말이 은근히 고마웠다.

"응! 거 좋지…어디 당신 집 내력이나 들어둡시다-대관절 어떻게 되어서 이런 데는 오게 되었소?"

건오는 진심으로 계향이를 동정하고 싶었던 것이다.

"아이그 그까진 말씀은 들어서 뭘 하실라구…내남없이 팔자가 기박해서 그렇지요 뭐.”

계향이는 한숨을 나직이 쉬며 금시에 섭섭한 모양을 지여보인다.

“암, 그야 그렇지-당신이 이런 데로 몸을 팔러 온 것이나 나 같은 농사꾼이 만주로 땅을 파러 온 것이나 피차간 고향에서 살 수 없어 떠났겠지. 그렇지만 우연히 당신을 이렇게 알고 보니 어쩐지 남의 일 같지가 않어서 하는 말이요, 그래 정말로 부모 동기간두 업소?”

건오는 취중인지라 더욱 강개한 기색을 띠우며 목소리를 떨었다. 눈에는 자기도 모르게 눈물이 글썽인다.

“없어요-”

“아니, 돌아가시진 않았다면서?”

“죽었는지 살았는지 그것조차 모른답니다.”

여자는 또 한 번 한숨을 내쉬며, 시름없는 소리를 한다.

건오가 계향이를 졸라서 들은 이야기는 아래와 같았다. 그의 부모는 계향이가 일곱 살 때에 고향을 떠나서 간도로 들어왔다 한다.

그들은 만인의 땅을 얻어서 농사를 짓기 시작했는데 가는 날이 장날이더라고, 그해에 흉년이 들어서 빚을 지게 되었다한다. 그 이듬해는 연로한 할머니마저 돌아가시니 이래저래 묵은 빚을 갚지 못한 것이 달마다 새끼를 치는데다가 만인의 박해는 갈수록 무쌍하였다. 그 다음해는 거듭 비적의 약탈을 만나서 농사한 곡식을 몽땅 빼기게 되었다. 그것은 더욱 만인지주에게 빚을 더 지게 되었다. 그런데 그해에 만인 지주는 무슨 심산인지 당장에 빚을 다 갚든지 그렇지 않으면 계향이를 팔라고 족치는 바람에 그들은 할 수 없이 열 살 먹은 계향이를 빼기고 말았다는 것이다.

그때 계향이는 부모와 갈린 후로 인해 소식을 모르는 것이 오늘날까지 묘연하다는 것이다.

만인 지주는 계향이를 키워서 며느리를 삼으려 한 것이라는데 그 집도 식구들이 아편 중독이 되고 몇 해 못가서 집안이 망하는 바람에 계향이는 마침내 국자가의 어느 유곽으로 팔려간 것이 할빈까지 이렇게 굴러오게 되었다 한다.

아랫방에서는 화투들을 하느라고 여전히 떠들썩하였다. 그들은 성냥개비를 나눠가지고 돈 대신 돈을 치렀다. 그러나 그것은 한 개비에 오전씩 작정한 것이라 백 개비를 잃는대야 불과 오원밖에 안되기 때문에 병호도 안심하고 할 수 있었다.

건오는 계향이의 신상담을 듣고 나니 더욱 측은한 생각이 들 뿐이었다. 그는 불현듯 자기의 어릴 적 시절이 회상된다. 그만큼 힘이 있으면 당장이라도 그를 자유의 몸으로 만들어주고 싶었다.

"그런데 당신은 웨 한 푼이라두 모아서 이 굴레를 속히 벗어날 생각은 않구 한부루 돈을 쓰는 게요?"

"그까진 푼돈을 모으면 뭘 하나요?"

"몸값이 얼마랬지? 칠백 원…"

"칠백 원이면 뭘하구 팔백 원이면 뭘 하겠소? 그까진 소린 고만두고 술이나 잡숩시다."

계향이는 몹시 화가 나는 듯이 교자상 앞으로 다가앉으며, 쟁술 병을 흔들어보다가 술이 찬 병을 빈 잔에 기울인다.

"그야 그렇지만…"

건오는 사실 마음이 아팠다. 이래저래 그는 속이 들떠서 계향이와 마주 술만 들이먹고 있었다.

그날 밤에 건오는 계향이 방에서 곯아떨어져 자고 병호는 밤새도록 그들과 놀음을 하였다.

4. 都市의 誘惑(一一)

이튿날 아침에 병호와 건오가 해정을 하고 요전번처럼 여관으로 돌아간 뒤에 여자들은 안주인-어머니-앞에서 간밤에 그들을 굴려먹던 얘기를 해가며 서로를 웃었다.

"그런데 놈팽이들이 오늘 밤에두 올까?"

주인 여자는 다소 염려하는 마음으로 두 여자를 번갈아본다.

"그럼-오구 말구요…황가는 이 애한테 아주 반했는데요 뭘!"

하고 옥화가 계향이의 어깨를 툭 친다.

"아이구 기애는 남 말하네-김가야 말루 너한테 사죽을 못 쓰드라 호호호"

"그럼 더 좋지 않으냐? 뭘들 그리 시새울 것 있니?"

주인 여자는 남자들이 반했다는 말을 듣자, 금방 기분이 좋아서 야살을 한다.

"그렇지만 정말 이편두 반해야 말이지요, 이건 건성으로 반한 척 하자니 사람이 아주 죽겠서요, 든적스러워서…"

"얘들아 별소리 마러라-, 니가 정말루 사내한테 반해바라. 그때는 정말 신세를 조질 테니-손님한테 옭아낼 것두 못 옭아내구 도리어 니 것을 바처야 되거든!"

산전수전을 다 겪고 앙큼스러운 주인여자는 농담으로라도 그들의 비뚤어진 사상을 이렇게 교정해줄 만큼 영리한 위인이다. 그는 여자란 남자를 옭아

먹는 기생충으로밖에 생각지 않았다.

"그래두 황가는 내 신세를 진정으로 동정하는 가부지!-래년 농사를 잘 지으면 또 한 번 찾아올 테니 기다리라구 호호호…"

계향이가 소리를 내뿜고 얄밉게 웃는다.

"그 사람은 보매두 그렇지 않던-어머니 지애가 아마 놈팽이의 관상을 보구 불알을 살살 굴렸나 봐요-해해해…"

"호호호…"

"아이구 저는 쇠통 안 그랬을 것이-남 말을 작작해라!"

계향이는 무안을 타서 귀밑을 붉히며 옥화를 할기족 흘겨본다.

"건 나두 그랬서…누가 안 그랬다니? 그렇지만 김가는 얘-헐렝이라 싱거워서 그렇게 탐탁한 얘기는 못 해봤단다-"

옥화는 계향이가 자기 말에 오해한 줄 알고 사실대로 변명을 부여케 한다.

"그래! 김가는 사람이 좀 싱거워 보이드라만…그래 넌 무슨 얘길 했길래 그자가 오장을 쏟아놓든?"

하고 안주인은 요-지로 아랫니를 쑤시며 감칠맛 있게 계향이게로 시선을 옮긴다. 원래 기생중신이라는 그는 삼십이 넘었건만 아직도 분때가 곱게 먹어서 이십칠팔 안쪽밖에 더 안 보인다. 눈귀가 좀 처지고 청기가 듣는 것이 여간 싱글로 안 생겼다.

"김가두 너한테 그런 말 묻데?"

계향이는 옥화를 돌아보며 이렇게 슬쩍 물어놓고는 그가 미처 대답도 할 틈 없이 말을 잇는다.

"어머니! 그이가 아마 정말로 나를 동정하구푼 모양이야! 자꾸만 우리 집 내력을 캐서 묻겠지."

"그래 뭐라구 대답했니!"

옥화와 안주인은 계향의 말에 점점 흥미를 느끼었다.

"꾸며서 대답했지 뭐-우리 아버지가 간도로 농사를 지러 왔었는데, 되놈의 지주한테 빚을 저서 내가 열 살 먹었을 때 나를 빚 대신 빼앗기고 허터진 뒤로는 여적 소식을 모른다구…호호호 그랬더니만 어 팔자가 아주 대단히 언짢어 하면서 정말이냐구 자꾸 미주알 고주알 캐겠지-"

"너두 인제 보니까 사람 여럿 구치겠다"

하고 안주인은 별안간 호들갑스럽게 낄낄거리며 웃는다.

"웨 그런 거짓말은 했니?"

"안하면 어짜게! 부모가 살어 있으면서 나를 팔아먹었다면 우리 집 망신만 더 되지 안니?…난 그래 바른말 하기가 실터라 얘! 그런 얘기가 수두룩 하길네, 한마듸 따다가 했더니만 궤자는 아주 정말인 줄 아는 모양야! 호호호"

"너두 못쓰겠다-그래 뭐라던?"

"글쎄 내년 농사를 잘 지면 또 찾아온다는 거야!"

"아하…저년이 아마 무슨 꿍꿍이 셈속을 따졌나 봐요 어머니 그렇지 않아?"

"미친년 같으니…꿍꿍 속은 무슨 꿍꿍이속-그런 사람이 더 의뭉스러워서 그러는 게야-그까진 말을 누가 곧이 듣겠다구"

"글쎄 그런지두 또 몰라-우리가 그들을 속이기나 그들이 우리를 속이기나 속이기는 피차간 마찬가지니까…"

사실 그들은 사내의 주머니에 돈 있는 싹수를 보았다면 있는 대로 털어먹고, 주인을 속여 넘겼겠지만 그렇지가 못하기 때문에 지금도 이런 말을 털어놓고 하였던 것이다.

4. 都市의 誘惑(一二)

병호와 건오가 여관으로 돌아와 생각하니, 한편으로 방탕한 짓이 후회가 되면서도 다시한편으로는 흐뭇한 향락적 기분에 몸과 마음이 들뜨게 하였다. 그런데 여관에서 무료히 앉자있자니 좀이 쑤셔서 견딜 수 없고 볏금은 아직도 안 올랐다 한다. 그럴수록 여자의 얼굴이 눈에 훤하고, 유혹하던 장면이 그리워진다.

더욱 건오는 계향이에게 초련(初戀)의 애틋한 연정을 느끼었다.

그는 아직 장년의 왕성한 피가 분류(奔流)처럼 혈관(血管)에 벅차게 흘렀다. 그런데 이미 그림자처럼 지나가버렸던 청춘이 뜻밖에 계향이로 하여 다시 소생한 것은 마치 오랜 가뭄에 타죽었던 잔디가 한 줄금 소낙비에 다시 살아난 것과 갔다할까? 과연 그는 천만뜻밖에 청춘의 소낙비를 맞은 셈이었다.

병호는 또한 병호 대로 행복을 느끼었다.

그는 여자들이 화투를 하자고 대드는 바람에 처음에는 속을 모르고 여간 겁을 먹지 않았었다. 혹시 이것들이 놀음으로 박을 씌우러들지 안는가 싶어서…, 그랬더니 의외에도 한 결에 겨우 오전내기를 해서 밤새도록 노른 것이 불과 사원을 잃고 옥화는 도리어 삼원 각수를 따고 보니, 별반 손해가 없는 셈이었다. 음식을 먹은 것을 따진다면 도리어 소득이라 할 수 있다. 세상에 이런 재미스런 놀음이 어디 또 있는가?

그래서 그들은 해가 지기를 고대했다가 저녁 숟갈을 놓기가 무섭게 요릿집으로 다시 좇아갔다.

의례 그럴 줄 알고, 여자들은 그들을 환영하였다.

미구에 어젯밤에 놀던 한패가 대들어서 인제 스스러울 것도 없이 그들과 한 좌석으로 합석하였다.

그러자 누가 내는지도 모르는 술상이 떡 벌어지게 한상 들어왔다. 그들은 여러 사람이 돌려가며 권하는 술을, 기생들이 권주가를 부르며 따라주는 대로 들이마셨다.

한바탕을 푸짐하게 잘 먹고 잘 놀고 잘 뛰었다. 정미소의 정가는 곱사춤을 추어서 여러 사람을 웃기고, 요릿집주인은 장타령을 해서 또한, 좌석을 들썩였다. 그들은 토막돌림으로 노래를 부르자고 해서 필경 병호와 건오도 아리랑타령과 난봉가를 불렀다. 그것은 정말로 제가끔 규격이 맞았다. 한사람은 쪽박을 차고 들어왔고 한사람은 난봉이 나서 들어왔기 때문이다.

모두들 술이 얼근하게 취하였다. 이틈을 타서 요릿집주인과 정미소 정가는 놀음판을 또 벌였다. 그것은 어젯밤 놀음의 연장이었다.

"나두 해요! 나두 해요!"

하고 계집들이 와 덤비었다. 옥화는 병호를 끌고 갔다.

그러나 계향이만은 건오와 단둘이 남어서 어젯밤처럼 정담을 주고받았다.

건오는 워낙 술도 취하였지만 간밤의 놀음판 속을 잘 알았기 때문에 오늘밤도 또 그러려니 하고 방심하였다. 계향이 역시 놀음판에 못 끼우는 것을 조금도 섭섭히 생각할 것은 없었다.

그는 오늘밤의 놀음판이야말로 모든 계획이 끝장이 나는 대마트 판인 줄을 잘 알고 있었기 때문이다.

그것은 자기가 덤벼서 설령 돈을 많이 딴다하더라도 아무 소용없는 일이였다. 그들은 물론 병호를 올가미를 씌워서 정미소의 맡겨논 벼를 들어먹자는 수작인데, 자기는 이러나저러나 한몫을 끼워놓고 돌아오는 상금을 타먹기는 일반이었다. 오히려 그것은 지금 건오를 붙잡고 이렇게 있는 것이 더욱 중대한 역할일지 모른다. 왜 그러냐하면 만일 건오가 정말로 그들이 놀음을 하는 줄만 알면 병호를 못하도록 끌고 나갈는지도 모르기 때문이었다.

그들은 건오가 병호보다 의지가 굳센 줄을 잘 알았다. 그만큼 건오는 그들의 음모에 장애물로 금을 치게 되고, 그래서 계향이로 하여금 그를 꼭 붙잡아 놓도록 앞뒤를 짜놓은 것이었다.

놀음판이 차차 어울리자 요릿집주인은 계향이에게 가만히 눈짓을 하였다. 그들은 처음에는 요전처럼 음식내기를 하다가, 그것이 싱거우니 돈내기를 하재서 성냥 한 개비에 오전씩 하던 것을 오십 전으로, 격을 올렸다. 계향이의 뒷돈은 물론 병호가 대게 되고 병호도 그와 함께 아기패를 보고 있었다. 그런데 그동안에 병호는 서투른 솜씨로 돈을 수 십 원 따고 있었다. 그것은 그들이 서로 짜놓고 일부러 먹인 것이지만-. 요릿집주인이 눈짓을 하니까 계향이는 건오를 끌고 제방으로 들어갔다. 그 뒤에 놀음판은 본격적으로 열리었다. 병호를 믿게 하기 위하여 그들은 지갑을 꺼내서, 지전뭉치를 서로들 내보였다.

4. 都市의 誘惑(一三)

병호는 취한 중에도 돈을 따는데 재미를 붙여서 그들이 내기를 올리자는 대로 그리하자고 승낙하였다. 이렇게 송어 뜀 뛸 듯 올라 간 것이 마침내는 성냥 한 개비가 일 원이 되고 이 원 삼 원하다가 오 원이 되었다. 그러나 오 원을 할 때까지도 병호는 여전히 따기만 하였다.

돈을 잃은 사람들은 병호의 앞에 성냥개비가 수북하게 쌓인 것을 보고 피새를 놓았다. 한편에서는 심사를 피우는척하고, 끔을 낸다. 그런가하면 다른 한편에서는 병호보고 화투를 잘한다고 연신 치살리고 있었다. 그것은 옥화도 그리하였다. 병호는 그들의 패에 넘어가 속기만 했다.

그러던 중에 돈을 잃은 패가 다시 성냥격수를 돋구자고 하였다. 이에 성냥 한 개비는 다시 또 뜀을 뛰기 시작했다. 오 원으로 하던 것이 칠 원으로 뛰고 칠 원으로 뛰었던 것이 금방 팔 원으로 올라 뛰다가 급기야 계산하기가 편리하다는 구실로 아주 십 원짜리로 정해 버렸다. 그런즉 결국 성냥 한 개비가 십 원짜리 지폐 한 장과 똑같은 값이 되었다.

따라서 화투 석장을 빼는데 적어도 한판에 십 원을 붙여야 된다. 그것은 십 원짜리만 가지고 하는 놀음판과 일반이었다. 십 원이라는 없는 큰판이었다. 그럼으로 성냥 한 개비만 잃어도 십 원을 순간에 잃게 된다.

그들은 당초에 성냥을 백 개씩 나눠가지고 시작했다. 어젯밤에는 한 개비에 오전씩 정하였기 때문에 백 개를 잃는대야 오 원밖에 안되었건 만은 오늘

밤에는 그것이 근 백배나 올라 뛰고 보니 만일 백 개를 다 잃는다면 실로 천 원을 잃게 되는 셈이었다. 오 원과 천 원-이 얼마나 왕청 뛴 차이(差異)이냐?

그런데 웬 셈인지 한 개비가 십 원으로 올라 뛴 뒤로부터는 차차 병호의 손속이 줄기 시작했다. 그가 올 수 를 잡아보면 아기패들이 영락없이 돌려가며 먹게 되고 그래서 아기패도 내려 만지면 역시 손속이 일지 않는다. 그러는 대로 그의 앞에 수북하게 쌓였던 성냥은 꼬리를 물고 연신 나갔다.

땄던 것이 순식간에 나가버리고 인제는 자기 목에서 살점이 헐려나가기 시작한다. 큰일 났다. 아무개는 일자 패를 가지고 있다고 뽑아보면 팔자가 나와서 갑오가 곧잘 되더니만 지금은 구자가 아니면 광자가 나오기만 하니 웬일이냐? 그렇다고 다시 들어가면 잘해야 따라지를 면하는 고작 두 끗 세 끗밖에 안되었다.

이런 경칠 놈의 놀음을 해먹을 수가 있나. 병호는 차차 애성이가 터져 올랐다.

그렇다고 놀음을 그만 둘 수도 없다. 올렸던 내기를 내릴 수도 없었다. 그것은 당초에 놀음을 시작할 때에 격수는 올릴 수는 있으나 내리지는 못하기로 하였고 또한 누구를 막론하고 나눠가진 백개를 다 잃기 전에는 자리를 물러나지도 못한다는 피차간 약조를 단단히 하였기 때문이다.

병호가 거의 나눠가진 성냥개비를 절반쯤 잃은 때었다. 그는 자꾸 잃기만 함으로 켕기는 마음에서 취중이라도 정신을 차려서 약은꾀를 써보았다.

"여러분들 이게 정말로 돈내긴가요?"

"그다 일을 말이요, 그 냥반 딴소리하네?"

정미소의 정가가 퉁명스럽게 대꾸한다.

"그럼 난 못하겠소."

병호는 놀음을 하다 말고 뒤로 물러 나앉았다.

"이건 여태 하다가 별안간 무슨 수작이야?"

요릿집주인도 못마땅해서 한마디를 건다.

"정말 돈 내기라면, 난 돈이 있어야 합지요."

"돈이 없으면 웨 엽대 하구 있었어?"

"난 작난으로 알구 했지요."

"뭐 작난?-점잖은 사람들이 그래 밤새도록 성냥개비로 작난 놀음을 해! 이건 다 무슨 어림없는 소리야!"

정미소 정가가 콩보구니 튀듯 한다.

"아따 그럼 김주사-별말 할것 없이 더 놀기가 싫거던 잃은 게나 돈을 내구 사가시우."

"그럼 되지 않우?"

"아니 뭣이야? 성냥개비 한 개에 십 원씩을 내구 사가란 말야?"

병호는 마치 경동한 아이처럼 두 눈을 홉뜬다.

"허허 그 양반 별안간 이거 왜 딴청이요-아까 당신도 그렇게 작정하지 하지 안했소."

"아이 영감! 왜 이러서요? 어서 그냥 하시지 않구. 야투로 또 따시면 되지 않어요."

그들은 옥신각신 승강을 하는데 옥화가 대들어서 중재를 하는 바람에 병호는 놀음을 또 시작했다.

그러나 그는 얼마 안가서 쉰 개를 마저 다 잃고 보니 돈으로 환산해보면 그것은 꼼짝없이 천원을 걸어지고 만 것이었다.

4. 都市의 誘惑(一四)

병호가 성냥 백 개비를 다 잃고 나서 생각하니 장난이라면 너무도 싱겁고 정말이라면 참으로 두 눈이 홱 돌아갈 지경이었다.

그러나 병호는 별로, 걱정되지는 않아서 돈 번 사람이 외상으로 성냥을 팔 터이니 다시 사서 하라는 것을 거절하였다. 그는 돈이 없는 자기를 설마 제까진 것들이 어찌하려고 아주배포를 유하게 먹었던 것이다.

그런데 저편 사람들은 서로들 잃고 딴것을 일일이 따져서 현금으로 격을 치르느라고 부산하였다. 그것은 지금까지 한 놀음이 장난이 아니라는 것을 보이기 위함이다. 옥화도 성냥 스무 개비를 잃었다고 이백 원의 부담을 지었다. 그것은 물론 병호가 치러줄 돈이었다.

그들은 자기네 끼리의 셈속을 다 따진 뒤에 병호에게로 달려들며 다짜고 짜로

"어떻게 할터요-당신 셈은?…옥화가 잃은 것 할너 일천이백 원이요."

한다.

"무에요? 일천이백 원…"

병호는 너무도 기가 막혀서 얼빠진 웃음이 허허 나왔다.

"아니 점잖은 양반들이 농담을 너무 하시는군! 난 돈도 없소이다마는 대체 그런 일이 어디 있소?"

"아니 뭣이 어째? 농담은 누가 농담이야! 번연이 지금 돈들을 치르는 것 못 바!"

요릿집주인이 모시 등에 핏대를 세우며 강경히 죄인다.

"그러니까 작난으로 치구 서로들 물러주면 되지 않소?"

"물르긴 누가 물러줘! 그럼 내가 잃은 돈 삼백 원을 당신이 물러주소!"

하고 정미소의 정가가 자기 집에 손님으로 있는 본정도 없이 병호를 우겨댄다.

"내가 어떻게 물러줘요, 나두 돈을 잃었는걸요."

병호는 술이 금방 깨이며 정신이 펄쩍 난다.

"그러니까 당신 잃은 돈을 내면 되지 않소. 남의 몫은 참견할 것 없이 이런 제기-"

요릿집주인 역시 칼끝같이 선득한 말로 찌른다.

"아니 그럼 나보구 일천이백 원을 정말루 내라는 말씀인가요?-허허허…"

"그럼 뭐야?"

"허허허허…"

병호는 금방 미친 사람처럼 실없이 웃기만 하였다.

"이 친구가 허파에 바람이 들었나-누구를 놀리는 게야 응?"

요릿집주인은 두 눈을 부릅뜨고 주먹으로 옆에 놓인 술상을 탕! 친다.

"허허허…아니 그래 그런 큰 내기를 누가 정말로…하기로 했던가요?"

병호는 저편의 서슬이 너무나 강경하게 나오므로 차차 겁이 나고 오장이 떨리었다. 그는 기가 질려서 혈색이 하나도 없이 헐쑥해졌다. 가슴만 널뛰듯 한다.

"이자식이 왜 이모양야! 니가 짜장, 뜨거운 거동을 보구야 내놓겠니?-이놈아, 여기가 어딘 줄 알구 그러는 게냐! 그러기를…"

"아니 누가…뭐…응!"

병호는 그제야 어떤 예감이 탁 질리며 정가의 말이 칼같이 가슴에 박힌다.

"어디 니가 그 돈을 안내놓고 박이나 보자!-촌놈들이란 이래서 숭칙하다는 게야! 흥…"

정가는 역정이 있는 대로 나서 아래턱을 까불거리며 쫑얼거린다. 그는 권연 한 개를 집어서 분주히 불을 붙여 문다.

"안내면 어쩔 테요! 당신네가…인제 보니까 나 하나를 까먹을나구 사기도박(詐欺賭博)을 하잔헛소? 난 그런 돈 못 내겠소."

병호는 죽기를 한사하고 그들의 말에 빼 대였다.

"이눔아 사기도박을 누가 했어? 그놈 생사람 구치겠네-네 눈깔루 지금 당장 돈 치루는 걸 보지 않았니?"

요릿집주인이 상앗대질을 하며 병호의 앞으로 달려든다.

"흥! 그만두게-이자식이 돈은 돈대로 물구 때갈나구 그리는가버 우리야 걱정할 것 뭐있는가-정미소에 벼가 있는걸!"

정가의 이 말은 일순간-병호의 머리위에 생벼락을 쳤다. 아니 그것은 벼락 이상이었다.

"아…뭐에요? 지금 뭬라구 했소. 아니 그 벼를…그 벼는…내 벼만두 아닙니다…정주사…그 게야 어디 될 말입니까…차라리 내…모가지를 자르시요!"

병호는 두 손을 쳐들며 애원하듯이 울음 섞인 말을 흉중이 억색해서 토막토막 내뱉었다.

"뭘 내년 농사를 잘 지으면 되지 않소. 장부일언이 중천금인데 점잖지 못하게 이건 다 무슨 못생긴 말씀이서요."

인제는 볼 짱을 다 보았는가보다. 아까까지도 말공대가 깍듯하던 옥화까지 "깍"자를 올리지 않는가.

"이 멀쩡한 도적년 놈들아!"

병호는 별안간 고함을 치며 맥주병을 들고 일어섰다.

4. 都市의 誘惑(一五)

뎅그렁 뎅그렁 그릇이 깨지고 우지끈 뚝딱 술상을 치는 바람에 안팎 방에서 자던 사람들까지 무슨 일인지 모르고 좇아 들어왔다. 건오도 계향이방에 누워 있다가 계향이가 놀라서 부르짖는 바람에 그와 같이 좇아 나왔다.

건오가 들어가 본즉 방안은 수라장이 되고 여러 사람들은 미친 사람처럼 날뛰며 병호를 한가운데 몰아놓고 뭇매질을 한다.

건오는 그 광경을 보자 불문곡직하고 한달음에 뛰어들어서 군중을 헤치고 병호를 떼어놓았다.

"대관절 이게 무슨 일이요?"

건오는 좌중을 돌아보며 묻는다.

"웬 무슨 일야-당신은 상관할 거 없소."

요릿집주인이 건오의 말을 가로채 막는다.

"건오-그런게 아니라…"

병호는 헐금씨금하며 마치 사지에서 구원의 손을 붙든 것처럼 건오의 옷자락을 잡는데, 숨이 차서 미처 말을 못한다.

"그런 게 아니라…우리는 엽대 화투를 했는데…난 작난으로 하는 줄 알었더니 성냥 한 개비에 십 원씩 처서…백 개를 잃었다구 날 보구 천 원을 내노라니 세상에 이런 법이 어디 있는가?"

하고 그제야 놀음한 사정을 대강만 따서 설명한다.

그 말이 채 끝나기도 전에 요릿집주인이 썩 나서며

"여바-말을 분명히 좀 해요! 그런게 아니라 돈내기를 하자구 서로들 약조하구 했다구-"

"약존 누가 약졸 해서…"

"저 자식이 웨 자꾸만 딴청야!"

"아니 그럼 어떻게 하려는 게요? 이 사람 보구?"

"그러니까 저 친구가 잃은 천 원과 계향이가 잃은 이백 원-합계 일천이백 원을 내노면 아무 문제가 없단 말이지."

"뭣이 어때야-예이 멀쩡한 날 불한당 놈들 같으니!"

건오는 그 말을 듣자 그만 사지가 떨려서 주먹을 둘러메고 나섰다. 그는 사실 주먹다짐으로 한다면 생쥐 같은 그 두 놈들은 자기 혼자라도 당장에 태기를 칠 수가 있었다.

"오냐! 손찌것만 해바라-뒷일이 어떻게 되나…"

그때 계향이가 달려들어서 건오의 허리를 껴안고 뒷걸음을 치며 끌어 당겼다.

"영감! 고만 진정하시요! 여기가 정말루 어딘 줄 알구…시비를 하실 테면 나하구 하서요-저 냥반들은 우리가 소개를 했으니-"

건오는 과연 어찌했으면 좋을는지 모르겠다. 분한 생각대로 한다면 그들을 대매에 처 눕히고 싶었으나 사실 뒷일이 켕기어서 손을 댈 수 없다. 만일 손찌검을 했다가 법에 걸리게 된다면 도리어 자기네에게만 화가 미칠 것이 아닌가?

그는 비로소 그들의 패속에 떨어진 줄 알게 되고 그만큼 더욱 분할 뿐이었다. 당초에 술값이 싼 것부터 이상했고, 놀음채를 안 받는 것이라든지 새 옷을 해준다는 것부터 괴상하지 않았던가…그들은 이렇게 미인계를 써서 발목을 옭아놓고 결국 놀음을 하게 해서 정미소의 맡겨둔 벼를 통으로 먹자는 노릇이다. 아! 그렇다면 여적 볏금이 안 올랐다는 것도 멀쩡한 거짓말이었구나! 이런 생각은 일순간 그들의 음모를 화연 대각할 수 있게 하는 동시에 생각할 수 록 그들에게 속은 것이 분통한 일이였다. 그런데 멍텅구리들이 그런 줄은 모르고 도리어 그들을 고맙게 알고 어리석게 계집한테 덤볐던 것을 생각하면 남이 부끄러워서 얼굴을 못 들게 되었다.

그러나 매사에 두고두고 속을 썩이지 않은 건오는 이런 때에도 대범한 기상을 내보였다. 그는 더 길게 말하지 않고 병호를 잡아 일으켰다.

"이사람-고만 가세 그러기에 자네보구 누가 놀음을 하랬던가. 멀쩡한 불한당 놈들하구!"

"이놈아 누구보구 불한당이라니 저런 참 멀쩡한 놈 보게."

요릿집주인과 정미소 정가가 펄쩍뛰며 부르짖는다.

그러나 건오의 생각에는 병호가 놀음을 안했으면 아무 문제가 없을 줄 알았으나 그것은 아직도 이 고장을 모르는 단순한 말이었다. 왜 그러냐하면 그들이 여자를 관계한 이상 어떤 턱으로 옭아내던지 정미소에 맡긴 벼는 무난히 옭아낼 수 있기 때문이다. 가득이나 사변전의 형사들과 밀접한 관계가 있는 그들로서는 약차한 경우에는 한두 사람쯤 죽여 버려도 문제가 없을 그때통에 더구나 병호나 건오와 같은 농사꾼이 그들의 손아귀로 들어갔는데 잡은 토끼를 그대로 돌려보낼 리는 만무한 일이었다.

그러나 병호는 자기가 놀음한 책임이 있는 만큼 정미소의 벼를 정말로 그들에게 뺏길까 무서워서

"아이구 여보시요! 사람 살려주시오…제발 좀…아니 여기는 경찰서두 없나!"

하고 그는 참으로 실성한 사람처럼 목을 놓고 울부짖었다.

4. 都市의 誘惑(一六)

건오는 그길로 병호를 끌고 여관으로 돌아왔다. 곰곰이 생각하니 이 며칠 동안 지난일이 참으로 허황하기 짝이 없었다.

과연 그들은 자기네의 분수를 못 지키고 막중한 생활로 뛰어든 것이 새삼스레 뉘우쳐진다.

그러나 그들은 설마 정미소에 맡겨 둔 벼야 정가가 아무리 사무원이라 할지라도 제 맘대로 처분할 수는 없겠지 하고 강의히 안심해보았다. 하나 그들은 서로 말로만 희묵을 쓴 것들이지 각각 마음속 안심에서는 불안이 점점 커졌다. 결국 그들은 이 불안을 누르려고 용을 쓰며 그런 말들을 한 것이었다.

"엥-공연이 그놈의 집에를 갔다가 큰 봉변 할 뻔했지-설마 제깐 놈들이 누굴 어쩔나구?"

병호는 제가 먼저 술집을 가자던 것은 잊었는지 마치 남의 말 하듯 한다. 만일 자리를 바꾸어서 건오의 초사로 이번 일이 벌어졌다면 그는 얼마나 건오를 책망을 했을는지 모를 것이다.

"봉변은 그밖에 더 어떻게 하나?-모르면 몰러도 뒤탈이 있을 걸세."

건오는 별로 걱정하는 빛도 없이 무심히 대꾸했다.

"뒤탈은 무슨 뒤탈?"

병호는 건오의 버성긴 태도가 조그마한 불만을 갔게 했다.

"뻔한 일 아닌가!-그놈의 집에서 여태 대접을 받은 것이 동토가 안 날 겐가?-나두 인제야 깨다랐네마는 그 사람들이 무엇 때문에 우리를 거저 재우고 잘 먹이고 계집들이 옷까지 해주었겠나?-그 게 다 까닭이 있는 줄을 모르구 지금까지 속기만 하던 우리가 어리석은 놈들이지"

"……"

병호는 대답할 말이 없었다. 따는 건오의 말을 듣고 보니 그들이 음흉한 계책을 쓴 전후의 맥락이 환-해진다. 이런 생각이 든 병호는 별안간 새로운 전율(戰慄)이 등허리로 선득하게 기어간다.

"그럼 우리가 미인계에 빠졌단 말인가?"

"아니면 뭐라 게-자 여러 말 할 것없이 정미소나 일찍 가서 오늘은 세상없어도 벼를 팔어 달라구 졸러보세. 그러면 좌우간 락방이 날게니까-"

"그러세-인제는 미찌드라두 속히 팔구 가는 것이 장사겠네-엥이 진즉 그럴 것을 공연히…그것참…고놈의 독개들한테 홀려서 기어히…하하하…뭐 외입한 셈치구 보면 몇 백 원 주어두 아깝진 않겠네만-아이 입맛이 깔깔해서 밥을 먹을 수나 있어야지!"

그들은 사실 구미도 바짝 제쳐서 밥을 한 숟갈 떠놓아본 것이 왕 모래알 같이 되씹히고 되씹힌다. 공연히 목만 타서 그들은 냉수만 한 그릇씩 벌컥 들이켜고 일어섰다.

"영감님 계십니까?"

그들이 정미소로 영감을 찾아가 만나본즉 영감은 우선

"어째서?"

하고 실그러진 입술위로 음흉한 웃음을 내뱉는다.

"달내 온 게 아니오라 오늘은 좌우간 벼를 팔구 떠나야겠어요."

병호가 일시가 급한 듯이 서둘면서 긴장한 태도를 보인다.

"오늘은 떠나겠다구?"

"네!"

영감의 말은 전보다도 더욱 거만스럽다. 여전히 빙그레한 웃음을 머금고 쳐다보는 것이 어쩐지 달짝지근해 보인다.

"볏금이 그저 신통치 못한 걸-"

"그래두 저의는 더 기다릴 수 없습니다. 오늘 시세대로 그냥 넘겨주십시요."

"네 그래 주서야겠어요."

건오도 강경한 태도를 보이기 위해서 병호와 함께 졸라댔다.

"정히 파러 갈나면 그리 합세. 그러나 벼를 판대야 자네들 차지는 어디 몇 푼씩 돌아가겠던가…잘해야 돈 백 원씩이나 떨어질라는제 원…"

영감의 말 시세도 그들의 벼 시세를 따라서 아주 들락거린다. 그는 거침없이 해소를 한다.

"녜?…아니 그것 어떻게 하시는 말씀입니까?"

병호는 그러지 않아도 같이 놀음한 정가로 하여 뒷일이 어찌될까 켕기던 터인데 뜻밖에 영감의 이 말은 그야말로 청천벽력이었다.

"웨 어떻단 말이야-예이 천하에 고현 놈들 같으니…"

영감은 별안간 정말로 천둥 같은 호령을 한다. 그 바람에 두 사람은 그만 넋 잃은 사람처럼 한동안 어리둥절해서 어쩔 줄을 모르고 사지를 떨기만 하였다.

4. 都市의 誘惑(一七)

그들은 주인영감의 호령에 찔끔을 해서

"아니 웨 그러십니까?"

하고 다시금 얼없이 영감의 얼굴을 쳐다보았다.

영감은 한참만에야

"그래 자네들이 나한테 몰라서 묻는 말야?-이 사람들아! 자네들 요새 뭘 했는가?"

"녜…저…"

영감이 이렇게 족치는 말에는 그들도 냉큼 대답이 안 나왔다. 그것은 벌써 이쪽의 기세를 한풀 꺾이게 하고도 남았다. 주인 영감은 태우다 놓았던 여송연을 재떨이에서 집어 들고 다시 불을 붙이면서 기승스럽게

"그러기에 내가 요전에 자네들 보구 뭬라던가? 젊은 사람들이 돈을 많이 가지면 못 쓴다구 말리는 것두 몰라주었지!-자네들이 적으나 소견이 있을 말루면 그동안 구경이나 슬슬 다니다가 볏금이 오르거던 팔아가지고 떠나야 옳지 않은가? 자네들두 물론 부모나 처자가 있겠지-그런 사람들이 대체 어쩌자구 요릿집에다 발을 드려놓는가? 황차, 자네들과 같은 농사짓는 사람들하구 요릿집이 그래 무슨 상관 있다구? 사람들이 지각이 없어두 원 분수가 있지 더구나 이 할빈 같은 대처에서…아니 여기가 어디라구…그리고 설령 백보를 양하여서 어쩌다가 속을 모르고 그런 데로 술을 먹으러 갔다하

세-나는 이 나이가 되도록 술두 먹을 줄 모르네마는 그렇걸랑 술이나 몇 잔씩 먹구 나올 께지 그래 거기서 밤을 새워 놀음을 해야 옳단 말인가? 엣기 철없는 사람들 같으니!"

영감은 또다시 노발대발하며 자여질을 꾸짖듯 점잖게 나무란다.

"어디 저의가 놀음을 했습니까. 술낌에 작난 삼어 그랬습니요."

형세가 위급함을 보자 병호가 변명할 겸 한마디를 대꾸했다.

"뭣이 어째여?-작난 삼어 한 게라구?"

"녜…작난 삼어 했습니요…그럼 누가…"

"아니 성냥 한 개비에 십 원 내기를 했다는 건 어떤 놈들야? 그게 겨우 작난 삼어 한 놀음야-허허 참!"

"건 그런 것이 아니라 화투는 이 사람이 했습니다마는-"

하고 건오가 나서서 영감의 오해를 풀어보려 하였다.

"그래 무슨 말야?"

"놀음은 이 사람이 했나봅니다마는 술김에 처음에는 음식내기를 했다는데 이 사람을 꾀여서 같이 놀음을 한 사람들이 그런 것이지 이 사람이야 정말 놀음을 하잿을 리가 있겠습니까? 그것은 댁에 있는 정씨두 같이 했다니까 벌써 자세한 말씀을 들으셨을 줄 압니다만 돈이 어디 있다구 그런 큰 내기를 정말루야 했겠습니까?"

"그러니까 말야-자네들이 당초에 그런 데를 가기가 불찰이구 갔더라두 놀음을 시작하기가 잘못이란 말야! 아니 여보게들-그런데 있는 사람들이 다 뭘 먹구 사는데! 허허 참…"

"네! 그럼?…"

병호와 건호는 들을수록 영감의 말이 무서웠다. 그들은 제가끔 자기의 귀를 의심하지 않을 수 없었다.

"응! 정가 말이지? 그 사람은 벌써 내보냈네! 난 놀음하는 놈들은 천하에 사람으로 안치기 때문에-그자식이 놀음을 하는 줄 누가 알았나! 허허 원"

정가는 지금 안에 가서 숨었다. 그는 이런 욕을 주인영감의 대리로 먹는 만큼 그 벌출을 돈으로 때우기 때문에 지금은 못들은 척하고 있었던 것이다.

"영감님! 그럼 이 일을 어찌해야 옳습니까!"

병호는 자기가 저질은 일이라 건오보다도 책임감을 더 느껴서 몸이 다는 모양이었다.

"뭘 어떻게 해야! 놀음빚은 꼼짝없이 물어야 되겠지-이 사람들아! 글쎄 여기가 어디라구 더구나 요릿집에 앉아서 놀음을 하나?-여기는 삼십여 개국의 서양각국 사람들이 모여 사는 국제도시야! 환락장(歡樂場)으론 세계 중에도 유명한 곳이란 말야! 그러길래 우리 동포끼리두 농사를 지랴면 간도요 돈을 쓰랴면 할빈 이랬거든-화류계 속으로도 별별 해괴망칙한 짓을 버젓하게 허가를 맡아가지고 공개를 하는데 그까진 놀음쯤야 더 말할것두 없지-여기는 도박을 허가하는 곳이니까 말야."

"네? 도박을 허가해요!"

"암! 그러니 자네가 어디 가서 호소를 하겠나? 응-생각들을 해보게!"

"아이구 이 일을 어찌 하나! 호-"

병호는 별안간 주먹으로 앙가슴을 치며 탄식한다.

"그렇지만 제가 언제 돈을 가지구 했서얍지요…"

병호의 목소리는 울음 속에 떨리었다.

"흥! 그건 마찬가지요! 같이 한 살마들은 현금을 가지구 했다니까-. 우선 정가두 삼백 원을 잃었다지?-만일 자네들이 그 돈을 안 갚었다가는 생명을 못 부지할 걸세."

4. 都市의 誘惑(一八)

병호와 건오는 정미소 영감의 한마디 한마디가, 마치 쇠몽치로 정수리를 내려 패는 것처럼 마치여서 그들의 고개는 점점 더 숙어질 뿐이었다. 그 대신 영감은 더욱 기고만장해서 거드름을 부리고 자기도 모르게 부라질을 하기 시작한다.

그는 여전히 실거 터진 입술위로 음흉스런 미소를 머금고 앉아서 좌우로 상체를 끄덕거리는 것이었다.

그러나 만일 병호와 건오가 그들의 맡긴 벼를 짜장 돌려먹은 장본인은 요릿집주인보다도 누구보다도 이 늙은 영감택인 줄을 안다면 그들은 당장 이 늙은 거미를 박살을 내놓든지 무슨 요정을 내였을 것이요 따라서 맡긴 벼도 통째로 뺏기지 않았을는지도 모르나, 그들은 그 속을 모르는지라 도리어 지금 영감의 하는 말이 모두가 정말처럼 들리는 동시에 자기네가 참으로 큰 잘못을 하였다고 후회하기를 마지않았다.

당초에 영감은 그들이 요릿집으로 천을 튼 기맥을 알자 요릿집 주인과 언제와 같이 밀약을 한 것이다. 그래서 정가로 하여금 그들과 한자리에 놀게 하고 요릿집 주인과 그들이 놀음판을 벌이게 하였는데 정가의 놀음 밑천을 현금으로 대준 것도 물론 이 영감의 주선이었다.

그들은 다년간의 많은 경험이 있기 때문에 이런 일은 아주 능숙하게 분업적(分業的)으로 진행(進行)시킬 수 있었다. 이번 일에도 그래서 그들은 제가끔 분업적으로 순서를 밟아왔다.

"그렇지만 그건 사…사기도박을 한 것 아닙니까? 제가 현금이 없는 줄을 알구서두 그런 돈내기를 하자구 한 것이…그렇다면 경찰서에 고발하면 되지 않겠어요?"

병호는 더욱 몸이 닳아서 손에 땀을 쥐고 애를 바짝바짝 태우는 것이 옆에서 보기도 민망할 만큼 사정이 딱해 보인다.

"허허-자네 참 똑똑한 소리 하는데…그건 다 조선에서나 통용되는 말야…사기도박을 했든지 무슨 도박을 했든 지간에 하여간 자네가 도박을 했으니까 말야-그 결과는 마찬가지거든. 만일 그 돈을 안 낼려다가는 자네들 뿐 아니라 나까지 경을 칠 테인데 공연히 큰일 날 소리하네!"

영감의 말은 들을수록 더욱 맹랑한 소리만 하는 것이 괴이(怪異)하지 않은가.

"네?…"

병호와 건오는 도무지 그의 말을 대항할 거리가 없었다.

"허-그 사람들…그래두 못 알어 듣겠나? 만일 내가 자네들 말만 듣고 볏값 속에서 놀음 빚을 안 갚고 보면 저 사람들이 나를 함협해 가지고 무슨 일을 낼는지 모르니 내가 그 속을 안 이상에야 어떻게 할 수가 없단 말야-그러니 자네들 사정은 딱하지만 할 수 없이 그 돈은 볏값에서 제할 수밖에 없단 말야-자 이렇게 요릿집에서 회계가 자네들 앞으로 넘어왔는데 내가 어떻게 모르쇠를 한단 말인가?"

하자 영감은 벼룻집을 뒤지더니 무슨 적발을 내놓는다.

"네? 회계라니요?"

병호는 다시금 놀래며 방바닥에 놓인 종잇조각을 덥석 집어 들고 펴보았다. 과연 거기에는 아래와 같은 물목이 조목조목 적혀있다.

병호와 옥화의 놀음빚이 일천이백 원 요리 값이 삼백 원-

놀음빚이 일천이백 원이라는 것도 놀라운 수치였지마는 요리 값이 삼백 원이라는데도 눈이 홱 돌아간다.

"요리 값이 삼백 원이라니요? 녜?…"

그들은 금시로 눈앞이 캄캄해졌다.

"저의가 언제 외상요리를 먹었어야지요. 한 푼도 외상은 먹은 일 없는데요."

병호는 더욱 기가 막혀서 어쩔 줄을 모른다.

"허-그거야 내가 알 수 있나요. 요릿집에서 그렇게 적어왔지-사흘 밤이나 거기서 잤다는 건 무엔가?"

"그랬지만 숙박료를 이렇게…"

병호는 입이 붙어서 말이 잘 안 나올 지경이었다.

"그러니까 그게 다 그 속이 안이겠나! 엥이 사람들두-"

"그렇지만 이건 따저야지…우리 요릿집으로 가 보세."

하고 병호는 쪽지를 들고 쩔쩔매며 건오를 다시 쳐다본다.

"이 사람아! 가긴 뭘 간다구 그러나! 영감 그대로 회계해 주십시오! 일이 다 틀렸는걸!"

사실 그들은 아무리 생각해야 꼼짝 없이 함정에 든 범이었다. 그들은 용을 쓰면 쓸수록 저만 다치게 될 것 같다.

그리하여 그들은 정미소의 빚까지 그동안 고리를 쳐서 모든 빚-놀음빚, 요릿집 빚, 밥값을 갚고 나니 주먹 안에 떨어지는 돈은 실상 백 원도 미만 되는 것이었다.

그때 낭패를 본 건오는 한 해 동안 헛농사 지은 것을 그 이듬해에 다시 벌충을 해가지고 기어이 가족을 끌어들인 것이었다.

5. 開陽屯(一)

○○강 연안(沿岸)인 저습지(低濕地)일대에는 지금도 길이 찬 갯버들이 꽉 들어섰지마는 그전에는 그런 버들 밭이 수십 리를 연하여서 강펄은 온통 버들 숲이 둘러싸고 있었다. 이 버들 밭과 늪(沼)사이를 꿰매고 나가면 남쪽으로 마치 바다의 물결이 거슬리듯 얕은 구릉(丘陵)이 펼쳐나가고 그 주위에 군데군데 한전(旱田)이 있는데 그 밭 기슭으로 수십 호의 부락(部落)이 있는 것을 자고로 개양툰이라 불러왔다.

그러나 이 동네에 농장이 개척되기는 거금 이십 년 전에 김시중(金時中)이라는 노인이 십여 호의 동포를 데리고 들어온 이후였다 한다.

지금은 김노인도 작고한 지 오래되고 그때 그와 함께 살던 사람들은 만주사변 이외에도 여러 차례의 화란을 겪는 통에 몇 집만 남고 뿔뿔이 흩어져서 어디가 사는지도 모르는 터이나 그래서 일설에는 이 개양툰이 그때 김노인의 손으로 건설되었다 하기도 한다. 그것은 김노인이 남쪽으로부터 들어와서 다양한 언덕위에 집을 짓고 저습한 물 안에 가 농장을 개척하는 동시에 개양툰이란 마을이름도 그가 지어냈다는 것이다.

그것이 사실인지 아닌지는 모르나 개양툰의 오늘날 발전이 있게 한 것은 확실히 김노인의 필생의 사업에 틀림없었고 그만큼 그의 공적을 이 근처에서는 모르는 사람이 별로 없었다. 그의 무덤 앞에는 지금도 개양툰 농장의 개척공로비(開拓功勞碑)가 서있다 한다.

그때 김노인은 이 무인지경으로 들어와서 버들 밭을 농장으로 푸는데 여간 큰 위험과 곤란에 부닥치지 않았었다.

그것은 강 위에부터 여기까지 거의 오 리나 되는 데를 버들 밭 사이로 봇돌을 내기도 큰일이었지만 그보다도 근방에 한전을 가진 만인들이 쫓아와서 수로(水路)를 못 내도록 방해를 놓는 바람에 이 농장은 여러 번 절망에 빠졌었다 한다.

당초에 김노인은 만인의 황무지를 주자로 얻어 수전을 풀기로 약속한 것이다.

만인들은 저의 전장에 수해가 미칠까 염려해서 덤비어 든 것인데 만일 홍수가 터지기로 말하면 봇돌은 유무 간에 수침을 면할 수 없는 지형이다. 그것은 그들의 한전이란 것이 불과 몇 십 쌍 안 되는 것으로만 보아도 이곳이 얼마나 저습한지 알 수 있을 것이다. 그것도 봇둑을 내는 데가 바로 그들의 소유지를 침범했다면 또 모르겠다. 김노인은 당초부터 만인과 시비를 피하려고 거리를 멀게 해서 수로를 냈는데도 그들이 기어코 트집을 잡을 줄 누가 알았으랴.

그럴줄 모르고 김노인은 며칠 전부터 봇둑을 파기 시작한 때였다.

어느 날 하루는 별안간 만인의 한 떼가 달려와서

"꺼우리! 꺼우리팡즈!"

하며 몽둥이로 일군들을 막 패었다. 그 바람에 두 편은 싸움이 벌어져서 일대난투극을 이루었다. 김노인은 그들에게 사정을 설명해보려 하였으나 열광한 만인들은 불문곡직하고 폭행을 계속 할뿐이었다. 다행히 김노인은 그 전부터 호신용의 권총을 휴대하였다. 그래 그는 사태가 점차 험악함을 보고 할 수 없이 헛총 한방을 공중으로 터뜨렸다.

별안간 총소리에 놀란 만인들은 겁이 나서 일제히 달아났다. 그러나 김노인은 그 뒷일을 염려하지 않을 수 없었다.

총소리를 듣고 달아난 만인들은 또 무슨 음모를 꾸밀는지 모르기 때문이다. 그들은 관가에 무고를 할는지도 모른다.

그래 김노인은 그 이튿날부터 공사를 중지하고 후환을 방비하기 위하여 동서분주하였다.

그는 우선 현(縣)으로 들어가서 저저이 진상을 호소하고 당국의 보호를 청하였다. 그러나 김노인도 탐관오리의 행악이 무쌍한 그때의 중국 관헌을 믿을 수가 없기 때문에 하는 수 없이 뇌물을 먹이고야 다소의 효력을 낼 수 있었다.

그 뒤에도 만인들은 남녀노소가 작당을 해서 여러 차례로 습격을 왔었다. 만인들은 자기에게 이해관계가 없는 사람들까지 좇아와서 마치 불공대천의 원수나 된 것처럼 극성을 피웠다.

이렇게 무수한 박해를 겪는 중에 급기야 몇 사람의 희생자까지 내고도 낮에는 그들이 무서워서 밤저녁으로만 공사를 계속하다가 그 이듬해 늦은 봄에야 겨우 수로를 뚫게 되었다. 수전의 개척사(開拓史)-그것은 만주의 어디나 공통되다시피 이 개양툰 농장도 전례에 빼놓지 않은 피로 물들인 기록이었다.

그때, 비참하게 죽은 동포의 무덤에 김노인의 유골도 파묻혔다. 그것은 김노인이 죽을 때 자기도 한자리에 묻어달라는 유언을 했기 때문이었다 한다.

5. 開陽屯(二)

건오가 이 고장으로 들어오기는 김노인이 작고한 지 사오년이 지나고 만주사변이 터지던 바로 그 즉후였다.

그러나 그때도 조선 사람의 농호(農戶)는 겨우 이십 호나 되었을까.

더구나 김노인이 세상을 떠난 뒤로는 지도인물이 없기 때문에 동네는 도리어 피폐해지고 퇴락의 길을 밟았었다. 그들은 해마다 농사를 지어서는 술과 아편과 놀음으로 없애버린다. 그렇지 않으면 몇 해간 농사를 짓다가 돌피밭을 만들어놓고 다른 곳으로 떠나버리는 건달농군들이 드나들게 되었다.

더욱 만주사변 이전의 치안이 유지되지 못하였을 때는 사실 그들이 안심하고 농사를 지을 수도 없었다. 풍년이 드는 해는 비적이 대들어서 털어가고 그렇지 않으면 한해씩 걸러서 물난리를 겪는다. 이래저래 그들은 앞날의 희망이 없게 된다. 그런데 관리의 학대는 자심하여 비적이 관리인지 관리가 비적인지 모르게 했다. 그들은 다만 조선인이 된 까닭으로 그런 압제를 받고 살자니 참으로 누구를 믿고 살아야할는지 호소 무처다. 그들은 오직 하늘을 우러러 탄식할 뿐이었다. 그들은 심지어 만인의 걸인에게까지 압제를 받아왔다. 만일 걸인이라고 조금만 괄시를 했다가는 그 당장 트집을 잡고 달려든다. 그런 때에 요구를 수응해야 망정이지 끝끝내 뻐대였다가는 큰일 난다.

그 다음날 그는 수십 명의 거지 떼를 몰고 와서 온 동네를 도륙을 내려드는 통에 누구나 섣불리 건드릴 순 없었다.

지금도 새가는 만인부락에는 아편굴(開陽屯管煙所)이 있다. 근처의 만인들은 이 부락을 저의들의 근거지로 삼고, 조선 사람을 박해하는 모든 음모를 그 시절에 꾸며내고 있었다.

그래서 개양툰 농장이 개척된 연도는 비교적 오래인데도 그때까지 별로 보잘 것이 없었다. 그것은 첫째로 이주민이 많지 못하니 기경지가 얼마 안 되고 이주민이 적은 원인은 이농장의 수리설비가 아직도 불완전한데다가 치안상태가 또한 불안하였기 때문이다.

김노인은 자수로 이 농장을 개척하기에 실력을 다 허비하였다. 그러나 원래 자본이 넉넉지 못하였던 그는 소규모의 농장을 개척할 수밖에 없었다.

따라서 제방공사는 물론이요 수문(水門)을 내는 것조차 완전하지 못하였고 봇둑을 깊이 파지 못하여서 가무는 해에는 물을 대기가 어렵고 홍수가 터지는 때에는 수해를 겪게 되었다.

그것은 건오가 들어왔을 때만 해도 이 농장의 기경지보다는 미경지가 더 많았고 기경지 중에도 돌피 판으로 묵히는 묵밭이 적지 않았다.

누구나 황무지를 개간하는 것보다는 기경지로 묵히던 논을 재경(再耕)하기가 수월한줄 알는지 모른다.

그러나 그것은 만주의 돌피 판이 아직 어떤 줄을 모르는 사람의 말이다.

그 속을 아는 사람은 차라리 황무지를 신간은 할지언정 돌피 판은 안 부친다. 왜 그러냐하면 황무지를 신풀이하기는 무척 수월하기 때문이다. 그런데 몇 해를 심어먹던 돌피 판은 피 못자리를 해놓은 셈이라 그것을 여간 힘으로는 도저히 없애버릴 수가 없다. 따라서 몇 해를 두고 피사리를 하는 공력으로 황무지를 새로 풀면 그만큼 소출도 더 나고 농사짓기도 힘이 덜 들게 된다고-건달농군들은 이렇게 신풀이만 몇 해씩 해먹다가 피가 나면 내버리고 마치 화전민처럼 오지로 깊이 들어갔다. 그러나 그것도 예전 일이지 지금은 미간지가 그렇게 무진장은 아니다. 개양툰도 그전에는 미간지가 많았으나 더욱 만주사변이 터진 뒤로는 각처에서 피난민이 모여들어서 일시는 수백 명이 웅성거리다가 그대로 처진 사람들이 적지 않았다. 건오도 그때 통에 들어왔다. 하긴 난리가 간정되자 건오는 전에 살던 ○○로 다시 돌아갈 작정으로 동정을 살피러 얼마 뒤에 혼자 가보았다.

그러나 급기야 가본 결과는 눈물과 한숨밖에 나올 것이 없었다. 거기는 동포가 살던 수십 호 촌락이 송두리째 없어지고 불탄 빈터만 처참하게 남았을 뿐이었다.

그래 할 수 없이 건오는 만주로 들어와서 그때 세 번째 자리를 옮겨 앉게 되었는데 그 통에도 뜻밖에 큰 손해를 보았지만 언제든지 비관을 할 줄 모르는 건오는 일가족의 생명이 부지한 것을 오히려 다행으로 알고 이곳에다 다시 뿌리를 박고 앉았다.

5. 開陽屯(三)

김노인이 작고한 지 이삼 년 뒤에 강주사가 이 마을로 들어왔다. 강주사는 한말지사로서 만주 벌판을 수십 년 방황하다보니 어느덧 남은 것은 자기도 모르게 터럭이 희어 진 것뿐이었다. 그제야 번연히 시세가 그른 줄을 깨달았는지 그는 젊었던 시절의 큰 뜻을 단념한 후에 이리저리 앉을 자리를 구하다가 어찌어찌 굴러온 것이 이 개양툰이었다 한다.

그러나 그가 이 고장에 들어올 때 당초부터 영주(永住)할 생각이 있었던 것은 아니었다. 그는 형편을 보아서 살 재미가 없으면 바로 떠날 작정으로 들어왔었다. 그런데 김노인의 사적을 듣고 그들의 묘지와 농장을 두루 본 결과 그는 불현듯 어떤 자극을 받게 되었다.

그것은 김노인의 사업을 자기가 계승해보겠다는 공분(公憤)으로였다. 아니 그보다도 자기는 여태 육십 평생을 침식이 불안하게 떠돌아 다녔으나 결국은 이 김노인만큼도 이루어진 사업이 없었다는 가엾은 생각이 들게 했다. 김노인은 비록 일개 무명한 사람이나 이 개양툰 농장에 한해서는 명예로운 개척자의 공로를 끼치지 않았는가? 따라서 그의 공적은 영원히 만주의 개척사우에 빛날 것이다.

그런데 여생을 바쳐서 진력한 농장이 그가 세상을 떠난 지 불과 몇 해가 못 되어서 도리어 황폐해진다는 것은 고인의 사업을 위해서나 현재의 보람을 위해서나 얼마나 애달픈 일인지 모른다. 또한 호생에 그의 유지(遺志)를 본받지 못함이 얼마나 가석한 일인지 모른다.

이렇게 감동된 강주사는 그날로 영주하기를 결심한 후에 약간의 자본을 조성해서 농장을 새로 개척하기에 노력하였다.

그러므로 당초의 그의 생각은 자기 일가족의 안락한 생활을 위한다는 것보다도 개양툰의 전체를 위하고 그럼으로써 김노인의 유지를 받들자 함이었다.

그래 그는 자기가 개간한 땅이라도 건실한 작인이 들어오면 헐한 주자로 땅을 빌려주기도 하였고 농량이 부족한 농호에게는 이자도 없이 돈을 꿔주기도 하였는데 그때나 이때나 무지한 작인들은 도리어 그의 인자한 마음씨를 약점으로 보고 배은망덕 하는 사람이 많았지 하나도 강주사의 진심을 알아주는 사람은 없었다.

그러나 강주사는 그들에게 배신을 당할 때마다,

"오냐, 그저 참어라 설마 뒤끝이 있겠지"

이렇게 자위(自慰)하다가는 탄식하고 탄식하다가는 자위하였다.

그러자, 사변이 툭 터지매 홍승구가 들어왔다.

사람을 만나지 못해서 은근히 갈구하던 강주사는 첫째 홍승구의 위인이 똑똑한데 내심으로 흠향하였다.

홍승구는 대처에서 화약장사를 하다가 사변 통에 쫓기어 이곳으로 들어온 인물이었다.

그 역시 정처 없이 일시 피난으로 들어온 터이나, 아무리 생각해도 사변이 속히 간정될 것 같지 않고 그렇다면 약장사도 인제는 전과같이 해먹을 수 없을 것이 뻔한 일이었다.

그는 그런 생각이 들수록 방향을 전환하지 않으면 안 될 것 같았다. 기위방향을 전환키로 말하면 촌으로 들어가서 농사나 짓는 것이 상책일까 싶었다.

그런데 개양툰으로 들어와서 며칠 동안을 두고 강노인의 말을 들어보니 이 농장을 그와 협력해서 개척할 것 같으면 여러 가지로 유익할 포수가 많은 것 같았다.

그리하여 강주사는 홍승구를 붙들게 되고 홍승구는 강주사를 의지하게 되었는데 원래 돈푼이나 가지고 있던 그는 사변이 간정되자 그도 자력으로 농장을 풀게 되었다.

그러나 그는 강주사와는 반대로 어디까지 자기 본위를 삶고 매사를 경영했다. 급기야 그는 은공을 입은 강주사까지도 속이려들었다.

강주사는 그런 줄 모르고 처음에는 그를 여간 신임하지 않았다. 동네 일을 온통 그에게 맡겨 버렸었다. 그런데 그의 본심을 정작 알고 보니 강주사는 또다시 실망함이 크지 않을 수 없었다.

그러나 강주사는 이용에는 담박한 터이라 구구한 이해를 그와 더불어 따지고 싶지는 않았다.

그는 자기의 이해관계에는 차차 대범해지는 반면에 동네일을 위해서는 정의를 내걸고 맹렬히 싸워나갔다.

홍승구도 강주사의 고결한 인격에는 머리를 숙이지 않을 수 없었다. 강주사는 그런 눈치를 채자, 그가 자기를 사적(私的)으로 이용하려는 만큼 자기는 그를 공적(公的)으로 이용하였다. 그것은 홍승구를 부락장을 시킨 것만 해도 강주사의 그런 심산이 역역하였던 것이다.

5. 開陽屯(四)

사변이 간정되자 건오도 강주사의 주선으로 다시 농사를 시작하게 되었다.

그러나 그들은 농사보다도 집을 짓기에 전력하지 않을 수 없었다. 그들 중에는 건오와 같이 일시 피난민으로 쌓여 들어왔다가 그전에 살던 곳으로 다시 돌아가지 못하게 된 농호들은 그대로 주저앉게 되었다. 그런 농호가 수십 호나 되었다.

따라서 그들은 우선 주접할 집이 선결문제였다. 그래 그들은 제각기 역량대로 우선 주택 건축을 시작했다.

그것은 강주사와 홍승구의 논한 결과 그들을 붙잡아 앉힌 것이다. 개양툰 농장을 확장하자면 불가불 개척민을 외처에서 데려와야 할 형편이다. 그렇다면 기위 들어온 피난민 중에서 농호를 잡아두는 것이 피차간에 좋은 일이라고 이 마을에서 살고 싶어 하는 농호들만 그대로 있게 한 것이었다.

하긴 그때 홍승구는 강주사의 의견을 반대했다. 이런 피난민 통에 섞여온 사람들을 어떻게 믿을 수 있느냐고-만일 부실한 농호들을 입식(入植)시켰다가 나롱(懶農)을 하든지 돈을 쓰고 달아나면 어찌하느냐는 것이었다.

그러나 그 일은 제 얼굴에 침을 뱉는 속보이는 수작밖에 안되었다. 자기야말로 언제부터 알았다고 그런 소리를 감히 하려 드는가? 강주사는 그때부터도 홍승구를 다소간 의심하는 마음이 없지 않았으나 그만한 일로 남의 인격을 무시하는 것이 옳지 못할 것 같아서 입바른 말을 하지 않고 절박한 사정으로 옥이였다.

만일 홍승구의 말대로 농호를 고향에서 데려오기로 말하면, 첫째는 시기가 늦어서 그해 농사를 지을 수 없었기 때문이다.

그리고 그는 홍승구의 반대하는 이유를 눈치로 짐작할 수 있었다. 그것은 그가 진심으로 피난민의 신분을 보증하지 못하는 염려보다도 우렁이 속 같은 딴 뱃장이 드려다 보인다.

외처에서 농호를 데려오기는 말하면 피차간 친소대로 불러오게 될 것이다. 그러자면 홍승구도 자기와 잘 아는 사람들을 고향에서 데려오자는 심산이 아닐까?-

만일 그리 된다면 가뜩이나 지방열이 대단한 이 고장에서 서로 네패 내패로 당파를 짓게 될 것 아닌가?

그것은 우선 이 동리의 황폐한 내력을 드러내보아도 은감(殷鑑)이 소소하다.

김노인의 생전에 그는 이 마을의 자여질을 위하여 사재로서 학교를 세웠다한다.

그들 학부형 중에는 불행이 각 도 사람이 섞였던 관계로 김노인이 생존했을 때도 그들의 암투가 끊일 새가 없었다한다. 그래도 그때에는 김노인의 인격에 눌리고 포용력에 차여서 표면으로 내홍이 드러나지는 않았지만 그 학교의 권위인 김노인이 작고한 뒤로는 그 이튼날부터 학교가 수라장으로 변하였다한다.

그때 학교의 증수로 있던 양서방(梁書房)은 지금도 그 이야기가 나면 게거품을 품으며 신이 나서 옮기었다.

그들은 당파를 꾸미다 못하여 나중에는 별별 비열한 파쟁(派爭)에 매두몰신(埋頭沒身)하였다한다.

-농장별파(農場別派), 동고향파, 청년파, 종교별파, 의형제파, 음주당파-그

들은 각자 영웅으로 제파의 세력을 펴려 들었다. 그 결과는 학교도 비운에 빠져서 일시는 휴교(休校)를 하게 되었는데 그것은 그들의 분쟁 통에 선생이 부지를 못하게 자주 갈리기 때문이었다 한다.

강주사는 이 당파 싸움에는 과거 수십 년 동안 내외지에서 머리가 세도록 쓰라린 경험을 겪어왔다. 그것만 생각해도 몸서리가 치는데 이런 농촌에까지 들어와서 또다시 당파싸움을 뿌리다니! 그것은 돌피 판을 만드는 만주의 부동농민보다도 농촌에는 더 큰 해독과 죄악을 끼치는 것이었다.

그래 그런 의미에서도 그는 홍승구의 의견과 달리하여 피난민 중에서 농민을 붙잡아두기로 하였는데 강주사는 과거에 있어 당파 싸움에 기승을 데인만큼 그래도 만일을 염려해서 한두 지방 사람을 편면 되게 쓰지 않고 되도록 각 도 사람을 섞어서 뽑아 썼다.

이렇게 주의를 면밀히 하여서 작인을 고른 결과는 건오와 같은 착실한 농호도 끼여 있어서 강주사의 기대는 과히 어그러지지 않게 되고 새해부터 농장을 확장하게 되었던 것이다.

5. 開陽屯(五)

근년의 개양툰은 철도연선에서 불과 시오리 남짓한 넓은 들판인데 원래 빈약한 일개 소촌이었던 관계로, 사변 통에도 그리 큰 피해는 입지 않았다. 그것은 외처의 피난민들이 그 당시 이 마을로 모여들었던 것만 보아도 짐작할 수 있었다.

그래서 그 이듬해 봄부터는 인심이 차차 간정되자 마을사람들은 한편으로 집을 짓고 한편으로 농사를 시작하게 되었다.

그러니 마을은 전체가 부흥기분(復興氣分)에 벅차있었다.

농장은 제방을 쌓아 올리고 봇둑을 새로 깊이 쳤다. 한편으로 새로 들어온 입식민은 제비를 뽑아서 떼여 맡은 다섯 쌍씩의 신풀이를 개척하기에 열중하였다.

그 무렵에 정대감도 들어왔다. 그는 물론 농사를 짓고 싶어서 온 것은 아니었다. 개양툰 농장이 앞으로 커질 것을 짐작한 그는 이 동네에다 생활의 근거를 잡고 싶었던 것이다.

그러나 사변이 툭 터지자 병호는 그만 겁이 나서 고향으로 가족을 데리고 나갔었다. 그는 지금도 그때 일을 생각하면 앵하기가 짝이 없었다.

그는 지금도 건오를 보기가 면구스러웠다. 그때 할빈으로 벼 팔러 들어갔다가 낭패 본 것은 자기의 실수가 컸기 때문이다. 병호도 그 일로 물론 골탕을 먹었지만 그래도 그는 그전의 저축이 있었기 때문에 그리 큰 타격은 받지 않았다. 건오야말로 그때 큰 손해를 보고 모든 것을 새로 시작하게 되었다. 그러나 그는 언제나 배속이 유해서 지난 일을 가지고 자꾸만 되씹는 성미는 아니었다. 도리어 그는 병호의 주선으로 농사를 지었던 것이라고 조금도 남을 원망할 생각은 없었다. 병호도 자기의 똑같이 손해를 본 바에야 피차간 그해의 재수가 없는 까닭이라 돌려 생각하였고 생전 처음으로-그것은 아마 장래에도 두 번 없을 일이다. 귀중한 경험을 겪어보았다 싶었다.

그때 일을 말한다면 그는 여자에게 속은 것이 제일 분했었다. 계향이는 정말로 자기에게 정이 들어서 그런 줄만 알았었는데 나중에 알고 보니 그게 다 일시의 환심을 사기 위한 속임수의 상투수단인줄 누가 알았으랴?…그러나 그것도 그 뒤에 생각해보면 속인 그자들보다도 속으러 들어간 자기네의 어리석음이 더 큰 것을 깨닫고는 이내 그 일은 단념해버리고 말았다.

그래서 그들 말 맡다나 한해농사를 다시 지면 그만이라고-그 이듬해에, 그는 언제 그런 일이 있었더냐 싶게 만사태평으로 농사를 짓지 않았는가… 병호는 건오의 이런 둔감을 숭보면서도 한편으로는 보짱 큰 그가 우러러 보이었다. 만일 그때 병호가 건오의 초사로 술집에도 가고, 그래서 볏값을 올려 보냈다면, 그는 그 당장 건오와 시비를 걸고 배상을 해달라고 덤비었을 것이다.

따라서 병호는 한해의 실농으로 형세가 꺾이지도 않을 처지였고, 또한 계량할 양식은 유념했던 터이라, 그 이듬해 농사를 지어서 그 역시 손해를 지울 수 있었다. 그야말로 외입 한번을 한 셈 치면 그만이었다.

그런데, 그는 그 뒤로 다시 돈 천 원이나 모였던 것을 사변 통에 고향으로 나가기 때문에 이래저래 죄다 없애고 도루 아미타불이 되었다.

그는 만주사변이 그리 속히 진정될 줄 알았으면 공연히 나갔다고 후회하였다. 조선에서 살 재미가 없어 다시 만주로 들어올 생각뿐이었다. 그래 그는 혼자 간도로 들어서는 길에 그때 한참 신흥 도시로 밀수 경기를 띄고 일어나는 도문에서 주저앉아 보았다.

그러나 그것도 잿불같이 잠깐 반짝하다 말았고 계속이 된대야 자기의 처지로는 목돈을 붙잡을 수 없었기 때문에 그는 다시 농사를 지을 생각이 간절해졌다. 공연히 혼자 방랑자로 뒹굴다가는 사람만 버리기 쉽겠다는-뒤늦게나마 인제야 철이 나는가도 싶었다.

그런 생각이 든 병호는 건오에게 편지를 하고 다시 들어갈 뜻을 부탁하였다. 그래 그는 건오가 만주로 처음 들어올 때 같이 모든 것이 새로 되는 동시에 마치 그때의 앙갚음을 하려는 것처럼 건오의 신세를 다시 입게 되었던 것이다.

그해 봄에 그는 건오의 답장을 보고 고향에 나간 식구들을 개양툰으로 끌고 들어왔다.

6. 生命線(一)

귀순이네 집 “캉”을 온돌로 뜯어 고치던 날이었다.

아침부터 일기가 청명해서 일군들의 기분을 좋게 했다. 건오는 마치 자기 집 일을 보살피듯 주인을 제쳐놓고 서둘렀다. 그는 원래 대소사를 물론하고 열심히 덤비는 성미였지만, 이집주인 석룡이가 얼빠진 사람인 줄을 잘 아는 만큼 안팎일을 지휘하지 않으면 안 되었다. 미리 품을 맞추어 두었던 원일여(元日汝)도 아침을 일찍 먹고 와서 세 사람이 일 차비를 차리었다. 복술이도 그의 부친을 따라와서 그들의 일을 거들어주었다.

귀순이네는 아침을 일찍 챙겨먹고 살림살이를 말끔히 집밖으로 내놓았다.

그러나 살림살이래야 몇 푼어치 안 된다. 궤짝 한 개와 이불보와 그릇 나부랑 뿐이다. 귀남이는 학교에 가고 귀순이와 세 식구가 들어내 놓았다.

흙벽을 바르지도 않은 토낭은 삿자리를 걷어내니 먼지가 한삼태기나 쌓였다. 그것을 쓸어낼 것도 없이 일군들은 그냥 구들을 뜯기 시작했다.

방이나 부엌이나 할 것 없이 온통 먼지와 검정 투성이다. 건오는 뒤로도 창문을 내야겠다고 괭이로 중간 벽을 헐어냈다. 사실 부엌문 하나밖에 없는 방안은 대낮에도 구랑신 같아서 귀남이 어머니는 그때문에도 늘 성화를 내고 되놈을 욕하였다. 만주의 가난한 집들은 거의 다 이와 같이 집을 지었다. 그것은 겨울에 추위를 막기 위한 까닭도 있겠지만 도적을 방비하기 위해서도 그렇게 진 것 같다.

"아이구 참 고맙습니다. 아재덕분에 인제는 깡 웬수두 갚구 밝은 방에서 살아보나 부외다."

귀순이 모친은 뒤 창문을 내준단 말에 입이 함박만큼 벌어져서 좋아한다. 그는 베수건을 쓴 머리위로 먼지가 까맣게 안는 것을 연해 행주치마를 휘둘러 털면서 방문 앞으로 가까이 와본다.

"먼지 꾸러기를 뭘 하러 들어왔었어. 밖으로 나가지 아주."

석룡이는 일여가 긁어내는 흙을 삼태기로 담아내며 아내를 핀잔준다.

"먼지 속에서 일하는 양반두 있을나구-아따 오래간만에 일을 좀 하나부오."

복술이도 흙 채들을 장대기에 꿰어 메다 내버렸다. 그것은 나뭇가지로 성글게 만든 둥구미 같은 것이다.

6. 生命線(二)

석룡이는 지금 뿐 아니라 일상 그 아내로 하여금 속이 상할 때가 많았다. 계집이란 언제나 다소곳하고 얌전해야 할 것인데 이건 어떻게 생겨먹은 위인이 소가지가 나면 물불을 헤아리지 않고 독장을 친다. 그가 어려서부터 들어온 말에 의하면 여자의 목소리는 추녀 밖을 나가면 못쓴다는데, 이건 추녀 밖은 고사하고 동네방네가 다 알게 떠들어댄다.

아내의 이런 성미를 잘 아는 이웃 사람들은 모두 바뀌 되었으면 좋겠다고 한다. 미상불 그것은 석용이 생각에도 그러하다. 자기가 아내와 같은 괄괄한 성미를 가졌다면 제법 똑똑한 남자가 되었을 것이요. 그 대신 아내가 자기와 같은 성미를 닮았다면 천하에 그렇게 얌전한 계집은 없을 것 아닌가.

그러나 한편으로 그는 아내를 존경하는 마음도 없지 않다. 그것은 아내가 어떤 남자만 못지않게 영악하기 때문이다. 만일 아내마저 자기와 같이 순해빠지기만 했으면 첫째로 남한테 돌려서 못살 것 같다. 지금은 용하기만 해도 못사는 세상이다. 억지가 사촌보다 낫다고 억지손이 세여야만 악착한 세상을 부비고 살아나갈 수 있기 때문이다.

그러나 남이 있거나 없거나 말을 함부로 하는 아내는 가장의 위신을 꺾는 것 같아서, 어떤 때는 남이 부끄러워 못 견디게 한다. 지금도 그는 면괴해서 어쩔 줄을 몰랐으나 만일 대거리를 했다가는 불똥이 어디로 튈는지 몰라서 꿀꺽 참고 말았다.

아내도 남편의 이런 눈치를 채였는지 더 들이대지 않고 금방 풀려서 시시거린다.

그는 금시로 끝이 풀리면 참배같이 싹싹한 맛이 돈다. 하긴 그 바람에 자기도 훗훗한 애정을 느끼지만….

"필순아! 어디 간니?-"

밖으로 싸게 나가며 윤나는 목청을 지른다.

"예? 여깃서요."

"아저씨들 시장하시겠다…어서 점심을 지어야지."

"어느새 점심을 지어요?"

귀순이가 먼지를 피해갔다가 모친의 목소리를 듣고 쫓아온다. 그는 복술이와 수작을 하고 있었다.

"어느새가 뭐냐? 지금부터 시작해야지."

그들은 자루에서 쌀을 떠가지고 덕성이 집으로 점심을 지으러갔다.

"성님 뭘 하시유?"

귀순이 모친은 유글지고 명랑한 목소리를 지르는 게 우선 덕성이 모친의 귀에 색달리 들린다. 그래

"건 뭐야?"

하고 남문을 마주 열며 내다보았다.

"점심 지을 쌀이라우."

"쌀은 뭘 가지구 와요-아무 쌀루나 지면 되지."

사람 좋은 안주인은 해죽이 웃으며 밖으로 따라 나오는데

"아니 귀남이넨가? 어서 들어라!"

하고 덕성이 조모가 문턱위로 고개를 내밀어본다.

"예 일꾼들 점심 지러 왔시오."

"어느새 점심을…좀 들어와 앉이라구."

노인은 담뱃대를 찾아들고 한대를 담으며 심심한데 말벗이 온 것을 다행으로 아는 듯이 웃음을 머금는다.

"귀순이두 왔구나…좀 들어들 와요."

"예-더운데 들어가 뭘 해요. 여기두 좋은데요."

"그럼 거기라두 좀 앉았다가…방석이 있지 깔구 앉게 찾아주지."

노인은 마치 귀한 손님이나 온 것처럼 안심찮게 군다.

"예 여기 있어요…"

귀순이는 뜰 땀 옆 기둥에 가 붙어 섰다. 이집노인은 나날이 볼수록 탐스러워 가는 귀순이가 맘에 든다. 그런데 저 아이를 남한테 뺏기다니.

"성님 인제는 「깡」 웬수를 갚겠어요…아재가 뒷벽에다 창문까지 내주신다는구먼."

귀순이 모친은 또 한바탕 좋아라고 그것을 자랑한다.

"그럼 방이 퍽 밝겠구먼."

순복이도 그 말을 받아서 좋아하는 빛을 보이였다.

"그렇지만 바뿌신데 창문까지 언제 짜주실나구?"

"뭘 요새야 바쁠 것 있나베."

"-그래도…미안해서…"

창문까지 그저 짜준다면 그것은 더욱 고마운 일이다. 그래서 그는 지금 슬그머니 귀순이를 이 집으로 그냥 줄까 하는 생각이 일어났다.

그들은 이런 이야기를 주고받으며 속으로는 제가끔 딴생각을 하다가

"아이구 점심이 느졌나베! 깜박 이졌군!"

하고 이러서는 바람에 덕성이 모친도 마주 일어섰다.

6. 生命線(三)

덕성이 집에서는 그들이 점심을 짓기에 세 사람이 분주하게 나덤비는데 일꾼들은 점심전의 한참을 쉬노라고 마당으로 둘러앉아서 담배들을 피우고 있었다.

귀순이 모친은 쌀을 일어서 솥에 안쳐주고 귀순이더러 불을 때라고 맡겼다. 그리고 그는 남새밭으로 가서 겉절이를 무쳐놓을 열무와 배추를 뽑아 다듬는다. 덕성이네도 그것을 들어 주었다.

그들은 지금-몇 해 전에 건오가 마적에게 붙들려가던 이야기를 하노라고 꽃이 피었다.

그것은 귀순이네가 귀에 젖도록 들은 이야기다. 그러나 그는 지금도 그 이야기를 하라고 덕성이 모친을 졸러댔다. 그는 언제나 이집과 사이가 좋을 때는 그런 이야기를 하라고 고부를 졸라대서 그들은 돌려가며 한 이야기를 또 하고 또 하곤 하였다.

-어느 해 겨울에-거기는 건오가 먼저 살던 곳이었다. 그것은 바로 건오가 할빈으로 병호와 함께 벼를 팔러 갔다가 정미소에 속아서 큰 손해를 보던-바로 그 이듬해라는 것이 더 알기 쉽겠다.

그해 겨울에 대낮에 비적이 쳐들어왔다. 그들은 닭과 돼지를 때려잡아 먹은 뒤에 마을 집을 낱낱이 뒤져서 값진 물건을 한 짐 잔뜩 뭉뚱그려 놓았다. 그런데 그들은 어떻게 보았던지 건오를 잡아내서 짐을 지고 가자는 것이었다. 그들도 건오의 장골을 알아본 것이다. 그러니 어느 영이라고 거절할 수가 있으랴. 건오는 할 수 없이 짐을 걸머지고 그들의 앞장을 서서 갔다.

그때 집안 식구들은 건오가 다시 살아오려니 생각은 못하였다. 사실 과거의 경험으로 본다면 그들에게 붙들려 간 사람으로 살아서 돌아온 사람은 백에 하나나 될까 말까 하였다.

그래 식구들은 울며불며 동구 밖까지 쫓아나갔다. 그중에도 소년 과수로 외아들을 키워낸 건오의 모친은 나를 대신 잡아가라고, 몸부림을 하며 쫓아나왔다.

그러나 그들은 눈도 깜짝 않고 돌려대고 총을 놓았다. 그 바람에 하마터면 노인마저 죽을 뻔했다는 것이다.

"그때는 참 다시 못 돌아줄 알았더니 천행으로 살아왔지. 그 사람이기에 그렇게 몰래 도망질을 쳐왔지 약질이었으면 꼼짝없이 죽었을걸 뭐-"

하고 노인은 지금도 눈물이 글썽글썽해서 며느리의 이야기를 보충한다.

비적(匪賊)은 부잣집 식구를 볼모(人質)로 잡어다가 죽이기도 하지마는 아무 까닭 없는 짐꾼들도 목적지까지 가서는 죽여 버린다. 그것은 만일 그를 살려놓았다가는 자기의 소굴이 알려질까 겁이 나서 후환을 아주 없이 하기 위한 ○는이라 한다.

"그래 그이두 며칠을 끌려서 산속으로 들어갔는데…저-자무쓰(佳木斯)라던지 어디로 가는 아주 첩첩 산중이드라나-거기는 강에서도 근 백리나 들어가는 얀침인데 눈이 덮인 산속에는 아름드리나무가 꽉 들어서서 대낮에도 하늘이 잘 안 뵈드래-그런데 그 속을 헤치고 자꾸만 들어가는데 그 산중턱에 웬 움막집이 있더라지?"

"저를 어째여? 아이구 참!"

귀순이네는 말마디마다 놀라운 눈을 크게 뜨고 호들갑스럽게 대기를 쳤다.

"그런데 조석은 꼭꼭 그이를 시켜서 해 먹었대-그래서 그때도 쌀자루에서 저녁쌀을 꺼내서 일어가지고 광솔불에 밥을 짓는데 가만히 생각할 수 록 내일은 꼭 죽었드래!"

"저런 죽일 놈들 좀 보았나! 그래 밥까지 시켜먹으면서."

귀순이 모친은 더욱 긴장된 표정으로 부르짖는데 귀순이도 불을 때면서 그들의 이야기를 흥미 있게 듣고 있었다.

6. 生命線(四)

"그래서 어떻게 하셨다나요?"

귀순이 어머니는 하회가 궁금해서 다듬던 나물도 내버려두고 안주인의 턱살만 넋 놓고 쳐다본다.

"그래 참 저녁을 지며 곰곰이 생각해보아야 도모지 방도가 안 나서는데 암만 궁리를 해본대야 별수가 없겠드래! 그래 고만 이래 죽으나 저래 죽으나 죽기는 일반인즉 어찌 돼던지 한번 해보리라고 지금 잔뜩 뻐무는 판인데… 그러는 중에 밤이 다 되었드라나."

"나 같으면 밥 지을 경황두 업겠구먼! 하하하-"

"그러기에 남정네는 팔분가바-지금 잔뜩 마음속으로는 무슨 일을 벌릴 작정이면서도 겉으로는 천연한척하며 시키는 대로 고분고분 했다지-방으로 밥을 퍼다주고 반찬과 밥을 해낸 물위에는 언제나 물을 끓여서 더운 물을 퍼다 주었는데 그때도 소틔나물을 끓이느라고 혼자 쭈그리고 앉어서 보자니까 이놈들이 시장한판에 밥을 퍼먹느라고 아주 정신이 없드라나-그 골을 보고 물을 가저 오라는 것도 좀 덜 더웠다고 가장 위하는척하면서 다른 때보다도 더 뜨겁게 아주 펄펄 끓기를 기다리고 있는데 일이 잘되느라고 그 집에 큰 바가지가 있드래! 그래 가만히 끓는 물을 한바가지 떠서 갔다 주는척하다가 냅다 그놈들의 낯짝에다 콱-끼얹고는 고만 화닥닥 뛰었다지…"

"아이구 저런! 하하하…"

"그랬더니만 이놈들이 밥을 먹다가 끓는 물벼락을 낮고 펄펄 뛰드래! 모두들 쩔쩔매면서 아우성을 치는데 이이는 밖으로 내뛰는 길에 엉겁결에 장적개비를 들고 나오다가 파수 보는 놈의 대갈통을 또 냅다 치니까 이눔이 끽 소리를 치며 나가 자빠지더라지-"

"아이구 참 날내기두 하시지 어쩌면 혼저 그렇게 여러 눔을 해내셨을까?"

귀순이 모친은 언제와 같이 감심하기를 마지않으며 혀를 내두른다.

"그때는 그러나 도무지 정신을 모르구 한 일이래! 나중에 생각해보니까 그렇지-아주 악에 바처서 죽을 둥 살 둥 모르구 한일이니까 그렇지 않겠어, 그래 그제부터는 고만 천방지축 달어나는데 이눔들이 쫓아 나오며 고함을 지르고 사방으로 찾느라구 아주 야단이드라지-그러나 밤은 캄캄한데 눈 쌓인 산중 숲 속에서 어디가 숨은 줄 알고 차질 수 있겠어-한참동안 그러드니만 더 차질 생각을 못하고 도르들 들어가는 모양이드래! 그래 숨었던 자리에서 가만히 기여 나와서는 그날 밤새도록 눈 속을 헤매였다는구먼!"

"그러니 칩기는 오작하며 고생이 얼마나 되셨슬까?…아이구 가엾어라!"

"그래두 그때는 치운 줄두 모르겠고 발바당이 째진데가 아픈 줄두 모르겠드래…그런데 얼마를 걸었는지 새벽녘이 훤하게 동이 트는데 가만히 방향을 짚어보니까 이거 바요! 밤새도록 걸은 것이 도루 그눔들 소굴로 갔드라는구만! 도적놈의 적굴로…"

"아뿔사! 저게 또 웬일야?…그래 정말로?"

"그럼! 워낙 캄캄한 밤중이라 향방을 모르고 허매였스니까 그 근처에서만 뺑뺑 돌었지뭐. 길두 없는 산중에 눈이 하야케 덮이였으니 거기가 거기 같지 않을께야! 그래서 밤새도록 그 근방에서만 뺑뺑 허맷다는구먼…"

"아이구 참! 저 일을 또 어쩐담 하하하…"

"날이 밝어오니까 도적놈들두 잠이 깨서 두세두세 하더라나. 만일 이번에 붙들리기만 하면 정말로 죽을 생각을 하니 참 기가 막히드래여…그래 고만 어메 뜨거워라구 두 주먹을 부르쥐고는 골짝이 속으로 줄달음질을 처서 그 산속을 빠저 간신이 빠저 나왔다는구먼. 그러니 꼭 죽을 사람이 살지 않어서!"

안주인은 여기까지 이야기를 끈치고 지금도 오히려 놀라운 듯이 눈알을 굴린다.

"그럼요-죽을 걸 살지 않구 참 천행으로 살으셨지 뭐-"

"난 지금두 그때 일을 생각하면 끔찍해서 참…그런 줄 모르고 집에서는 꼭 죽은 줄 알구 오죽이나 했겠서…아무 경황이 없었지-어머니는 식음을 전폐하시구 드립더 울기만 하시구…"

"그런데 뜻밖에 살어 오신 것을 보구 얼마나들 기뻐하셨을까?"

6. 生命線(五)

일군들은 한나절 안에 방바닥을 다 뜯어놓고 고래를 싸 올리기 시작했다. 귀순이네 집 방을 고친다는 말을 듣고 병호와 정대감이 전후하여 어슬렁어슬렁 왔다.

"너두 일 왔느냐? 저놈은 밤낮 아범만 따라다니는가?"

정대감은 복술이를 보고 농담을 건다.

"오지 말래두 기어히 따라 왔다우. 그 자식이-"

강주사집에서 방천사리를 하는 일에는 홀아비 부자가 단 두식구만 사는 터이였다. 복술이는 빈 방속에 혼자 있기가 싫었다. 그것도 어머니가 없으면 동생이나 있다든지, 다른 누가 있다면 모르지만 아무도 없는 방을 혼자 무슨 재미로 지키고 있으랴.

복술이 모친은 그가 세 살 먹었을 때 달아났다한다. 원일여는 아홉 번 장가를 들었다는데 번번이 마누라는 사내를 떼놓고 달아났다. 그것은 참으로 웬일인지 모른다. 자식을 잘 낳고 몇 해씩 살던 계집도 하루 밤 새에 부지거처가 된다. 복술이 담으로 나은 남술이 어미가 역시 그랬다. 남술이가 다섯 살까지 먹도록 그는 곧잘 살았는데 어느 날-일여가 일 나간 틈에 온데간데 없이 없어졌다. 나중에 소문을 들으니 황해도 어디로 금전꾼을 따라 갔다한다. 그래 그는 자식이나 찾는다고 들또보(들보?) 행상으로 찾아 나섰다. 그러나 방방곡곡을 헤매보아야 계집의 종적은 알 수 없었다.

"천하에 죽일 년 같으니…달어나면 제년이나 갈 것이지 웨 남의 자식까지 데불구 갔담."

그때 일여는 한숨을 길게 쉬며 단념하였다. 동시에 자식까지 없고 달아난 계집을 저주하기 마지 않았다.

"잘 업구 갔지 뭐유. 남술이를 두구 갔으면 어떻게 키우실나우?"

부친의 말을 듣고 있던 복술이는 이렇게 핀잔을 주었다. 그는 사실 제 동생이라도 조금도 애정이 없었다. 그만큼 남술이가 있으면 도리어 귀찮기만 할 것 같았다.

"저런 빌어먹을 자식! 이놈아 동생 하나 있는 게 그렇게두 보기 싫으냐?"

일여는 그때 아들에게 주먹질을 하며 역증을 냈다.

"누가 보기 싫댔수-형편이 그렇단 말이지."

복술이는 여전히 느물거리지 않는다.

"이 자식아 시통맞게 형편이 다 무에야?"

하고 일여는 더욱 화가 나서 담배통으로 기어코 아들의 뒤통수를 후려 갈겼다.

"엥-아버진 공연히…왜 따려! 엥-"

"이놈의 자식을 고만 죽여버릴나?"

재차 방망이를 들고 일어서는 바람에 북술이는 밖으로 울며 달아났다.

그러나 지금은 그것도 옛일같이 기억에서 없어지고 말았다. 남술이가 지금까지 있었으면 열아문 살이나 되었을 것인데 그는 죽었는지 살았는지 도무지 소식을 모른다.

몇 해 전에 남양(南陽)에서 살았을 때 아홉 번째 얻었던 계집이 마저 달아난 뒤로는 일여는 계집이라면 아주 진저리가 났다.

그때는 신병으로 여러 달을 앓고 누웠던 만큼 고생을 시켰고 자식까지 없는 터이니 그 계집은 달아날 만도 했겠지만 남술 어머니가 달아난 것은 지금도 어쩌다 생각이 날 때는 분통이 터질 것 같았다. 그는 오십 평생에 계집을 얻다가 볼일을 못 보았나. 팔도강산을 안 돌아다닌 곳 없이 별별 장사를 다 해보고 막벌이일도 못해본 것이 없이 세차게 벌어서는 홀아비 신세를 면하려고 계집을 얻어 보면은 번번이 실패를 당하였다. 계집을 잃은 날에는 살림까지 망치게 된다. 그러면 또 홀아비로 외자식을 끌고 돌아다니며 숫하게 고생을 하다가 돈냥이나 모아서, 다시 얻게 되면 또 그 꼴을 보게 된다. 세상에 이런 놈의 팔자도 있는가, 일여는 남양에서 아홉 번째의 계집이 달아난 뒤로는 병후의 심파가 치받쳐서 아주 고향을 떠나버렸던 것이다. 그래 그는 복술이를 끌고 간도로 들어와서 머슴을 살다가, 농사를 짓기는 북만이 좋단 말을 듣고 이곳까지 작년에 들어왔다. 그 속을 아는 친구들이 간혹 농담 삼아서

"일여! 장가 안 들나는가? 아주 열 명을 채워보지."

할라치면, 그는 노랑수염이 다복하게 난 입을 헤-벌리고 웃으며

"그런 말은 두 번두 말게."

하고 머리를 송충이 대가리 내 두르듯 하는 것이었다.

6. 生命線(六)

그러나 그는 지금도 쓸쓸한 자기의 생활을 들여다보면 계집생각이 불현듯 난다. 제일 귀찮은 것은 자기 손으로 조석을 끓여먹는 것이었다. 지금은 주인집에 붙어먹지마는, 그러니 모든 것이 불편하다. 옷 한 가지를 빨아 입재도 제 살림처럼 손쉽지가 못하다. 그것도 혼자라면 또 모르나 자식까지 데리고 다니자니 여간 주체 덩어리가 아니었다.

그런 생각은 복술이나 장가를 어서 들여서 며느리 손에 조석을 얻어먹었으면 싶었다. 그러나 북술이는 아직 나이가 어리다. 그뿐 아니라, 제 부모 눈으로 보아도 도무지 싹수가 없어 보인다.

생각하면 그 자식도 불쌍하다. 어려서 생어미를 여인후로 오늘날까지 십여 년을 고독하게 여덟 번이나 드나드는 계모의 손에 키워났다.

일여는 자기가 무식한 대신-더구나 남술이까지 제어미가 업고 달아난 뒤로부터는 오직 모든 희망이 복술이 밖에 없었다. 저 하나나 공부를 잘 시켜보자고 단단히 결심하였다.

그래 그가 서울 살 때에는 낮에는 셋방살이의 홀아비살림을 하고 저녁에는 구루마로 야시를 보아가며 복술이를 사립학교에 입학을 시켰었다.

그런데 복술이는 공부는 제쳐놓고 단성사(團成社) 깍정이패의 괴수가 되었다. 날마다 싸움질만하며 돌아다녔다. 일여가 셋방을 살던 곳은 바로 단성사부근이었다.

자식이 이런 줄은 전혀 모르고 부친은 아침마다 변또를 싸서 보낸다. 그러면 복술이는 깍정이패와 종일 돌아다니다가, 저녁때는 학교에 갔다 오는 것처럼 책보를 끼고 돌아온다. 까막눈이 일여는 무엇을 어디까지 배웠는지 모른다. 그런 부친은 얼마든지 속여먹을 수 있었다. 어디 오늘 배운 데를 좀 읽어보라면 그는 아무데나 책 한권을 펴놓고 제 마음대로 흥얼거린다. 그러면 상답에 개 끌어가는 소리를 하더라도 그런가보다 할뿐! 일여는 그 아들을 믿고 있었다.

그래도 그것은 둘째였다. 월사금이 밀려서 간신히 한두 달 치를 해주어보내면 복술이는 그 돈을 가지고 동무들과 우미관(優美館)으로 쫓아간다.

저녁때까지 활동사진을 구경하고 나와서는 남는 돈으로 고구마와 호콩을 사먹는다. 그 뒤에 시치미를 딱 떼고 얼마 있다가 복술이는

"아버지 선생님이 월사금 가져오래요."

한다.

"뭐?-월사금은 저거번에 가저 가지 안했니!"

"그건 그전 꺼래요."

"그렇던가, 오냐 쉬 해다 들은다구 선생님께 여쭈어라"

그는 이렇게 또 속는 것이었다. 그는 젓쇠질을 해서 돈을 훔쳐내기도 일수였다. 그보다도 한번은 동무학생이 여러 달 치가 밀린 월사금을 가지고 가는 눈치를 채자 그 애를 살살 꾀여서 우미관으로 갔다. 두 놈이 사진을 보고 나왔다. 남은 돈으로는 사탕을 사먹으며 온종일 진 고개를 돌아다니는 중에, 사원 돈을 죄다 까먹어 버렸다. 그 이튿날 그것이 발각 나서 그 애는 제집에서 매를 잔뜩 맞고 쫓겨났는데 선생이 조사한 결과 복술이가 수범(首犯)으로 드러나서 일여까지 불려가게 되었다. 그때에 비로소 일여는 북술이의 놀라운 악행을 알았을 뿐 아니라, 자기가 푼푼이 모아준 월사금도 반 년 치나 미

납(未納)이 된 것도 알게 되었다. 그 돈이 우미관 관람료로 들어간 것까지.

그때 복술이는 퇴학처분을 당하였다. 일여는 그날 복술이를 데리고 돌아와서 야시에서 팔다 남은 빨래 방치로 능지가 되도록 뚜드려 팼다. 그리고 자기도 실컷 울었으나, 그게 또한 무슨 보람이 있을 것이냐?

그 뒤에 화가 나서 예라 계집이나 또 얻어 본다고 일여는 이웃 간에서 아는 사십 줄에 든 식모를 얻었었다. 그 여자가 처음에는 백년해로나 할 것처럼 덤비더니 불과 한 달이 못되어서 알진 세간을 몽땅 훔쳐가지고 뺑소니를 쳤다.

일여는 그 꼴을 보고 서울을 하직하였다. 그는 멀리 타 땅으로 간다고 원산으로 내려갔었고 원산서 다시 남양으로 굴러갔었다. 거기에서 친구의 권고로 살림을 다시 시작하고 복술이는 도문 있는 국민우급학교에 입학을 시켰는데 불행히 일여는 우연히 담총이 들어서 몇 달을 앓고 누운 바람에 벌이를 못하게 되었다. 가난과 병 신음에 멀미가 난 계집은 또 슬그머니 달아나고, 북술이는 밀수입을 하다가 붙들린 뒤에, 학교도 못 다니게 되고 만 것이었다.

6. 生命線(七)

저녁때 학교 이상열(李相烈)은 웬 낯모르는 대학생을 데리고 귀순이네 집 앞으로 온다. 일군들은 일을 하다말고 동네 개가 자지러지게 짖는 바람에 웬 일인지 몰라서 문앞을 내다보았다.

대학생은 금단추를 다른 검정세루 제복을 성큼하게 입었다. 키가 호리호리하니 크고 얼굴이 기다랗다. 그러나 석대한 몸집을 가진데 비하여 행동은 매우 공손해 보인다.

그는 ○○신학교에서 온 신학생(神學生)이였다.

"선생님 오십니까?"

일군들은 일손을 떼고 마당으로 나오며 상렬이를 향하여 일제히 인사를 드린다.

"네, 얼마나 수고들 하십니까?"

일상 생글생글 웃는 표정을 가진 학교선생은 허리를 굽히며 마주 답례한다.

"아무데나 좀 앉이십시오-방을 고치느라구-"

건오는 주인을 대신해서 그들을 갈자리를 펴놓은 그늘위로 권하였다.

"녜-좋습니다. 자-인사하시지요."

이상렬은 먼저 한손을 펴서 내밀며 신학생을 그들 앞에 소개한다.

"이 선생은 ○○신학교에 계신 분인데 이번 하기 휴가동안에 여러 곳으로 전도하러 다니시는 길에 우리 동리에도 들느셨답니다."

그 말이 떨어지자 신학생은 세 사람 앞으로 공손히 상반신을 숙이며 차례로 돌려가며 인사를 하는 것이였다.

"저는 서치달(徐致達)이올시다. 못 뵌 새에 안녕하십니까?"

"녜. 더운데 멀리 오시느라구 수고하셨겠습니다. 저는 이 마을에 사는 황건오 올시다."

건오가 먼저 머리에 동인 수건을 벗고 성명을 통하자 석룡이와 일여도 그와 같이 따라하였다. 미구에 정대감과 병호도 와서 갈자리 위에 앉은 진객(珍客)에게 그들도 성명을 통하였다.

"일하시는 자리에 이렇게 와서 방해가 적지 않습니다."

신학생은 일꾼들에게 다시 불안스러워하며 고개를 숙인다.

"뭐 천만에 말씀을 다하십니다. 이런 누추한 곳을 일부러 찾아주시니 감사한 말씀은, 참 무어라구 여쭐 수 없습니다."

본시 번잡스러운 정대감은 이런 자리에는 행여나 남에 뒤질 세라고 언제든지 앞잡이를 서는 축이였다. 그는 지금도 일꾼들이 대답할 말을 가로채가지고 이렇게 이죽거린다.

"나쁜 것이 올시다만 담배 피우시지요?"

"전 피울 줄 모릅니다."

신학생은 잠깐 고개를 흔들어 보이며, 담배를 사양한다.

"네 그러십니까, 실례 했습니다."

정대감은 신학생 앞으로 내밀었던 담뱃갑을 도루 잡아당겨서 자기 앞으로 놓는다.

"교인이신데 담배를 잡슬리 있는가-이 사람아 내논 담배를 끄러갈건 뭐 있는가?-자 선생님 한 개 피우십시유-자네들두 한 개씩 피우구!"

병호는 담뱃갑을 채서 들고 한 개씩을 돌려가며 빼준다. 자기도 한 개를 틀어 묻다.

"아따 그 자식 뻔뻔스럽기는-남의 담배가지구 인심 잘 쓰는군."

"그럼 원님덕분에 나발두 분다는데 하하하-"

원일여도 권연 한 개를 얻어서 뻐끔뻐끔 피우고 있다.

"그럼 우리 동리에서도 신도를 해주시겠습니까?"

정대감은 대표 격으로 신학생과 마주 수작을 붙인다.

"녜-그러지 않어두 이 선생님을 학교로 찾아뵈옵고 말씀을 드렸더니 너그러이 찬성을 해주서서 우선 이렇게 동리 어른들에게 인사를 엳줍자구 선생님을 모시고 나섰습니다. 지금 부락장 어룬과 강선생님을 찾아뵈옵고 오는 길이올시다."

"녜-거 잘 하셨습니다. 그러나 시장하실 텐데 어디서 점심진지나 잡수셨나요 원…저의 집이 누추합니다마는 잠깐 가실까요?"

정대감은 이런 때에나 손님대접을 해보려고 동중을 대표해서 뽐내었다.

"녜 점심요기는 했습니다마는 그라지 않어도 지금 댁으로도 찾아가 뵈올까 했섰는데 마침 이렇게 만나 뵈였습니다."

"녜 그러서요! 좌우간 다리두 쉬실 겸 가보시지요-선생님 가시지요-병호자네두 가세"

하고 그는 무슨 굉장한 대접이나 할 것처럼 희떱게 그들을 끌고 갔다.

(중략)

7. 童心(二)

귀순이가 이렇게 언덕위에 앉아서 도야지는 어디로 가는지도 모르고 공상의 날개를 허공으로 펴고 있는데, 별안간 어디서인지 만인이 부르는 노래가 가까이 들려온다. 그래 그는 깜짝 놀라서 몸을 움츠리며 사방을 둘러보았다.

그러나 귀순이가 놀란 눈으로 자세히 살펴본 결과 노래를 부르며 오는 사람은 만인이 아니라 복술이가 분명하였다.

복술이는 저기서 뛰어온다.

귀순이는 그제야 놀란 가슴을 진정하였다.

一

쓰짜이아 팡중아 따야파-이

훌랑먼웨 차이랑라이

쌍슈 파먼카이.

아이 아이야!

쌍슈 파먼카이

姊在呀房中呀打牌

忽然門外才郎來

雙手把門開

噯噯呀啊
雙手把門開
(소저가 방안에서 야파이(牌)를 놀고 있자니
홀연 문밖에서 남자의 발자취가 들린다.
쌍수로 문을 열었다.
아이 아이야!
쌍수로 문을 열었다.)
(註) 야파이(牙牌)는 서른두 짝의 끝 패인데 마작(麻雀)과 같은 것이다.

복술이는 이 노래의 첫절을 멀리서 부르고 뛰어오다가 쉬여서는 또다시 제 이절을 부르며 가까이 온다.

二
텐파이아 띄파이아 로뿌아이
즈아이런파이 포우짜이훼이
파우찡 로팡라이
아이 아이야!
파우찡 로팡라이
天牌呀地牌呀奴不愛
只愛人牌抱在懷
跑進奴房來
噯噯呀啊
跑進奴房來
(천패도 싫고 지패도 싫다

다만 인패만 껴안고 싶다.
뛰어가서 방안으로 불러드렸다
아이 아이야!
뛰어가서 방안으로 불러드렸다.)

복술이는 여기까지 노래를 뚝 끊기자 귀순이 옆으로 와 서며 빙긋이 웃는다.
“너 그게 무슨 노래냐?”
귀순이는 복술이를 보고 마주 웃으며 물어본다.
“몰라-”
“모르는 노래를 어디서 배웠어?”
“저-도문에서 배웠다”
“너두 도문서 살었냐?”
“아-니 남양에서 살었어-내 돼지 몰어줄까?”
“몰긴 뭐-그냥 놔둬…남양은 조선 땅 아닌가?”
“조선 땅이지만 도문은 바로 두만강 다리 하나만 건너가면 거긴데 뭐-”
“남양선 너 뭐했니?”
“학교에 다니다 고만 두었지!”
“어째서 그만 두었니?”
“그런 일이 있어서…”
“그런 일이 무슨 일야?”
“글쎄 그런 일이 있어서 말야…”
“그 말 좀 못할 건 뭐냐?”
“그래두 싫여!”
“학교를 그만 두군 뭐했니?”

"아버지 대신 품 팔었단다."

"느 아버진 뭘 하구?"

"병나서 여러 달 앓었단다."

"그래서 학교두 못 단겼구나."

"그래!"

"그럼 진작 그렇다구 하지. 속일 건 뭐야! 난 무슨 별일이나 된다구! 호호호…"

귀순이는 복술이가 싱겁다고 소문이 났더니만, 참으로 지금 말하는 것도 그렇게 보여서 부지중 실소(失笑)한 것이었다.

"그때 도문 가서 품을 판 게루구나."

"그래, 철도판에 가서 흙을 파냈단다-그때 쿠리한테 되노래두 배우구…"

"너두 고생 많이 했구나, 하루 얼마씩 벌었니?"

귀순이는 동정심이 우러나서 복술이의 외로운 신세를 속으로 가엾게 생각하였다.

"잘 버는 날은 한 오십 전 벌었지."

복술이는 이렇게 대답하고 나서 또 한 번 싱긋 웃더니,

"그렇지만, 도문서 학교를 고만둔 것은 그때문이 아니란다."

하고 그는 그제야 밀수하던 이야기를 꺼냈다. 밀수가 무엇인지 모르는 귀순이는 복술의 이야기에 점점 흥미를 느끼었다. 복술이는 소금과 쌀을 벤또 그릇으로 밀수하다가 들켜서 유치장으로 붙들려가던 이야기까지, 저의 집안 내용을 묻지도 안는데 다 털어놓았다.

(중략)

7. 童心(五)

황식이는 그때도 말하는 것이 정떨어지게만 하는 것이었다. 그는 아직 사람이 덜되어 먹었다. 제 집에서 활갯짓한다고 남한테까지 그래서 될 것인가? 아무리 돈이 있다기로 돈 가진 자세만 하려 들고 남은 눈 아래로 깔보면서 제 말은 누구나 들으려니 하는 것이 아니꼽단 말이다.

그리고 일이란 순서가 있는 것인데 제가 언제부터 알았다고 누구를 만만히 보려드느냐 말이다.

그렇기로 말하면 당초에 동이 안 맞는 걸 중간에서 저 혼자만 날뛰는 셈이다. 남의 약혼한 자리를 탐낼 것 같으면 그만큼 성의를 다하여야 할 것 아닌가? 그래도 이편에서 선심을 써주기만 바랄 뿐이어야 한다.

그와 비교하면 덕성이는 점잖은 편이다. 만일 처지를 바꾸어서 덕성이가 황식이의 자리를 넘기여 본다면 그는 당장 노랑살인을 냈을 것이다.

그런데 덕성이는 지금까지 자기를 의심하는 말을 한 번도 하지 않는다. 그것은 귀순이도 그런 말은 입 밖에 내지 않았다.

피차에 말이 없는 그 가운데 도리어 알 수 없는 무엇이 통하는 것 같았다.

덕성이는 단둘이 만났을 때에도 그런 추접스런 소리는 한일이 없었다. 나는 너 때문에 죽겠다는 둥 못살겠다는 둥-대가리에 피도 안 마른 것이 그런 소리를 하니 깜찍스러워 우습지도 않았다. 그런 소리는 이십이 지난 청년의 입으로나 할 것이다. 아니 성장한 사람이라도 그런 말을 가벼이 해서는 안 된다. 왜 그러냐면 그런 말은 인금을 떨어지게 하기 때문이다. 설사 그런 말을 하고 싶더라도 입 밖으로 내여서는 안 된다. 입이 가벼운 자는 속이 얕은 법이다.

덕성이는 그와 반대로 너무 입이 묵중하다. 그는 자기 아버지를 닮아서 그런 것 같다마는 어떤 때는 너무도 대범한 것이 마치 골낸 사람 같아서 우스워 보이었다.

그러나 그가 입이 무거운 대신 눈은 늘 열기 있게 움직이고 있었다. 과연 그는 입으로 침묵을 지키는 대신 눈으로 말을 하고 있는 것 같았다.

그의 시선에 한번 부딪치면 어쩐지 무엇이 누르는 것 같고 든든한 믿음을 갖게 한다. 이만큼 매력을 끄는 눈은 여자에게서도 찾아볼 수 없는 것이 별일이었다.

그는 어쩌다 단둘이 만났을 때도 학교에서 배운 점잖은 말만 했다. 그래 자기는 좀 더 재미있는 이야기를 듣고 싶었는데…하긴 더 재미있는 이야기가 무엇인지 그것은 귀순이 자신도 알 수 없는 것이었지만-.

한낮이 가까워지고 해는 머리위로 쩔쩔 끓는다.

귀순이는 백일하의 긴 꿈에서 깨여났다.

그는 호수 같은 두 눈을 현실로 돌리었다. 평원광야는 여전히 눈앞에 깔리었다.

그는 불현듯 웬일인지 모르는 기쁨이 용솟음쳐 올라온다. 누가 보지만 안는다면 껑충껑충 춤이라도 추고 싶다.

그래 그는 한달음에 도야지를 쫓아가서 집으로 가는 길 안으로 몰아넣었다. 걸구는 여전히 주둥이로 땅을 쑤시며 꿀꿀 거리고 지척지척 달아난다. 몸집에 비해서 가는 꼬리를 회회내 두르면서-귀순이는 새삼스레 그것이 우스워서 맹랑한 웃음소리를 공중으로 터뜨렸다.

"호호호…호호호…"

복술이는 벌써 저만치 앞서 뛰어간다. 그는 또다시 만주노래를 부르며간다.

뚱산성 싼꿰이싼쭝꿰이
창호지 호짜이웨이
양료 하이쯔 조치라이
씨치빠듸꾸냥한옌다이
東三省三怪三宗怪
窓戶紙 糊在外
養了孩子吊起来
十七八的姑娘含烟袋
(만주 괴물이 세 개 있다
창문의 종이를 밖으로 바른다
아이를 기르는데 달아맨다
열칠팔 세 된 처녀가 담배를 피운다

(註)그네(搖籃)는 아래로 매고 흔드는 것을 만주에서는 대야 같은 것을 천정에다 달아맨다.

귀순이가 점심을 먹으러 들어가 보니 덕성이는 아버지가 문 바르는 것을 조력해주는데 복술이의 노래의미는 못 알았으나 종이를 문설주 밖으로 바르는 것이 이상해보이었다.

덕성이 아버지는 뒤 창문을 짜고 있었다.

귀순이 모친은 한동안 실중해서 덕성이집 식구들을 보면 공연히 입을 삐쭉거렸는데 지금은 변덕이 나가지고 야단이다. 그는 건오가 서둘어서 오늘

방을 뜯어놓게 된 것이 어찌도 좋은지 몰라서 그런 심술이 확 풀어진 것이다.

"되놈들이란 참 음층 맞기두-이런 속에서 어떻게 몇 해씩 살구 있었담."

"남보구 욕할 거 뭐 있어! 그래두 그 사람은 돈을 많이 모았대여!"

일상 아내한테 몰려 지내는 석룡이는 이런 때에나 가장의 위엄을 남한테 보이려고 말참견을 하였다.

"돈 아니라 금을 모았서두 난 그까진 거 붊지 않어! 사람이 하로를 살다 죽더라도 좀 깔끔하게 살아봐야지 이게 그래 사람 사는 집인감 돼지우리지!"

언제와 같이 쨍쨍한 목소리로 다부지게 넘겨 치는 바람에 석룡이는 다시 말대꾸할 용기가 나지 않았다. 그래 그는 지금도

"저년의 주둥이는 도무지 막아낼 장사가 없어!"

하고 속으로만 중얼거리며 침묵을 지켰다.

"암 그렇지라우. 되놈이란 더럽고 말구요."

홀아비 냄새까지 나는 일여가 안주인의 비위를 맞추려고 맞장구를 친다.

"그런데 우리 집 잘난 양반은 말만 나면 되놈 편을 들지-되놈이 자기 조상과 어떻게 되는지-내 참 호호호…"

귀순이 모친은 별안간 치맛자락으로 입을 가리며 까투리웃음을 웃는다.

"저건 알지두 못하구…저집 조상은 여기서 안 산줄 아남! 조선 사람의 씨가 만주에서 퍼졌다지 않어?"

석룡은 툴툴해서 그전에 얻어들은 말을 얼른 튕기었다. 이런 때야말로 아는 체를 한번 해볼 판이라고.

"미쳤는가-조선 사람이 되땅에서 나게!"

"그럼 이년은 왜 만주로 빌어먹으려 왔던가?"

"그야 살 수 없어 왔지."

"그러니 말야."

"웬 그러니 말야-임자는 그럼 조상 찾으러 왔던가!"

"하하하-고만들 두시우, 내외분이 또 싸우리다."

여태까지 그들의 티적대는 것을 잠자코 듣기만 하던 건오가 한마디로, 그들의 투각을 중재시켰다.

(중략)

8. 傳道大會(一)

신학생 서치달이가 전도강연(傳道講演)을 하던 날 정대감과 병호는 낮부터 술이 취하여 비틀거렸다.

서치달이가 이 동리에서도 일주일동안 전도를 하기로 결정되자, 그는 정대감집에다 기숙을 정하였다. 사실 이 동리에서는 그 집밖에 손을 부칠 곳이 없었다. 정대감네 냉면집은 어쩌다 손님이 들면 숙박을 시키기도 하였다.

서치달은 이상렬과 한 고향에서 자라난 소학동창이다. 그만큼 그들은 오래간만에 만난 것을 반기는 동시에 상렬은 치달의 희망을 들어주기로 한 것이다. 치달이도 그래서, 상렬이를 믿고 찾아온 것은 물론이었다.

그러나 급기야 전도강연회를 열기로 결정되기까지는 다소의 마찰이 없지 않았다. 그것은 누구보다도 부락장이 반대하기 때문에-.

부락장 홍승구는 유교를 숭상한다. 하긴 그것은 외면치레요 실상은 한학에 열심히 하는 것도 아니다. 그는 어려서 한문을 배우다 말았고, 부여조가 한학으로 행세를 하던 소위 양반의 집 문벌을 내세우자는 것밖에 안되었다. 그런 유교관념은 덮어놓고 다른 종교는 사교(邪教)라고 배척하였다.

상렬은 벌써 부락장의 그런 완고를 알아채자 먼저 강주사의 동의를 얻도록 비밀공작을 하였다. 그것은 강주사만 찬성을 한다면 부락장도 중론을 무시할 수 없기 때문이다. 그 외에도 만만치 않은 심술꾼으로는 정대감이 있지만 그는 신학생을 자기 집에 붙였을 뿐 아니라 같은 서도사람이라는 관점에서, 기 쓰고 방해를 놓을 리가 없었다. 지방열은 이런 데까지 미묘한 감정을 일으키게 한다. 서치달은 이상렬을 처음 찾아오던 날 서로 그 일을 의론하였을 때 우선 이런 말을 듣고 은근히 그들의 영혼을 탄식하였다.

그길로 그들은 먼저 강주사를 찾아갔다. 강주사는 추측한 바와 같이 반대하지 않았다. 그는 자기도 그전에 예수를 믿었다 한다.

과거의 신자였던 만큼 예수교의 내력을 잘 알았다. 그가 예수를 믿다 말게 된 것은 교리보다도 교회속이 부패하기 때문이었다. 그런데 상렬의 소개에 의하면 서치달이 다니는 교회는 조선과는 전혀 분리된 만주에서 새로 생긴 독립교회라 한다.

첫째 이 교회의 현저한 특색은 신학교에 농장을 건설하고 학생들로 하여금 전부 농사를 짓게 한다. 그것은 아무리 부자의 자식이라도 이 학교에 입학을 한 이상에는 일률로 농사를 짓지 않으면 안 되는 엄격한 제도로 되었다는 것이다.

본시 이 교회는 조선에서의 기독교가 너무도 선교사의 손에 지배되고, 내용은 없이 형식에만 기울어지기 때문에 정작 기독의 정신을 찾아볼 수 없는 것을 분개한 나머지 몇몇 동지가 만주로 들어와서 그런 취지로 새 교회를 세웠다 한다.

이 교회의 정신은 첫째 모든 교인으로 하여금 자작자급의 실력을 양성시키자는 것이 근본목적으로 되었다 한다.

그런데 만주는 농업국이다. 따라서 전도의 대상은 누구보다도 농민층이다. 먼저 농민을 구해야 한다. 그러므로 농민을 구원하려면 우선 교육자 자신부터 농민이 되지 않으면 안 된다는 입장에서 전도인은 누구를 물론하고 친히 농사를 지여가면서 교회 일에 종사한다는 것이었다. 따라서 전도인은 보수를 받지 않아도 생활을 해나갈 수 있게 되고, 그것은 또한 교도한테도 생활비의 부담을 지울 필요가 없게 된다. 교도들에게는 또한 같은 농민으로서 서로 친하게 될 수 있다. 아무 간격이 없다. 환경이 같고 생활이 같기 때문에 그가 하는 말이 잘 통할 수 있게 된다는 것이었다.

강주사는 서치달의 입에서 직접 이런 말을 들었을 때 실로 감심하였다. 정말로 사실이 그렇다면 세상에 이 보다 더 좋은 종교가 어디 있을까? 서치달은 그것을 증명하기 위하여 자기의 농사짓던(상일한) 두 손을 내보였다. 과연 그의 손은 머슴꾼의 손같이 억세 보이고 일마디가 손마디마다 졌다.

그래 강주사는 두말없이 그들의 소청을 찬성하게 되었다. 이에 강주사의 의견을 덧붙여서 부락장을 삶아 넘기니 그는 내심에 싫지만은 어쩔 수 없이 응낙하였다. 만일 반대를 했다가는 결국 강주사와 의사 충돌이 될 것이다. 그는 이해관계가 별로 없는 이런 일로서는 누구하고든지 시비를 걸고 싶지 않았다. 그는 자기 집만 안 믿으면 그만이 아니냐 싶었다.

그리하여 결국 전도회는 순순히 열기로 되었다. 하느님께 서치달은 일이 여의하게 됨을 보고 그때 감사하였다. 그리고 그는 이 동리를 위해서도 정성껏 기도를 드렸다.

8. 傳道大會(二)

그날 저녁때-치달이는 오늘밤에 강연할 재료를 초잡아놓고 바람을 쏘일 겸 집밖으로 거닐었다. 일이 순조로 잘되니 마음이 거뿐하다.

낮술에 취한 정대감과 병호는 그저 방안에서 단둘이 붙어가지고 노닥거린다.

"그래 할빈 가서 미인계에 녹던 이야기를 너 또 좀 해보아라! 난 그 이야길 들으면 언제구 좋더라-허허허-"

정대감은 병호의 넓적다리를 탁 치면서 한바탕 웃어댄다.

"이 자식아-너두 사람이 될나면 심보를 고처요-남 안되는데 그리 좋을게 뭬 있니!"

"하하하…그렇지만 이놈아! 너 같은 촌놈이 겁두 없이 요릿집이 다 뭐야! ○나는 쥐나 ○지요 따위가 계집한테 걸렸으니 안 녹을 장비가 있느냐 말이야! 하하하"

"이 자식아-정미소에 녹었지 계집한테 누가 녹었니!"

병호는 그때 일을 생각하면 지금도 오히려 분통이 터질 것 같다. 그년 놈들한테 속아서 한해농사를 헛 지은 생각을 하면 참으로 눈물이 나온다.

"그놈이 그놈이야! 정미소와 요릿집이 다 한통속인데 이건 그 속두 여적 모르구…하하"

"그렇지만 정미소 놈들이 더 멀쩡한 도적놈이지 뭐야-천하에 죽일 놈들…"

병호는 그때 일이 새 기억을 일으켜서 취중이라도 화가 치밀었다.

“하하-웨 약 오르니? 그 대신 천량짜리 외입했으면 되지 않었나! 누구나 감히 못하는 천금을 하루 밤에 헐었으니! 그참-장하구나-하하하”

“이 자식아! 주둥이 다처라 부애난다.”

병호는 몇 해를 두고 그때일로 조롱을 받는 것이 친구 간에도 면괴해 견딜 수 없었다.

“암! 사내대장부가 그래야지-하루 밤에 천금을 애끼지 않구…이놈아 니 아범두 자식을 잘못 낳다-아이구 저런 자식이 원…”

정대감은 여전히 입심을 부리고 앉았다.

“아닌 게 아니라 내가 생각해두 난봉은 난봉일세.”

병호는 고개를 지루 숙이고 무엇을 생각한다.

“흥-난봉?-너 난봉 내력이 어떤 것인 줄 알기나 아니?”

정대감은 별안간 팔을 걷어 올리며 게목을 지르고 대든다.

“이 자식이 못 먹을 걸 먹었나? 오늘은 왜 이 모양새야!”

“이놈아 모르겠거든 어른 말씀을 들어 바! 난봉에는 대개 세 길이 있느니라.”

“세 길이라니? 그래 말씀 해 보아라.”

병호는 대감의 면상을 똑바로 쏘아본다.

“세 길이 뭔고 한즉-첫째는 남을 망치구 저두 못 사는 놈-이놈은 난봉 중에두 그중 말째거든-”

정대감은 손가락 하나를 꼽는다.

“또?”

“둘째는-남을 망치는 대신 저는 잘 사는놈-이놈은 첫째 놈보다는 좀 나은 놈이고-”

정대감은 손가락들을 꼽아 보인다.

"그담엔?"

"그담에 셋째로는 뭔고 하니-남도 잘 살리고 저도 잘 사는 놈이 있거든-하! 이놈이야말로 가위 협잡꾼으로는 아주 윗줄로 가는 왕도(王道)를 걷는 놈이거든! 이놈아 거위난봉이 되랴거든 좀 이렇게 해먹어! 공연히 너두 못 살구 남두 망치는 말째가 되지 말구! 하하하"

"이 자식아-내가 누굴 망쳤단 말야! 너-취했구나."

"너 그럼 할빈 가서 남까지 망쳤지 뭐야! 아니 그럼 그게 흉한 거냐?"

"아따 그 자식 남 말 하네-넌 이놈아 서간도에서 되놈을 어떻게 골렸는데-하하-참-"

"그래두 나는 너보다는 낫거든!"

"옳지 너는 잘 살었으니까 말이지."

"그렇지-그래두 난 둘째가는 난봉인즉 너보다는 낫지 뭐냐? 하하하-"

정대감은 별안간 다시 정색을 하고나서.

"우리 한잔 더 먹을까?"

"아니 던 안돼-그런데 너무 떠들어서 안 되었는데…먼데 선생님이 계신데-"

병호는 그제야 깜짝 잊었던 듯이 정신을 수습했다. 그는 두 손으로 얼굴을 문지른다.

"선생님-참 손님이 방에 계신가?"

그들은 비쓸거리며 밖으로 나왔다. 병호는 마당에서 거니는 치달이를 보자

"선생님 실례 많이 했습니다."

"뭐 천만에 말씀을…"

"우린 술을 먹으면 잘 떠든답니다. 그렇지만 이 사람 상관있나! 선생님은 우리 같은 사람을 구원하시기 위해서 일부러 수고를 하시는 겐데-성한 사람은 의원이 쓸데없단 말야! 하하하 그렇지 않습니까? 선생님!"

정대감은 어디서 들었는지 모르는 성경의 한 구절을 끌어대고 그 말을 가장 잘한 것처럼 너털웃음을 한바탕 웃어댄다.

8. 傳道大會(三)

이날 이상렬은 하학시간이 되자, 학생들을 총동원 시켜서 교실 안팎을 대소제하고 책상을 깨끗이 닦아놓았다. 틈틈이 학교 일을 보아주는 양서방도 와서 마당을 말끔히 쓸어냈다. 마당 둘레로는 뺑 돌려가며 화초를 심었는데 각색 꽃이 만발하였다. 황량한 이 벌판에 사는 사람들에게는 그것이 다시없는 위안을 준다.

어느덧 하루해가 넘어가고 검은 장막이 마을 안을 휩싸온다. 집집마다 반딧불 같은 등잔불이 어둠속에서 차차 화광을 품으며 바다 속에 뜬 등대처럼 어렴풋이 반짝인다.

정각이 되자 양서방은 학교마당에 서서 나팔을 불었다. 손 종을 쳐가지고는 온 동리가 들을 수 없기 때문이었다.

별안간 나팔소리고 유량히 울리자 마을사람들은 허둥거렸다. 상렬은 미리 아이들한테 오늘 밤에 모조리 식구들을 데리고 오라고 일러 보냈었다.

그런데 그들 중에도 귀순이 모친은 오금이 떠서 설거지를 허둥지둥 건정거렸다. 그는 본시 쾌활한 성격을 가졌다. 고적한 것보다 언제나 번화한 것을 좋아하고 조용한 것보다 떠들썩한 것을 좋아한다. 그래서 그는 음침하고 늘어지고 우물쭈물하는 남편을 언제나 무골충 같다고 성화댄다. 그는 불을 끄면 잠이 잘 안 온다 한다. 잠잠한데서 자려면 도리어 공상만생기고, 그래 답답해서 못 견디겠다는 것이다.

"성미두 빌어먹겠지 이 웬 놈의 잠이 불을 켜야만 잘 온담!"

아내와 모든 점이 반대인 성룡이는 어떤 때 어떤 말을 할라 치면

"난 그래두 밝은 것이 좋은 걸 어쩌라구" 하고, 아내는 마주 세운다.

"그 잠은 눈을 뜨구 자는 잠인감! 감고 자는데, 불을 켜는 게 뭣이 좋다는 거야."

"아이구 구만 좀 두어요-당신은 승미가 음충스러니까 그저 언제든지 컴컴한 것이 좋지 뭐!"

아내는 기어코 남편을 꺾고 말았다. 여기서 한마디를 더 나가면 아내는 별안간 칼끝같이 새파래지며 독살이 나온다. 그런 줄을 잘 아는 석룡이는 다시 더 말을 않고 덮어두는 수밖에 없었다.

"귀순아 넌 안 갈네! 어디 구경 좀 가보자."

아내는 부엌에서 들어오더니 부랴부랴 행주치마를 벗어놓고 새 옷을 갈아입는다.

(되지 못하게 구경이라면 빡-하지!)

석룡이는 이런 말이 혀끝으로 떠오르는 것을 이내 참고 말았다. 그랬다가 또 지독스럽게 왕통이 벌한테 쏘일까 무서워서

"아버지도 가-선생님이 집안 식구를 모두 데불구 오랬어요."

"오냐-가자-"

석룡이는 곰방대를 피여 물고 일어선다.

"그럼 낼랑 아버지하구 먼저 가거라-난 뉘랑 덕웅이네 집으로 다녀서 곧 갈께."

구경바람에 신이 난 아내는 언제보다도 칼칼한 목소리로 또랑또랑 말한다. 그가 요즘만으로 기분이 좋아진 것은 깡을 고쳐서 장판방으로 만들고 뒷벽에다 창문까지 내서 전보다 방안이 밝은 것 때문이었다. 인제야말로 사람

이 사는 집 같다. 그런데 그것을 모다 덕성이네 집에서 서둘러 해주었다는 생각에 요새는 입만 걸핏하면 그 집 식구들이 끌어 나온다. 그래서 덕성이 모친과 얹으러 졌는데 지금도 거기를 들러 가자는 것이었다.

그의 이런 변덕을 그 남편 석룡이는 물론이요 귀순이까지도 내심으로 우습게 알았다.

"저 변덕이 또 며칠이나 갈나누, 암만해두 저러다가는 무슨 일을 내구야 말 꺼다!"

석룡은 아내의 덤벙대는 꼴을 보고 은근히 장래를 염려했다.

아내가 귀순이를 사이에 끼고 농락하다가는 부락장과 건오의 사이에 어떠한 충돌을 일으키지 않을까?

"성님-구경 안 가실 테야?"

오금에서 비파소리가 나게 귀순이를 앞세우고 쫓아간 귀순네는 채 문안으로 들어서기도 전에 이렇게 큰 소리를 질렀다.

"무슨 구경?"

순복이는 마주 내다보며 어리둥절 할뿐이다.

"아따 학교당 말야!"

"오-참 아까 나발을 불었지! 좀 들러와 앉았다가 가요."

"인제 들어 앉구 뭐 하누…지금두 늦었나 분데-어머니두 가십시다!"

그는 연신 호들갑을 부리며 노인마저 꾀여본다.

"아이구-이 주체떵이가 가서 뭘 하게-젊은이들이나 어서 가라구."

"그럼 어머닌 집 보시지 어서 옷 입어요."

건오와 덕성이 형제는 먼저 나갔다. 그들은 부리나케 학교로 쫓아갔다.

8. 傳道大會(四)

교실 안에는 벌써 사람들이 가뜩 모였다. 이집 저집에서 남녀노소가 꾸역꾸역 나온다. 마당 한가운데는 푸석을 쌓아놓고 모깃불을 놓았다. 저녁은 선선한 편이나 사람들이 많이 들어앉게 되면 더워서 문을 열어놓아야 하기 때문이다.

실내에는 대짜남포등에 불을 켜 매달았다. 안내역인 양서방은 오는 대로 그들을 차례차례 앞쪽으로 앉힌다.

교실은 본래 흙바닥으로 되어있다. 학생들은 그 안에서 나무걸상을 깔고 앉게 하였었는데 오늘밤은 걸상이 모자라므로 그것은 몇 개만 남기고 들어낸 후에 동리중의 멍석을 모아다가 깔아놓았다. 그리고 연단 밑 좌우로만 걸상을 둘러놓고 동리의 어른들만 걸터앉게 하였다.

개양툰 학교는 이 동리 아이들만 수용해서 학생들이 그리 많지 못하다. 따라서 일 년에 한 두 번씩 한다는 춘추의 운동회라는 것도 학생이 적고 보니 별로 보잘 것이 없게 된다. 그러나 이밖에 다른 집회가 없고 오락이 없는 그들에게는 무엇이거나 구경이 있다면 너도 나도 덤비게 되었다. 그들은 오락에 주렸다. 그래서 오늘저녁에도 전도강연을 듣기보다도 일종의 호기심으로 구경거리로 알고 모이였다. 그것은 별재미가 없다할지라도 여러 사람이 한자리에 모여서 서로들 얼굴을 쳐다보는 것도 역시 한 구경이라 싶었다. 사실 그들은 한 동리에서 여러 해를 같이 살지만은 이렇게 안팎으로 모여 보기는 처음이었다. 우선 그만해도 볼만한 구경거리다.

연단위에는 오늘밤에 열변을 토할 강사와 강주사, 부락장, 이상렬이가 제가끔 큰 의자에 둘러앉았다. 그 밑으로는 긴 걸상에 정대감과 병호가, 그리고 또한 걸상에 두셋씩 붙어 앉았다. 건오는 그 앞에 멍석 위로 책상다리를 하고 앉았다. 앞줄로는 학생들을 앉히고 그 뒤로 양편을 갈라서 부인석과 부형석을 갈라놓았다.

"저이들은 죽을 때두 같이 죽을 나나, 밤낮 붙어만 다니게!"

뒷줄에 앉은 여자들이 병호와 대감이 천연히 앉은 것을 보고 눈짓을 해가며 웃는다. 그들은 저녁 때 한 숨을 실컷 자고 나서야 술이 깨였다. 그러나 저녁 생각도 없어서 나발소리를 듣자 세수만 하고 들어왔다.

들어오는 입구에서는 지금도 사람들이 들이미느라고 예서제서 떠들어댄다. 부인네는 어린애들을 업고 와서 울리고, 조무래기 패는 참새 떼 같이 재재거린다. 덕성이와 황식이는 중간에 앉았다. 복술이도 의젓하게 그 뒷줄로 앉아서 두 눈을 끄먹거린다. 서치달은 청중이 많이 모인 것을 보고 은근히 하나님의 은혜를 감사하였다. 그는 시계를 꺼내보자 이상렬에게 눈짓을 하여 우선 실내를 정돈시켰다.

"고만들 조용하십시다!"

이상렬은 개회를 선언한 후에 개회사를 강주사에게 청하였다. 강주사는 연탁 앞으로 버티어 서자 점잖은 태도와 음성으로

"우선 여러분께 오늘밤에 강연해주실 선생을 소개해드리겠습니다. 이 서 선생은 현재 ○○신학교에서 공부를 하시는 분인데 요지음 하기 방학의 휴가를 이용해서 사방으로 돌아다니시며 전도강연을 하시게 되었다 합니다. 에-그런데 선생이 전도하시는 교회는 이 만주에서 새로 생겼을 뿐외라, 교회의 취지가, 전도인은 누구를 물론하고 자기가 농사를 짓는 아주 농민이래

야만 한다는 것입니다. 그래서 이 서선생이 다니시는 학교에도 큰 농장을 설시해가지고, 학생들로 하여금 농사꾼을 만들게 한다는데 그것은 만주는 농민이 대부분이고, 그들을 종교의 감회를 입게 하여 모두 잘 살게 하려면 우선 전도인부터 농민이 되어가지고 농민들을 지도하지 않으면 안 되겠다는 생각에 출발한 줄로 압니다. 그것은 여러분이 지금 자세히 보시면 아실 바와 같이 이 서선생의 농사하신 두 손을 보십시요! 농사꾼과 조곰도 다름없이 거칠고 악마디가 졌습니다. 서선생! 어디 손을 한번 처들어 보시지요."

말이 떨어지자 서치달은 연탁 앞으로 나와 서서 두 손을 내밀어 보였다. 청중은 별안간 웃음통이 터진다. 강주사는 다시 말을 잇대어서

"서선생은 이렇게 손수 농사를 지어가며 잠시 휴가를 이용해서 우리에게 귀중한 말씀을 전해주시랴고 일부러 찾아 오셨은 즉 여러분은 서선생의 지금 하시는 말씀을 헛되이 듣지 말고 아주 명심해서 많은 유익을 받도록 근청하시기를 특별히 부탁하는 바올시다."

강주사는 개회사를 그치자 두 팔을 벌려서 서치달을 연탁 앞으로 인도하고 나서 자기 자리로 물러나와 앉았다. 잠시 실내는 긴장한 침묵에 잠겼다.

8. 傳道大會(五)

서치달은 탁자 앞으로 서서 우선 청중에게 고개를 숙여 정중한 인사를 한 연후에 손수건을 꺼내어 코를 풀어서 양복바지 포켓 속에 집어 놓고는

"하나님 아버지, 감사 감사합니다. 저를 오늘은 이곳으로 불러주시고 여기 한자리에 부복한 부모형제 자매들과 같이 주의 말씀을 또 한 번 연구하게 된 것을 감사 감사하옵나이다. 그러하오나 저와 같이 무력한자가 어찌 감히 하나님"

그 말이 떨어지자 청중은 일제히 머리를 숙인다. 그러나 어떤 사람은 두 팔을 잡고 앞으로 구부려 안기도 하고 어떤 이는 아래턱만 숙인 이도 있었고 그들은 각인각색의 자세를 취하였다.

기침을 한번 크게 하여 목청을 글러본다.

그리고 나서 다시 청중을 한번 회-둘러보고는

"여러분! 그대로 안지서서 머리만 숙여 주십시요, 잠간 하나님 앞에 기도를 드리겠습니다.

말씀을 대언할 수 있겠습니까? 다만 이 자리에 성신이 강임하시와 거룩한 주님의 뜻을 잘못 해석 할 이 없이 인도해 주시기를 간절 간절히 비옵나이다. 우리 주 예수 그리스도의 이름으로 구하옵나이다 아-멘"

어린아이들은 여기저기서 웃음을 참느라고 킬킬거린다. 기도를 처음해보는 사람들은 아-멘 소리를 듣고도 그저 꾸부리고들 있었다.

"고만 머리를 드십시요."

서치달은 입가로 엷은 웃음을 띠며 장차 강연할 말의 내용을 공그르기 위하여 일순간 청중을 응시했다.

"에-저는 지금 강선생님께서 소개하신 바와 같이 ○○신학에 있는 서치달이 올시다. 올에 이학년이 온대 이태 째 농사를 지여보았습니다. 제가 이번에 동만 일대를 순회하고 왔사온대 거기도 올에는 풍년이 들어서 동포들이 매우 기뻐하는 모양을 보고서도 그것을 또한 감사하지 않을 수 없었습니다.

에-저와 같은 일개 학생의 신분으로 또한 나이도 차지 않은 사람이 주저넘께 여러분을 모시고 이와 같이 연설을 한다는 것은 어느 면으로 보면 매우 당돌한 짓 같기도 하고 또한 저부터도 그것은 외람하게 생각하는 바올시다. 마는 다만 저는 먼저 교인이 되었고 또한 장래에는 교역자가 되랴는 때문에 여러분과 똑같은 농민이란 처지에서 한 말씀을 드리자는 것이올시다. 다만 언변이 부족한 저로서 여러분 앞에 저의 먹은 마음을 충분히 이해하시도록 말씀하게 될는지 그것을 저어하며 먼저 인사의 말씀을 올립니다."

"여러분 중에는 혹시 그전부터 예수를 믿어보신 이가 계신지는 모르나 대부분은 아직 예수를 모르시는 분이 많으신 줄로 생각합니다. 그래서 예수교라면 벌써 천주학생이라고 금을 처 놓고 그것은 아무 소용없는 황당한 것인 줄로만 오해하실 분이 계신지도 모릅니다. 그러나 우리 예수그리스도의 정신은 결코 그런 것이 아니올시다.

하긴 예수교도 근본은 한곳에서 나왔으나 오늘날은 여러 갈래로 교파가 생겨서 각자가 자기네 교회를 으뜸이라고 선전합니다. 개중에는 정말로 황당한 소리로 성경을 해석하는 수가 없지도 않습니다. 그것이 옛날 같으면 모르지만 오늘날 이십세기인 이 문명시대에 있어서 오히려 몇 십 년 전에 선서양선교사들이 미개한 야만 민족에게 전도하던 그 식을 그냥 가지고 오히려 판에 박은 황당맹낭한 소리를 그들은 되풀이하고 있습니다. 여러분 중에 예수교라면 첫째 천당 지옥을 지목하시게 되겠지요! 그래서 예수쟁이는 천당에 갈라고 예수를 믿는 줄로만 아시는지도 모르겠습니다. 즉 다시 말하면 이 세상에서는 고생을 하더라도 다음날 천당에 들어갈 것을 오직 믿고 거기서 위안을 얻을 수 있다는 게 아니겠습니까? 그리고 천당은 저-요단강 건너의 이 세상과는 영원이 따로 떨어저 있다는 것이 아닙니까? 그러나 그것이야말로 너무도 황당한 소리가 아니겠습니까? 우리는 그런 천당을 믿을 수는 없습니다. 더구나 죽은 뒤에 있다는 천당만은 믿을 수가 없습니다. 누구나 죽은 뒤의 일은 모릅니다. 이것은 전혀 예수교의 정신을 배반했거나, 그렇지 않으면 한 개의 미신으로 신앙을 붙들게 하자는 어떤 수단으로 그런 해석을 할 필요에서 나온 줄 압니다."

서치달은 차차 주먹에 힘을 주며 열변을 토하기 시작한다.

8. 傳道大會(六)

“에-그러면 예수교의 정말 진정한 정신은 어디 있느냐?-그것이 지금부터 연구할 제목인가 합니다.

예수교의 천당은 결코 내세에만 있는 것이 아니올시다. 우리의 천당은 바루 이 세상에 있어야 합니다. 현재-우리가 사는 이 땅 위에 있어야 합니다. 여러분은 천당이 이 세상에 있다고 실망하시겠습니까? 그렇지 않으면 깜짝 놀래시겠습니까?-그러면 천당이 어디 있느냐? 회생들 천당이 어디 있을까?…그것은 우리의 마음속에 있습니다. 이 가슴속에-머릿속에 있습니다. 에-이렇게 말씀하면 또 제 말이 요령부득이라고 잘못 알아들으실 분이 계실지도 모르니까 한 가지 알기 쉬운 실례를 들어서 말씀하겠습니다. 아까도 잠깐 말씀했지만 제가 이번 동만 일대를 순회하던 중에-저 해림 사건으로 유명한 남전자(南甸子)를 가 보았습니다. 여러분 중에도 해림 사건을 잘 아시는 분이 계신지 모르나 그때 사건에 무참히도 희생을 당한 동포 열아홉 명이 한 곳에 묻힌 무덤을 저는 눈물을 머금고 참배한 일이 있습니다. 그 무덤아래는 아래와 같은 묘비(墓碑)가 서 있습니다.

남전자 농장사변 조난동포 십구인지묘

소화구년 칠월칠일

이 사건을 잘 아는 형제의 말을 제가 직접 들었는데 그것은 참으로 얼마나 잔인한 참변이었든지 모릅니다. 남전자는 바루 목단강에서 갈려서 해림

(海林)으로 가는 중간의 철도연변으로 해림강을 끼고 있는 농촌이올시다. 싸호툰(沙虎屯) 남전자 따툰(大屯)의 세 동네가 거의 오리씩 상거를 두고 띄엄띄엄 있는데 그날-소화구년 칠월칠일 밤 이 역사적 참혹이 뜻밖에 생겼다 합니다.

이 사건의 두목인 임모는 십여 명의 동지와 의론한 결과 이 세 동네에 사는 조선동포를 몰살을 시키자고 의논하였다 합니다. 그러나 서로 의견이 일치하지 못한데다가 그날 갑자기 천후가 험악해 저서 폭풍우가 몰아치는 바람에 한동네-싸호툰만 새벽 오전 세시에 그 일을 결행하였다 합니다. 그때 싸호툰에는 동포가 이십 명이 살았었는데 열아홉 명이 그들의 손에 죽고 단지 한사람만 천행으로 살아나서 도망을 첫다는데 범인들은 모두 만주인 자경단과 그 동네에 살던 주민이었다 합니다.

그러면 그들이 무슨 까닭으로 이런 끔찍스런 그 일을 저질렀습니까?

똑같은 경험은-아니 그것은, 먼 례를 처들 것 없이 이 개양툰에도 바루 그런 일이 있었다 하지 않습니까? 지금 여러분이 사시는 이 개양툰 농장의 역사가 바로 그렀습니다. 저 앞에 김노인의 기념비와 거기 묻힌 형제가 바루 그렇게 된 희생이 아닙니까? 여러분! 그러면 그들의 학대와 참혹은 참으로 생각할 수 록 모골이 송연한바가 있지 않습니까? 나는 이번에 가는 곳마다 동포를 만나보고 동포들이 거주하는 데는 반드시 수전이 개척된 것을 볼 때마다 한편으로는 그것이 무한한 기쁨을 주는 동시에 다시 한편으로는 뼈에 사모치는 눈물이 핑-돌아서 실로 강개무량한 때가 한 두 번이 아니었었습니다. 아! 거기 농장을 참 잘 들었구나 우리 동포가 심은 벼가 이렇게 잘되다니…그러나 이렇게 농장을 개척한 이면(裡面)에는 얼마나 무참한 비극을 맛보았던가요. 그것은 여기서도 그때 동포들이 그런 일을 당하였습니다. 지금 여러분 가온데에는 그때 일을 목도하신 분이 계신지 모릅니다. 그러면 저의 그런 생각이 간절하였다는 말씀에 동감되지 않습니까? 참으로 그들이 무슨 죄가 있습니까? 조선같이 땅이 좁아서 살 수 없어 너나없이 건너 온 백성이 아니겠습니까? 그들은 순진한 농민이었습니다. 그런데 의붓자식의 설음을 받어 가며 바람거친 만주 벌판에서 황무지를 옥토로 개척해 주었는데도 이 땅 사람들은 도리어 그들에게 보수는 주기커녕 피를 흘리고 재산을 몰수당하고 처자를 빼앗기는 참으로 지옥 생활을 시킨 것 뿐 아니였습니까? 가는 곳마다 동포는 그들에게 학대를 받고 생명의 위협을 받었을 뿐! 우리 동포들의 생활고란은 참으로 일구난설로 형용할 수 없지 않습니까? 그래서 오늘날 이주동포는 명예스런 개척민의 지위를 차지하게 되기는 되었습니다마는 이 명예는 실로 피로 물들이고 눈물로 아롱진-수많은 귀중한 생명의 보혈로 빚은 것이올시다. 여러분! 이 창량한 벌판과 저-송화강 흐르는 물속에 동포의 탄식과 눈물이 얼마나 섞여 있는 줄을 모르십니까? 여러분은 첫째 그것을 아서야 됩니다!"

서치달은 주먹으로 탁자를 한번 탕치며 흥분에 떠는 목소리를 크게 질렀다.

8. 傳道大會(七)

청중은 차차 연사의 열변에 도취되어간다. 전도강연이란 바람에 그 속을 대강 짐작하는 사람 중에는, 그냥 하나님 은혜만 내세우며 천당이니 지옥이니만 찾을 줄 알았는데 뜻밖에 이 전도인은 자기네의 생활과 거리를 가깝게 한 다분히 현실미(現實味)를 띠운 점에 흥미를 더욱 느끼게 하였다.

"그이 참 연설 잘하네!"

뒤쪽으로 앉은 귀순 어머니도 차츰 귀가 뚫어지며 감심한 듯이 옆에 앉은 병호의 아내와 덕성이 어머니를 돌아보며 소곤거렸다. 아이들은 책상을 치는 바람에 모두들 놀래서 눈을 홉뜨고 쳐다보기도 한다.

밤은 아주 어두워서 바깥이 인젠 캄캄하였다. 창문이 적은 방안은 공기가 혼탁해지고 사람 입김에 덥고 답답하다. 모깃불 연기가 바람에 불려서 이따금 불똥이 날러 오다가 꺼지고 연기가 삭아진 매캐한 냄새가 코끝을 알싸하게 한다. 서치달은 잠깐 동안 숨을 돌리며 손수건을 꺼내서 이마에 흐르는 땀을 씻고 나서

"제가 작년 여름에는 남만주 일대의 서간도를 순회하였는데 거기서도 동포의 악전고투하던 실화와 애화를 많이 들었습니다. 논을 매다가 마적에게 붙들려가서 죽은 사람! 만주 군인들에게 갖은 폭행을 당한 사람들-그때 군인의 복색이 흙빛과 같애서 속칭 그들을 토군(土軍)이라 불렀다는데 그들은 한두 명이 지나가도 동리 사람을 잡어서 일이십 리씩 총을 메워 걸리고는 저

희는 각기 집집마다 계란-달걀을 뒤지러 돌아다녔다 합니다. 그래서 동리 사람들은 어느 집이나 군인 미끼라고 방문을 척-들어서는 문턱 앞에다가 둥지를 매달고 그 안에다 두서너 개씩 달걀을 넣어 두었답니다. 왜 그랬느냐 하면 군인은 언제 또 대들는지 모르기 때문에 그들이 와서 달걀을 달랄 때는 둥지채 선뜻 내보이고 이밖에 없대야 망정이지 만일 다른 데서 달걀을 가져오는 걸 뵈였다가는 설사 그밖에 달걀이 없다 할지라도 그건 거짓말이라고 더 가져오라 하며 없다는 말은 곧이를 안 듣고 때리고 강청한다 합니다. 한번 이렇게 경을 치고 그런 소문이 퍼진 뒤로는 아주 미리 여분은 감춰두고 군인미끼로 이렇게들 해 두는 게랍니다. 그러고 그들은 같은 민족인 만주인들한테도 그와 같은 행패를 했기 때문에 만인의 촌사람들도 그들을 지단빙(鷄蛋兵) 즉 계란병정이란 별명을 붙혔다 합니다(청중은 대소하였다) 사변 전에는 우리 동포에게 한교연표(韓僑捐票)라는 것을 만들어가지고 은(銀) 이 삼 원씩의 인두세(人頭稅)를 받어 가고 농우(農牛)에도 세금을 바치는 표가 따로 있었다 합니다. 간도 방면에는 문패세가 있고 문턱세가 있었다 합니다. 그것은 누구나 동포가 문턱을 넘어서면 일 원씩 문턱 세금을 받었다 합니다. 화인현 부어강(富漁江)에는 고기표라고-낚시에는 낚시표 그물에는 그물표로 세를 받고 표가 없는 사람은 '쑤'를 했다 합니다.("쑤"이란 무리한 금전을 속여 뺏는 것.)

그런 것은 여기 계신 여러분께서 더 잘 아시겠고, 또 이루 다 말하자면 한량이 없을 테니 고만두겠습니다만 다만 먼저 말씀한 남전자 사건을 생각해 볼 때 그들은 참으로 그곳 동포와 무슨 원수가 졌기에 그런 참혹한거 동조를 하였을까요? 그것은 다른 원인보다도 그들의 무지가 그렇게 한 것입니다. 일반으로 물을 무서워하는 만인들은 우리 동포들이 이민으로 들어와서 자기 동리 앞들에다가 별안간 논을 풀고 밭 사이로 봇둑을 내서 바다와 같이 물을 대 놓았으니 평생 논 구경을 못한 그들은 자기네 동리가 금방 물로 망할 것 같이 겁이 나서 미련하게도 수전을 개척한 동포를 도리어 죽이게까지 한 것이올시다. 가만히 생각하면 세상에 이와 같은 무지가 어데 있겠습니까? 그러나 무지한 그 사람으로 볼 때는 도리어 그것을 정당히 생각하고 하였을 것입니다. 그러면 이것이 지옥이 아니고 무엇입니까? 무지와 편견과 모든 불의한 욕심은 이런 지옥을 이 세상에다 만들어 냅니다. 그것은 크게는 나라가 그러하고 적게는 사회와 개인이 그러합니다. 그래서 자고로 무지는 호랑이보다도 무섭다는 것이 아니겠습니까? 이 곧 무지가 지옥을 낳는다는 말씀이올시다."

하고 서치달은 잠시 숨을 골리며 땀을 씻는다.

8. 傳道大會(八)

“그러면 우리 사람의 마음속에 지옥이 들어앉았다는 것은 지금까지 드린 저의 말씀으로도 넉넉히 아실 줄 압니다. 그담에는 천당을 말해보겠습니다. 지옥은 그렇다고 하면 천당은 대체 무엇이겠습니까? 천당은 어디 있고 또 어디서 만들어질 수 있는 것일까? 그것을 지금은 생각해볼 순서인 줄 압니다. 에-제가 작년에 처음으로 지금 다니는 신학교에 입학을 하였을 때는 물론 우리 교회가 농본주의(農本主義)로 나가는 줄을 잘 알었고 또한 그것을 공명해서 멀리 정든 고향을 떠나서 만주까지 들어왔었습니다. 저는 그때 단단히 결심하기를 몸이 이만큼 건강하니 설마 남이라고 다하는 농사를 못 지을게 무어있나? 비록 어려서부터 농사일은 못해 보았을지라도, 힘을 드려서 배우면 되겠지, 남의 머릿속에 들어있는 글두 배웠는데 그까진 농사쯤을 못할게 무에냐구, 아주 흰소리를 치구 대들었습니다. 그러나 처음 “광이”를 둘러메고 나가서는 바닥을 한 번 쪼아보니 그전에 생각하던 것과는 아주 ○○○○찌 않습니까? 아이구 하나님! 저는 죽어두 이 노릇은 못하겠습니다, 소리가 당장 한나절이 못되어서 자꾸만 나옵니다그려! 손바닥은 부르트고 허리는 아프고 두 팔뚝은 뻐근하고 어깨는 척 질리고 가슴은 터지는 것 같이 비이고 숨은 차서 황소숨을 들이쉬는데, 땀은 웨 그렇게 비 오듯 하는지요! 그래서 허리를 한번 펴고 괭이를 한번 들었다 놓을 때는 입이 딱 딱 벌어지는데, 참으로 그건 정말 죽겠어요! 나중에는 입안이 바짝 타도록 목이 말러서 걸디거른 쓴 침을 목구멍 안에서 넘겼다가 핥아보면, 쓰기는 웨 그리 쓰던지요. 그리고 두 눈은 현기증이 나고, 두 귀에서는 징 꽹매기를 치고, 팔다리는 맥이 없는 것이 도무지 제 몸을 가지고서도 꼼짝을 못하겠으니 별안간 이게 웬일입니까? 나는 그때야 비로소 농민의 고역을 진실로 깨달은 동시에 저의 경망한 그전 생각을 하나님 앞에 사죄하였습니다. 여러분 그렇지 않겠습니까? 저는 그날 하루를 간신히 그렇게 넘기고 그 이튿날도 죽기를 기 쓰고 또 들로 나가긴 했습니다만 밤에는 팔다리와 전신이 아프고 쑤셔서 도무지 잠을 못자고 앓기만 하였습니다. 그러나 사흘째부터는 전날보다 괴로움을 참을 수 있고 저도 모르게 차차 저항력이 생기는 것이 별일이었다 싶었습니다. 그렇게 한 달을 하고 나니 그 뒤부터는 별로 어려울 것이 없이 되어서 인제는 논을 갈든지 모를 심든지 제초를 하든지 그리 괴로운 줄을 모르게 되고 무슨 일이든지 해보고 싶게 농사에 대하여서는 아무런 겁이 없게 쯤 되었습니다."

"참! 그렇겠지-어쩌면 저런 이가 그렇게 참을성이 있을까?"

잠시 말을 쉬는 동안에 여자들은 끼리끼리 감심해서 수군거린다.

"여러분! 그럼 그것이 무엇입니까? 그것이 곧 천당이란 말씀이올시다. 거룩한 노동은 곧 천당을 낳는다는 말씀이외다. 그때는 그렇게 어렵고 고생되어서 죽여도 하기가 싫지마는, 그것을 지긋지긋 참어 가며 해낸 결과는 그와 반대로 아주 훌륭한 것을 나타내였습니다. 풀을 한포기만 뽑아내도 그 옆에 있는 곡식이 잘되지 않습니까? 그와 같이 자기를 피곤케 하던 일은 반대로 좋은 결과를 가저 오게 된단 말씀이올시다. 그것은 즉 생산의 기쁨이요, 창조의 기쁨이올시다. 인간은 본시 예술가올시다. 그는 어디서나 자기의 생활에 아름다운 것을 가저보랴는 천성을 타고 낳습니다. 그러면 농민의 예술은 무엇이겠습니까? 농사짓는 것 아니겠습니까? 과연 여러분의 농사는 그와 같이 이 세상을 천당을 만들게 하는 것이올시다. 여러분은 이런 농촌에서, 도회지에 있는 사람들보다는 문명의 아모런 은혜도 받지 못하고 날마다 거친 바람과 황량한 들 속에서 흙먼지와 싸우는 고달픈 일을 계속 하시고 있지마는 지금 이때와 같이 여름내 피땀을 흘리고 농사를 지은 공력이 저-곡식의 알알 속에 나타나는 것을 볼 때는, 비록 저 곡식이 이 땅에는 남의 소유가 되는 소작농이 되신 분이라도 우선 지금은 창조(創造)의 기쁨과 생산의 기쁨을 느끼시지 않겠습니까? 그것은 참으로 돈으로는 바꿀 수 없는 거룩하고 귀중한 것이올시다."

8. 傳道大會(九)

듣던 사람들은 별안간 정신이 번쩍 났다. 서로들 고개를 길게 빼며 어찌 된 일인지를 몰라서 분간을 못하며 서로를 두리번두리번 연사에게로 시선을 집중한다.

"여러분! 제가 지금까지 장황히 말씀드린 것은 이 결론을 짓기 위한 때문이올시다. 다시 말하면 우리 예수교인은 이와 같은 농민의 자주적 정신 밑에서 예수그리스도의 박애주의를 몸소 실천하는 것을 물론 근본목적으로 삼겠지만, 먼저 자기를 살린 연후에 타인도 살리자는 것입니다. 먼저 자기가 정신적으로나 물질적으로나 살아야만 타인도 구할 수가 있다는 말이올시다. 자기도 살지 못하면서 어떻게 남을 구하겠습니까? 그것은 무당이나 판수와 같은 미신이올시다. 또한 정신은 물질을 토대로 삼어서 우리의 육신이 사는 만큼 물질적 실력이 없이는 정신을 구할 수가 없습니다. 우리의 물질적 생활은 의식주임으로 물질적 실력이란 즉 경제적 실력을 의미하는 것이올시다. 그러면 우리 교인들은 부지런히 열심으로 농사를 지어서 먼저 생활의 안정을 얻는 동시에 또한 예수를 잘 믿어서 정신적으로도 영혼의 양식을 쌓아 놓는다면, 우리는 정신적으로나 물질적으로나 지금보다는 훨씬 넉넉한 생활을 할 수 있지 않겠습니까? 그럼 그게 즉 천당이 아니고 무엇이겠습니까? 농민의 천당이 그밖에 또 무엇이겠습니까? 만일 우리 농민 동포들이 모두 다 그렇게만 할 수 있다면 이 만주의 농촌은 당장-지금이라도 곳곳마다 천당을 건설할 수 있게 될 것이올시다.

그런데 지금까지 여러 곳의 농촌을 돌아다녀 보면 이상적 농촌은 하나도 볼 수 없었습니다. 물론 교인의 입장을 떠나서 단순한 물질적 토대로만 본다면 간혹 유족한 농촌도 없지 않습니다. 그러나 그런 농촌이라도 저마다 다 잘사는 편은 못되어서 가난한 농민이 더 많은 반면에 정신적으로는 더 말할 수 없이 ○○○ ○○○ 그렇게 피땀을 흘리고 농사지은 것을 가을에 가서는 술과 도박으로 죄다 털어먹고 말게 됩니다. 농촌의 매호 통계를 보면 일 년에 술 담뱃값이 사십 원씩 된다 합니다. 아무리 만주가 술 담밴 흔타하지만 이건 너무 과하지 않습니까? 이야말로 농촌의 지옥 건설이올시다. 여러분! 보십시오! 그들도 여러분과 같이 조선 내지에서는 심각한 생활난에 부대끼여 이 넓은 만주 벌판으로 고향을 떠나오지않었습니까? 그런 생각을 한다면, 절치부심을 해서라도 어떻게든지 생활의 근거를 잡어야 할 것 아닙니까? 더구나 그것은 아까도 말씀 드린바와 같이 만주사변 전까지 백년이란 긴 역사를 두고 우리 이주 동포가 이곳 토민에게 가진 설음과 학대와 참살을 당해가며 수전을 개척했다는 그런 피눈물의 역사를 생각할 때는 어찌 쌀 한 알 벼 한 톨인들 허술히 할 수 있겠습니까? 그것은 지하에 묻힌 여러 선구자의 은혜를 배반하는 것이요 앞으로는 백만 동포의 장래를 그르치는 대 죄악이 아니고 무엇이겠습니까?

통틀어서 만주의 이주 동포는 부동성(浮動性)이 많다는 평판이 있습니다. 그들은 만주를 제이의 고향으로 영주할 목적을 두지 않고 그저 어떻게 한 밑천을 잡어가지고 고향으로 도루 나가자는 일확천금을 몽상합니다. 그런 생각은 은연중 농민에게까지 물이 들어있습니다. 하기야 저마다 그렇게만 될 수 있다면 좋기나 좋겠습니다마는 더구나 지금에 있어 어디 그런 요행이 쉽사리 굴러올 수 있습니까? 공연히 갈팡질팡하다가는 귀중한 세월만 허송할 것뿐입니다. 그러니 우리는 이곳을 제이의 고향으로 알고 대대손손이 영주하는 가운데 아주 "대지의 아들"이 되어서 이 땅을 훌륭히 개척하는 동시에, 농촌마다 우리의 천당을 건설하면, 얼마나 그것이 좋겠습니까? 그리하자면 여러분은 우선 예수를 믿으셔서 물심양면으로 고투노력하시지 않으면 안 되실 줄 압니다. 아까 저는 무지가 호랑이보다 무섭단 말씀을 드린 것 같습니다.

그러나 그보다도 학정은 더 무서웁습니다. 만주사변 이전-동북 정권의 학정 밑에서는 우리 이주동포의 생활이 그와 같이 비참하기 짝이 없어서 그때는 잘 살래야 잘 살수도 없었지만 지금은 이른바 왕도락토가 되었으니 여러분께서 노력하시면 이 동리에도 천당을 건설하기가 그리 어렵지 않으리라고 믿습니다. 그러면 여러분께서는 오늘 밤부터 그와 같은 준비를 가지시고, 우리 주 예수그리스도를 믿어주시기를 간절히 바랍니다."

서치달은 이것으로 첫날밤의 강연을 끝마쳤다.

8. 傳道大會(一0)

서치달은 일주일동안 저녁마다 강연을 계속하였다. 차차 그는 성경해석으로 들어서서 나중에는 복음을 한권씩 돌려주고 믿을 사람을 골라냈다.

맨 나중날 밤 강연을 마치고 나서 믿고자 하는 사람을 나서라고 하였을 때 여자 중에서 선등으로 나선 사람은 귀순 어머니였다. 그는 끝 날까지 하루도 안 빠졌다. 여자 중에서 제일 열심히 다닌 사람은 그밖에 없었다.

귀순 어머니가 나서는 것을 보고 다른 여자들도 주춤주춤하였다.

"성씨가 누구시지요?"

서치달은 수첩을 펴들고 원입인(願入人)을 적을 때 물어본다.

"이가예요"

"예-이씨서요-함자는?"

"전 이름이 없는데요…어려서 부르던 이름밖에…"

"아명이시군요. 어떻게 지었는데요?"

"언년이예요"

이 말을 듣고 좌중은 와그르르 웃음통이 터졌다.

"예수 좀 믿다가 망신 하겠네-그럼 선생님이 새로 하나 지어주십시오."

귀순 어머니도 그들을 따라서 웃었다.

"네, 그러겠습니다. 나중에 아르켜 드리지요 에-그담에 또 없으십니까?"

귀순 어머니는 옆에 앉은 병호의 아내와 덕성 어머니더러 일어나라고 눈치를 하였다. 그러나 그들은 종시 유예미결하고 있다. 그들은 여출일구로 바깥 주인과 의논을 한 후에 허락을 얻으면 믿겠다고 나중으로 미루는 것이었다.

"내가 믿구 푸면 믿는 게지-의논은 무슨 의논이야!"

귀순네는 이렇게 그들의 갑갑한 태도를 핀잔주었다.

"그럼 다 귀순네와 같을 줄 아나 베-우리는 맘대로 할 수 없는 걸 어째여!"

이렇게 대꾸하는 말에는 은연중 우리 집은 내주장이 아니라는 의미로 비꼬는 것 같았다. 귀순네는 그런 눈치를 채자 입을 비쭉 거렸다.

"그럼 댁에들 돌아 가서서 의논을 해가지시고 믿으실 분들은 제게나 이 선생님한테로 기별해주십시오."

제 맘대로 못하겠다는 사람들은, 이렇게 추후로 밀게 하고 이날 밤에 믿기를 완전히 작정한 사람은 귀순이 모친 외에 원일여 부자와 이상열이와 윤석룡이였다. 석룡이는 아내가 먼저 믿겠다고 나서는데, 만일, 안 믿는다면, 남편의 위신으로 보아도 재미없을 것 같아서 마침내 믿기로 작정하고 원일여의 다음으로 일어선 것이었다.

서치달이가 일주일동안 전도한 결과는, 겨우 이렇게 몇 사람한테만 씨를 뿌리게 되었다.

그 뒤로 그들은 귀순네 집으로 모이기 시작했다.

이상열은 서치달의 부탁을 받아서 몇 사람의 신자를 틈틈이 인도하기로 하였다. 그러나 사오 인에 불과한 그들을 학교로 모이게 할 수 도 없어서 장소를 걱정하자 귀순네는 자청해서 자기 집으로 모이기를 허락하였다. 그는 워낙 번화한 것을 좋아하는 터에 더구나 선생의 일을 돕자는 의미에서 그리한 것이다.

그는 물론 언문도 잘 모른다. 그것을 귀순이한테 배워서 띄엄띄엄 성경을 읽는 것이었다. 귀순네 집에서 기도회를 열게 되었다는 말을 듣고 하나 둘씩 구경 오는 사람이 있었다.

누구보다도 그 말을 듣고 먼저 다니고 싶어 하기는 황식이였다. 그러나 그는 덕싱이에게 봉변을 당한 뒤로는 언제든지 보복을 하고 싶었는데 그들과 한자리에 대하기가 창피하여서 못 가고 있었다. 덕성이는 믿기를 작정하진 않았으되 모이는 첫날부터 구경을 다녔다. 건오는 그것을 내버려두었다.

황식이는 복술이한테 속은 것이 더욱 분하였다. 마음 같아선 그 일을 원일여한테 일러 바치고 삼 원 오십 전이나 뺏긴 것을 받아내고 싶었지만 그렇게 하면 소문이 자자하게 나서 제 낯짝에 똥칠을 하게 될 까 겁나서 그리할 수 도 없었다.

이래저래 그는 몸이 닳아서 견딜 수가 없이 되었다.

그래 그는 은근히 어느 기회를 엿보고 음모할 계책을 골똘히 궁리하고 있었다.

귀순 어머니의 이름은 서치달이가 떠나기 전에 상열이와 같이 공동으로 생각해본 결과 신덕(信德)이란 두 글자를 택하였다.

그 뒤로 그는 이신덕이로 통용되었고, 나중에 그것은 "쉰떡"이란 별명이 생기게 되었다. 그것은 그가 변덕이 많아서 떡같이 쉬기를 잘한다는 의미였다 한다.

9. 收穫(一)

한동안 좋던 일기가 자고 깨여보니 식전부터 흐려졌다. 넓은 하늘에 꽉 들어박힌 먹구름은 언제까지나 그대로 있을 것처럼 꼼짝하지 않는다. 그렇다고 비가 금방 올 것도 같지 않고 또 그렇다고 개일 것도 같지 않았다. 이런 날은 답답하기만 하다.

한나절까지 그렇게 잔뜩 웅숭그리고만 있더니 저녁때부터 이슬비가 보실보실 내린다.

"에-인제는 치워질나 부다-"

이곳의 철수를 잘 아는 마을사람들은 이런 생각을 누구나 들게 했다. 구월초생의 이번 비가 지나가면 미구에 서리를 몰아오는 찬바람이 불 것이라는 예감을 주기 때문이다.

보슬보슬 내리던 비는 차차 굵어지기 시작한다. 그러더니 해가 질 무렵에는 소낙비가 퍼부으며 난데없는 바람이 지동 치듯 몰아온다.

넓은 들안은 별안간 실안개가 자옥하게 둘러싸서 도무지 지척을 분별할 수 없는데, 무서운 바람에 휩쓸려서 살 때 같은 빗발이 내리 박힌다.

"휘-휘-휘-"

맹수처럼 날뛰는 풍세는 천지를 뒤흔들며 천만병마를 몰아오는 듯이 고함을 치고 우르릉거리는데, 그러는 대로 고량 밭이 와스스 와스스 몸부림치는 것도 사납게 쏟아지는 빗소리와 함께 처참히 들리었다.

이렇게 밤새도록 사납게 굴던 일기는 새벽녘부터 거뜬하여 간다.

그러나 한번 시작한 비는 좀처럼 개려고 않는다. 개일 듯 하다가 다시 쏟아지고 한대중으로 솟치던 비가 어느 틈에 다시 멈추며 멀뚱멀뚱한 구름이 중천에 얕게 떠있다.

그 모양으로 비는 하루 동안 계속하며 구월중순을 잡아들었다.

마지막으로 비가 개이던 날은 서쪽 하늘가가 구름 밖으로 한쪽이 훤하게 트이더니 그 언저리가 차차 넓어지면서 구름장이 밀려간다. 그러자 저녁때에는 씻은 듯 보신 듯 온 하늘은 말끔하게 개이고 서쪽 하늘가는 불그레하게 저녁노을에 물들어간다.

해가 질 무렵에는 새빨간 불덩이를 토한 것같이 홍염(紅焰)속에서 이글이글 타는 태양은 금방 이 땅위로 불비를 퍼부을 것 같다. 그것은 처참하고 장엄한 광경을 나타냈다.

그러나 지금은, 한번 호령하여 천하를 지동하던 영웅의 기상이 어디로 가고, 마치, 임종하는 위인이 최후로 눈을 감을 그때와 같이 떨어지는 해는 고요히 지평선 너머로 잠겨간다.

휭-하니 넓은 평원 광야의 저쪽 하늘가로 혈조(血潮)에 타는 저녁노을은 언제까지 안타까운 정염(情炎)에 몸부림칠 것인가? 그것은 오직 이 황량한 들 가운데 사는 아무런 생활미를 찾아낼 수 없는 들사람들에게 다시없는 위안을 주는 천연적 예술(藝術)이 아니었던가!

이, 참으로 광막한 벌판에서 절로 눈코를 뜰 수 없게 하는 강풍과 폭풍우와 눈보라의 아우성치는 자연과의 격투장(格鬪場)-영하 삼사십도의 혹한과 일백이삼십 도의 폭서 하에서 이 대륙적 자연과 싸우는 그들도 응당 맹수와 같이 날뛰는 야성과 사나운 습성을 길러내지 않았던가!…

그러나 지금과 같이 적막한 넓은 들 위로 하루해가 고요히 넘어갈 때 황혼을 재촉하는 저녁노을이 연연한 핏빛으로 타는 혈조(血潮)는 참으로 무엇이라 형용할 수 없는 피안(彼岸)의 동경과 멀리 향수에 젖은 안타까운 정서를 자아내기 마지않는 것이다.

그것은 또한 커다란 이상과 명일의 희망을 가져오게도 한다.

그리하여 그들은 거기에서 위안과 정열을 얻고 낙망과 실심 끝에 다시금 용맹심을 분발하여 주먹을 불끈 쥐고 일어서게 하지 않았던가! 과거의 역사적 영웅들은 모두 그렇게 이 땅에서 일어나고 이 땅에서 쓰러졌다. 극단을 걷는 대륙적 풍토! 그것은 한편으로 사람에게도 치우치기 쉬운 성정을 길러냈다.

그러나 이것을 좋아할 수 있는 사람-그것은 정말로 사나운 용마를 길들인 때와 같지 않았던가?

그렇다! 이 벌판의 용마를 잡어 탈자는 과연 누구냐?

오직 이 땅의 영광과 행복은 그들만이 누릴 수 있는 선물이었다. 그것은 그들만이 차지할 수 있는 자격이었다.

9. 收穫(二)

날이 번쩍 들자 예상했던 바와 같이 일기는 좀 냉해졌다. 마을사람들은 밭걷이와 벼를 베기에 안팎으로 바꾸게 날뛰었다.

건오도 일군을 얻어서 벼를 베기 시작했다. 오늘 얻은 일군은 일여부자와, 석룡이 병호양서방 또 하나는 정대감네 머슴으로 있는 학봉이었다.

황금같이 누렇게 붙은 벼이삭들은 일제히 고개를 숙였다. 그것은 장엄한 태양의 등극(登極)앞에 만조백관이 부복하듯 근검하게 이날을 축복하는 것 같다. 서릿발을 머금은 아침공기는 오히려 차다. 종아리를 걷어 올린 다리가 벼 포기에 스치는 대로 산뜩거린다. 그 대신 깨끗한 정신은 마치 저, 텅 비인 하늘에 구름 한 점 없는 것처럼 맑았다.

육칠 쌍 지기가 불과 논 몇 뺨이 안 되게 한자리에 심겨졌다. 벼는 조숙 모개미 같은 탐스러운 이삭을 달고 고밀개로 민 듯이 쪽 고르게 잘되었다. 초가을 일기가 좋아서 실염도 잘되었다.

산종(散種)으로 뺴온 볍씨는 한 알씩 떨어진 것이 포기가 뻗어서 한줌이 뿌듯하게 손아귀에 들었다.

"에-나락 참 잘 되었네-아마 스무 단은 나겠는 걸!"

일군들은 남의 벼라도 잘된 것이 소담스러워 감탄한 나머지에 한소리를 되하곤 한다.

"뭐-그렇게야 못나겠지만 아마 열댓 단은 나올 테지-"

건오는 일군들의 풍을 치는 것이 속으로는 흐뭇하게 들렸으나 겉으로는 이렇게 겸사해서 대답했다.

"이 사람아, 열다섯 단이란 말이 되나-줄 잡어서 열일곱 단씩 안 나거던 내 손톱에다 장을 지지게."

병호가 역정을 내며 거센 목소리를 지른다.

"허허-그 사람…뭐 그럴 것까지는 없네마는…"

건오는 허리를 펴면서 껄껄 웃었다.

"그렇지만 자네가 택두 없는 말을 하니까 말이지."

병호도 벼를 한줌 베여서 옆으로 깔아 놓고 허리를 다시 편다.

"암-열일곱 단이야 나구 말구."

석룡이도 허리를 폈다가 낫자루에 침을 뱉어 쥐고 잡은 담 엎드린다. 사방에서 낫질 하는 소리가 와작와작하여 벼이삭이 서로 스치느라고 사그락 사그락 한다. 물을 떼여서 바짝 마른 논바닥은 벼를 깔아 뉘여도 허실될 것이 없었다.

"이 사람들아, 심심한데 이야기들이나 좀 하게! 아이구 허리야, 벌써 허리가 아푸구나."

병호가 누구를 지목하는지 모르게 침묵을 깨치었다.

"이야긴 양서방이 잘하지-그래 한마디 해 보소."

"내가 뭘 잘해여!-에 그 벼 참 골차게 되었다."

양서방은 줌안에 든 벼를 깔아놓고 잠시 허리를 폈다가 다시 엎드린다.

"웨-서간도서 농사짓던 이야기가 많지 않어? 어디 승경이라던가…"

"승경이 아니라 흥경(興京) 말인감-"

"옳지! 흥경이겠지."

병호가 한마디를 던지었다.

"그런데 긴상은 어쩌다가 할빈으로 벼 사러(팔러)갔다가 골탕을 먹구 우리 집 주인한테 여적 놀림을 받수?"

학봉이가 한마디를 던진다.

"이사람! 그런 말은 입 밖에 내지두 말게. 생각만 해두 치가 떨리네!"

"하하하!"

일군들은 일제히 웃어댄다. 건오도 그들을 따라 웃으며 병호의 표정을 보았다.

"그렇다니 말인데 그때 우리 고장에도 그런 일이 있었다우-지금은 금융회가 생겼지만 그전에는 정미소에서 벼태나 쌀태를 내다 썼는데 소작 한 주자(租子)는 전부 자기네 정미소로 가저갈 것을 선약하고 돈을 쓰는 거란 말이지"

양서방은, 비로소 이야기의 실꾸리를 풀기 시작한다.

"그래서."

양서방은 벼를 남과 같이 베여가며 이야기를 하자니 일신양역을 하는 셈이라, 숨이 차고, 힘들어서 동강동강 중간을 쉬지 않으면 안 되었다.

"아-그래서 정미소의 세력이 참으로 굉장했거던! 그것두 자본금이 많을수록 세력이 더 많은가보데. 어떻든지 작인들이 일 년 동안 쓰는 돈은 모조리 정미소를 거치지 않으면 안 되었으니까 그들의 어셋줄이란 더 말할 것 없지 뭐…그렇지 않겠어요?"

"암- 그렇구말구."

"멀쩡한 도적놈들 같으니."

병호는 양서방의 이야기를 듣더니 또 배알이 꾀여서 가래침을 논바닥으로 탁 뱉으며 볼먹은 소리로 중얼거렸다. 그 꼴을 보고 여러 사람들은 일제히 또 웃어댔다.

9. 收穫(三)

“아-그러기 때문에 작인들이 봄에 돈을 얻으러 갈 때에는 여간 필대를 안 받는단 말이지. 인사를 해두 본 척 만 척 하구…무슨 말을 물어 볼라면 핀잔만 탕탕 주고…아주 참 그 자식들 아니꼰 수작이란 말할 수 없었지요. 그러다가도 이만 때쯤 되어서 벼차를 덩실하니 실고 그 위에 올러 앉아서 떨떨거리구 들어가 보지! 아이구 형님 들어오서요! 어서 들어오십시오 하며 권연을 태려다준다 차를 내다 준다 대접이 아주 딴판이거든-그래 여북해야 그때 이런 조명이라 생겼다나-우리게에 김정태라는 소작인이 살었는데-그 사람 말이 참 명답이지-그런 꼴을 보구와서 한다는 말이-제길 할 놈들 같으니-흥! 봄정태 갈형님이라구나! 이라면서 정미소 놈들을 막 욕을 해 부쳤다지-하하하…”

“그게 무슨 말인데?”

원일여는 말귀를 못 알아듣고 어리벙벙해서 양서방을 돌아본다.

“아따 그게 이런 뜻인 줄 몰라요-봄에 돈을 얻으러 가면 김정태, 김정태! 하다가도 가을에 벼를 실고가면 성님? 성님! 한단 말이지”

“옳거니 참 그렇구먼-하하하-”

원일여는 뒤늦게 또 한바탕 웃어댄다.

“어디나 정미소를 하는 놈들은 모두다 그럴 터이지, 멀쩡한 도적놈들 같으니.”

병호는 또다시 뇌까리며 심사를 내었다.

"그야 뭐-정미소 뿐이겠수. 돈 가지구 장사하는 사람들은 거지반 다 그런 게지."

"암-그 사람들만 나무랄 것두 없섰지."

건오가 학봉의 말을 대꾸한다.

"그렇지만 그놈들은 너무도 심하니까 말이지. 멀쩡한 도적놈들!"

"만주사변 전 만주 탄원태 그런 곳 아니였어?…생으로도 빠저가구 별별 일이 다 많었지-우리 고장에서는 소작료 타는 것을 "○트첸"이란 굉이 갑으로 따졌는 그것을 식구마다 받어 갔다우. 장정은 한 섬, 열일곱 살 이상부터는 닷 말씩 다행히 여자는 빼놓았기에 망정이지 통틀어 그렇게 받어 갔다면 뽕빠질 번했지만-하참!"

"법두 별 빌어먹을 놈의 법을 다 마련해가지구!…?"

"암! 그 뒤 봉표(奉票)로 하루가리에 두 장씩 주었으니까 매장 십이 원씩 처서 이십사 원에 수전 소작권을 산 셈이지요. 십 원짜리에다 따양(大洋)이라고 좌우에 썼으면 십이 원끔을 치고 오 원이라도 따양이면 육 원으로 쓰게 되는데 그래 무식한 한 노인은 그저 따양만 달내서 별명이 "따양"이 되어버렸지-허허허…그런데 따양이 별안간 폭락하는 바람에 십이 원하던 것이 이십 전 밖에 안 되었구려-그 소문을 들은 농군들은 그때 한참 제초를 하다말구 와-하며 현(縣)으로 몰려가서 너두 나두 물건들을 사내는데 나중에는 소용두 안 닿는 여자양산까지 사드렸다던가!"

"하하하-그럼 그 따양 노인은 어떻게 되구!"

"뭐 아주 쫄딱 망했지요."

"허허-그것참!"

양서방이 말을 끊이자 한동안 우둑우둑 벼 포기만 잘리는 소리가 잇대어 들리었다.

양서방은 다시 화제를 바꾸었다.

"한번은 되놈의 지주한테 무리하게 소작권을 떼웠는 데도 무지 분해서 견딜 수가 있어야지…그래 볍씨를 뿌려놓은 그날 밤으로 돌피 씨를 몰래 뿌려 놓았더니만 이놈이 그해 농사를 허탕치구는 제발 도루 해먹으라구 사정을 하드라니-하하-"

"야-그건 너무 심하구나."

"심하긴 뭬 심해유-그때는 그놈들한테 어떠한 압제를 받었는데요-어디 하룬들 지기를 펴구 살었다구요! 철모르는 아이들끼리 싸흠만 해두 되놈들은 떼로 달려들어서 이편을 치구 가진 욕설을 해서 어디 꿈쩍이나 할 수 있었나요-그렇지 않으면 수없이 병정들이 나와서 행악을 하구…거 저번에 신학생이 연설하던 말과 똑 같었지! 그눔들 참 달걀이라면 사족을 못 쓰더니… 그나 그뿐인가 뭐? 걸핏하면 마적한테 잡혀가구…"

양서방은 차차 언성에 힘을 올린다.

9. 收穫(四)

"양서방두, 그래 마적한테 잡혀가보았는가?"

병호가 호기심이 나서 한마디를 들어본다.

"나는 안 잡혀갔서두 형님들이 둘이나 잡혀가서 죽었답니다."

양서방은 이렇게 말하고 나직이 한숨을 내 쉬였다.

"응, 형님이 둘이나?-"

묻는 사람들은 모두가 이 끔찍한 사실에 놀라지 않을 수 없었다.

"그렇기에 오늘날 내 신세가 이렇게 되었지 뭘 하러 예까지 왔겠어요. 하두 기가 막히는 일이라 여태까지 남한테 얘기두 안했지만-"

"그거 참 큰 화를 입었구만-어쩌다가 그리 되었던가?"

"차차 이야기 하지요-기위 말이 났으니…"

하고 양서방은 가래침을 곤두세워 뱉고는, 굼뜬 입을 다시 놀렸다.

"난리 전만 해두 호자패들이 돈 있는 사람들의 자질을 볼무로 잡어갔는데-"

"호자패라니?"

일여가 의미를 몰라서 또묻는다.

"마적떼를 호자패라거던-대도회(大刀會)라구 웨 한창 소문나지 않았어? 그 패들은 부작을 살러먹고 붉은 줄을 다른 장창과 식칼 같은 환도를 가졌는데, 부작을 살러먹기 때문에 총칼도 몸에 안 받는다구 마구 덤비는 통에 그 놈들이 대단히 강병이였지. 그런데 그놈들이 돈을 달라는 편지를 써서, 닭의

깃을 꽂어 보내면, 그것은 화신(火信)이란건데, 아무 상관없는 사람두 잘 전해주어야 하구 비밀을 지켜야 망정이지 만일 그러지 않았다가는 큰 화를 입는구만!…그런데 잡어간 사람의 귀를 떼여서 편지 속에 놓고, 돈을 달라기두 하구 별짓이 다 많었지"

"천하에 무지스런 놈들!"

"그때 흥경 방면에서는 모 심을 때 품이 째이기 때문에 품삯을 비싸게 주고 사서, 삼시로 쌀밥에다가 고깃국에 술을 주고 막 먹었거던-그러고 되놈들을 품군으로 사기도 하였는데, 나중에 알구 본 즉, 마적패에서 동리의 내정을 염탐하자는 꾀로 비밀히 모군을 선줄을 누가 알기나 했어야지! 그놈들이 품군으로 팔러와서 가만히 보니까 일군들을 이렇게 잘 먹일 수 있다면 아마 조선 사람들이 무척 잘 사는가 부다구 꼭 그렇게만 알었던가 봐! 그 뒤 어느 날 밤에 마적떼가 처들어 와서 장정 열네 명을 묶어갔구려. 그 통에 우리 집 형님 둘이 한꺼번에 붙들려 가지 않았나 베!…"

"아니 그럼 열네 사람이 모두 화를 입었어?"

병호가 놀래서 묻는 말에

"그럼요-하나두 못살아왔지요!"

양서방은 옛일이 눈에 밟히어서 감개무량하듯이 자못 두 눈을 씀벅인다.

"그것 참!…"

여러 사람들은 격분이 끓어오르는 감정에서 웃음소리도 나오지 않았다.

"그 뒤로 바로 거기가 싫여저서 우리 집은 대처로 나왔었지마는 그래두 어려서 지나던 일을 생각하면 지금두 몹시 그리운 때가 있겠지요."

"몇 살 때 그리로 갔었는데."

"내가 두 살 때요."

"그럼 뭐-고향이나 진배없겠지 헹!"

하고 석룡이가 가래침을 뱉는다.

"아마 그래 그런가봐-겨울이면 형님들과 뒷산너머로 ○○산양을 다녔는데-티티라구 지 콩새보담 조금 큰 놈이지요. 그놈 고기가 참 맛있겄다-앞 비탈에다 덫을 놓고 몰이를 하면잘두 잡히더니…봄이면 해가 지기가 무섭게 불들이 켜 지거던. 차차 어두워질수록 불빛은 환해져서 강변의 좌우는 온통 꽃밭같이 참 황홀했더니…"

"그건 또 웬일인가?"

원일여가 놀라운 듯이 두 눈이 동그래서 묻는다.

"깨구리 잡느라구!"

"깨구린 잡어서 뭘 하게! 하하하…"

석룡이와 일여는 의외의 대답에 일시에 홍소를 한다.

"되놈들은 깨구리가 귀한 반찬이거든! 그들은 소곰에 저렸다가 손님이 와야만 상에 놓는단 건데 뭘 하다니?"

"깨구릴 다 먹어?"

석룡이가 의심스레 다시 묻는다.

"먹구말구요-나두 어려서 깨구릴 잡다가 어머니한테 매를 맞고 쫓겨났었지만-그러나 마적이 심한 뒤로는 그런 건 그림자도 못 보게 없어지고 말었지"

하고 양서방은 다시 아득한 추억에 잠긴 것처럼 말을 끊고 무엇을 생각하는 표정이었다.

9. 收穫(五)

사이 때가 되자 일군들은 한 참을 쉬러 봇둑 위 풀밭으로 둘러앉았다. 그들은 아침에 건오가 한 갑씩 돌려준 담배를 제가끔 피운다.

조금 있자니까 순복이가 참 술을 함지박에 이고 나왔다. 그전에는 아침밥도 일군들을 해먹였는데 근자에 개량이 되어서 오전에는 술만 한차례를 먹이게 하였다. 건오는 며칠 전에 일참 술로 막걸리를 담았던 것이다.

그들은 술을 한 사발씩 들이켜고 나니 목이 컬컬하던 차에 든 피로와 갈증을 일시에 잊게 한다.

태양이 빛나는 넓은 벌판은 언제 보아도 푸근하고 토지에 대한 동경을 크게 한다.

건오도 속으로 생각해본다. 올해 만일 한 쌍에 열 칠팔 단 씩 난다면 내년에는 그의 여력(餘力)으로 여나문 쌍을 지을 수 있을 것이다. 하긴 그는 제 욕심만 채우려 들었으면 벌써 백석 추수쯤은 농사치를 얻었을 것이다.

그러나 그는 먼저 병호를 다시 불러들여서 농토를 빌려주고-(그것은 그 전의 은혜를 갚는다는 점에서도-) 올해는 귀순네에게 그것을 빌려주기에 그만큼 자기의 역량을 주리게 되었다.

그러나 건오는 조금도 그것을 앵하게 알진 않았다. 어려서부터 고생에 찌들고 갖은 고초와 압제로 커난 그로서는 한때는 미상불 오냐! 나도 남과 같이 이를 악물고 지독히 모아서 뽐내고 살아보자 하는 생각이 없지도 않았으나 나이가 차가는 대로 차차 혜지(慧智)가 뚫리어서 그만큼 곤란에 찬 경험은 도리어 남의 사정을 알게 되고 이웃 간에도 인정이 두터워서 딱한 일을 보면 그대로 있지 못하는 성미를 부지중 길러왔다.

그래서 모친은 지금도 그 아들의 내실속이 없이 털털한 소행을 성화한다.

"애 아범은 웨 그런지 모르지! 어려서 그 고생을 하던 생각을 해서라두 실속을 차리지 않구-내 일보다 남의 일을 더 걱정하는 사람이 이 세상에 누가 있더냐?-저 부락장 집을 못 봐! 그 집은 저렇게 지독하니까 돈을 모았지!"

이렇게 아들을 책망할라 치면 건오는 아무 말도 않고 앉았다가

"그렇게 심악스레 모아선 뭘 할나우? 하루 밥 세끼 먹구 살기는 일반인 걸!"

하고 웃어버린다.

"그렇지만 남과 같이 좀 살아보아야지! 밤낮 궂은 일만 하구 농군으로 한평생 보낼 텐가?-차차 아이들두 커나는데 식구는 많구…"

"농군이 왜 어떼서요?-글쎄 어머니는 아무 걱정 마시구 가만히 앉어계서요-어머니 생전에 설마 굶겨 드릴가 바 걱정이시유"

"하하-누가 내 걱정은 왜-나는 인제 죽어두 원이 없지만, 저것들을 위해서 하는 말이지"

하고, 모친은 담배를 피우고 있던 담뱃대 물주리를 빼면서 그것으로 둘러앉은 손자들을 가리킨다.

며느리도 시어머니의 말을 은근히 찬성하였으나 본시 그런 사람인 바에야 할 수 없는 일이라고 단념하였다.

건오는 천성이 그렇다고는 하지만 그런 천성을 더욱 이곳으로 들어와 키운 셈이었다. 그는 강주사의 영향을 많이 받았다.

인자하고 고결한 강주사의 마음은 그의 인격을 맑은 거울처럼 내다비쳤다.

그는 부지중 강주사를 숭배하게 되었고, 그래서, 더구나 남한테 인심 잃

을 짓은 하기가 싫었다.

그 대신 그는 남보다 부지런해서 그 손해를 지우자하였다. 남에게 이악스레 해서 제 욕심을 채울 것 없이 남보다 부지런했으면 될 것 아니냐는 것이 그의 생활철칙(生活鐵則)이었다.

그는 이쯤 그런 생각이 더 한 것은 서치달의 전도강연을 들은 뒤부터였다.

그는 아직 예수를 믿기를 작정하지는 않았지만 천당과 지옥이 내 마음에 달렸다는 말에는 미상불 감동하였다. 그의 말과 같이 무지는 지옥을 낳고 선량한 지식은 천당을 낳는다.

농민의 기쁨은 농사를 짓는데 있고 그들이 지은 곡식으로 다시 배불리 먹고 잘 사는데 있다. 그래서 자녀들을 가르치고 문화적으로 생활을 향상할 수 있는 낙락한 동네를 만들어간다면 농촌의 천당이 과연 이밖에 또 무엇이 있을까?-저 혼자만 잘살려고 애를 쓰다가 도리어 못 사는 수가 많은 법이다. 말하자면 이것이 건오의 이상이었다. 그런데 건오의 이상은 엉뚱한 현실에 부딪쳐서 조각조각 깨지는 환멸을 또 한 번 당할 줄 누가 알았으랴?

(중략)

11. 嘉俳節(六)

김노인의 기념비(記念碑)는 농장으로 들어가는 봇둑을 짼 옆인데 봉싯한 언덕 위에 세웠다. 그 뒤에 김노인과 같이 묻힌 합동장(合同葬)의 묘지가 봉분을 갖추어있다. 그것은 행길에서도 빤히 건너다보인다.

해마다 추석날에는 거기에서 제례를 지낸다. 그것은 강주사가 마을로 들어온 뒤로부터 시작한 것이 아주 항례로 된 것이다. 그때 그는 동리 사람을 모아놓고 이 개양툰 농장의 개척자요 우리 동포의 선구자인 은인들을 한번 묻고 내버려둔다는 것은 산 사람의 예의가 아니라고-그들의 끼친 은공을 추모하는 의미에서라도 연일 차의 제향을 지내는 것이 마땅하다는 취지를 설명한 후에 그 시기를 어느 때로 작정했으면 좋을까 여러 사람들과의 논한 결과 백곡이 풍등하는 가을의 명절인 이때의 추석으로 하는 것이 좋겠다고 해서 그해부터 추석마다 제례를 베푸는 것이 정례로 되어있다.

따라서 개양툰 사람들에게는 추석명절이 이중으로 의의를 갖게 되었다. 첫째는 원래 추석이란 명절이 농가에서는 제일 좋은 중추가절로서 고대로부터 이날을 즐겨하는 관습이 있지마는 거기에 또한 이 동네의 수호신(守護神)과 같은 김노인의 영혼 앞에 제사를 드린다는 것은 마치 그들의 조상을 예배하는 것 같은-아니 그보다도 더 의미 심중한 어떤 숭고한 감정을 공통으로 느끼게 하는 무엇이 있었다.

그래서 그들은 제가끔 음식을 장만해서 추석을 쇠는 외에 이 마을의 큰

제사를 베풀게 되는데 그것은 집집마다 형세대로 추념을 거둬서 제물을 따로 차려놓고 성대히 제례를 거행한 후에 그 음식을 동중이 다시 나누어 먹는다. 그렇게 유래하고 감명 깊게 그날을 보내는 것이었다.

올 추석에도 그들은 추념을 거두기로 하고 우선 회계가 그 돈을 선당해서 제수를 유념했다. 해마다 회계는 부락장이 맡아보고 제물은 정대감 집에서 차리게 되었다.

그것도 강주사가 그들에게 맡기게 한 것이다. 그는 무슨 일이거나 계획은 자기가 꾸며놓고 실행에 들어서는 다른 사람에게 모든 것을 내맡기는 버릇이었다. 그것은 자기가 대소사를 일일이 보살필 수도 없었지만 그보다도 일을 시키는 사람은 그것을 맡아하는 사람에게 자유를 주어야만 좀 더 일에 충실하다는 것을 잘 알기 때문이었다.

하긴 그들에게 대소사를 맡기는 데는 다소간 말썽이 없지 않다. 그들 중에는 음식도 돌려가며 차리게 하고 회계도 교대해서 보자고 불평을 말하는 사람이 있다.

그것은 회계가 돈을 떼먹기도 하고, 음식 차리는 집에서도 돈보다는 제물이 초라하다는 뒷공론이 나온다. 금년은 아직 어떠할는지 모르나 작년만 해도 그래서 물론이 분분했다.

그러나 강주사는 불평객을 달래였다. 물론 그들의 말이 옳긴 하다. 그렇지만 만일 두 사람을 떼고 딴 사람에게 그것을 시킨다하면 첫째는 그들이 곧 감정을 품을 것이요, 둘째는 여러 가지 점으로 보아서 그 두 사람 만큼도 적임자가 없기 때문이었다.

우선 회계를 두고 본대도, 집집이 선금을 낼 순 없다. 그것을 부락장이 선불을 해대야 되니 그만한 실력이 없는 사람은 회계를 해낼 수가 없다. 그런즉 약간의 회계보고가 틀린다하더라도 그것은 돈변리 대신으로 눈을 감아 줄 수밖에 없다. 그 다음 음식을 차리는 집으로 말하더라도 정대감은 기위 주식 영업을 하느니만큼 음식 솜씨가 제법이요, 또한 기구(器具)설비가 그만한 집도 수월치 않으나 제물을 차리는데도 그 이상 더 잘할 집이 없지 않은가. 그래서 강주사는 그들에게 그대로 맡기자 한 것인데 사실 그래야만 동네가 평화를 기도 할 것 같다. 한편 생각하면 강주사도 그들의 야비한 행동을 속으로 괘씸히 생각지 않는 건 아니다. 그것도 다른 일 같으면 모르나 마을의 은인이요 이주동포의 선배를 기념하자는 신성한 제향 비에서 사욕을 채우고 몇 푼씩 눈을 기인다는 것은 얼마나 큰 죄악이며 따라서, 그들의 야비한 행동을 응징할 필요가 없지 않다. 그러나 그까짓 것을 가지고 그들과 다툰다는 것은 첫째 고인에 대한 예의가 아니라 하여서 회계보고가 다소 틀리는 것도 강주사는 모른 척하고 눈감아 둘 수밖에 없었다.

(중략)

12. 匪賊(一)

그 뒤 어느 날-귀순네도 논에다 훑어 쌓아둔 벼를 마지막으로 담아드리던 날 밤이었다. 추석을 쇠인 뒤에 마을사람들은 또다시 벼 타작을 하기에 분주하였다. 그들은 제가끔 논 가운데다 마당을 닦아놓고 안팎 없이 나와서 벼를 훑었다. 그렇게 며칠씩 훑어 모으면, 벼가 짚더미처럼 쌓인다. 그러면 그들은 타작이 끝나기까지 밤마다 지켜야 한다. 초저녁에는 애들이 지키다가 밤중에는 어른이 교대하는데, 귀순네는 귀순이 남매만 내보낼 수가 없어서 복술이를 며칠 동안 품으로 샀다. 건오는 덕성이 형제를 내보낼 수 있었다.

바람이 불지 않는 날은 그들은 화롯불을 놓고 빵-둘러앉아 쬐였다. 그럴 때에는 감자를 구워먹으면 좋았다. 불을 놓기가 위험할 때는 짚가리 속으로 들어가 박힌다. 일기는 나날이 추워지고 된서리는 벌써 왔다. 미구에 눈이 올 것 같다. 그들은 무서운 겨울이 닥치기 전에 어서 타작을 하려고 서둘기 때문에 이때도 품이 한창 째였다.

그전 같았으면 덕성이는 귀순네 짚가리로 가서 저녁마다 재미있게 놀았을 것이다. 그러나 덕성이는 요즈음 귀순이의 태도를 보고 토라져서 그를 한 번도 찾지 않았다. 그럴수록 귀순이는 덕성이 앞에서 베돌았다. 귀순이도 실심해졌다.

“얘-니들 요새 왜 틀렸니?”

“뭣이 틀려?”

귀순이는 복술이가 느닷없이 묻는 말에 웬셈을 몰라서 되짚어 물어본다.

"너 요새 덕성이랑 틀리잖았어?"

복술이의 빙그레 웃는 양이 달빛에 보인다. 달은 밤마다 차차 늦게 떠오른다. 그러나 한 귀퉁이가 이지러지는 달이연만 오히려 낮같이 밝다. 달밤에 비치는 넓은 들안은 낮과 다른 안타까운 정서를 자아낸다. 황량한 벌판도 달빛에 안기어서 곱게 보인다. 월궁에는 선녀가 있다더니 그의 아리따움이 온누리를 덮어씌움인가. 끝없는 벌판 저쪽 하늘갓을 둘러막은 아득한 속에는 무슨 신비를 감춘 것 같다.

귀순이는 그렇지 않아도 요새 그 일로 은근히 가슴을 태우는데 복술이의 토내는 말을 들으니 머리가 산란해진다.

"너보구 누가 그런 말 하라니?"

하고 그는 소리를 빽 질렀다.

"뭐 그런 말이야-나두 다 아는데."

그러나 복술이는 노염도 타지 않고 여전히 늘름거린다.

"네까진 게 뭘 알어!"

"흥, 상전은 종만 업신여긴다던가. 덕성이가 너구 틀린 속 말야!"

"잰 그런 소리 말래두!"

그러나 복술이는 귀순의 눈치를 슬슬 보면서,

"네 추석 비슴 옷감을 황식이네 집에서 해왔지?-그래 그러는데 웨!…"

"누가 그라듸? 그런 거짓말을!…넌 거짓말 대장이 되드니만 참 별 거짓말을 잘하는구나."

귀순이는 이렇게 딴청을 써보았다.

"누가 그러긴 왼 동네가 다 아는 걸…정말 그것만은 거짓말 아니란다-허허참…그렇지만, 네가 황식이를 진정으로 좋아하지 안는 말 좀 하면 덕성이도 너를 싫어하진 않을 거다-내 그럼 그 말을 전해주랴?"

"그런 소리하면 난 들어가겠다. 귀남아! 가자."

귀순이는 정말로 성이 난 것처럼 싹 돌아서며 덕용이네 짚가리로 가서 노는 귀남이를 소리쳐 부른다.

"뭐? 볏가리는 안보구."

복술이는 놀라운 듯이 마주 일어선다.

"그까진 걸 누가 알거니-"

"그렇지만, 혼은 누가 나구?"

"혼은 네가 나지 누가나-니가 귀찮게 굴어서 들어왔다면."

"내가 언제 귀찮게 굴었어?"

"여적까지 한 말이 그게 다 귀찮게 군게지 뭐냐!"

"허허-내원…그럼 내 안 그럴게…난 느들을 서루 좋게 하라구 하는데 뭘 다 누구를 귀찮게 군다구…그럼 고만 두작구나."

복술이가 비는 바람에 귀순이는 도루 앉았다. 그는 말로는 이렇게 강경한 태도를 보였으나 속으로는 그렇지 않았다. 그는 복술이가 무슨 까닭으로 저를 좋아 하는지 몰라서 한편으로 경계하면서도 그를 다리(橋)로 놓고 덕성이의 심중을 타진(打診)하는 것이 미더운 심복을 둔 것 같다.

그는 지금도 이즈음의 덕성의 태도를 몰라서 은근히 초조하고 있었는데 복술의 말을 듣고 보니 그렇지 않은 눈치를 대강 짐작할 수 있었다.

12. 匪賊(二)

그 이튿날 석룡이는 일군 두셋을 얻어서 남은 벼를 일찍이 가서 훑었다. 그것을 바람에 날려서 몽글느기(몽글리기)에 그럭저럭 한나절이 걸리었다. 점심을 먹은 뒤에 마대에 담기 시작했다. 저울로 달아서 한 단씩 묶은 뒤에 그것을 마차로 실어 날랐다.

두어 마차를 실어 나른 것이 부엌에다 쌓아 놓으니, 그들먹하다. 한 쌍에 열다섯 단 남짓하게 난 셈이다.

그래 석룡이 내외는, 마음이 푸근하였다. 더욱 신덕이는 영등바람이 나서, 들락날락 부지런을 피웠다. 남편이 묻는 말도 유난히 싹싹하게 대답한다. 내년에는 부락장의 논을 더 얻어지면 올보다 몇 갑절 더 추수를 할 것 같다. 그런 생각이 미리부터 샘솟아서 기쁨을 겉잡지 못하게 한다.

저녁 때는 짚가리를 실어다가 마당가에 쌓으랴 복더기의 뒤쓰레질을 하랴 또 한참 눈코 뜰 새 없이 일꾼들과 함께 안팎으로 덤비었다.

그래서 어둡게야 일이 끝났다.

일군들을 저녁을 먹여서 돌려보내고 나니 신덕이는 상을 치울 기운도 없었다. 그는 진종일 일에 날뛰던 피로가 일시에 닥쳐와서 온몸이 그저 나른하였다. 밥을 먹고 나자 그 자리에서 꼬박꼬박 졸기 시작한다. 석룡이는 담배 한대를 피워 물었다. 귀순이 남매가 먼저 잠이 든 것을 보고 그들로 이내 잠자리를 보았다. 그들도 미구에 곯아떨어졌다.

그런데 밤은 어느 때나 되었는지 꿈결같이 벼락 치는 소리가 들리었다. 그것은 참으로 꿈이 아닌가 싶을 만큼 자다가 깜짝 놀랐다.

그러나 재차 호통을 치는 바람에 정신이 번쩍 나서 눈을 떠보니 밖에서는 두세 두세 들리는 소리가 나는데 방안은 캄캄 절벽이다.

이날 밤이야말로 웬일로 불을 끄고 잤는지 모르겠다.

밖에서는 또 한 번 대문을 부시는 소리가 요란하다.

"문 열어라!"

고함을 지르는 말소리는 분명히 만인이었다.

"아이구머니!"

그들은 발가벗고 자다가 그만 정신없이 튀여 일어났다. 옷을 찾기에 한참 쩔쩔 매였다. 미처 불을 켤 경황도 없었기 때문이다.

"이거 큰일 났군! 내 옷은 어디로 갔나?"

석룡이는 덜덜덜 아래윗니가 떨리는 것을 딱딱 맞부딪치며 집히는 대로 옷을 더듬어서 가랑이를 꾀였다.

그리고 잠꼬대를 하는 것처럼 "어-" 소리를 치고 나서

"성냥이 어디로 갔나? 불 좀 켜!"

하고 증을 떨었다. 일부러 시간을 늦추자는 것은 신덕이가 연신 옆구리를 꾹꾹 찌르기 때문이었다. 처음에는 그게 무슨 수작인지 몰라서 잠자코 있자니까 신덕이는 그의 모가지를 바짝 끌어다가 더운 입김이 확-나는 입을 귀가에다 대고 가만히 귀띔하는 것이었다.

"귀순이를 깨워서 달아나게 합시다-저놈들 오기 전에-"

아내의 말에 펄쩍 어떤 생각이 일깨워지자 석룡이도 겁이 더럭 난다. 밖에서 웅성웅성하는 것을 보면 여러 놈이 동처 온 것 같다. 만일 그런 일이 있으면 참으로 어찌할까? 그런 생각이 드는 순간 그는 귀순이보다도 아내의

신변이 더 염려되었다. 저 무지한 놈들이 만일 아내를 붙들고 폭행을 한다면…그래, 그는 아내의 모가지를 아까처럼 끌어안고 이번에는 자기가 가만히 소곤거려보았다.

"임자두 뒷문으로 달아나우."

그러나 아내는 그 말을 알아들었는지 못 알아들었는지 가만히 있었다. 밖에서 호통을 치는 바람에 석룡은 다시 쩔쩔매면서 성냥을 찾는체한다.

"성냥이 어디로 갔나 원…예 나갑니다."

신덕이는 그러는 동안에 귀순이를 잡아 흔들어 일으켰다. 잠을 깨라고 목을 껴안고 흔들면서

"얘야! 큰일 났다. 어서 옷 입고 정신 차려!"

그는 더듬더듬 일어나서 뒷문 들창문 고리를 벗겨 놓았다. 그리고 달아나라는 시늉을 하며 벙어리처럼 창문을 뚜드렸다.

귀순이는 자다 깨었지만, 그도 밖에서 두세 두세 하는 소리를 들었다. 재차 대문이 와지끈 하는 바람에 그만 겁이 나서, 머리맡으로 벗어놓은 치마를 두르고는, 미처 버선도 찾아 신을 새가 없이 들창문으로 가만히 뛰어내렸다. 그러자 그는 정신없이 맨발로 달아났다.

12. 匪賊(三)

귀순이가 뒷문으로 뛰어내릴 적에 행여나 떨어지는 소리가 요란할까봐서 방안에 있는 사람들은 마음을 졸였으나 다행히 무사한 것 같았다. 만일 쿵! 소리가 크게 났다면 그래서 밖에 섰는 놈들이 그 소리를 듣기만 하였다면 즉시 집 뒤로 쫓아가서 단번에 붙들기는 여반장이었을 것이기 때문이다.

그러나 뒤창문은 그리 높지 않았다. 귀순이가 떨어지는 소리는 방안에서도 겨우 들릴만하였다. 신덕이도 남편의 귓속말을 듣고 귀순의 뒤를 따라서 달아나고 싶은 마음이 순간에 떠올랐다. 그러나 때는 이미 늦었다. 석룡이가 대문을 열고 나가기 전에 밖에 있던 사람들은 벌써 문을 부수고 우-달려든다.

"이놈아, 왜 문 안 열어! 어서 불 켜라."

한 놈이 회중전등을 얼굴로 바짝 들이대는 통에 석룡이는 질겁하며

"네-잘못했습니다-지금 열러 나가는 길인데요…도무지 어두워서!"

하고 두 손을 쳐들며 뒷걸음질을 치다가 방문 옆 흙벽에 가 붙어 섰다. 그는 회중전등을 마치 권총을 들이대는 줄만 알고 놀래었다.

이때 방안에 있는 신덕이는 망지소좋아였다(맙소사 하였다). 그는 방한구석에가 끼여서 잔뜩 광마리(머리)를 쥐고 앉았다. 물건을 도적맞은 것보다도 만일 겁탈을 하러 대들면 어찌하나 하는 무서운 생각이 간을 콩만 하게 하였다.

석룡이는 할 수 없이 전등불에 비치는 방문을 열고 들어와서 성냥을 찾아 등잔불을 켰다.

그 뒤를 따라서 서너 놈이 신발을 신은 채 성큼 방안으로 들어서자 전등불을 사방으로 둘러대 본다. 그자는 그것을 신덕이의 얼굴에다도 들이대 본다.

"이건 누구냐?"

"저-제 아내 올십니다."

"돈은 어디다 감추었니? 내놓아라!"

다른 한 놈이 호통을 친다.

"네, 그저 돈은 없습니다-살려줍시요! 따슈."

석룡이는 코가 땅에 닿게 절을 하며 두 손으로 싹싹 비볐다.

"돈이 왜 없어-벼 판 돈 있지 않냐?"

한 놈이 총개머리로 석룡의 어깨를 갈긴다.

"아이구-없습니다…아직 벼…벼를 못 팔었어요…타…타작을…오…오늘서야 다…했답니다…"

라고, 석룡이는 신장대 떨듯 다 죽어가는 목소리로 억살을 쳤다.

"거짓말이다. 이년! 네 앞에 있는 궤짝 속에 든 것을 죄다 끄내! 거역하면 잡어갈 테다."

다른 자가 신덕이를 보고 호령한다. 신덕이는 겁을 먹고 있더니 만큼 도리어 그런 말은 안심이 된다. 얼른 그들의 명령을 복종하였다.

"궤짝에 아무 것두 없어요." 하고, 그는 조용이 차곡차곡 싸 넣은 옷가지를 잡히는 대로 꺼내놓고 한 가지씩 털어보였다. 추석 비슴으로 부락장 집에서 받은 비단 옷감을 가져가면 어찌나 하였지만, 옷이 아까운 생각도 순간뿐이었다. 아무거나 가져갈 대로 가져가고 어서 나가주었으면 하는 생각뿐이었다.

그러나 그들은 옷은 본체만체한다. 워낙 그들이 조선옷을 가져다 무슨 소용에 쓰랴. 궤짝을 죄다 털어 보여야 아무것도 안 나오니까, 그들은 실망한 모양이었다. 서로 한참 무엇인지 쭝얼거린다. 그러자 윗목으로 놓인 쌀 포대를 가리키며 한 놈이 묻는다.

석룡이는 속일수가 없었다. 쌀이라 한즉 그들은 또 한참 쭝얼댄다. 한 놈이 오루루 가서 쌀 포대를 끈다. 한 움큼을 쥐여서 전등불에 비치어 본다. 아마 쌀이 좋은가 궂은가 그것을 검사해보는 모양이었다.

그자는 쌀을 묶어놓고 들어내라는 눈치를 석룡이에게 한다. 그 순간 두 양주는 쌀 한 포대를 뺏긴다는 생각에 가슴이 쓰리였다. 일껏 밥쌀을 하려고 연자매에 팔씨러 두었던 것이다. 그러나 이런 경우에는 쌀보다 더한 목숨이라도 바쳐야 할 판이다. 그까지 쌀 한 포대가 하상 다 무엇이랴 싶다. 그들은 이 고장으로 들어와서 유명한 비적 떼의 이야기를 귀에 젖도록 들었다. 그럴 때마다 마치 옛날이야기를 듣는 것 같이 신기하고 흥미 있게 들렸었는데 급기야 직접으로 당하고보니, 참으로 듣는바와 진배없이 그들 행동이 대담하다. 더욱 석룡이 같은 겁쟁이는 너무도 무서워서 감히 쳐다보지도 못하였다. 그래 석룡이는 할 수 없이, 쌀 포대를 간신히 들어서 방문 밖으로 끌어내었다.

밖에서 망을 보던 놈들이 무어라고 소리를 지른다.

"어-"

방안에 있는 놈들이 마구 소리를 지르고 나가자 신덕이는 별안간 무서운 생각이 더 들어서 그 난리 중에도 코를 골고 자는 귀남이 이불속으로 대가리를 처박고 들어갔다.

12. 匪賊(四)

귀순이는 들창문에서 뛰어내리는 길로 혼이 빠진 사람처럼 일착 선으로 달아났다. 그는 맨발을 벗었건만 발바닥이 찔리는 것도 몰랐다. 달은 구름 속에 가려서 어둠침침하였다. 그는 향방 없이 달아나다가 무서운 생각에 질려서 더 못가고 그만 덕성이 집으로 대들었다.

그래도 뒤에서 그놈들이 쫓아오는 것 같아서 몇 번을 돌아다보았다. 그는 가만히 문을 두드렸다. 부엌에서 자던 개가 킁킁 짖는다. 그는 당황하여 이번에는 가만히 부르짖었다.

"아주머니 문 좀 여서요-아주머니!"

개 짖는 소리에 잠을 깨서 귀를 기우리고 있던 건오와 순복이는 일시에 소리를 마주 질렀다.

"누구냐!"

"저유-귀순이여요-"

그제야 무슨 일이 생긴 줄 알고 그들은 다급히 일어나서 옷을 주서 입었다. 순복이가 미처 치마끈을 맬 새도 없이 쫓아나가서 문을 열어주니까 귀순이는 그만 순복이의 치마꼬리를 붙잡고 대들며

"아주머니! 큰일 났어요…"

하고 미처 말을 못한다.

"왜 그러니? 무슨 일이냐?"

"저 도적놈들이 대들었어요."

귀순이는 어쩔 줄을 모르고 사지를 벌벌 떨기만 한다.

"뭐-도적이?-"

순복이도 한번 데인 가슴이라 소스라쳐 놀래며 망지소조한다.

"방으로 들어가자!"

"아이 무서워-여기도 올는지 모르는 데여요."

귀남이는 방으로 들어갔다가 그놈들이 또 이집으로 닥쳐올까 겁이 났다. 그래서 들어갈 용기가 없었다.

"몇 놈이나 온 것 같더냐?"

건오는 그제야 묵중한 입을 열었다.

"몰러요. 아마 여럿인가 봐요."

두세 두세 하는 소리에 온 집안 식구가 차례로 다 깨고 덕용이만 잠이 깊이 들었다.

덕성이도 옷을 주어입고, 대임을 부리나케 매였다.

"어디 내가 좀 가볼까!"

건오는 이렇게 말하고 일어서려는 것을

"가긴 어디를 간다구 그리우. 아이들이나 데불구 뒷밭에 가 숨으시요"

"아이구-얘야 가지 마라!"

아내의 말을 받아 모친도 질겁하며 만류한다. 그들은 또 언제와 같이 건오가 붙잡혀갈까 무섭기 때문이었다.

"숨기는 뭘-그럼 덕성아 니나 귀순이랑 어디가 숨어 있거라. 귀순이가 혼자 가긴 고적 할 테니 얼는!"

"네!"

덕성이는 귀순이가, 서있는 밖으로 나왔다.

"그럼 집 농까리나 어디가 숨었다가 그놈들이 가거던 나오너라. 날이 새기 전에 설마 물러가겠지."

"아주머닌 안 가서요?"

"난 집에 있어야지 덕용이두 자니까-"

덕성이와 귀남이를 밖으로 내보낸 뒤에 그들은 다시 문을 닫아걸고 자는 시늉을 하였다. 모친은 또 무슨 일을 당할까봐 혼자 구시렁거리며 안절부절 못한다.

"얘야 글쎄 달아나라니까 웨 고집을 피우느냐? 그 언제처럼 붙들리면 어쩔라구."

"괜찮어요. 가만히 계시래두!"

건오는 달아나기는 커녕 무기라도 지녔으면 한번 대항하고 싶었다. 섣불리 나갈 수는 없었지만 그래도 총소리가 안 나는 것을 보면 별일은 없을 것 같다.

그래서 그는 우선 동정을 두고 보자 한 것이다.

도적떼는 초입으로 석룡의 집을 습격하여 우선 쌀 한 포대를 털어내자 놀랍게도 그것을 짊어지고 가자한다. 만일 안 지고가면 죽인다고 총을 겨누는 바람에 석룡이는

"네. 그저 살려줍시오!"

하고 쌀 포대를 ○○으로 걸머졌다.

신덕이는 그 꼴을 보고, 쫓아 나와서 울었다.

"아이구 어디를 가요?"

양식을 준비한 그들은 쌀은 더 필요치가 않았다. 그들은 무엇보다도 돈을 탐내었다. 그래 신덕이를 총으로 위협해서, 소리를 못 내게 하고, 석룡이를 앞세우고 부잣집으로 가자하였다. 석룡이는 할 수 없이 부락장 집으로 그들

을 안내하였다. 도적떼가 부락장 집으로 달려들자 또 한바탕 총개머리로 대문을 부시며 호통을 쳤다. 마침 그 집에는 추석날 제향비(祭享費)로 추념을 거뒀던 돈이 몇 십 원 따로 있던 것과 박씨의 금은패물을 있는 대로-그놈들이 대들어서 샅샅이 뒤지는 바람에 죄다 뺏겼다. 그 집에서도 자다가 별안간 당하는 일이라 안팎식구가 닭 통기듯 하고 부락장은 끌려 다니며 총개머리로 맞았다. 아이구지구하는 통에 박씨와 황식이도 비명을 질러서 집안이 외통난가를 이루었다.

12. 匪賊(五)

단둘이 집밖으로 나온 덕성이와 귀순이는 허둥지둥 숨을 곳을 찾으며 방황했다. 마당가에 쌓아올린 짚가리 속에 숨기가 가장 손쉬웠으나, 거기는 마음이 안 노여서 단념하였다. 그래 덕성이는 귀순이의 손목을 끌고 집 뒤 언덕 위로 치달았다.

뒷밭에는 콩동이 죽 쌓였다. 덕성이는 그 생각이 문득 나서 호젓한 곳을 찾아간 것이다.

그들은 콩동의 가운데 매를 풀리고 콩깍지를 파냈다. 그리고 그 속으로 들어가서 가만히 마주부터 앉았다.

귀순이는 그대로 떨기만 하며 덕성이 품안으로 바싹 기어든다.

"여기두 그놈들이 쫓아오면 어떡한다니?"

그는 오히려 마음을 못 놓고 불안해한다.

"설마, 여기까지야 뒤질나구…가만히 들어보자꾸나."

웬일인지 덕성이는 조금도 무섭지가 않았다. 귀순이는 덕성이의 그런 태도가 이상해 뵌다.

그만큼 제 마음이 든든해지기도 하였다.

"그런데, 넌 어떻게 빠저 나왔니? 자다가 별안간…"

덕성이는 귀순이가 용하게 달아난 것이 신통해서 물어본다.

"어머니가 깨우는 바람에 놀래 깨보니까 밖에서 두세 두세 하겠지…그래

고만 엉겁결에 창문으로 뛰여 나렸어!"

귀순이 가만히 귀가에다 소곤거린다. 입김이 따스하게 스치도록.

"그거 참, 잘했구나-깨닥했으면 붙들려 갔을 것을-"

그 말을 들으니 귀순이는 소름이 쭉 끼쳐져서 저도 모르게 부르짖었다.

"아이, 그런 소리 말어! 무서워요"

"무섭긴 뭐 그까 놈들!"

덕성이는 흰모를 썼다.

"그런데 우리 집에는 어떻게 되었을까?"

"뭘 어떻게…돈을 내라다가 없으면 갔을 테지."

"정말로 그렇기나 했으면-그놈들이 그냥 나갔을까?"

귀순이는 식구들의 신변을 염려하였다.

"그럼. 다른 식구야 아무 일 없을 거다."

"그놈들은 웨 계집애만 잡아갈까?"

"갔다가 팔아 먹을랴구."

그러자 개짖는 소리가 컹컹 들린다. 귀순이는 또 별안간 샛노래지며 한손으로 덕성의 입을 막는다.

"쉬-가만있어!"

두 사람은 일시에 귀를 기울여보았다. 동리 속은 다시 잠잠해졌다. 구름 속에 들 얻은 달이 갑자기 환해지는 바람에 귀순이는 또 무서운 생각이 들어다. 덕성이의 가슴속을 파고든다.

"궁금하면 내 니 집에 가보고 올 테니 예 있을내?"

"아니 싫어! 난 무서워."

귀순이는 질겁하며 덕성이를 꼭 붙든다. 덕성이는 귀순이가 어린애처럼 무섬을 타는 것이 도리어 귀여웠다. 웬일인지 그는 며칠 내로 귀순이를 미워하던 생각이 금시에 어디로 갔다. 그리고 지금 이렇게 만나준 것을 도리어 고맙게만 여겨질 뿐이었다.

참으로 오늘밤 일은 뜻밖이다. 그러나 그는 심중으로는 언제든지 이런 기회가 오기를 고대하였다. 그는 아무 때나 호젓하게 만나면 한번 최후로 귀순의 심중을 타진해 보려던 차이였다.

그래 어쩌나 보려고

"너 요새 황식이랑 좋아한다드구나."

하고 슬쩍 건드려보았다.

"누가 그래여?"

귀순이는 금시에 음성이 달러지며 숨소리가 색색 해진다.

"복술이가 그러더라."

덕성이는 시침을 따고 정색해 말했다. 그러나 귀순이는 요전에 복술이한테 들은 말이 문득 생각나서 다시 방끗 웃으며

"너두 거짓말 할 줄 아니?"

"거짓말은 웨!"

"그만 둬요! 난 벌써 알았다니."

귀순이는 더욱 상냥한 목소리를 꺼낸다.

"아니, 그건 거짓말인지 몰라도 니 집에서는 황식이네와 좋아지내지 안니? 그러니까 말야 너두 황식이와 좋아지낼 수 있다면 그게 좋은 상식이기에 하는 말이다."

덕성이는 기위 말이 난 김이라 아주 이 자리에서 태도를 결정짓고 싶었다. 그는 집에서들그 일로 하여 걱정하는 말을 무시로 듣기가 난중할뿐더러 자기도 언제까지 한 다리만 걸치고 지내기가 괴로웠던 까닭이다.

12. 匪賊(六)

귀순이는 한동안 죽은 듯이 가만히 있었다. 숨소리만 가늘게 들린다. 그는 부화가 난 모양이다. 그래서 어쩔 줄을 모르고 있는 것 같다.

덕성이는 그런 눈치를 보고 한편으로 가엾은 생각이 들었다. 그러나 역시 영리한 귀순이는 자기의 심중을 모를 리가 없었다. 아니나 다를까, 그는 여태까지 무서워하던 기색이 없이 날카롭게 부르짖는다.

"넌 내가 그 집에서 온 추석 비슴을 입었다구 그러지?"

"것두 그렇구…"

"내가 뭐 입구 파서 입은 줄 아남!"

귀순이의 목소리는 가늘게 떨리었다.

"그래두 네가 입지 않었나-"

"넌 그렇게 남의 속을 몰라주니?"

"내가 몰라줘-니가 몰라주지!"

덕성이는 일부러 심술 궂은 웃음을 웃어 보인다.

"건 그렇다구-저 내년 봄에 졸업하구 중학공부를 또 가겠지?"

귀순이는 갑자기 새참해지며 목소리를 깔끔하게 낸다.

"뭐 나 말이냐?"

"그럼 누구 보구 말할까."

"건 왜 묻니?"

"글쎄 말야."

"난 봉천으로 농업학교 시험을 가보기로 했다."

"그럼 내 기다릴게…"

"뭘 기다려?"

"그 학골 졸업하구 나오두록…"

"정말이냐?"

덕성이는 저도 모르게 목소리를 크게 낸다.

"그럼 정말 아니구-우리가 무슨 물건인가 뭐-물건두 한번 흥정을 한 뒤는 다시 물느는 법이 없다는데-"

"그거야 점잖은 사람의 말이겠지."

덕성이는 귀순이의 당돌한 말에 은근히 놀라면서 이렇게 대답했다.

"그러니까 우리두 점잖은 사람이 되잔 말야."

귀순이의 말소리는 점점 날카롭다.

"우리가 아무리 그리 짜구 파두 어룬들이 반대하시면 할 수 없잖으냐?"

덕성이는 다시금 실망한 빛을 띠운다.

"넌 그런 걱정은 말구 공부나 잘해라."

귀순이는 어떤 결심이 있는 듯이, 아주 의젓하게 말한다. 덕성이도 차차 그의 말에 쏠리게 되었다. 그러나 그는 구지 사정을 설명한다.

"소문을 들으니까 니 집에서는 내년에 부락장 집 논을 얻어 한다드구나? 니 부모가 벌써 그렇게 딴 맘을 먹구 있는데 너 혼자만 생각이 달으면 소용 있겠니-그러니 너두 잘 생각해서 하람! 난 그런다구 너를 원망하진 않을 꺼니까."

"뭘 잘 생각해?-너한테 누가 그런 소릴 듣구파 한다데 뭐-"

귀순이는 다시 분이 나서 색색한다.

"그런게 아니라-나두 너와 헤어지기는 서운하다. 약혼이니 뭐니…그런 말이나 없었다면 몰라두-그렇지만 니 집사정이 틀려졌으니 할 수 없잖으냐?"

"뭬 할 수 없어 넌 그렇게두 용기가 없니?"

"용기가 없잖으면 어떻게 할네-니 부모가 강제로 하는 데야…"

"난 발이 없나 뭐-그까진 것 달아나면 고만이지."

"어디루 달어나?"

"아무데루나…"

덕성이는 잠간 가만히 앉았다가 그의 속마음과는 딴판으로-

"공연이 쓸데없는 생각 말아-니가 달아나면 어디루 가겠니?"

이 말을 들은 귀순이는 별안간 성이 파르르 나서 두 주먹을 떨며 대든다.

"고만둬요-너한텐 안 갈태니…누가 쫓아갈까봐 미리부터 그렇게 방패매기 할건 뭬 있나니?"

"뭐?-"

"고만둬요-나두 네 속을 다 알었어…넌 내가 보기 싫으니까 다시 학교루 간다는 거지? 그렇지만 난 너한테 잘못한 것 없잖으냐? 내가 언제 황식의 말을 한번이나 들어준 적 있니? 보았거나 들었거던 말해보아라…싫거던 그냥 싫다구 그래! 공연히 핑계를 대지 말구."

"아니 뭐?…"

덕성이는 기가 막힌 듯이 어안이 벙벙하였다.

"임자는 다시 공부를 하구 돌아오면 이쁜 색시가 얼마든지 있을게니까 나 같은 건 벌써 눈에 차지 않겠지…그렇다면 고만둬요! 그까진 거 나 한 몸 죽으면 그만일꺼니까…아-"

귀순이는 두 손으로 얼굴을 가리고 쓰러진다.

"아니 내가 언제 너를 싫댔니? 건 공연이…이게 무슨 짓이냐? 누가 듣는다-야"

덕성이는 어쩔 줄을 모르며 그를 끌어안고 달래기에 한동안 무등 애를 썼다.

12. 匪賊(七)

비적 떼가 석룡이를 앞세우고 나서서 재차 부락장 집을 습격하여 금은패물과 현금을 강탈 도주한 뒤였다.

그들의 동정을 살피고 있던 건오는 우선 덕성이를 불러 내려서 마을사람들을 깨우게 하였다. 그리고 부락장 집으로 뛰여 가보니 벌써 이웃 사람들은 하나둘씩 그 집 마당으로 모여들기 시작한다.

미구에 강주사가 쫓아오고 학교선생 이상렬과 정대감 김병호도 뛰어왔다. 성도형제도 자다가 영문을 모르고 깨여 나왔다.

이렇게 삽시간에 비상 소집을 하자 우선 걸음을 잘 걷는 사람을 뽑아서 정거장 파견소로 고발을 하지 않으면 안 되었는데 거기는 건오와 학동이가 뽑혀갔다.

마을 사람들의 귀 익은 목소리가 들리자 신덕이는 쥐 죽은 듯이 방속에가 처박혔다가 화닥닥 튀여 나오며 공연이 헛돼 놓고 소리를 질렀다.

"아이구 거 누구유 사람 좀 살려주!"

그러나 밖에서는 아무 대답이 없으니까 그는 다시 무서운 생각이 들어가며 부엌 안으로 뒷걸음질을 쳤다.

"귀순아! 귀순이 어디 갔니!"

얼결에 귀순이를 불러본다.

이때 귀순이는 덕성이의 뒤를 따라서 저의 집으로 가는 길이었다. 그는 모친의 목소리를 듣자 마주 소리를 치며 한달음에 뛰어갔다.

"어머니-예 있수"

"아이구 넌 어디가 숨었었니?…아버지 못 보았니?"

"아니, 아버지가 어디 가셨수?"

"아이구 그럼 큰일 났구나-그놈들이 아버지를 붙들어 갔단다."

신덕이는 그제야 어찌된 줄 모르는 남편을 생각하고 목이 메어서 울음을 삼킨다.

"아주머니서요? 얼마나 놀래셨어요."

"거 누구냐 덕성이냐?-"

"네-"

"넌 밤중에 왜 나왔니?"

신덕이는 울음이 쏙 들어가도록 또 한 번 움찔 놀랬다가 덕성이의 목소리를 분간하고 겨우 안심하였다.

"동리 어른들 불르러요."

"건 왜?"

"아버지가 시켜서요."

"아버진 지금 어디 계시다니?"

"저-부락장 댁으로 가시면서 그리셨어요."

"부락장 댁에?"

"녜-도적놈들이 그 댁에두 들었셨다나 바요-그래 그리로 모두들 모이라구 해서요"

"부락장 댁에두?"

덕성이는 더 말대꾸 할 새가 없는 줄을 깨닫자

"네-아주머니 그럼 가겠어요."

하고 빨리 뛰어간다.

"응-그럼 나두 좀 가보아야겠군-넌 집에 있거라. 내 잠간 다녀올 게!"

"난 싫여, 무서워…"

"무섭긴 뭐-그놈들은 다 갔는걸-아버지가 어떻게 되었는지 가서 좀 알어봐야 할 것이 아니냐"

"그럼 나두 같이 갈 테야 뭐…"

귀순이는 종시 저 혼자만 떨어져 있지 않을 눈치였다.

"귀남이가 깰까봐 그러지-누가 너 안 데불구 갈랴구 그러니?"

"뭘 여적 안 깼는데-나두 갈 테야-캄캄한 방에 어떻게 혼저 있으라우"

귀순이는 징징 우는 소리를 사뭇 한다.

"아이 그럼 같이 가자…대고나절 아버지가 어떻게 되셨는지 모르겠다."

신덕이는 할 수 없이 귀순이를 앞세우고 나섰다.

"그놈들이 아버지는 웨 붙들어 갔다우?"

"윗목에 노인 쌀푸대를 보더니만 그것을 지구 가자구 지워갔단다."

"그럼 저다 주면 뇌여 오실 꺼 않여요?"

귀순이도 약간 불안을 느끼며 대꾸한다. 그 역시 아버지의 신상을 염려함이었다.

"글쎄-그렇기나 했으면 좋겠지만-어서 가서 물어보기나 하자-"

이렇게 재촉하는 바람에 귀순이는 걸음을 빨리 떼놓았다.

"그렇지만 네가 안 붙들린 게 천만 다행이구나-넌 여적 어디가 숨었었니?"

"뒷밭 콩깍지 동 틈에…"

"그런 년이 집 속에서 웨 무섭다는 거냐?"

"거기는 아모두 몰르지 않수?"

귀순이는 덕성이와 같이 숨었단 말을 하지 않았다. 그는 그 말을 했다가 무슨 말을 들을지 몰랐기 때문이다. 그러나 이날 밤에 뜻밖에도 덕성이를 만나게 된 것은 그의 앞날을 위해서 다시없는 좋은 기회라 싶었고 그만큼 속으로 좋아했다.

12. 匪賊(八)

신덕이가 부락장 집으로 달려가 보니 거기에는 벌써 마을 사람들이 가득 모이고 부엌 안에는 남포등을 환-하게 켜놓았다.

"아이구 우리 집 양반은 어디루 갔답니까?"

신덕이는 누구를 지목해 말할 겨를도 없다는 듯이 들떠 놓고 물으며 여러 사람의 얼굴을 돌려가며 본다.

"글쎄요 우리도 모르는데요…뭐-쌀 짐을 지구 갔다면서요."

누군지 이런 대답으로 하는 말을 귀결에 들었을 순간이었다.

이편 안방 문이 펄쩍 열리며 부락장의 아내 박씨가 문밖으로 새파랗게 질린 얼굴을 내밀며 쇳소리를 낸다.

"아니 거기 온게 귀순 어머니요? 이리 좀 오시우."

"네! 얼마나 놀라셨습니까-이 댁에서도 손해를 보셨다니 원 그런 변이 어디 있어요."

귀순네는 그줄 저줄 모르며 우선 인사부터 분명히 한다.

"손해구 무에구 이런 일이 어디 있소? 도적을 마지면 이편이나 혼자 맞일 게지 웨 남의 집까지 징궈주느냐 말이여요."

주인 마누라의 기색이 등등한 골을 보고, 신덕이는 비로소 그가 성이 푸독사같이 난 줄을 알았으나, 물론 자기에게 당한 일은 아니려니 하였다.

"아니 누가 도적놈을 징궈주었어요?"

"누가 다 무에요-댁 양반이 그놈들을 이끌고 우리 집을 처들어 왔으니까 말이지요."

"아니, 그럴 리가 있나요…웬 천만에 말씀을…"

신덕이는 너무도 의외의 말이라 놀라운 입을 크게 벌릴 뿐이었다.

"그럴 리가 뭐여요-그 양반이 쌀 짐을 지구 앞장서 와서 우리 집을 가리켜 준 까닭으로 그놈들이 들어왔는데요."

박씨는 여전히 펄쩍 뛰는데

"원, 그럴 리가 있나요-무슨 심사로 하필…댁에다 도적놈을 싱궈줄 리가 있겠어요-그놈들이 알구서 가자니까 바루 할 수 없이 짐을 지구 끌려 왔는지 모르지만…"

하고 신덕은 남편대신 변명을 해보았다. 그러나 기막힌 소리를 다 들어본다.

"아따 고만 좀 두어! 알구 왔든지 모르구 왔든지 벌써 도적을 맞일 운수가 되어서 맞은 것을 뒷소리로 하면 무슨 소용이 있다구…응, 그것 참!"

부락장은 이렇게 그 아내를 타이르며 입맛을 다시었다. 손해를 생각하니 그도 기가 막힌다.

도적을 맞더라도 온 동리집이 다 맞았다면 모른다. 그것은 의례 당할 일이거니 하겠지만 이건 단 두 집만 맞게 되었다는 것은 아무래도 한 까닭의 의심이 없지 않고 분하기도 더하였다.

"글쎄 원…이게 도무지 무슨 신수 소관이랍니까? 우리 집에서는 사람까지 붙잡혀갔으니…대관절 이 일을 어찌해야 좋답니까?"

신덕이는 이런 자옥에 겸하여 구설수까지 듣는 것이 분하였다.

"가만 있소. 조금 있으면 토벌대가 쫓아 나올 테니."

강주사가 위로하듯 말한다.

그러나 신덕이는 건오가 비적한테 붙들려가서 죽을 고비를 간신히 벗어났다는 이야기를 듣던 기억이 새로워질수록 공연이 머리끝이 쭈뼛해지며 자질어 공포를 느끼었다.

"대관절 그놈들이 어디서 온 놈들일까? 근자에는 통 그런 일이 없었는데"

"글쎄-이런 촌락으로 대들 적에는 좀도적으로 뿔뿔이 헤진 어떤 패의 잔당이겠지."

"뭐-토벌대가 나오기만 하면 그 깐 놈들 당장에 잡을 텐데-토막나무 끈 자리지 제 놈들이 어디루 갈라구."

"암, 그렇구 말구."

그들은 이렇게 서로들 지껄이는데

"귀순아 고만 가자! 귀남이가 잠을 깨서 또 놀래기 전에-"

하고 신덕이는 머쓱해서 발길을 돌리었다.

"어둔데 조심하시우!"

누군지 인사하는 소리가 고막을 울렸다.

"예!"

그는 간신이 대답을 하고 시름없이 걸음을 내걸었다. 그러나 그는 생각할수록 남편 대신 구설을 들은 것이 원통하다. 하긴 남편이 만일 똑똑한 사람 같았으면 일부러 가난한 집으로 그놈들을 끌고 가야 할 것이었다. 그런데 이 화상이-부잣집으로 가자니까 고지식하게 대뜸 부락장을 대주고 그 집으로 끌고 간 것이 아닌가 싶었다.

그는 자기 집까지 가는 동안 이런 갈피 없는 생각에 헤매면서 또한 그 남편의 신상을 염려하기 마지않았던 것이다.

12. 匪賊(九)

토벌대가 달려오기 조금 전에 학봉이가 먼저 헐금씨금 뛰어왔다. 이제나 저제나 하고 부락장 집에서 기다리던 사람들은 일제히 인기척이 나는 바깥을 내다보다가

"아니 왜 혼저만 오나?"

하고 의심스레 눈총을 쏜다.

"지금 곧 나올 께요-전 전화만 거는 것을 보구 덕용이 어른이 먼첨 가래서 뛰어왔으니까요."

학봉이는 숨이 차서 씨근거린다.

"어디로 전화를 걸어?"

"아마 현 수비댄가 바-"

"물론 그럴 꺼다."

좌중은 그 말을 듣고 모두 안심하는 숨을 골려 쉰다.

"그러나 기차가 있을까?"

"차가 왜 없어요-전화를 걸면 두 시간 안으로 새벽차에 올 수 있다던데요."

"자-그럼 누구누구랑 갈 터인가? 토벌대가 나오기 전에 준비하구들 있다가 같이 가게 해야지-사람이 안 붙들려 갔을지라도 길을 인도해야 할 터인데 더구나 사람까지 잡혀갔으니-우리만 가만히 앉았을 수가 없지 않소?"

강주사가 이렇게 발론하자

"암 그다 일을 말씀입니까? 모두들 가십시다."

하고 정대감과 김병호가 일시에 찬동을 한다.

그 말이 떨어지자 나도 나도 하고 나서는 사람이 칠팔 명 된다. 성도 형제 양서방 학봉이 정대감 김병호 원일여등…

"뭐 준비할 것은 없을까요?"

정대감이 강주사에게 묻는다.

"다른 준비야 할 건 없겠읍지만 옷이나 가뜬하게 입은 것이 좋겠지."

"자-그럼 여러분들 옷을 바꿔 입으시구 얼는들 우리 집으로 모이시요-추운데 그동안 어한이나 하구 떠나게 합시다."

술 먹을 관스(官司)가 들어온 것을 정대감이 얼른 붙잡는 걸 김병호가 맞장구를 치며 좋아한다.

"참, 그럽시다. 어-치워…"

그는 두어 번 어깨를 으쓱거린다.

정대감이 일어서려는 것을 주사가 잠깐 제지하면서

"그럼 그렇게들 하시요만…이번 술값은 동비로 떨게 합시다."

"네-그게 좋습니다."

병호가 이런 동의를 하자

"그럼 여러 어른이 다 가서야지…우리끼리만 먹을 수 있습니까?"

정대감은 강주사와 부락장을 돌아본다.

"뭐-난 아모 경황두 없소이다. 주사장께서나 같이 가시지요."

부락장이 시름없는 말을 꺼내는데

"뭐-나두 생각없소-토벌대가 곧 나온다니까 그 안에 간단하게 한잔씩만 하시구려-만일 술을 먹구있는 꼴을 뵈였다가는 모양이 창피할 거니까…"

"그래두 같이 가서야지 동리 일인데요!"

강주사는 다시 생각한 결과 그들과 함께 자리를 일어섰다. 그는 가기 싫다는 부락장을 위로하기 겸하여 같이 가자고 우겼다.

만일 건오노 없는데 그들만 맡겨두고 본다면 정대감과 병호가 맞붙은 자리에서 얼마나 또 놀 짱을 부릴는지 모르기 때문이다.

그리하여 그들의 한패-강주사 부락장 이상렬은 정대감의 안내로 먼저가고 토벌대를 따라갈 다른 한패는 제가끔 옷을 바꿔 입으러 자기 집으로 돌아갔다.

미구에 그들이 정대감 집에로 한데 모이자 안식구들은 별안간 자다 일어나서 음식을 준비하기에 분주하였다.

여러 사람들은 방안이 빽빽하게 들어앉아서 음식이 나오기를 기다린다. 정대감은 그대로 재촉이 분운하다.

미구에 국을 끓이고 술을 데워서 드려왔다. 그들은 제가끔 국그릇을 들고 돌아오는 소주를 서너 잔씩 먹었을 때였다. 강주사는 다시 발론을 하기를-

"여러분, 고만들 자시구 일어납시다-우리는 이렇게 앉어서만 기다릴게 아니라 인제 미구에 나올 것 같으니-우리 횃불을 해들고 마중을 나가봅시다."

"아-그 말씀 참 좋습니다."

벌써 얼근한 판이라 김병호가 앞장을 서며 집으로 홰를 가지러 나간다. 정대감은 술이 좀 부족하였으나 워낙 늑장을 부릴 자옥이 못됨으로 그도 학동이를 시켜서 홰를 만들게 하였다.

그리하여 그들은 미구에 횃불을 앞뒤로 세워들고 근감하에(근검하게) 신작로 행렬을 지여가며 토벌대가 나올 길목으로 일제히 마중을 나갔다.

12. 匪賊(一0)

건오는 파견소에서 토벌대를 기다리다가 차시간이 임박해서 경관과 함께 정거장으로 나갔다. 열차는 정각을 일분도 어기지 않고 도착하였다. 토벌대는 잠시의 유예를 두지 않고 즉시 경관의 보고를 받고 출발하였다. 건오는 행렬을 앞서서 밤길을 안내하였다.

그런데 철둑을 넘어서 서쪽 행길로 한참을 가느라니 개양툰 근처에는 난데없는 불빛이 늘어섰다.

"저게 무슨 불인가?"

토벌대장은 의심스레 건오에게 물어본다.

"글쎄올시다…분명힌 모르겠습니다마는 혹시 저의 동리에서 마중을 나온 게 아닌가합니다."

"응 그렇겠지. 물론 비적은 아닐 테니까-"

대장은 감심한 듯이 말을 받는다.

과연 동구 앞까지 달려오니 횃불들은 마주 좇아 나오며 일대를 영접한다. 대장은 그들이 의심할 것 없는 주민 줄을 확실히 알자 부대를 세워놓고 인사를 받는다.

"이렇게 토벌을 나와주시니 감사탄 말씀은 무어라 엿줄수 없습니다."

강주사 이하로 동리 사람들은 일제히 머리를 굽히어 경례를 하였다.

"아-그런데, 비적이 어디로 달아났는지 그 방향을 알 수 있는가?"

"네-그것은 제가 잘 압니다."

여러 사람들은 대장의 묻는 말에 서로들 돌아보며 미처 대답을 못하는데 건오가 얼른 내꾸한다.

"아-그런가. 비적이 어디로 달아났는가?"

"이 길로 갔습니다."

건오는 서슴치 않고 손을 들어 서쪽을 가리킨다.

"저-잠간 청할 말씀이 있습니다."

하고 강주사는 건오를 통역으로 대장 앞에 나서서 말한다.

"무슨 말이요?"

"우리 동리 장정이 몇 명 뒤를 따라가고 싶은데요."

"뭐-추운데 그럴 것 없겠지-이사람 하나만 같이 가면 좋겠소."

대장은 건오를 가리키며 말한다.

"아닙니다-저의의 정성으로 그러하오니 소용되실 때까지 따라가게 해주십시오-필요치 않을 때는 돌려보내서도 좋습니다."

"그럼 같이들 갑시다."

대장의 허락을 받자, 준비하고 나온 사람들은 일제히 일렬로 늘어섰다.

"그럼 출발합시다."

"안녕히 다녀오십시요."

대장의 구령으로 일대는 다시 강행군을 시작하였다.

얼마쯤을 달려가니 큰 강은 서남간으로 휘둘러 나가고, 길은 두 갈래로 나게 되었다. 신작로는 강을 뚫고 역시 서쪽으로 쪽 곧게 났는데, 강을 건너서 얼마를 안가면, 동북 편으로 다시 사이길이 뚫렸다. 그길로 자꾸 가면 밀림지대로 들어가게 된다.

토벌대는 여기까지 당도하자 잠간 주저하였다. 그동안에 날도 훤하게 새였으니 비적떼는 응당 산속으로 들어갔을 것 같다. 그래도 혹시 몰라서, 대장은 두 부대로 나누면 어떨까 생각하며 천천히 평보로 걷는데, 혼연 그쪽 길로 웬 사람 하나가 급히 나온다. 희끄무레한 것을 보면 그는 분명히 조선 사람 같았다.

"아-저기 오는 사람에게 물어보자구."

"네. 그게 좋겠습니다."

일대는 행진을 정지하고 그 사람이 오기를 기다렸다. 대장은 손을 쳐들어서 어서 오라고 손짓을 했다.

그러니까, 그 사람은 걸음을 더욱 빠르게 걷는다.

"아니, 저게 석룡이 않야!"

건오가 하는 말에

"글쎄-"

여러 사람들도 마주 소리를 친다. 과연 가까이 오는 사람은 석룡이가 틀림없었다.

"아니, 자넨 어디까지 갔다 오는 길인가?"

정대감이 묻는 말에 석룡이는 미처 대답을 못하고 대장 앞에 우선 머리와 허리를 굽실하며

"저-산 밑까지…날이 새가니까 고만 가라구 돌려보내주더군요."

"그래 비적은 산속으로 들어갔나?"

"네 그렇습니다."

"아니, 석룡이 자네 아래옷 입은 게 대체 무엔가?"

건오가 석룡의 아랫도리를 훑어보다가 놀라운 듯이 묻는다.

"무에에 바지지."

"하하하-저 사람이 아니 웬 고장이 입어서!"

"뭐-고장이라니?"

석룡이가 역시 들여다보다가 입을 딱 벌린다.

"하하하하-"

그 바람에 여러 사람은 일시에 홍소를 터뜨렸다. 석룡이는 어쩔 줄을 모르며 속옷가랑이를 벌리고 섰다.

12. 匪賊(一一)

"뭐야, 뭐야?"

여러 사람이 별안간 웃으니까 대장은 무슨 일인지 몰라서 건오를 돌아보며 묻는다. 건오는 비로소 정색을 하고 사유를 설명하였다.

그 말을 듣자, 대장과 병정들도 일시에 웃으며 석룡의 아랫도리로 모두 시선이 집중된다.

"하하하-참!"

사실 석룡은 지금까지 마누라의 속옷을 바꿔 입은 줄도 몰랐다. 그는 도적이 쳐들어오는 통에 불을 끄고 자다가 놀라 깨서 자기 옷을 찾아 입는다는 것이 엉겁결에 마누라의 속옷가랑이를 그대로 꾀였던 것이다.

"아니 그래 여적 속옷인 줄도 모르고 입고 있었나?"

"그럼 캄캄한데…누가 알았어야지."

석룡이는 병호가 묻는 말에 무안해서 어쩔 줄 모르며 머리만 긁고 섰다.

"속옷가랑이 속으로 바람이 들어가는 줄도 몰랐어?"

"몰랐대두 그래."

"도적놈이 무섭긴 참 무섭던 어세 그려! 그럼 내상께서는 지금 자네 바지를 입고 있겠군-하하하-"

"자-고만들 가자구."

대장이 엄숙한 자세로 다시 출발을 명령한다.

"자-그럼 바로 쫓아가자."

대장은 출발명령을 하려고 대오 앞으로 돌아서는데

"석룡이두 같이 가세."

"이걸 입구 어디를 가자나-"

"어디든지 가야지. 종일 서 있을 나나."

"하긴 그두 그래-대낮에 집으로 들어갈 수도 없구"

정대감의 말에 석룡이는 원망스러운 듯이 하소연한다. 그러나 동저고리 위에다 가래쟁이가(바짓가랑이가) 널드라케(널따랗게) 버러진 속옷을 입고 서 있는 석룡이의 노랑수염이 더부룩이 난 화상이 볼수록 우스웠다.

"이사람 여태까지 입었을나구 상관없지 않은가 하…하…"

"그래두…집에 가서 바꿔 입구 와야지 이 꼴을 하구 어떻게…"

"대낮엔 집에두 못 들어가겠다면서?"

"하하하-"

"어디가 숨었다가 밤에 들어가겠네!"

동리 사람들은 또 한 번 홍소를 터뜨린다.

그럴수록 석룡이는 마치 똥 싼 잠뱅이를 움켜쥐듯 속옷 가랑이를 잔뜩 움켜잡고 여러 사람의 눈총 속에서 자신의 꼴을 감출 수 없어 쩔쩔맨다. 그는 날이 점점 밝아지는 것이 원수 같았다.

"건오-대장님께 좀 여쭤주게. 나 좀 가게 해달나구."

건오가 민망해서 그 말을 통역하자 대장은 동정하는 미소를 띠며

"그렇지만 우리는 비적이 간 길을 모르니까 그대가 비적과 같이 간곳까지만 일러달나구. 그 뒤엔 돌아가두 괜찮으니!"

"네!"

석룡은 할 수 없이 일행을 따라가려고 나섰다.

"자-그럼 예서부턴 비적을 속히 추격해야 할 테니까 반 숨에 뛰여가자구-"

"쓰껫!"

대장의 구령에 병대는 일제히 기착을 한다.

"미기무게 미깃!"

"마예 웃!"

"가께이시!"

대장의 명령을 받든 병대가 렬을 지여 뛰어가는데 석룡이는 대장과 같이 맨 앞줄로 서서 길나자비로 뛰어가지 않으면 안 되었다.

그래 그는 병정들 틈에 끼여서 더욱 대조가 선명하게 눈 띄어 보이는데 동저고리 밑에 속옷 바람으로 뛰어가는 모양은 참으로 요절을 해서 못 보겠다.

"아이구 배창자야! 아이구…저것 좀 보게! 난 못 가겠네!"

정대감은 병호의 옆구리를 찔러 가며 걸음을 못 걷도록 뱃살을 움켜쥔다.

"이사람! 너무 웃지 말 게-남까지 죽이지 말구."

병호도 한 손으로 입을 틀어막는다. 그러니 다른 사람들은 말할 것도 없었다. 학봉이 성도 형제와 양서방하며 원일여까지 모두들 웃음을 참느라고 끙-끙-앓는 소리를 해가며 뛰어가는 꼴이 또한 장관이었다. 그만큼 그들은 점점 대오에서 떨어져간다.

그러나 병정들은 끄떡없이 한대중으로 구보를 한다. 그들도 물론 우스울 것이다. 그것은 석룡이가 더욱 우스운 자세로 달아나기 때문이었다.

그는 겁을 잔뜩 먹고 주눅이 들린 판이었다. 그런데 체육을 받지 못한 그는 뛰어갈 줄도 잘 모르는데다가 가랑이가 넓은 속옷을 입고 뛰자니 거북해서 걸음이 잘 안 걸린다. 게다가 괴마리까지 자꾸 내려가서 그것을 한손으로 붙잡고 뛰자니 더욱 동그적 거리게만 된다. 그래 그는 울퉁불퉁한 진창을 짓밟은 것 같은 험한 길 위를 떼에는 가랑이가 흙에 걸려서 코방아를 찧고 넘어지기가 일쑤였다.

이렇게 석룡이는 진땀을 흘리고 헐떡이며 십여 리를 간신이 뛰어가서 비적들과 갈리는 곳에 당도하였다. 거기는 길이 또 두 갈래 가졌는데 비적은 오른편 산으로 들어갔다는 것이다. 과연 그 길로 쌀이 줄줄이 흘려있다.

"에-여러분 수고 했소-인젠 비적이 도망간 방향을 짐작하게 되었은 즉 당신들은 돌아가시요-그러나 당신만은 통역으로 같이 갑시다."

하고 대장은 건오를 가리킨다.

"아-그러십니까? 그럼 안녕히 다녀나 오십시요."

"건오 잘 다녀오게!"

"아, 염려 말게. 먼저들 가게."

토벌대는 다시 대장의 명령을 받고 산속으로 강행군을 시작하였다.

정대감과 병호의 한패는 그길로 돌아서자 인제는 아무 기탄할 것이 없는지라 그들은 석룡이를 한가운데 세워놓고 참았던 웃음을 실컷 들였다 웃어대는데

"이 사람들 고만들 웃게-엥이 참!"

하고 석룡이도 빙그레 웃고 섰다. 그는 참으로 어떻게 집에를 들어가야 할는지 걱정이었다.

12. 匪賊(一二)

건오는 그 뒤 십여 일만에 무사히 돌아왔다.

그는 토벌대와 같이 비적의 종적을 더듬으며 밀림지대로 점점 깊이 들어가게 되었는데 거기는 어느덧 자무쓰(佳木斯)로 가는 산중이었다. 그런데 방향을 짐작하여보니 의외에도 몇해 전에 비적 떼에게 붙들려 들어가던 길이 분명하였다. 그래 건오는 대장에게 그때 당하던 경력감과 아울러 이곳 지형을 자세히 진술하였다. 대장도 그때 비적의 계통을 잘 아는 만큼 건오의 말을 신용할 수 있었다.

"그때는 그때 비적의 소굴까지 들어가 보았나?"

"아니올시다. 소굴까지는 못 가보았습니다만, 소굴을 불과 하로 길 쯤 남겨놓는 길목에서 도망질 처 나왔습니다. 거기는 산중턱이온데 비적 떼가 중간 참을 대는 오막집이 있었습니다"

건오는 대장의 묻는 말에 주위의 낯익은 길을 둘러보며 감회가 깊은 듯이 대답하였다.

"아-그런가? 그때의 비적일당은 그 후에도 출몰하였기 때문에 거지반 토벌해버렸지마는 아직도 그 잔당이 흩어져서 인민의 피해가 종종 있는 모양인데 그들이 이곳 밀림지대로 근거로 삼고 있는 것은 짐작할 수 있으나 워낙 첩첩산중이라 이때까지 소굴을 발견하지 못한 것은 유감인데 그러면 그놈들이 지금도 거기에 웅거하고 있을는지 모른단 말야."

대장은 점점 산비탈이 높아지는 지대로 건오와 함께 나란히 걸으며 무슨 생각에 잠긴 듯이 문답한다.

"네. 그렇습니다. 그놈들한테 인질로 붙들려간 사람도 많다는데 하나두 살아나온 사람이 없다는 말을 그 뒤에 소문으로 들었습니다. 그래서 그때 저도 살아나온 것이 천행이라고-동리 사람들은 꼭 죽은 줄로만 알았다는데 그놈들이 붙들어간 사람을 모조리 죽이는 것은 저의들의 소굴이 발각될까봐서 그것을 두려워하기 때문에 그렇다고 합니다."

"음! 그래 우리도 그리로 가보자구!"

대장은 이번이야말로 북만 일대를 한동안 소란하게 굴던 비적의 잔당을 일망타진 한다싶은 자신과 어떤 단서를 붙잡게 되었다. 그래 그는 더욱 용기를 내어 부대를 격려하였다.

장산으로 들어갈수록 길은 험하고 수목이 참자한 인적부도의 삼림 속이었다. 어느 날은 이런 산속으로 진종일 들어갔다. 하늘이 안 뵈는 밀림 속은 대낮에도 우중충한 것이 무시무시하다. 그러나 토벌대를 믿는 터이라 건오는 조금도 겁을 먹지 않고 길을 찾아들어갔다.

얼마를 가자니까 과연 그때 도망질을 치던 오막집이 보이였다.

"아-여깁니다. 저기 저 오막집이 제가 도망질을 치던 곳입니다"

하고 건오는 자기도 모르게 소리를 쳤다.

그러나 건오는 조금 전까지도 길을 잘못 들지나 않았는가 싶어서 남몰래 은근히 조심을 쳤다. 만일 길을 잘못 들어가지고 도리어 비적 떼한테 불의의 습격을 받으면 어찌할까 하는 그런 염려도 없지 않았다.

그래 그는 정신을 바짝 차리고 주위의 지형을 살펴서 옛 기억을 더듬으며 망원경을 빌어서 위치를 상고하기까지 열심이었으나 워낙 몇 해 전 일인 데다가 그때는 겨울이라 눈이 더 쌓이고 또한 짐을 지고 걸었기 때문에 지형을 잘 보살필 여유가 없었다.

그러나 원래 매사에 차근차근한 건오는 어떠한 경우에서든지 방심하는 일이 없었다. 그는 들어갈 때보다도 나올 때에 자세히 보았고 또한 도망질을 치던 그날 새벽에는 밤새도록 길을 못 찾고 이 근처를 뺑뺑 돌며 헤매던 기억이 새로운 데다가 무엇보다도 목표를 확실하게 하는 것은 멀리 보이는 강줄기였던 것이다.

그래서 이 지점이 확실하다는 자신을 가지고 여기까지 올라오기는 하였는데 웬일인지 벌써 나서야 할 오막집이 도무지 나서지 않아서 그래 길을 잘못 들지나 않았는가 염려했더니 필경 그 오막집까지 나서고 보니 인제는 더 의심할 여지가 없었다. 오막집이 여적 안 나선 것은 건오가 너무 조급히 굴었던 까닭이다.

"아-그런가?"

대장도 건오의 말에 반색을 하며 마주 바라보다가

"쉬!"

하고 그는 다시 주의를 시키기를 잊지 않았다. 오막집이 있다면 그 속에 어떤 준비가 있을는지 모르기 때문이다. 그래 대장은 즉시 부대를 산비탈에 조용히 매복을 시켜 일변으로 척호병을 보내서 맨 처음 그 속을 살펴보도록 하였다.

12. 匪賊(一三)

척호병의 보고에 의하여 오막집 속에는 아무도 없는 줄을 알고 대장은 다시 행진을 명령하여 다달아 본 즉 과연 거기는 아무도 없었다.

그러나 자세히 조사해본 즉 바로 일이 일전에 사람이 묵어간 자최가 역력하다.

"옳다! 이놈들이 여기서 자구 갔구나!"

이런 생각은 누구의 머리에서나 서슴지 않고 떠오를 만큼이었다. 그러니 인제는 더 의심할 것 없이 비적의 소굴은 이 근처에 그대로 있는 것 같았다.

이런 생각은 그놈들이 여기서 어제나 그저께 밤을 자고 갔을 것이니까 기껏 갔어야 어제나 오늘쯤 저의 소굴로 도착했을 것이라는 생각이 들게 한다.

그러면 아직은 일당이 다 안심하고 적굴에 모여 있을지도 모른다.

또한 그들의 습관상 한번 노략질을 나갔다 돌아오면 며칠씩 쉬면서 잘 먹고 논다니 역시 잔치를 베풀고 놀는지도 모를 일이다. 설령 다른 패가 나갔더라도 그놈들은 있을 것이 분명한즉 그들의 소굴을 발견하면 잔당을 섬멸할 수 가 있다는 확신이 병사의 가슴을 뛰게 한다.

그러나 날은 이미 저물어간다. 여기서부터는 더욱 험지로 들어가게 되는데 거기는 건오도 못 가본-누구나 초행길이었다. 다만 건오의 희미한 기억을 더듬어본다면 그때 그놈들이 지껄이는 말에 저의 소굴은 예서 하루길이 가까운 바위너덜 속이라는 것이 몽롱하게 남아있을 뿐이었다.

그래 대장은 일시가 바쁘게 적굴을 추격하고 싶었으나 할 수 없이 이곳에서 밤을 자게 하였다.

이튿날 첫 새벽에 일대는 다시 강행군을 시작하게 되었는데 척호병은 언제와 같이 일정한 거리를 두고 앞길을 염탐하였다. 건오는 비록 무장은 하지 않았으나 그도 자신만만하게 대오를 따라갔다. 그는 석룡이도 자기와 같이 이곳까지 붙들려올 줄 알았는데 왜 바로 십리를 불과하게 짐을 지워가다가 돌려보냈을까 그것은 날이 밝으니까 그랬나보다 라고 여적 생각하였으나 인제 알고 본즉 석룡이도 자기와 같이 도망질 할까봐, 그것이 두려워서 안 잡아왔는지도 모른다는 생각이 들었다.

출발 전에 대장은 비장한 훈시를 내리기를, 오늘 해전에는 비적의 일대와 백병전을 하게 될는지도 모른다는 말과, 그리하자면 오늘이야말로 최호의 노력을 다해야할 것이니, 용기백배하여 강행군으로 적굴을 수사해야겠다는-명령 하에, 일대는 더욱 행군을 빨리하게 되었다. 건오는 평생 처음으로 이런 길을 걸어보고, 또한 그만큼 따라서기가 힘들었으나 그는 빈 몸인데다가, 워낙 건강한터이라, 그리 피로를 느끼지 않았다.

그래 일대는 아무 고장이 없이 그날 한낮이 기울도록 첩첩한 천험지대를 돌파하였다.

해는 아직도 질려면 멀었으나, 빨리 온 걸음으로 따져보면 하룻길이 무려하였다. 인제는 거지반 적굴이 가까이 있어야 할 지점이었다. 그런데 올라갈수록 바위너덜이 험해져서 길을 찾을 수가 없을뿐더러 수림이 무성하고 보니 어디가 어딘지 도무지 모르겠다. 게다가 바람이 불어서 소란하다.

"자-인제부터 무작정 올라만 갈게 아니라 사방으로 흩어져서 적굴을 찾아보자-이산에 적굴이 있다면 그것은 산꼭대기가 아니라 어떤 골짜기 속이나 바위들 속일른지도 모르니까-"

대장은 건오에게 들은 말을 종합해서 이런 명령을 내리자 일대는 사방으로 헤어져서 적굴을 찾게 되었다. 그런데 얼마를 더 올라가지 않아서 귓결에 언뜻 사람의 목소리가 들리는 것 같았다. 일대는 다시 거름을 멈추며 귀를 기울였다. 척호대가 일변 소리 나는 편을 더듬어서 올라가보았다. 거기는 산비탈로 조금 떨어진 큰 바위가 둘러섰다. 바위틈으로 간신히 기여 올라가서 내다보니 그 안에는 뜻밖에 펑퍼짐한 평지를 평게 진(평지가 들어선) 마치 병속 같은 곳이었다.

그런데, 과연 비적 떼는 지금 한참 술을 마시며 즐기는 중이었다. 파수를 보는 놈도 없이, 그들은 아주 안심하고 있는 모양이었다. 모두들 웃통을 벗고, 앉아 있는 놈에 누워있는 놈에 가지각색의 자세로 담소자약하게 환락중이다.

척호병은 이 거동을 보자 경희하여 즉시 대장에게 보고하였다. 이에 부대는 일각을 유예하지 않고 기척 없이 쫓아 들어갔다. 일대는 바위너덜을 빼둘러싸고 숨어 있다가 명령일하에 일제히 사격을 퍼부었다.

아무 방비도 없이 지금 한참 놀기에 정신 없던 비적 떼는 별안간 총사격의 우박을 맞고 보니 어느 해가에 미처 정신을 차릴 틈이 없었다. 그들은 제가끔 무기를 찾으려고 쩔쩔매며 바위틈으로 쫓겨 들어갔으나 워낙 불의지변인 데다가 사방에서 빽 둘러싸고 총질을 하니, 어디가 도무지 숨을 곳도 없다. 총소리 기관총소리가 콩 볶듯 하는 대로 그들은 예서제서 턱턱 거꾸러졌다.

그리하여 일당 팔십여 명을 황군토벌대는 한사람의 희생도 없이 무난히 섬멸하였던 것이다.

13. 破婚(一)

그러나 건오가 무사히 돌아오기 전까지, 그의 집에서는 만일을 염려하는 불안이 없지 않아 놀란 가슴을 더한층 질리게 하는 중에 뜻밖에 좋지 못한 일이 퉁겨졌다.

하긴 덕성이네 집에서도 조만간 그리 될 줄은 알았지만 하필 이런 고비에 닥쳐온다는 것은 너무도 세상 인심이 각박함을 느끼게 한다.

그렇다는 것은 다름 아니라 부락장 집에서는 공교롭게 자기 집만 도적을 맞은 것이 분하였다. 한데 그것이 또한 석룡이 때문에 당한 만큼 어떤 트집을 잡고 싶었다. 석룡의 집은 큰길에서 들어오자면 초입이니까 도적을 맞아도 무방하다. 그러나 부락장 집으로 말하면 누가 일러주기 전에는 대번에 찾아갈 수가 없다. 그만큼 지리적으로 떨어져있다. 그리로 가자면 중간에 여러 집을 지나가야 된다.

그런데 도적떼를 끌고 제일 먼저 더 들었으니 그것은 확실히 석룡이를 칭원할 수밖에 없다. 왜 그런가 하면 석룡이가 일러주지 않았다면 부락장 집에서는 도적을 안 맞았을는지도 모르기 때문이었다.

그래 도적을 맞던 그날 밤에도 부락장 부인 박씨는 신덕이가 채 들어오기도 전에 원망의 폭설을 퍼부었던 것이다.

박씨는 그 이튿날 아침에 다시 신덕이를 불러다 앉히고 만일 다른 사람이 그랬을 말로면 당장에 손해배상을 톡톡히 물릴 것이로되 피차간 그럴 처지가 아니므로 특별히 생각한다고 넌지시 귀장을 울리면서 그는 그 대신 황식이와 귀순이를 정식으로 약혼하자고 졸라대었다.

박씨는 거기에 미신까지 부쳐가며 신덕이를 그럴듯하게 설복시켰다. 그것은 하필 이 개양툰의 여러가구 속에서 우리 두 집만 도적을 맞게 한 것은 필경 두 집으로 하여금 천생연분을 삼자는 것이라고-따라서 그것은 전화위복이라 하였다.

그런 연분이 없다면 왜 하필 두 집만 도적을 맞을 까닭이 있는가. 벌써 신명이 지시한 노릇이니 이런 자옥에 혼인을 안는다면 두 집이 다 앞으로 불행할는지 모른다고.

그러지 않아도 신덕이는 추석 비슴의 비단옷 선사와 내년에 좋은 논을 주겠다는데 마음이 쏠리었다. 그런데 남편의 잘못으로 뜻밖에 발목을 잡힌 것은 인제는 떼칠 라야 떼칠 수가 없다는 마음을 그에게도 결정적으로 들게 한다.

그래 그는, 그날 낮에 석룡이가 대낮에는 차마 속옷을 입고 들어올 수 가 없다고, 원일여 편에 바지를 내보내 달라는 걸 자기가 그길로 쫓아나가서 실컷 오금을 박고 끌고 들어왔다.

석룡이는 여러 사람한테 위세를 당한 것만도 아내를 대할 면목이 없었는데, 더구나 부락장 집에서 자기로 하여 야단이 났다한 즉 뭐라고 변명할 여지가 없었다.

그야 자기가 무슨 심사로 일부러 부락장 집으로 도적을 끌고 간 것은 아니다. 그것은 지금도 양심이 증명한다. 그는 다만 엉겁결에 그들이 부잣집으로 가자는 바람에 간 것뿐이다. 이 동리에서 그중 잘사는 사람이 부락장이라는 것은 누구나 다 인정할 것 아닌가.

그러나 도적놈이 부락장 집을 알지 못하고, 그들이 먼저 가자하지 않은 이상, 결과에 있어서는 꼼짝없이 석룡이가 끌고 간 셈이 되었다.

그는 아내의 그런 말을 듣고 보니, 미상불 일이 맹랑하게 되었다. 이 동리에는 부자가 없다고 한번 우기지도 못하고 왜 고지식하게 그들을 끌고 댓바람에 갔더냐 말이다.

그러나 또한 그것은 지금 생각이지 그때는 무섭고 떨리기만 했었다. 미처 그런 생각을 할여유가 없이 자기도 모르게 걸어간 것이었다. 그는 매사에 이와 같이 변통성이 없기 때문에 그 아내에게 핀잔을 맡기도 하지만.

따라서 신덕이도 석룡이의 고지식한 마음을 잘 안다. 그렇다면 응당 그도 남편의 편을 들어야 할 것이지만 남편은 황식이와 귀순이의 혼인을 반대하는 눈치가 보이기 때문에 그는 이런 게제에 아주 남편의 여기를 질러놓자 함이었다.

그러나 석룡은 아내가 덕성이와의 혼인을 정식으로 파혼하자는 말에 짐짓 난처한 모양을 지으며

"그렇지만 한번 작정한 일을 어떻게 뻐개자구 참아 말이 나와야지."

하고 주저해보았으나,

"아니 그럼 당신이 저 집에서 손해당한 걸 물어 줄 힘 있소? 패물만 해두 여러 천 량 된답니다."

하는 아내의 추궁에 그는 다시 기가 질려서 말을 못하고 말았다.

13. 破婚(二)

신덕이는 그 길로 옷을 갈아입고 나섰다. 쇠뿔도 단김에 빼랬다. 일이란 생각난 김에 해치워야한다고.

"그러기에 누가 당신 보구 그 말을 하라는 거요. 말은 내가 할 터이니 일을 그리하잔 말이지-지금 계제가 좋지 안수? 덕성이 아버진 집에 없겠다 일은 당신이 저지른 일이니까 내가 가서 안으로 가서 슬쩍 말해버리거든-일쌍 거북스런 자옥에는 남자보다도 여자가 나서는 편이 훨씬 유리하다우. 당신은 여적 나이를 뭘루 먹었수?"

석룡은 마음이 괴로웠으나 나가는 아내를 감히 붙들 용기가 나지 않았다.

신덕이는 그길로 덕성이네 집으로 가서 고부를 한자리에 앉히고 천연스럽게 말을 꺼내었다.

그는 우선 뜻밖에 도적을 만나서 이런 일이 생겼다고 허풍을 친 뒤에 파혼을 하게 된 전책임을 첫째는 부락장 집으로 돌리고 둘째는 자기 남편의 주변 없는 탓으로 돌리었다. 여북해야 옷을 바꾸어 입은 줄도 모르는 그런 화상이라고-연해 너털웃음을 웃어가면서.

"참 공교로운 일두 다 보지요 성님! 그렇지 않어요? 부락장 집에서는 그래 펄펄 뛰면서 웨 도적을 싱궈주었느냐구…생야단을 치니 어쩌겠서요-손해를 당장 물어내든지 그렇지 않으면 약혼을 하자는구려. 꼼짝없이 둘 중에 한 가지는 당해야 되지 않겠어요-그렇지만 성님두 아시다시피 수천 량 돈을 어떻게 물어준답니까? 그래 생각다보 못해서 내외가 의논한 결과…참 미안한 말씀을 이렇게 여쭈러 왔습니다."

신덕이는 여기까지 말을 끊고 고부의 기색을 번갈아 살피었다.

그러나 그들 고부는 한동안 아무 말이 없었다. 오직 그들은 실심한 태도를 보일뿐이었다.

하긴 본인 생각대로 한다면 당장에 그의 주둥이를 찢어놓고 싶다. 속이 빤히 드려다 보이는데 넉살좋게 어디다가 핑계를 둘러쓰려드는가.

"그렇지만 덕성이로 말하면 황식이보다도 인물이 잘 났겠다 뭐 색시 없어 장가 못 들겠어요-이담에 공부 잘하면 신식 색시한테 장가들 수도 있을 께니까-그러니 조고맣지도 섭섭히 아시지 마세요."

신덕이는 다시 이렇게 야살을 떠는데 그 말이 마침내 고부의 비위를 거슬렀다.

"그까지 말은 뭘 하러 하는 거야! 아니 언제는 그런 줄 모르구 약혼을 하잤던가?"

덕성이 조모가 먼저 성이 나서 핏대를 세우는데 순복이도 그 뒤를 치받고 일어섰다.

"그럴 일루면 우리두 손해를 받어야지. 저 집 손해만 대단하구 우리 집 손해는 괜찮단 말인가. 어떻게 하는 말인지 모르겠네."

"손해는 무슨 손해여요?"

신덕이는 그들의 기색을 살피다가 마주 목소리를 떨며 부르짖는다.

"그럼 손해가 아니구-여기까지 불러들인 건 누구구, 올 일 년 농사를 진 것은 뉘 덕인데?-사람들이 그래서는 못써…아무리 돈이 좋다지만 돈에 팔려서 이리 붙구 저리 붙구 해서는."

"아니, 누가 돈에 붙는댔어요-원참 그런 소린 하지 마서요"

"왜 하지 마러! 그럼 어째 지금 와서 파혼을 하자는 게야-파혼할 것을 약혼은 뭘 하러 했던가."

"아따 얘야 요란스럽다. 고만 좀 두어라."

시어머니는 며느리가 서두는 것을 송구해서 타일렀다.

"그거야 뜻밖에 파혼할 사정이 생겼기에 하는 말 아니겠어요."

신덕이도 마침내 얼굴이 붉으락푸르락 해졌다.

"흥! 뜻밖에-그런, 입 발린 말이 어디 있어! 인제 말이 났으니 말이지, 참 그동안에 별별 소리가 다 들리는 것두 여태 참고 있자니까…누구를 아주 깔보구서-"

"아니, 깔보긴 누가 깔보구, 들리는 소리란 무슨 소리에요-아따 우리 집 때문에 손해를 보았다면 불어주리다, 그까진 일 년 농사치 얻어 한 것이 몇 백 량이 될 겐가. 몇 천 량이 될 겐가."

"깔보는 게 아니면 그게 뭐야? 인젠 부잣집과 혼인을 하게 되니까. 조고만 돈은 돈같이 안 뵈는 감! 나도 뭐 당신 집 딸 아니면 자식 장가 못 드릴까 봐서 그러는 게 아니라 사람들의 심사가 사나워서 하는 말이야-웨 추석 비슴을 받어 입을 때부터 마음에 없으니 파혼을 못 하자구 인제 와서 도적 맞은 핑겔 댈 뭐있어."

순복이는 말을 시작한 김에 전부터 서려 담았던 분통을 있는 대로 쏟아 놓았다.

13. 破婚(三)

그들이 이렇게 대판으로 싸우는 중간에 덕성이가 학교에서 돌아왔다.

"아따 손해를 물어 준다는데 왜 이렇게 야단이야-그까진 지나간 소린 할 것 뭐있기에."

"왜 없어-왜 없어? 어째서 지나간 소리야?"

하고 순복이는 종주먹을 대며 대든다. 그러는 대로 신덕이는 말이 몰려서 픽픽 웃기만 한다. 그는 아무리 구변이 능하나, 워낙 구분 나무를 갑자기 잡으려니 될 수 없었다.

"고만 두래두 그러는구나-귀순네두 그만 저만 해두게…지금은 주인두 없구한 즉…그런 일이란 바깥 양반네가 주장해할 것이지, 여편네들이 아랑곳할 건 아니거든…"

덕성이 조모는 한숨을 내쉬며 눈물이 글썽글썽해진다.

"글쎄 제가 무슨 말을 했습니까? 공연히 자기가 역정을 내가지구 저러지요"

"누가 역정을 내여! 왜 그런 소리를 이런 때에 하는 게야! 주인이 없는 줄을 뻔히 알면서두!"

순복이는 악이 받쳐서 울분이 섞인 목 갈린 소리를 내뿜었다.

"글쎄 고만 두라니까 그러는구나-이웃이 부끄럽다. 떠들지 좀 말어라."

덕성이 조모도 울화가 치받쳐서 재떨이에 담뱃대를 뚜드려 털며 씨근씨근한다.

신덕이는 일껀 자기는 발뺌을 하고 교묘하게 파혼을 시키자 한 노릇이 도리어 옭혀서 속만 보이고 만 것이 분했다. 그래 어찌되든지 끝까지 싸우고 싶었으나 덕성이도 와서 옆에 있는지라 까딱하다가 자기만 망신을 당할 것 같아서, 슬그머니 꽁무니를 사렸다. 그날 밤에 귀순이는 덕성이를 가만히 찍어내었다.

그들은 요전날 밤 비적이 습격할 때 숨었던 뒷밭으로 갔다.

"우리 어머니가 오늘 니 집에 가서 뭐라구 했지?"

귀순이는 불안한 마음을 덕성의 기색을 살피면서 우선 이렇게 물어본다.

"난 못 들었다."

"뭘 못 들었어. 나도 다 봤다는구만."

귀순이는 덕성이의 능청을 아는지라 의미 있는 웃음을 생긋 웃어 보인다.

"보긴 뭘 봐."

"네가 학교에서 돌아오는 길에 니 집 뒤에 숨어서…"

"그런데 어쩌라구?"

"어떻게 생각하느냐 말야-우리 어머니 말을."

"뭘 어떻게-정말이겠지! 넌 황식이와 정식으로 약혼을 했다면서?"

덕성이는 정색을 하며 귀순의 눈치를 본다.

"글쎄 그 말을 곧이 안 듣지?"

"어떻게 안 들을 수 있니?"

"아이 그러지 말구…"

귀순이는 하소연하듯 원망스런 눈을 흘긴다.

"나두 니 어머니와 싸우던 일을 죄다 들었다-넌 내 말만 믿어다구…"

"아니, 그렇게 아니라, 니 어머니의 말을 복종하는 게 좋지 않겠니? 정말 그래야만 네 심신이 편할 거니까…"

"아니, 난 정말이다! 그러나 지금 어머니의 말을 순종하지 않으면, 내가 부지할 수 없잖으냐?…난 겉으로만 순종하는 척 하구 네가 공부를 다하기까지 기다리겠다니까…아이 속 답답해…만일 너두 내 속을 몰라준다면 난…죽을 테야!"

귀순이는 별안간 목이 메여 흑흑 느낀다. 덕성이도 귀순이의 진정에는 차차 감동되기 시작했다.

"그러니 너 무슨 말을 듣던지 못 들은 척하고 또 내가 겉으로는 무슨 짓을 하든지 모른척하고 있으란 말야-그리고 어룬들 끼리는 어떠한 싸움을 하던지간에 우리는 가만히 우리만 알구 있잔 말야…우리들두 만일 티 내였다가는 앞일을 잡칠는지 모르니까…응! 알었지?"

귀순이는 안타깝게 덕성의 어깨를 잡고 흔든다.

"그렇지만 인제 정식으로 황식이와 약혼까지 하자는데 네가 어떻게 끝까지 박일 수 있겠니?"

덕성이는 기언가 미언가해서 진심을 토해본다.

"그때는 말야-난 달어난대두. 너한테루…목숨을 내걸구 죽기를 작정한다면 누가 억지로 할 수 있나 뭐."

"응 네가 그 마음을 변치 안는다면 나두 너와 약조를 하마."

"건 두구보아요!"

덕성이는 귀순이의 두 손목을 꼭 쥐고 감격에 찬 목소리를 꺼내었다. 귀순이도 자신에 빛나는 눈동자를 반짝인다.

"그래요. 임자를 믿구 어떠한 일이 있더라두 때가 오기를 기다릴 테야!…"

귀순이는 왈칵 덕성이의 가슴속에 머리를 파묻고 행복에 찬 고동을 전신으로 느끼었다. 그리하여 도적을 맞은 것은 한편 어른들의 사이를 벌어지게 한 반면에 그들은 더욱 친밀한 관계를 남몰래 맺게 하였다.

13. 破婚(四)

건오는 집으로 돌아와서 아내한테 그 말을 들었을 때 불같은 격노를 일으켰다.

그러나 그날 밤에 정대감네 술집에서-동중 유지의 발기로 건오를 위하여 위로연(慰勞宴)을 베푼 직석에서 강주사는 남몰래 품고 있던 의분을 발표하자 건오는 도리어 분을 삭이고 그의 호의를 사퇴하였다.

거기에는 문제의 부락장 이하로 동리의 유지는 다 모였었다. 그들도 다만 위로연으로 알고 즐겁게 마시고 있었는데, 뜻밖에 김주사의 입으로 딴 문제가 퉁겨져서 좌석을 심각하게 만들 줄은 몰랐다.

강주사는 먼저 동중을 대표하여 그간 건오의 수고한 공로를 치사한 뒤에

"그런데 이런 즐거워야 할 자리에서 피차에 얼굴을 붉힐 문제는 나부터도 말을 꺼내기가 싫습니다마는 일이 공교히 건오가 없는 동안에 생겼고 또한 그것이 직접 건오군에게 관계된 일인 만큼 동중 여러 분이 모인 이 좌석에서 가부를 묻는 것이 좋을 줄 아오."

강주사는 우선 이렇게 허두를 꺼내는 것이었다.

"대관절 무슨 일입니까?"

정대감은 대강 눈치를 채였으나 다시 슬쩍 물어본다.

"다른 일이 아니라 여기 석룡이도 앉았지만 두 집이 약혼을 한 줄은 윈 동리가 다 아는 일 아니겠소. 그런데 아무 이유도 없이 파혼을 한다는 것부터

일이 안되지만 그것도 하필 건오가 집에 없는-우리 개양툰을 위해서 토벌대와 같이 위험을 무릅쓰고 비적과 싸우러 나간 사이에 파혼 선고를 하다는 것은 얼마나 박정한 일이란 말이요? 석룡이 자네부터 어떻게 생각하는가? 도적을 맞기는 누가 맞았는데 자네네가 건오를 그렇게 대접해야 옳단 말인가?"

강주사는 마침내 흥분해서 부르짖으며 두 주먹을 부르르 떨었다. 의외에 공격을 받은 석룡이는 황공해서 어쩔 줄을 모르게

"네-그저 제가 잘못 하였습니다. 도적놈이 돈 있는 집으로 가자기에 엉겁결에 부락장 댁으로 끌고 간 것이 잘못되었어요."

하고 개개 복죄한다.

"아니, 지금 이 일에는 도적을 맞고 안 맞은 것이 아무 상관없소. 여러분은 어떻게 생각하시나요?…도적을 맞은 것이 약혼을 파의할 조건은 못 될 것 아니겠소?"

"예 그야 그렀습지요."

그러나 아무도 대꾸하는 사람이 없다. 좌석이 너무 빡빡함에 외압을 느낀 병호가 겨우 한마디를 토할 뿐이었다.

"그렇다면 석룡이. 지금 건오한테 파혼을 취소하고 잘못된 사과를 하소-사람의 인사가 그럴 수가 있나."

석룡이는 몸을 뭉찟뭉찟하며 부락장의 눈치를 슬슬 보면서

"네…동리 어른들이 다 그렇게 하시라면 저두 그렇게 하겠습니다만…"

하고 난처한 기색을 보이었다. 그러나 부락장은 여전히 입을 꽉 다물고 얼굴이 흙빛이 되어 앉았다.

이때 건오는 침착하게 입을 열었다.

"잠깐 여러분께 한 말씀 드리고자 합니다. 동리 여러 어른께서 이처럼 모여주신 것만도 감사하온대 첫째는 저로 하여 다시 이 자리를 불쾌하게 하고

싶지가 않습니다. 그리고 둘째로는 벌써 한번 파혼을 당한 이상에 저는 구태여 다시 엎지른 물을 담어 달라고 하구 싶진 않습니다. 하나 저는 석룡이가 약혼을 파의했다고 조곰도 그것을 불행으로 생각진 않습니다. 물론 강선생님의 말씀은 대단히 감사하오나 저는 그보다도 우리 동리의 평화를 위해서 단연히 그 혼인은 사퇴하겠습니다. 약혼을 그대로 설립시킨다면 도리어 두 집안이 불행할테인 즉 그 약혼을 파혼함으로써 세 집이 다 무사하다면 그 밖에 더 좋은 일이 어디 있겠습니까. 과연 혼인이란 역시 연분인 줄 압니다. 뜻밖에 도적을 맞은 것이 연분이 되어서 두 댁이 전화위복이 될 바에는 저는 그 일을 방해하고 싶진 않습니다."

"그야 물론 나두 혼인이 파혼된다구 건오가 불행하대서 하는 말은 아니오. 다만 경우가 그렇지 않기 때문에 하는 말이니까."

"네! 그렇지만 저는 아주 단념했습니다. 벌써 파혼이 된 셈이니까요."

"뭐 그럴 것도 아닌데…건오 생각에 정히 그렇다면 할 수 없겠지 자-그럼 그 이야기는 고만 두고 여러분 술이나 먹읍시다."

정대감은 그 말이 나오기를 은근히 기다렸던 것처럼 주전자를 들고 돌아다니며 수선을 떨었다.

(중략)

14. 留學(三)

덕성이와 복술이는 그길로 정거장에를 달려가 보니 차가 들어올 시간은 아직도 한 시간 반이나 기다려야 된다.

덕성이는 어한도 할 겸 도로 나와서 복술이와 같이 어느 음식점으로 들어섰다. 그는 자기가 먹고 싶은 생각보다도, 복술이를 대접하려 한 것이다.

청요리를 몇 가지 주문한 후에 그들은 난로 앞으로 마주 앉아서 몸을 쪼였다.

"치운데 수고했다."

덕성이는 진심으로 복술이에게 짐을 져다준 치하를 한다.

"그까짓 게 무슨 수고될 게 있니."

복술이는 언제와 같이 싱그레 웃으며 예사로 대답한다.

"소주 한 잔 먹을래?"

"너두 먹는다면."

복술이는 덕성이의 얼굴을 뻔히 쳐다보며 여전히 빙그레 웃는다.

"난 안 먹겠다."

"그럼 혼자 무슨 맛으로 먹니."

복술이는 실심해서 부르짖는다. 그 꼴을 보고 덕성이는 같잖은 웃음이 나왔다.

"그러지 말구 넌, 술을 먹을 줄 아니? 생각 있거던 먹어보렴-난 학생이 아니냐?"

"그럼 그래 볼까…"

복술이는 덕성이의 정중한 말에 마침내 수그러지고 말았다. 복술이는 나이를 더 먹었으나 넉성이를 은근히 존경한다. 그것은 웬일인지 자기도 이상한 일이였다. 거짓말 대장으로 유명한 복술이가 덕성이를 좋아할 줄은 아무도 모른다. 그러나 그는 아직 덕성이를 속여본 적은 한 번도 없었다. 그것은 덕성이의 인금에 눌려서 그런지도 모르지만-.

그래 그는 지금도 만일 덕성이가 다른 때 같았다면 한사하고 술을 같이 먹자고 졸라대고 귀찮게 굴렀을 것이나, 덕성이의 한 말에 수그러지고 만 것이다.

미구에 음식이 나와서 그들은 만두와 국수를 먹기 시작했다. 복술이는 나중에 주문해 온 술을 혼자 마시고 있었다.

"이번 가면 언제나 오겠니?"

"여름 방학 때나 오겠다."

"봉천이 길림보다 크다지?"

"그럼 만주에서는 제일 큰 도시란다."

복술이는 덕성이가 부러운 듯이 두 눈을 지그시 찌그려 감는다. 그는 뜨거운 소주를 마신 것이 벌써 상기가 되어서 양 볼과 눈찌 위가 불그레해진다.

"넌 지금도 귀순이를 좋아하지?"

복술이는 따라는 술 한 잔을 마시고 나서 별안간 이렇게 묻는데 눈으로는 덕성이의 얼굴표정을 살펴보는 것이다.

"뭐?-"

덕성이는 맥 놓고 먹다가 느닷없는 질문에 어색해서 마주 시선을 부딪쳤다.

"나두 니들 눈치를 짐작하길래 하는 말야!"

복술이는 덕성이가 열없어 하는 모양을 보고 시선을 돌리며 다시 나직이 중얼거렸다.

"…"

그러나 덕성이는 아무 대꾸를 않고 쉬였던 젓가락을 놀려 국수를 먹는다.

"달래 묻는 말이 아니라…넌 황식이를 가만둘 테냐 말야?"

복술이는 점점 긴장한 표정을 지으며 덕성이를 추궁한다.

"가만 두잖으면 어떻게 하니? 어른들이 하는 일을!"

"그렇지만 니들 둘이는 서로 조아하지 않니? 그럼 귀순이를 어떻게 할 테냐?"

"어떻겐 뭐…저 하는 대로 두구 보는 거지"

덕성이는 복술이와 그 문제로 문답하기가 싫었으나, 벌써 속을 알고 묻는 말에 할 수 없이 끌리어 갔다.

"그럼 됐다! 넌 귀순이를 믿구 있거라! 그 애는 황식이를 싫어하니까, 뭐 조금도 마음이 변할 리는 없을 꺼다! 만일 황식이가 못된 짓을 하려 든다면 그것은 내가 회방을 쳐주마…귀순이는 내가 잘 지키구 있을 거니까! 넌 안심하구 공부나 잘하란 말야! 알아 듣겠니?"

복술이는 만두를 먹다가 국물이 아래턱으로 흐르는 것을 한 손으로 쓱 씻으며 다시 한 번 벙끗 웃는다.

"네 말은 고맙다마는-원 너까지 그럴 것 있니 가만 내버려 두구 보렴!"

"안야-건 말 안 된다. 친구 간 정리라두-"

만일 덕성이가 복술이 속을 잘 들었다면 저놈이 무슨 검침한 생각으로 저러는가 하겠지만 복술이는 여태까지 지내보아야 그렇지는 않았다. 그는 다른 때는 방탕하게 굴면서도 계집애들에게는 추군추군하게 굴거나 거짓말을 하는 일은 없었다. 웬일인지 그런 농사에는 아주 무관심한 것 같은 것이 참으로 이상해 보였다.

(중략)

15. 農事講習會(一)

음력 정초를 맞게 되자 개양툰에서도 명절을 차리고 곳곳마다 놀이판을 벌리며 즐기었다. 만인들은 그믐날부터 폭죽을 터치고 양가(秧歌)를 부르며 일 년 중 제일 좋은 설명절을 환락하였다.

그런데 개양툰에는 뜻밖에 서치달이가 찾아왔다.

그가 다니는 신학교에서도 며칠 동안 휴학을 하게 되었는데 그러나 그는 이번 음력정초의 휴가를 이용하여 다만 친구를 찾아 놀러온 것은 아니었다. 그는 그보다도 이번 기회를 이용하여 특별 전도를 목적하고 교장선생한테 허가를 맡고 나온 것이었다.

그가 해마다 경험하는 바에 의하면 만주의 명절기분이란 굉장하였다. 그중에도 음력 "설"에 대한 만인의 명절 기분이란 대단하였다. 그들은 일 년 내 번 것을 정월 한 달에 죄다 쓰고 만다는 말인지 모르나 하여간 그들이 정초에 소비하는 것이 너무 남용인 것만은 틀림없는 사실일 것이다.

그런데 만주에 있는 조선 동포도 그들과 대동소이하다.

물론 멀리 고향을 떠나 사는 그들에게는 새해를 타향에서 맞게 되니 자연 향수(鄕愁)에 저진 회포가 환락의 위안을 요구하기는 하게도 하겠지만 그래도 그것은 한도가 있어야 할 것이다. 누구나 낭비에까지 이르러서는 안 될 것인데 그들은 만인과 같이 더욱 이중 과세의 폐해인 음력설에 너무 집착하여 시대의 뒤진 생활을 하는 것은 실로 한심한 일이었다.

그래서 서치달은 여기에 착안을 한 것이다. 즉 그들이 이런 때에 물질적으로 낭비를 못하도록 하는 동시에 또한 정신적으로 타락을 못하게 하자는 것이다. 그것은 다만 그들한테 전도만 해서는 안 된다. 그들에게 전도를 하는 데는 또한 거기에 따르는 실리(實利)를 제공하지 않으면 안 된다. 워낙 농본주의를 내세우고 농민을 대상으로 전도에 힘쓰는 서치달은 신학생이면서 동시에 농학생이다. 학교의 취지부터 전도인은 실지로 농민이 되어서 농민과 같은 생활을 해가며 전도를 하자는 것이 목적이라면, 자기가 학교에서 배운 농사법을 그들에게 실지로 알려주는 것이, 그밖에 더 좋은 일이 없을게다. 따라서 그들은 이러한 실제적 이익을 얻을 수 있다면 전도 강연에도 귀를 기우릴 것이요, 이런 명절기분에 너무 도취하는 나머지에 낭비하지도 않을 것이니 이런 때엔 이런 기회에 농사강습회를 여는 것은 실로 일석삼조(一石三鳥)의 좋은 묘안이 아니냐 싶었다. 그래 그는 이런 의견을 교장 선생에게 진정하였던 바, 교장은 그러지 않아도 간 여름휴가에 그의 전도행각이 많은 성과를 얻어오게 된데 대하여, 서치달의 진실한 믿음과 자기희생적 실천 행동을 은근히 감심하고 있던 만큼 지금 또 그의 열심을 가상히 여기어서 특별휴가를 준 것이었다.

이리하여 그는 제일착으로 개양툰에다 농사 강습소를 개최하게 되었는데, 그가 만일 전도를 하러 또 나왔다하면, 별로 신통히 알지 않았을 것이나, 뜻밖에 농사 강습을 시키기 위해서 일부러 나왔다는 데는 누구나 호감을 가질 수 있었고 또한 그의 수고를 사례하지 않을 수 없었다.

대관절 학교에서 배웠다는 농사법은 어떠한 것일까? 재래의 완고한 전통에 살던 무지한 농민들은 그것을 그다지 신용하지 않았지만 그래도 서치달은 자기가 직접 농사를 지어보고 그 배운 것을 강습시킨다니 한 번 들어보고 싶다는 호기심이 누구나 또한 없지 않았던 것이다.

그래서 그들은 음력 초사흗날 낮부터 사흘 동안을 강습하게 되었는데, 초사흗날인데 불구하고 마을 사람들은 거의 다 모여서 교실이 좁을 만치 성황을 이루었다.

그들이 그렇게 모이기는 물론 학교선생 이상렬과 강주사 이하로-건오, 병호, 정대감 등 동리의 유력자가 충동인 바람도 크겠지마는 그와 동시에 만일 서치달이가 간 여름에 와서 전도강연을 하지 않았다면 그래서 그에게 받은 바 인상이 깊지 않았다면 그들은 대번에 코웃음을 치고 제각기 뿔뿔이 달아났을는지도 모른다. 술판으로 놀음판으로-더구나 때가 때인 정초가 아닌가.

그리하여 서치달은 초사흗날부터 교실 안에다 그들을 모아놓고 자기가 학교에서 배운바 농사 지식을 그들에게 열심히 일러 주고 싶은 농사 강습회를 여의하게 개최할 수 있었던 것이다.

15. 農事講習會(二)

그러나 서치달은 불과 사흘 동안의 강습기한을 가지고는 그들에게 충분한 지식을 넣어주기가 힘들었다. 이에 그는 각 부문을 통해서 간단하게 설명하지 않으면 안 되었다. 그래 그는 미리 수전 농사 개량 독본(水田農事改良讀本)을 등사해 가지고 온 것을 한 벌씩 회원에게 나눠 주고 거기에 대한 보조적으로 설명을 하게 되었다. 등사한 농사 독본은 순 언문으로 썼기 때문에 누구나 언문을 깨친 사람은 자유로 볼 수 있었다.

서치달은 먼저 일반적으로-재래의 만주 ○○○○○ 산종식(散種式)으로 되어있다는 말과 그것은 대개 황무지를 신간한 관계로 그리 된 것이라는 것과 그러나 만주의 옥토라도 二三년 경작한 뒤에는 돌피와 밀쑥이 번식하면 손을 댈 수 없기 때문에 그들은 개량할 노력을 생각하는 대신 다른 데로 이사할 생각부터 했기 때문에 기성답(旣成畓)은 일방으로 황폐해가는 반비례로 그들의 생활은 언제까지 안정했지 못하였다는 말과 그러나 지금은 신간할 황무지도 그리 없고 또한 이러한 유동농민은 국책 상으로도 허락되지 않는 바인즉 불가불 정착 농민이 누구나 되어야겠는데 그리하자면 무엇보다도 농사 개량에 힘쓰지 않으면 안 된다는 말을 한 뒤에

"그러므로 제일장에 씌워있는 바와 같이 우리는 먼저 종자부터 잘 가리지 않으면 안 됩니다."

하고 강사는 농사 독본의 첫 장을 펴놓았다. 그가 하는 대로 만좌한 회원

들도 제가끔 들고 앉았던 책장을 넘기었다.

"매사가 다 그렇지만 농사에도 씨가 조하야 합니다. 아무리 밭이 좋다 해도 씨가 좋지 않으면 소기(所期)의 성과(成果)를 거두기가 어렵습니다. 그래서 내지에서는 좋은 이삭만 잘라서 씨를 만들어둡니다. 이렇게만 한다면 잡종이 왜 섞기겠습니까?

그러니 여기서는 그렇게까지는 못할망정 씨를 불 킬 때에 큰 그릇에 찬물을 붓고 여러 번 휘저으면 쭉정이와 돌피는 대개 물위로 뜨게 됩니다. 그때 그러한 잡것은 죄다 건져낸 뒤에 섬이나 마대에 넣어서 불키면 얼마나 좋은 씨가 되겠습니까. 그 다음으로 좋은 방법은 부인들이 키로 까불르면 하루에 몇 섬이라도 정선(精選)할 수가 있는 것인데 피와 쭉정이가 섞긴 것을 그대로 마대에 넣어서 불키고 마니 일시의 게으름으로 해서 피씨를 일부러 심고 그래서 그해 여름내 이 돌피를 뽑기에 귀중한 시간과 노력을 허비하니 세상에 이보다 더 어리석은 일이 또 어디 있겠습니까? 물론 여러분께서는 그렇지 않을 줄 압니다마는-"

하고 서치달은 좌중을 회-둘러 보았다. 회원들은 강사의 말을 잠착히 듣고 있다가 그가 말을 끊자 모두들 동감에 벅찬 웃음을 웃는다.

사실 그들 중에도 그렇게 종자를 정성껏 고르지 못한 사람이 없지 않었다.

"그다음엔 보습에는 여러 종류가 있으나 논갈이에는 호리(日本犁) 양례(洋犁)-양례는 큰 것과 적은 것이 있다. 대례(만인의 한전용) 등을 쓰는데 황지에는 대양례를 쓰고 숙지(熟地)에는 소양례 중간양례 호리와 대례를 씁니다. 그러나 이 한전용 대례는 절대로 쓰지 말아야 됩니다. 대례로 간 논은 반밖에 안 갈려서 벼가 잘 안되며 피와 풀 종자를 당년에 받아서 토지를 버리기가 쉽습니다."

서치달은 여기까 지 말을 끊고 책장을 또 한 장 넘기자 여러 사람은 그대로 따라 넘겼다.

"그다음에는 논판을 골라야 하는데 어디나 가보면 논바닥을 똑바르게 고르지 못한 것이 많습니다. 물론 농우(農牛)가없는 이곳에서 인력으로만 하자니까 자연 그렇겠지만 웬만한 것은 다소 힘을 드리면 될 것도 지면이 생긴 그대로 울퉁불퉁한데다가 볍씨를 뿌리게 되니 실로 문제가 큽니다. 높은 데는 풀이 잘 돋고 뿌린 씨를 새가 까먹습니다. 낮은 데는 씨가 삭아버리거나 그렇지 않으면 물이 깊기 때문에 뒤늦게야 바늘 끝같이 가느다란 놈이 내솟다가 부러지고 맙니다. 따라서 그런 논판에서 수확이 안전하지 못할 것은 정한 이치가 아닙니까. 그러므로 잘하는 농민은 우선 어찌하면 힘은 적게 드려가지고 어떤 흙을 줘다가 낮은 데를 메우면 될까 하는 것부터 잘 연구해서 논판을 골라야 할 줄 알 것입니다. 그럼 우리도 그와 같이 올해 농사에는 논판을 잘 고르도록 다 같이 힘을 쓰시기를 바랍니다."

15. 農事講習會(三)

날을 거듭할수록 회원들의 열심을 사게 되었다.

그중에도 가장 열심이긴 황건오다. 그는 원래 동네 간에서도 실농으로 유명한 터이지만 이번 농사 강습회로 말미암아 실로 얻은바 지식이 적지 않다. 그는 이번에 배운 것을 올해농사에 실지로 응용해 보리라 작정하였기 때문이다.

강사는 그다음에 논두렁을 만드는 데로부터 비료(肥料) 이종법(異種法)과 이종법에도 점종(點種), 건종(乾種), 선종(線種) 등을 구별하여 일장일단(一長一短)을 각기 설명하고 이런 개량농사에 있어서는 농우(農牛)의 필요함을 역설한 후에

"우선 여러분께서도 아시는 바와 같이 농우가 없기 때문에 중간에 허비되는 돈이 얼마나 많습니까? 논판을 쪼을 때나 벼를 비어드릴 때나 퇴비를 받는 데나 벼를 팔러갈 때나 소가 있으면 품을 사지 아내도 다 되지 않습니까? 그래서 간단히 말하면 이 고장 농민들은 수지가 맞는지 안 맞는지도 모르고 농사를 짓고 있습니다. 그런데 한 쌍에 대한 수지를 대략 계산해본다면 이렇습니다.

一. 기경비(起耕費) 六圓

二. 제초비(除草費) 일 회 二十圓

三. 애임(賃)

四. 비료대금

五. 타장비(打場費)十圓

六. 식량대(食糧代)三十五圓

七. 증자대(增子代)十圓

八. 기타잡비五圓

합계금 一百六圓也

그러나 이표는 한 쌍에 대한 지출만을 대략 적은 것입니다만, 최저액을 치기도 했고 중간을 취한점도 있습니다(의복대는 치지 않었습니다.) 그러니 추구가 한 쌍에 십 석 이상이라면 몰라도 만일 그 안에 든다면 조자(租子)를 바치고 백여 원의 부채를 갚고 난 다음에 농호(農戶)자체는 무엇을 먹고 살겠습니까? 신풀이 시초에는 열섬이상 열다섯 섬까지 보통나지만, 사오 년만 지나면 모든 것을 인력으로 개량하지 않고서는 당초와 같은 수확을 낼 수 없는 것이 어디나 사실입니다. 그래서, 지금은 닷 섬밖에 안 나는 논도 있습니다. 그런데 농우가 있으면 기경비를 지출하지 않고도 논을 잘 갈수 있고 논을 잘 갈게 되면 우선 베가 잘 되고 피와 풀이 적게 납니다. 따라서 제초비를 덜게 되며, 퇴비(堆肥)는 제대로 생기게 되니, 비료대금을 지출하지 않게 되고, 운반 타작 베파리 등-모든 큰일이 있을 때마다 남의 품을 사지 않고도, 자작자급을 하게 됩니다.

소를 놀릴 때에는, 소품을 팔아서 가용을 쓸 수까지 있게 되는 것이올시다. 이렇게 되면 농민은 생활 안정이 저마다 될 수 있습니다. 요컨대 소 없이 농사를 짓는다는 것은 고생은 고생대로 하고 이익은 죄다 남을 주는 어리석은 일이라 해도 과언이 아닙니다. 그러므로 옛날 속담에도 아버지 없이는 살어도 농가에 소비 없이는 못 산다 하였습니다."

이 말을 듣고 여러 회원들은 일제히 와그르르 웃었다. 어떤 사람은 참으로 감심한 듯이 연신 고개를 끄덕이기도 한다.

서치달은 이렇게 열심히 사흘 동안 강연을 계속하였는데 처음 날은 안 오던 사람들도 이튿날부터 새로 와서 듣는 사람까지 있었다.

그는 낮에는 이렇게 농사 강습회를 열고 밤이면 귀순네 집에서 기도회를 열기로 하였다.

기도회에는 여자들이 많이 와서 귀를 기울였다. 거기에는 황식이가 저녁마다 빼놓지 않고 와서 귀순이의 눈치를 보기에 초조하였다. 그러나 황식이는 외골수로 달뜨기 때문에 옆 눈질을 할 새도 없었는데 복술이는 저녁마다 와서 전도를 듣는 척하며 은밀히 황식이의 거동을 살피고 있었다.

“아이구 선생님 어쩌면 연설을 그렇게 잘 하시우-농사짓는 법두 잘 아시구”

“그럼○○이야…참 하나님의 은혜를 많이 받으셨군요.”

기도회를 파하고 나자 그를 앉은 자리에서 설음식으로 대접하게 되었을 때 신덕이는 병호의 아내와 마주 감심한 듯이 이렇게 말하며 서치달을 홀린 듯이 쏘아본다. 그는 요새 병호의 아내와 얽어져 지냈다.

“뭐-누구나 배우면 되는 겁니다. 세상에서 배워서 안 되는 일이 없으니까요.”

서치달은 이상열을 돌아보며 마주 웃었다.

“그래두 뭐-선생님같이 다될 수 있습니까?”

신덕이는 음식을 차리면서도 연해 입을 놀리는데, 석룡이는 벙어리처럼 한편구석에서 빙그레 웃고 앉았다.

15. 農事講習會(四)

어느덧 농사철이 다시 돌아오자 건오는 해동무리부터 날마다 들에 나가 매달렸다. 그는 괭이로 논을 쪼이기에 전념하기 때문이었다.

그는 농사 강습회에서 누구보다도 배운 것이 많았지만-그리고 될 수 있는 범위에서는 배운 것을 그대로 해보리라 싶었는데, 이런 때에도 사실 소를 세웠다면 논을 갈기가 얼마나 편리하고, 품이 덜 들는지 모른다. 물론 그전에도 그런 생각을 못한 것은 아니지만 다시 이론적으로 그 말을 듣고 보니 과연 농우의 필요함을 절실히 느끼게 된다.

그래 그는 올 가을에는 세상 없어도 황소 한 마리를 세우기로 결심하였다.

그는 한 달 동안 논판을 고르면서 한편으로 못자리를 앙구고 집에서는 볍씨를 골라서 담그게 하였다. 그는 아내를 시켜서 볍씨를 키로 까부르게 하였다. 아내는 건오가 새빠진 일을 하라는데, 자기의 신역이 된 것을 꺼렸으나, 지금까지 한 번 하라는 것은 하나도 거역하지 못했는지라 그대로 할 수 밖에 없었다.

그래도 완고한 모친은 그 말을 처음 들었을 때 깜짝 놀래며

"그 많은 종자를 어떻게 다 까불르라구…어디 한두 말인가?"

하고 반대하였다.

"뭘 너댓 섬을 못 까불를 것이 뭐 있어요-그래두 돌피 논을 매는 품보다는 훨씬 낫겠지요."

건오는 아주 자기가 실제로 해본 것처럼 강습회에서 들은 말을 그대로 옮기었다. 그는 언제나 자기가 옳다고 생각하는 일에는 이렇게 확고한 신념을 가지고 덤빈다. 그래서 그는 간혹 남의 말을 잘못 믿고, 속는 수가 있지마는 어느 때나 진실한 편이었기 때문에 맞는 일에는 그와 반비례로 좋은 성과를 내였다. 귀순네와 약혼한 것도 그런 셈이다. 지금으로 보면 그것은 완전한 실패로 돌아갔지만-

그는 이렇게 논 갈기나 논둑을 짓는 것이나 종자를 뿌리는 것이나 물꼬를 보는 것이나, 김을 매고 볏단을 묶고 곡식을 거두는 것까지 강습회에서 배운 것을 죄다 한 번 응용해 보리라고 뼈들었던 것인데 따라서 돌피가 많은 논에는 이종(移種)을 시험해 보려고 조그맣게 못자리를 부었다. 못자리판에는 볏겨와 구벽토와 재에 인분을 섞은 거름을 내었다.

건한 논에는 건종(乾種)을 해보기도 하고, 선종(線種)과 점종(點種)도 시험해 보겠다고 선언하였다. 그때 모친과 아내는 또다시 불안한 기색을 띠우며

"그렇게 여러 가지를 했다가 김맬 때 풀이 째이면 어찌느냐."

고 성화를 하였다.

"품이 왜 째요. 산종은 일찍 하고 이종이나 점종은 보름이나 뒤늦게 하는 건데…왜 그러냐하면, 먼저 심은 것은 김이 더 나거던요-그렇지만 점종으로 하면 김매기가 쉬울꺼니까 말야-그러나 올엔 첫 시험이니까 이종은 한 쌍만 해보는 게 좋겠지요."

"아이구, 아주 그렇게 해본 이처럼 말하시네-남의 말만 듣구 그랬다가 한참 바쁜 때에 품이 째면 어찔라구"

하며 아내가 또 웃는 것을

"그럼매 말야."

하고 모친도 불안한 웃음을 따라 웃는다.

"글쎄 그런 걱정은 말아요-선생이 어련이 알구 가르쳤을라구."

그는 자신이 만만하게 그들의 말을 이렇게 물리쳤다.

물론 그도 처음해보는 일이라다소의 불안이 없진 않았다. 그러나 해마다 산종만 해보다가 못자리를 해보니 연연 한 모싹씩 한 자리에서 커서 나오는 것이 우선 보기에 신기하였다. 모가 커 오르는 대로 그는 인분을 저다 주고 콩깻묵을 주고 하였다. 그동안에 비바람이 불고 토우가 오고 간혹 눈발이 날리는데도 모 싹은 봄발을 타고 거름을 먹는 대로 시커멓게 잘 되어 올랐다.

건오는 나날이 커나는 모판을 식전마다 나와서 볼 때마다 생명이 커가는 기쁨을 깊이 느꼈다. 그것은 다만 모싹이 커나는 것만이 아니라 어떤 신비하고 거룩한 것이 자기의 마음속에서도 커 오르는 것 같았다.

건오의 이러한 생각은 자연 덕성이에게까지 미치지 않을 수 없었다. 덕성이야말로 지금 이 못자리와 같이 커가고 있지 않는가? 그는 날마다 "교육"의 거름을 받고 자라난다. 과연 못자리에 거름이 필요하듯이 사람에게는 교육이 필요하지 않은가? 그는 덕성이에게서 공부를 잘하고 있다는 편지를 받을 때마다 농민도 교육이 필요함을 새삼스레 깨달았다.

15. 農事講習會(五)

입하 전에 못자리의 볍씨를 비우고 다시 사오 일만에 산 종씨를 비우고 나자 인차 바로 점종(點種)을 심기 시작했다.

점종은 산종보다도 품이 덜 들었다. 먼저 논판을 똑바로 골라놓고 씨를 심을 때는 물을 뺐다. 그것은 정조식(正條植)을 할 때처럼 줄을 띠워놓고 불린 씨를 그릇에 밀고 갔다 왔다하면 간점(間點)마다 열 알 내지 열다섯 알씩 떨어뜨리기 때문에 처음에 생각던 것보다는 훨씬 일이 빠르게 되었다.

이렇게 논 한 바미를 끝낸 뒤에 바로 물을 대었다. 그러나 물을 단번에 많이 대면 심은 씨가 밀려서 흐트러질 염려가 있다하므로 그는 조심해서 천천히 대었다. 일군들은 건오가 시키는 대로 하긴 하면서도 이 사람이 올해 농사를 낭패하지 않을까하는 의심이 없지 않았다.

벼 싹이 돋아날 때 유안으로 거름을 주었다.

점종의 특점은 벼 폭이 더 크다 한다. 따라서 결실이 매우 좋으므로 소출이 더 난다는 것이다.

못자리는 씨 비운지 한 달이 불원하자 그동안에 부쩍 컸다.

그래 건오는 하지(夏至) 전에 다시 이종(移種)을 시작했다.

그는 정조식으로 참 노끈을 꼬아서 칠촌씩 간격을 균일하게 물들인 헝겊으로 띠를 질러놓고 하나는 기리 삼십 미들 이상으로 또 하나는 오십 미들의 길이를 만들어서 긴 놈을 논배미 길이로 펴서 두 끝을 말뚝에 매어 박아놓고 짧은 노끈의 두 끝은 두 사람이 마주 쥐고 가로 앉아서 칠촌씩 표한 대로 선(線)을 맞추어서 심는 것이었다. 이것도 처음에는 심기가 서툴렀으나 차차 미립이 나는 대로 일은 빠르게 진행되었다. 일정한 간격을 두고 일꾼이 늘어서서 자기가 맡은 바 구역 안을 똑같이 심기 때문이다.

"자-넘어간다, 넘어간다."

하고 노끈을 넘기는 대로 일꾼은 제가끔 남한테 떨어지지 않으려고 속력을 내기 때문에 얼마 안 가서 손이 맞게 되고 따라서 능률을 잘 낼 수 있었다.

이와 같이 심어나가니 모포기사이 사이는 십마형이 되어서 사면팔방으로 어디나 줄이 쭉 고르다.

그것은 보기에도 좋을 뿐만 아니라 통풍(通風)이 잘 되어서 벼가 배나 더 된다는 것이다.

그리고 바닥이 굳은 데는 간살이 일곱 자나 되기 때문에 제초 기계를 쓸 수도 있다. 이종이 잘되면 결실이 좋아서 산종이 잘된 것보다 이 할 이상을 증수할 수 있으며 노력(勞力)은 삼 할 이상이나 절약이 되는데 또한 물을 대는데도 유리한 점이 있으니 종래에 세 쌍을 경작하던 농가라면 절반을 산종으로 하고 절반을 이종해도 물이 넉넉하다는 것이다.

건오는 아직 그런 것은 모르나 정조식이 김을 매기가 편리할 것만은 잘 알 수 있었다.

산종답에 지심이 심한 데는 한 번만 매는데도 사오십 명씩 품을 잡는다.

그런데 이종식(移種式)은 불과 십여 명으로 넉넉하다한다.

그는 이날 허튼 일은 품을 사서 하게 하였다.

한가래 상부죽 만인이 세 사람으로 논 끄르기와 논두렁을 만들게 하고 두 사람은 도를 찌개 하였는데 이렇게 닷새 품을 드려서 한 쌍 논을 보기 좋게 정조식으로 심을 수 있었다.

모를 제대로 다 심은 뒤에 건오는 날마다 물을 대노라고 또다시 들에 나가 살다시피 하였다.

그는 논둑이 어디가 상하지 않았는가, 들쥐가 굴을 뚫지 않았는가 보살핌은 물론, 논둑이 망가지진 않았더라도 물은 너무 깊지 않은가 얇지 않은가를 무시로 조사하여 간음을 맞춰주기를 마치 어린애에게 젖을 주듯 하였다.

벼가 돌아설 임시에는 배운 대로 이틀 동안 물을 낮춰 놓았다. 이틀 동안에는 물이 그렇게 듣지 않는다하므로-그랬더니 과연 벼는 볏발을 보고, 일제히 커 오르며 뿌리를 튼튼히 박았다.

건오는 이렇게 날마다 농장을 두세 차례씩 돌아다니며 물을 대는데, 점종과 산종과 정조식의 이종이 모두 제가끔 땅내를 맡고 커나기 시작하는 것이 하루가 새롭게 다르다. 그것을 볼 때마다 재미가 있었다.

그는 미구에 기심을 맬 것과 거기 대한 준비를 하고 있었다.

그런데 벼가 막 커 오를 이마적에-날은 점점 더워지는데 비가 도무지 오지 않는다.

이제나 저제나 비를 바라던 농가에서는 차차 한소(旱騷)를 일으키게 되었다. 오륙 월이면 벼가 한참 커나기 시작하는 무렵인데 오월 중순경부터 가물기 시작한 일기는 유월달이 접어들어도 좀처럼 비올 것 같지 않고 짜랑짜랑한 봄볕만 날마다 계속하였다.

16. 旱騷(一)

날이 점점 감을수록 농민의 소동도 그대로 대단하다. 그것은 비단 선농(鮮農)뿐만 아니라 만인 부락도 그러했다.

아니 만인들은 한전(旱田)을 짓기 때문에 가뭄에 대한 소동은 더 하였다.

날이 오래 가물었다 해도 큰 강물은 좀처럼 마르지 않았다.

그래서 수전은 오히려 가뭄을 덜 타는 편이었는데 밭농사를 짓는 그들에게 있어서는 전곡이 날로 타들어가는 꼴이 정말 보기에도 참혹할 지경이었다. 콩잎은 노랗게 타고 고량잎은 배배 꾀어간다.

그러나 날은 한대중으로 가물기만 한다.

만인 부락에서는 아침내 기우제(祈雨祭)를 지내기 시작했다.

이날 역시 건조한 공기 속에 햇빛이 대지를 태우는데 집집마다 나온 남녀노소의 만인들은 한 곳으로 모여들었다. 그들은 일제히 맨발을 벗고 머리에는 저마다 버들가지를 꽂았다. 이렇게 차린 군중이 장사진을 치고 섰다가 큰 길거리로 행렬을 지어나가는데 선두에는 지휘자가 앞을 서서 "쥬위-(祝雨)" 하고 소리를 지르려 하면 군중들도 그 뒤를 따라서 "쥬위-" 하고 합성을 지른다.

그와 동시에 한사람은 북을 치고 행렬의 중앙에는 불상(佛像)을 장대에 매어들고 간다.

불상을 든 사람은 물이 있는 도랑에다 그것을 정구어(담가 혹은 잠기어) 본다. 부처더러 비가 오게 하라는 의미인지? 또한 사람은 장승같은 것을 들고 가며 역시 그런 짓을 한다. 이런 때에는 행렬에 끼지 않은 사람이라도 모자를 써서는 안 된다. 모자를 쓴 사람을 발견하면 그들은 당장 벗으라고 권고 한다.

그래도 만일 모자를 벗지 않으면 그들은 달려들어서 강제로 벗기든지 찢어버려도 항거를 못한다는 것이었다.

이날 아침에 그들은 가가호호마다 대문 밖에 적은 독을 놓고 냉수를 길러 붓는다. 그 속에다 곡식알을 떨어뜨리고는 막대기를 세워놓고 거기에다 무슨 주문(呪文)을 써서 붙인다.

그들은 집에서도 이렇게 정성을 드리고 거리에서는 행렬을 하면서 축우제(祝雨祭)를 지내는 가운데 이번에는 그렇게 연사흘을 계속 하였다.

그러나 비는 그 뒤에도 오지 않았다. 날은 그대로 가물기만 한다. 조선 동포들은 기우제도 지낼 수 없었다.

그것은 가까이는 산이 없었기 때문이다. 그래 아이들은 만인들의 축우 행렬에 구경 겸 따라 다녔다.

그런데 한 가지 이상한 일은 불과 수일 내에 강물이 버쩍버쩍 줄어드는 것이었다.

아무리 가뭄에 주는 물이라 한들 큰 강물이 그렇게 쉽게 줄 리가 업다. 그것은 달포 가까이 가뭄을 겪어온 그들의 눈대중으로 짐작할 수 있었다. 그동안 오랜 가뭄에도 강물은 그리 줄지 않아서 부족하나마 물을 댈 수가 있었는데 이 며칠 동안으로 별안간 쭉 빠져서 인제는 물을 퍼 올리지도 거리가 너무 멀기 때문에 두레박질을 할 수 없었다.

그래서, 개양툰 사람들도 차차 소동을 일으키며 한편에서는 아무데로나 가서 기우제를 지내자거니 그럴 것이 아니라 김노인의 묘지 앞으로 장소를 정하자 하니 의론이 분분한데 강주사와 부락장과 건오 외에 몇몇 모모한 축은 기우제가 무슨 소용이냐고 그들을 제지하고 다른 방법을 강구하기 위하여 정대감 집으로 모였다.

"대관절 강물이 그렇게 쉽게 줄 리는 없지 않은가."

"글쎄요 매우 이상한일 입니다."

건오는 강주사가 의심스레 묻는 말에 자기도 동감하는 의사를 표시했다.

"이상할 것 뭐 있는가-날이 좀 가물었어? 더구나 이 고장은 가뭄을 타기 시작하면 버쩍 버쩍 마르는데-"

"암-그렇구 말구요. 사흘만 비가 안 와두 땅이 돌같이 굳는 걸 장근 한 달 지경인데 강물은 말구 바다라두 마를 것 아니냐-"

부락장의 말에 정대감도 이렇게 맞장구를 친다.

"그렇지만 마르는 분수가 너무두 빠르단 말일세- 하루나 이틀 동안에 큰 강물이 갑자기 주를 턱이 없지 않은가. 그것이 이상하단 말이지-"

건오는 종시 그들의 말을 이렇게 의심하였다.

"그래두 날이 가물어서 그렇지 달리 이상한 일이야 뭐있겠나."

"건 혹시 모르지-위대에서 강을 막었는지…"

"그 사람-별소리도 다하네. 여보게, 강을 무슨 재주로 막나."

건오의 말을 여러 사람들은 실없는 웃음을 지으며 웃는데

"세상일을 알 수 없지-혹 그럴는지두…"

하고 강주사는 건오의 말을 두던 하였다.

16. 旱騷(二)

그러나 그들은 종시 건오의 말을 실없는 소리로 돌리며 코웃음만 치고 한번 실지 조사를 해보자는 말에도 핀잔들만 하고 있었다.

그래 건오는 분연히 혼자 나섰다.

"아따 가기들 싫거든 고만 두게. 나 혼자라두 가보구 올 테니."

그가 역정을 내는 것을 보아도 누구 하나 편드는 사람은 없었다.

"그 사람 할 일두 퍽 없는가 베-아주 산 밑까지 갔다 오려나."

그들은 여전히 픽픽 웃기들만 한다.

건오는 다시 더 말하고 싶지 않았다.

그래 그는 강주사를 보고

"기왕 말이 났으니 지금 곧 가보구 오겠습니다."

하고 자리에서 일어섰다.

"아이 지금 어떻게 간다구…그리구 혼자 갈 수야 있는가?"

강주사는 좌우를 돌아보았으나 아무도 나설 만한 사람이 없었다.

"뭐-혼자는 못 갈 것 뭐있습니까…사실 할 일두 없구한데 좌우간 가보겠습니다."

"그럼 공연히 멀리 올라만 갈 것이 아니라 몇 십 리쯤 가보다가 아무렇지도 않거던 도루 회정하게…더운데 고생만 하지 말구."

강주사 역시 반신반의 하는 마음에서 건오의 편만 들 수 없기 때문에 이렇게 어리뻥뻥한 말을 하였다.

"네. 내일 해전으로 돌아오겠습니다."

건오는 집으로 돌아와서 부랴부랴 길 떠날 준비를 하였다.

준비라야 별것이 없다. 몸을 되도록 가뜬하게 하기 위하여 노동복 위에 "지까다비"를 신고 머리에는 양 테가 넓은 농립을 썼다. 그리고 강주사 집에서 빌려온 물병을 차고 지팡이를 짚고 나섰다.

건오가 이렇게 차리고 나서는 것을 보자 그의 모친과 아내 순복이는 공연히 객쩍은 짓을 한다고 만류하였다.

그들도 강을 막아서 물이 준다니 그럴 리는 만무하다는 생각뿐만 아니라 설영 그렇다 하더라도 자기 혼자 나서서 애쓸 머리가 왜 있느냐는 이기지심에서 따져보고 건오의 행동을 더욱 객쩍은 짓으로 돌리었다.

그들은 언제나 남을 따라가는 것만 옳은 일로 알았다. 이번 일에도 남들은 가만히 있는 걸 뭘 하러 자기 혼자만 나설 것 있느냐는 것이 그들의 아주 상식화된 주견이었다.

"아이구. 이 더운 날에 뭔 길을 어떻게 간다구…그래 언제 오는 게야?"

"아무 염려 마셔요-바로 돌아올 테니까요."

건오는 이 한말을 남기고 동구 밖으로 나간다. 정대감네 마당에 모여선 사람들은 하여간 잘 다녀오라고 인사를 하였다. 그러나 건오가 신작로로 나가서 안 보일만 하자 그들은 서로들 허구픈 웃음을 내뿜으며 비웃기를 마지않았다.

"그 사람 참 객기두 대단하지 글쎄 미친 사람이 아니고야."

"그 사람 고집이란 그전부터 유명하지 않은가. 한번 한다는 것은 기어코 하구야 마는데 뭐…"

"고집두 유만부득이지…헛물을 켜구 오는 꼴 좀 두구 바야. 허허…"

그들은 한참동안 이렇게 서서 지껄이다가 정대감네 술집으로 하나 둘씩 들어갔다. 강주사와 부락장만 자기 집으로 들어가고-.

그들은 참으로 할일이 없었다. 밭에나 논에를 나가보자니 타는 곡식이 애처로워 볼 수 없다. 그래 그 꼴을 보러 가기도 싫고 가만히 있자니 답답하다. 그런데 햇발이 퍼질수록 더위는 지독하야 금방 숨이 막히도록 안절부절 못하게 한다. 아무리 덥더라도 농사일이 바쁘게 되면 일에 손이 잡혀서 더운 줄을 모르고 골똘하겠지만 이건 진종일 할 일이 없고 보니 갈수록 맥이 풀리고 그대로 열기는 더한 것 같다.

이래저래 그들은 화가 나기만 해서 핑계 김에 화풀이 술만 먹게 되었다.

그래 그들은 내 한잔 내마 너 한잔 내라. 하고 돌려가며 술추렴을 하고 앉았는데 건오는 그들을 생각할 여가는 없이 그길로 강줄기의 상류를 더듬어 올라갔다.

큰 길은 강 옆을 끼고 나기도 하였으나 멀찌감치 비켜놓고 휘돌기도 하였다.

그런 때에는 할 수 없이 강기슭을 쫓아가며 길 없는 진펄과 버들 밭을 헤치고 나갔다. 그런데는 군데군데 늪(沼)이 있었다.

건오는 길을 묻고 언덕을 기어오르며 강줄기만 찾아가자니 갈수록 곤란하였다. 그런데 강은 차츰 신작로에서 멀어간다. 멀리라도 볼 수만 있다면 바짝 쫓아 안가도 되겠지만 구릉(丘陵)에 가려서 강이 안보일 때는 불가불 근처까지 가보지 않고는 알 수가 없었다.

건오는 이렇게 진종일 험로와 싸우며 무려 오십 리를 올라왔건만 두 눈을 똑바로 뜨고 실지 답사를 한 결과는 강물이 한 군데도 막히지 않았다.

16. 旱騷(三)

해가 저물자 건오는 길도 없는 강펄을 어두운 밤에 걸을 수도 없거니와 제일 모기 등쌀에 견뎌낼 수가 없어서 큰길로 다시 나왔다. 그는 촌락으로 들어가서 하룻밤을 자고 갈 셈이었다.

자래로 ○○현 모기는 유명하다 한다. 건오는 그런 말을 들었지만 여인네들이 저녁때 물을 길러 갈 때면 똬리 옆에다 쑥대로 홰를 만든 모깃불을 켜 가지고 다니지 않고는 물을 길을 수가 없다던가? 이만하면 모기도 무서운 동물이다.

그러나 건오는 이런 생각을 하고 있을 여유가 없었다. 그는 하루 종일 상류를 올라와 보아야 강이 아무렇지 않다는데, 그만 자신이 꺾이었다. 참으로 가뭄이 대단하기 때문에 그런가보다 하는 따라서 자기의 생각이 너무 지나치지 않았는가 싶기도 하였다. 그의 이런 생각은 내일 어찌 해야 옳은지 모르겠다.

그만 돌아가잔 말도 안 되고 무작정 더 가보겠다는 용기도 안 난다.

그래 그는 밤새도록 궁리해보고, 주막집 주인에게 이 근처의 농장을 물어보기도 하였다.

주인의 대답은 이 근처엔 수전 개척지가 없다 한다. 사실 건오도 종일 강을 끼고 올라와보아야 논을 풀만한 적당한 자리가 없었다. 넓은 진펄이 없는 바는 아니나 지대가 높아서 봇둑을 파내기가 대단히 힘들고 그렇지 않은 데는 포자(泡子)와 버들 밭이 우거져서 좀체 인력으로는 손을 댈 수가 없었다.

그밖에 구릉이 심한 데는 만인의 한전이 대부분이요 밭을 일구지 못한 곳은 그대로 잡초가 무성하였다.

이런 생각이 들어간 건오는 내일 하루 동안만 더 올라가보기로 하였다. 사실 그는 큰소리를 하고 나선 만큼 아무 증거를 못 잡고는 그대로 돌아설 면목도 없었다.

그리하여 건오는 이튿날 일찍이 일어나서 아침을 사먹고 나자 점심으로 호떡을 네댓 개 싸가지고 다시 강기슭을 더듬어 올라갔다.

길도 없고 사람도 없는 강펄은 올라갈수록 더욱 험악하다. 오직 싯누런 황토물이 우중충한 언덕 밑으로 흘러내릴 뿐! 그런데 구릉의 굴곡은 심하여 한 언덕을 올라가면 다시 경사가진 벌판이 전개되면서 강줄기는 한편으로 활등처럼 휘어나갔다-

건오는 이렇게 몇 고패를 고개를 넘어갔는데 해는 한낮이 기울었건만 강줄기는 한대중 막힌 데가 업다.

참으로 이상하지 않은가? 이 근처에는 도무지 농장도 업다. 농장이 없으니 강물을 막을 턱이 없다. 그럼 농장이 있는 데까지만 올라가보자-

건오는 점심을 먹으며 이렇게 생각해 보았다. 그는 주막에서 얻어온 물로 갈증을 풀었다. 그러나 그는 배가 고픈 것보다도 더운 것보다도 그 일로 더욱 초조하였다.

그러나 하여간 오늘 하루만 더 가보기로 하였은즉 그대로 가볼 생각이 앞을 섰다. 그러나 또한 덮어놓고 길도 없는 강펄만 헤매는 것도 미련한 것인 것만 가타서 그는 다시 큰 길거리로 나섰다.

한 언덕을 넘어보니, 거기는 제법 넓은 들판이 전개되면서 평지로 내려가는 곳이었다. 얼마 안 가서 들 한가운데에로 있는 촌락이 나선다.

건오는 다리를 쉴 겸 음식점을 찾아 들어갔다. 소주 한잔을 사먹으며 그는 주인에게 물어보았다.

“이 근처에 수전 농장이 없소?”

“예-여기는 없지만은 몇 십 리를 더 가면 선인 부락이 있답니다.”

주인의 이런 대답을 들은 건오는 갑자기 새 기운을 얻게 되었다.

“옳다. 되었다. 그럼 그 동네까지만 더 가보자!”

그는 입 속으로 부르짖으며 다시 걷기를 시작했다.

이러한 자신이 생기자 그는 걸음도 빨러졌다.

과연 거기는 농장이 있을 만 하였다. 얼마를 가야 언덕은 다시 없다. 일면으로 펀-한 들이 깔려있다. 강줄기도 차츰 큰길 옆으로 가까워지는 것 같았다.

그럴수록 건오는 걸음을 빨리 걸었다. 어느덧 해는 어슬핏해지며 더위도 식어지는데 큰 동네 하나가 다시 신작로 좌우로 뻗쳐있다.

강줄기는 이 동네에서 그리 멀지 않게 붙었다.

그런데 강 저쪽으로도 수십 호의 촌락이 있는데 그것은 묻지 않아도 선농(鮮農)의 부락 같았다.

이에 반색을 한 건오가 강펄로 쫓아가보니 과연 건기에는 호수와 같이 둘러막은 강물이 봇둑을 넘어서 폭포처럼 떨어지는 것이었다.

“그러면 그렇지…”

건오는 자기도 모르게 소리를 질렀다.

16. 旱騷(四)

건오는 남모르는 고생을 해가며 이틀 동안 실지 답사를 한 결과 백여 리 밖에서 기어코 예감했던 바와 같이 강물을 막은 것을 발견하자 경회하기를 마지 않았다. 실상인 즉 강물을 그렇게 막은 것은 보다도 불행한 일이 아닐 수 없다. 그러나 그는 마을 사람들이 미친 소리로 들리는 것을 자기 혼자 우기고 나섰을 뿐만 아니라 이틀 동안이나 노심초사하고 천신만고한 끝에 이런 광경을 목도하고 보니 그것은 불행이라기보다도 우선 희한하고 기쁘기가 한량 없었다. 그런데 거기에는 말뚝과 버들가지(柳條)를 산더미처럼 싸놓고 파수를 보는 집까지 지어 놓았다. 강 저편에는 거룻배 한 척까지 띄워 놓았다.

이런 것을 미루어본다면 그들은 하류의 농민을 두려워함이 아니었던가? 언제 봇물을 타놓으러 올지 모르니까 그래서 망을 보자는 것이요 보가 터지면 다시 막기 위해서 버들가지와 말뚝을 미리 준비해둔 것이었다.

건오는 이런 생각이 들자 그들의 소위가 괘씸하였다. 농사는 저의들 혼자만 지어야 하는가? 이 강물을 대어서 하류에서도 얼마나 많은 농사를 짓는지 모르고 저의들만 물을 쓰려는 심사가 가증하기 짝이 없다.

그래 건오는 그길로 밤을 새워 달음박질을 하다시피 바로 돌아왔다. 그는 한시 바삐 돌아가서 그것을 보고하는 동시에 대책을 강구해야 되겠기 때문이다.

그런데 마을 사람들은 이런 사실이 있는 줄은 전연히 모르고 도리어 건오가 객쩍은 짓을 한 것처럼 생각하고 있었다. 그래 그들은 건오가 그 이튿날 오전에 발이 부르터서 절룩거리며 들어오는 것을 보고 헛물을 얼마나 켰느냐고 모두 코웃음을 하고 있었는데 급기야 그의 보고를 듣고 보니 여간 놀랍지 않은 동시에 남의 수고를 앉아서 보는 것이 미안하기 짝이 없었다.

그들은 빼곳이 둘러앉았다가 건오의 말을 듣고 모두들 긴장하기 마지 않았다. 그들은 정대감네 술집으로 들어가서 한편으로 강주사와 부락장을 불러 보낸다 건오에게는 대접할 술상을 차리게 한다 부산하였다.

"그럼 난 집에 가서 옷을 가라 입고 나오겠네."

"응 그러게-자당께서 궁금히 아실 게니까…그럼 잠깐 다녀오게. 밥은 먹지 말구."

"뭐 밥 생각두 없네."

"아니 그래두…너무 고단해서 그러지 얼른 다녀오게."

병호도 정대감의 말을 부축하였다.

건오가 집으로 들어가서 옷을 바꿔 입고 다시 나오니 강주사와 부락장은 물론 동네사람들이 뜰 안이 빽빽하도록 거의 다 모여들었다.

그리고 먼저 들은 축들은 신이 나서 그 말을 옮기느라고 예서제서 떠들썩하니 야단이었다.

"아-어서 들어오게."

"그래 얼마나 고생을 했소?"

건오가 오는 것을 보자 새로운 사람들은 일제히 일어나서 반가운 인사를 한다.

"고생은 뭐-발이 좀 부르텄지."

건오는 빙그레 웃으며, 방으로 들어섰다. 그는 자기를 마치 진객이나 되는 것처럼, 별안간 그들의 대우가 놀라운 것이 내심으로 우스웠다.

"아니 그런 무지한 사람들이 있나, 강물을 막으면 밑에서 농사짓는 사람들은 어찌 하리-"

한편에서 이렇게 역정을 내는 사람이 있는가 하면

"그 큰 강물을 어떻게 막억대여-놈들 참 억척이군!"

하고 은근히 감심하는 축도 있다. 그리고 건오의 보고를 오히려 의심하는 것처럼 흘금 흘금 쳐다보는 사람도 있었다.

"그러니 이일을 어찌 해야 좋겠습니까?"

정대감은 자기 혼자 걱정을 도맡은 것처럼 좌중을 둘러보며 말한다.

술상과 밥상이 들어오자 그는 우선 건오에게 음식을 권하였다. 술상은 뜰에서도 한 패가 벌리고 앉았다.

"뭘 어떻게 해요-그까짓 거 올러 가서 타놓지요."

젊은 패들은 이렇게 분연히 말하고 나선다.

"아니 그러면 공연히 쌈만 나구 안되지-더구나 타도인데…"

강주사는 고개를 젖히며 자못 신중히 대책을 강구하는 모양이었다.

"그럼 어떻게 합니까? 나락은 한시가 바쁜데 그런 줄을 안 이상에 가만히 있으세요?"

"암, 그렇구 말구-그놈들의 심사가 괘씸해서두 타놔야지 멀쩡한 놈들 같으니!"

정대감의 말에 김병호는 이렇게 죄인다. 그러나 건오는 아무 대꾸도 않고 밥만 먹고 있었다.

16. 旱騷(五)

“아니 그럴 게 아니라-현청으로 가서, 우선 진정을 해봅시다. 그리고 나서 만일 안 되는 날에는 다시 무슨 수를 내드라두.”

강주사는 한참 생각한 뒤에 부락장을 돌아보고 이렇게 말하였다.

“글쎄요…그밖에 별 수가 없겠지만-”

부락장은 진 떨어진 대답을 힘없이 한다.

“그럼 지금이라두 당장 길을 떠나도록 하십시다. 물은 일시가 급하지 않습니까?”

성미가 괄괄한 정대감이 그 말에 바싹 서둘러본다.

“물론 갈라면 지금 곧 가야만 내일 일이 빠르겠지.”

강주사도 긴장해서 부르짖는다.

“자-그럼 갈 사람을 뽑어 주십시오-누구누구 갔으면 좋을까요?”

정대감이 이렇게 묻는 말에

“뭐-누구누구 할 게 아니라 되도록 많이 가보는 것이 좋지 않을까요?”

하고 건오가 자기의 의견을 말하였다.

“글쎄 그 말도 옳은데요-어떻든지 여러 사람이 가는 것이 유력할 게니까.”

김병호가 또한 건오의 말에 동의한다.

“그럼 저 사람들두 같이 가야지 우리들만 가는 것은 자미적지 않을까요?”

정대감이 턱으로 가리키며 하는 말은 만인 부락을 의미한 것이었다.

"그야 그렇지. 일동중(一洞中)이 다가기로 논지하면 그 사람들도 같이 가재야 옳게지."

부락장이 아래턱의 수염을 쓰다듬으며 침묵을 깨친다.

"자-그럼 저 사람네한테도 기별을 해서 함께 의론을 하는 것이 좋겠습니다."

"그래 보지."

강주사의 대답을 듣자 정대감은 일면 좌우를 둘러보다가 복술이를 불러서 심부름을 시킨다.

"너 얼른 가서 왕노인이랑 모두들 오라구해라! 급히 의론할 일이 있다구."

"누구 누구를 오래요?"

"아무나 보는 대로 오라려무나. 아주 큰일 난 일이 생겼다구."

"그럼 정말 큰일이 난 줄만 알게-허허허…"

"궬자들이 그래야만 급히 뛰어오지."

정대감은 여러 사람이 웃는 바람에 자기도 심술궂은 웃음을 따라 웃는다.

조금 뒤에 과연 만인부락에서는 왕노인 이외에 십여 인이 몰려들었다.

그들은 참으로 무슨 큰일이 생긴 줄 알고 숨이 차게 뛰어왔다. 그것은 복술이가 호들갑스럽게 허풍을 되우친 까닭이었다.

강주사는 그들을 모아놓고 다시 사정을 설명해 드리었다. 건오는 그들이 질문을 하는 대로 현장을 보고 온 데 대하여 사실대로 설명하였다.

그들도 사유를 듣고 보니 참으로 놀라운 일이었다.

큰 강을 둘러막다니 그것은 고금에 듣지도 못하던 일이다.

대관절 강을 막아서 농사를 짓는다는 것은 이상한 일이 아닌가? 밭농사를 짓는 그들로서는 도무지 상상할 수 없는 일이였다.

그만큼 그들은 자기네에게는 그리 큰 이해를 느낄 수 없었다.

그러나 그들은, 하여간 강물을 막았다는 것만도 놀라운 일인 동시에 온 동리가 들고 나서서 진정을 가보는 것이 좋겠다는데 자기네만 반대할 수 도 없어서 몇몇 사람이 따라가기로 하였다. 의견이 이렇게 합치되자 그들은 불시로 길 떠날 준비를 서둘렀다.

오후의 태양은 봄빛을 내리쬐는데, 더구나 노인들이 보행을 하기는 어려울 것 같아서 마차 한 대를 증발하도록 하였다.

그리하여, 강주사와 왕노인 부락장 등 노인들은 마차에 타게 하고 젊은 사람들은 걷기로 하였다.

건오는 노독이 심할 테니 집에서 쉬라 하였으나 그는 기어코 자기도 같이 가겠다고 따라나서기 때문에 그러면 마차를 타라고 권하였다.

그가 실지 답사를 하고 온 사람인 만큼 현에서 만일 사실을 조사한다면 같이 가는 것이 필요한 것도 같아서 강주사 역시 굳이 집에서 쉬라고 만류하지 못했다.

그러나 그는 건오를 누구보다도 아끼는 만큼 그의 몸을 돌보지 않는 열성이 고맙고도 한 면으로는 애색하기 마지 않았다. 그리하여 그들 십여 인은 선두에 마차를 앞세우고 그 뒤를 따라섰다.

마을 사람들은 모두 동구 밖 신작로까지 쫓아 나와서 그들을 전송하였다.

학교선생 이상열은 통역으로 따라갔다. 강주사와 그는 아까 길을 떠나기 전에 장문(長文)의 진정서(陳情書)를 부락장과 셋이 마주 앉아서 초안을 꾸며 가지고 갔다.

16. 旱騷(六)

○○까지는 백 여리의 육로를 걷지 않으면 안 되었다. 그러나 거기까지는 역시 질펀한 평야를 뚫고 나간다. 오랜 감음은 무성한 초원(草原)에도 마른새(枯草)만 세워놓았다. 풀이란 풀은 모두 발갛게 타들어간다.

일행은 그날 해종일 가다가 도중에서 일박하고 이튿날 오전에 현소재지에 도착하였다.

그들은 전부터 단골로 다니던 여관으로 들어갔다. 행길의 먼지를 뒤어쓴 얼굴을 다시 씻고 일변 현청으로 달려갔다.

수부(受付)를 찾아서 우선 진정서를 제출하니, 계원(係員)은 그것을 펴보다가 금감하게 늘어선 일행을 다시 한 번 흘려보면서 밖에서 기다리라 한다. 그리고 그는 진정서를 손에 든 채로 안쪽의 큰집으로 들어간다.

얼마 동안을 뜰아래에서 기다리자니까, 아까 수부계 사람은 또한 사람을 대동하고 나온다. 새로 온 관원은 진정서를 손에 들고, 그 사무를 담당한 것처럼 뽐내며 말한다.

"에-그럼 돌아들 가시오. 진정서를 접수하고 사실을 조사한 뒤에 그때 다시 통지를 할 테니까-"

"예-그러실 줄은 잘 압니다마는 일이 매우 중대한 만큼 현장 각하를 좀 면회해야 되겠습니다."

하고 강주사가 얼른 저편 말을 받아쳤다.

"현장을 면회한대야 역시 그런 말씀일거니까 뭐…그리고 이렇게 많은 사람을 면회시킬 순 도저히 없으니까."

"그건 대표로 몇 사람만이라도 좋습니다. 여러 사람이 이렇게 백여 리 길을 멀리 왔다가 아무 말씀도 못 듣고 그냥 돌아갈 수야 없으니까요."

"참 그렇습니다. 농사는 일시가 시급하니까요."

강주사의 뒤를 이어서 건오도 완강히 떼를 썼다. 그 뒤를 따라서 다른 사람들도 한 마디씩 청하였다.

관원은 잠잠히 듣고 섰다가 사정이 그럴 듯싶은지 강경해보이던 태도를 저으기 눙지면서

"응. 그렇다면 다시 한 번 알아볼 테니 가만있어!"

하고 안으로 휙 들어간다. 개양툰 사람들은 그동안을 또 한참 우두커니 서 있었다.

얼마 후에 수부계원은 긴장한 표정을 짓고 나오면서

"그럼 대표로 두어 사람만 들어와요. 얼른 누구든지 어서어서!"

하고 독촉한다.

이 말을 들은 여러 사람들은 잠시 어리둥절해서 서로들 돌아본다.

"자-그럼 부락장 왕로인 건오 이선생 나서시오! 우리 다섯 사람이 들어가 보십시다."

"참 그러면 좋겠습니다."

정대감과 병호가 강주사의 인선(人選)에 먼저 찬의를 표시한다.

그리하여 그들 다섯 사람이 앞줄로 나서며 줄을 지어 들어가려 하는데

"아니 다섯 사람씩이나 뭘 하러 들어가려구 한 두어 사람만 고르라니까."

하고 계원은 팔을 벌리며 막아선다.

"건 그럴 사정이 있습니다. 들어보시오. 이 사람은 현지를 실지 답사한 사

람이요 저 노인은 만인 부락을 대표해서고요. 이분은 또 불가불 통역을 해야 되고 또 저분은 부락장이니까 적어두 우리 다섯 사람은 똑같이 들어가야만 되겠소."

강주사가 이렇게 사리를 따져서 설명하니 그도 어찌할 수 없는지

"그럼 얼른들 들어와요-얼른!"

재촉만 심히 한다. 그 거동을 보면 빨리 불러들이란 명령을 받은 만큼 그는 그들과 승강하기가 싫은 모양 같았다.

다섯 사람이 계원의 안내로 현청안의 현장실로 들어섰다. 풍신이 좋아 보이는 현장은 중노인으로 몸집이 뚱뚱하였다.

현장은 진정서를 펴놓고 잠작이 읽어보다가 그들이 들어오는 기척이 나자 눈을 들어 일동을 훑어본다.

아까 나왔던 관원이 그 앞에 시립(侍立)했다가 그들을 지휘한다.

"이리로 들어들 오시오."

일동은 근엄한 자세로 실내로 들어서며 우선 허리를 굽혀 공손히 현장에게 인사를 드렸다. 현장도 머리를 숙이어 답례한다.

"진정서 이외에 무슨 할 말이 있거든 하라구."

"예. 바쁘신데 이렇게 면회를 허락해 주셨으니 대단 감사합니다."

하고 강주사는 일동을 대표하여 다시 정중히 예를 한 뒤에

"진정서에는 자세한 말씀을 이로다-적을 수 없사옵기로 그것을 보충하기 위해서 잠깐 뵈옵고자 한 것입니다."

이렇게 그는 화두를 꺼내었다.

"음! 그래서!"

현장은 강주사의 말을 들으며 시선을 한군데로 쏘고 있다. 그것은 마치 그의 말을 경청(傾聽)하려는 것처럼 이완(弛緩)되었던 태도를 긴장시키는 것

같다. 강주사는 현장의 그런 자세를 보고 더욱 정신을 차렸다. 그는 이로정연(理路井然)한 말을 조리 있게 꺼내려고 노력하였다.

"각하께서도 잘 아시다시피…올해 같은 심한 가뭄은 없사온데 강물을 제대로 댄다하여도 물이 부족 되어서 농사를 버릴 지경이 아니겠습니까? 그런데 이 사람이 참 실지 답사를 해보았습니다마는 그와 같이 강물을 둘러막았사오니…"

강주사가 말을 더 이어가려는데 현장 옆에 섰던 관리가

"그만,"

하고, 가로막으며, 통역을 한다. 그는 더 길게 말하면 통역을 하기가 어려웠던 모양이다. 그 바람에 이상열은 같이 들어온 보람이 없게 되었다. 계원이 통역을 하는 대로 현장은 고개를 끄떡인다.

통역이 끝나자 강주사는 다시 말을 이어서 개양툰 농장이 개척된 역사와 그의 규모를 말하여 장래의 발전성이 많은 것을 역설한 뒤에 상류의 강물을 막은 곳은 불과 이십 호의 조그만 농장인즉 국책상견지에서 본다할 지라도 어느 만을 위해여 할 것은 뻔한 일이 아닐뿐더러 자기네 혼자만 몽리(蒙利)를 독점하려고 장강 대하와 큰물을 상류에서 막아놓는다는 것은 도덕성으로도 단연히 용서할 수 없는 불법 행위라고 통론하였다. 그는 다년간 만주에서 거주 하니만큼 유창한 만주어로 도도히 열변을 토하였다. 현장도 그의 말에 감심한 듯이 끝까지 부동의 자세로 듣고 있었다.

강주사가 이렇게 힘 있는 말을 하자 다른 대표들까지 모두 감심하였다. 그중에도 왕노인은 그대로 있을 수 없어서 그는 강주사의 말이 끝나기를 기다려서 개양툰이 조선 동포의 손으로 개척되기 전의 옛날을 회고하면서 지금의 흥한 농장이 된 것을 말한 후에 이런 농장을 버리게 된다는 것은 국가사업을 위해서도 대단히 통분한 일이라고 자못 강개무량한 어조로 호소하였다.

맨 끝으로 건오가 실지 답사한 사항을 간단히 요령만 따서 보고를 한 연후에 일동은 시기가 시기이니만큼 급속히 해결을 지어달라고 간원하였다.

현장도 그들의 말을 자세히 듣고 보니 미상불 정당히 그럴 듯하였다. 그러니 그는 사건이자기의 관할 하에 속한 것이 아닌 만큼 단독이 처리할 수없는 것이 딱한 사정이었다.

그래 그는 매우 동정하는 기색을 띄우며

"에-여러분의 말을 듣고 사정은 자세히 알게 되었소. 그러나 거기는 다른 현(縣)인 만큼 본관의 자유로는 할 수 없는 일이니까, 먼저 계원으로 하여금 현지를 조사해보고 그것을 저쪽으로 조회해 보려면 다소의 시일이 걸리겠소. 그런즉 현에서는 되도록 속히 처리해줄 테니까 그리 알고 나가서 기다리소."

"예-그렇지만 날은 이렇게 가물고 물은 시급한데 며칠이나 어떻게 기다리겠습니까? 농사는 일각이 급합니다."

하고 정대감이 또다시 졸라본다.

"글쎄 아무리 급한 일이라도 관청일이란 그렇게 안 되는 법야-내 고을 일이라도 그것을 조사해서 처리하자면 며칠씩 걸리는데 항차 수백 리 밖에 있는 타관내의 일이 어떻게 밥 먹듯 쉽게 되나!"

하고 통역하던 관원은 정대감의 말을 분연히 핀잔준다.

"예-황송합니다-그렇지만 사정이 매우 딱해서요…이대로 며칠만 더 가면 농사는 아주 버릴 지경입니다. 그리 된다면 수백 생령이 일시에 목숨을 잃게 되지 않습니까?"

현장은 그게 무슨 말인지 몰라 궁금한 모양으로 물어본다. 그 말을 통역으로 듣더니 다시이편으로 고개를 돌리며

"그것은 현에서도 잘 아니까 조금도 염려 마소-현에서도 급한 일은 급히

서두를 것이니까-"

하고 호안(好顔)으로 웃어 보인다.

"예. 그럼 각하의 신속한 처분만 기다리고 물러가겠습니다."

강주사는 더 말할 것이 없어서 이렇게 대표로 말을 막고 하직례를 하였다. 다른 사람들도 현장과 계원에게 차례로 인사를 하고 돌아섰다.

그들은 그길로 여관에 돌아와서 점심을 요기한 뒤에 이틀이나 행역을 한 만큼 모두들 피곤하였다.

그러나 내일 해전으로 돌아가자면 불가불 오늘로 떠나지 않으면 안 되겠어서 그들은 저녁때 서퇴하기를 기다려 가지고 다시 무거운 발꿈치를 돌이켰다.

17. 治水工作(一)

그들이 개양툰으로 돌아온 지도 어느덧 이삼 일이 지나갔다. 그런데 현에서는 도무지 아무런 기별이 오지 않는다.

날은 여전히 가물고 곡식은 그대로 타들어간다. 그들은 또다시 가만히 앉아만 있을 수가 없었다.

그래 그들은 동회를 부치고 대책을 상의한 결과 동중의 대표를 뽑아서 현청에 보내보기로 하였다.

거기에 뽑힌 사람은 부락장과 이상열이었다.

두 사람은 즉일로 마차를 몰고 달려갔다.

그들이 현청으로 들어가서 사정을 알아보니, 현에서는 그동안 계원이 출장하여 실지를 조사하고 돌아와서 즉시 그곳 관할인 ○○현으로 조회(照會)를 하였으나 아직까지 회답이 오지 않았다는 것이다. 그래도 사정이 시급한즉 하루 급히 해결을 지여주지 않으면 폐농이 되겠다고 호소하여 보았다. 그런 줄은 여기서도 잘 아는 만큼 독촉을 해볼 테니 가서 더 기다리라고 관원은 대답할 뿐이다.

그들은 다시 더 졸라보았지만 그는 그밖에 다른 말은 없었다. 저번의 관원은 역시 그때와 마찬가지로 관청일이란 그렇게 간단하게 처리될 수 없는 것이라고 그 말만 되풀이한다.

그들은 할 수 없이 그길로 돌아왔다. 그러나 오늘이나 무슨 기별이 있을까 하고 고대해보아야 그날도 그날같이 한대중으로 넘어갔다.

마을 사람들은 아침부터 저녁까지 한자리에 모여앉아서 초조하게 떠들고만 있었다. 이렇게 또 하루가 지나고 이틀이 지나도 현에서는 아무 소식이 없었다.

이에 더욱 초조한 그들은 더 참을 수가 없었다. 다시 동장을 가자는 축에, 그럴 것 없이 강물을 올라가 타놓자는 축에 차차 인심은 소동되며 험악한 공기가 괴어간다.

강주사와 부락장의 동중유지들은 다시 모여 상의한 결과 최후로 또 한 번 독촉을 가보기로 하였다.

이번에는 이상열이만 빼놓고 맨 처음의 대표로 뽑혔던-강주사, 왕노인, 부락장, 황건오의 네 사람이 쫓아가서 책임 있는 말을 듣고 오기로 하였다.

그러나 계원의 전과 같은 말-지금 조회중이니 좀 더 기다리라는 말을 박차고 현장을 면회한 결과도 그리 신통할 것이 없었다.

"그동안 계원이 출장하여 저쪽과 사무를 타합하고 돌아왔는데 되도록 사건을 속히 해결해 달라고 했지만 저편에서도 실지 사정을 조사하자니까 자연 시일이 걸리는 모양 같소. 그러나 또 독촉을 해보겠으니 그리 알고 좀 더 기다릴 수밖에 없소." 한다.

"그럼 여쭙기가 좀 황송합니다만 저쪽과 교섭해 보신 결과 혹시 의견의 충돌은 없었습니까?"

강주사가 이렇게 질문해 보았다.

"뭐 같은 관청일인 바에 그럴 리야 업겠지만 그러나 저쪽으로 본다면 또 자기 쪽 백성을 더 생각할 수 도 있는 일이니까…그래서 사건을 원만히 처리하자 한 즉, 자연 시일이 더 걸리게 되는 것 같소-아무리 사정이 급하다 할지라도 그것은 어찌할 수 없으니까-"

"예. 건 잘 알겠습니다. 그럼 사건이 잘 해결만 된다면 동시에 강물을 타놓게 되겠습니까?"

"그야 물론 그러겠지-사건이 잘 해결된다는 것은 즉 강물을 타놓는다는 것이니까…그렇지만 지금도 말한 바와 같이 그쪽에서도 그 강물로 역시 농사를 짓는 터이니까 이쪽의 요구대루 즉시 강물을 타놓아 줄지 그것이 의문인 동시에 그것이 피차간 타협점을 발견하기가 곤란하단 말야…물론 우리쪽의 요구가 결코 무리한 것은 아니겠지만-그리고 적은 것은 일상 큰 것한테 희생되는 법이라 하겠지만…"

"예-여러 번 말씀드리기가 황송합니다마는, 사정이 사정인 줄을 참, 할 수 없이 이렇게 또 왔습니다. 어련하실 건 아닙니다만 속히 논에 물을 대도록 처리해 주시면 각하의 은혜를 영구히 잊지 않겠습니다."

"뭐 그게야 위정자의 마땅히 할 일인즉 은혜로 알 것두 없겠지-. 하여간 그리들 알구 돌아가서 기다려주소."

하는 현장의 말에

"예-감사합니다."

하고 그들은 그 자리를 물러서 나왔다.

17. 治水工作(二)

강주사는 그길로 돌아와서 골똘히 궁리해 보았다.

그는 현청에서 들은 말을 종합해 볼수록 사건은 도저히 속히 해결될 것 같지 않았다. 사실 문제는 간단한 성질을 띠지 않았다. 그는 지금까지 기다리고 있던 것이 도리어 어리석은 것같이 생각된다.

그렇다면 이일을 어찌해야 좋을까? 농사를 아주 낭패시키잔 말도 안 되고, 그러자니 언제까지 기다릴 수도 없는 일이었다. 암만 생각해도 물을 속히 대려면 그것은 비상수단을 쓰지 않으면 안 될 것 같았다.

따라서 문제는 두 길 밖에 업다. 비상수단을 써서 물을 대게 하든지 그렇지 않으면 실농(失農)을 하든지-.

그날 밤새도록 이렇게 궁리를 해보던 강주사는 마침내 거사(擧事)를 하기로 결심하였다.

그는 건오와 부락장 등 몇몇 사람을 자기 집으로 불러 앉히고 우선 그 뜻을 발표하자 그들도 문제가 속히 해결되기를 바랄 수 없는 만큼 아무 의의가 없었다.

다만 한 가지 의점은 그런 비상수단을 써서 뜻과 같이 목적을 달하려는지 어쩔지가 염려될 따름이었다.

그러나 그들이 그런 말을 할 때 강주사는 자기의 소신(所信)을 확고하게 말하였다.

"그러니까 양편에 충돌을 일으켜서는 일이 안 되겠지요. 그런 불상사를 일으킨다면 첫째 관청에서 허가를 안 내줄 테니까 충돌을 안 일으키는 방법을 써야만 될 것 같소."

"하지만 비상수단을 쓰는데 어떻게 충돌을 도피할 수가 있을까요?"

하고 부락장은 의아한 눈치로 강주사를 돌아본다.

"그러니까 일이 매우 어렵단 말이지요. 비상수단을 쓰되 불상사는 안 일으키자니까-"

강주사는 더욱 신중히 무엇을 생각하는 모양으로 말한다.

"아니 선생님 말씀은 그럼 관청의 허가를 맡아가지고 거사를 해보시겠단 말씀입니까?"

정대감은 고개를 숙이고 앉아서 가만히 두 사람의 말을 듣고 있다가, 별안간 얼굴을 번쩍 쳐들며 이렇게 웃는다.

"그렇지요-당국의 허락을 얻지 않고서는 폭력 행위로 취체를 받게 될 테니까-"

"예?-그럴 일루 관청에서 허가를 해줄 턱이 있습니까?"

정대감은 자못 실망한 듯이 강주사를 쳐다보며 얼없이 웃는다.

"그것은 우리들이 절대로 책임을 지는데서 되겠지요-그리고 우리가 규률 있는 단체적 행동을 엄중히 지키는데서만-"

강주사는 한 곳을 쏘아보며 저력 있는 목소리로 조금도 주저하지 않고, 굳은 신념을 역설한다.

"아니, 선생님은 어떻게 하시는 말씀인지 모르겠습니다. 관청에서 허가를 해주기로 말하면, 문제가 속히 해결될 것인데 웨 여적 승강이를 하게 됩니까?"

정대감은 종시 강주사의 말을 곧이듣지 않는다.

"그렀습지요-허가를 해줄 말이면 벌써 강물을 타놓았을 것 아닙니까."

하고 병호도 정대감의 말에 동의한다.

"허-건 내말을 아직두 못 알어듣는구만-허가를 어디 현에 가서 얻자는 것인가요. 그곳 경관에서 묵인(默認)을 얻자는 것인데-"

강주사는 약간 언성을 높이며 경기를 내서 말하는데

"경관한테요?"

경관에게 묵인을 얻는다는 것은 더군다나 잘 모를 일이었다. 그래 정대감은 잠깐 놀라운 표정으로 물었고 거기에 따라서 다른 사람들은 일제히 강주사에게로 시선을 집중했다.

"그렇지요."

"원 선생님두 어림없는 말씀을 하십니까? 경관이 그런 일을 잘두 허가해주겠습니다."

마침내 정대감은 코웃음을 치며 물러나 안는데

"그럼은요-경관도 저들 편을 들 터인데 더구나 물을 타놓으라구 가만 두겠습니까."

하고 병호와 부락장도 실망한 표정을 짓는다. 다만 이상열과 건오만이 아무 대꾸도 않고 가만히 무엇을 생각하고 있었다.

"그것은 우리가 옳은 일을 해보겠다는 신념(信念)만 철저할 것 같으면 무탈이 될 줄 아오-"

"뭐-그럴 것 없이 그까짓 것들 내가서 타놓으면 되지 않어요. 여러 말 할 것 없이."

"타놓다가 들키면 어쩔 텐가?"

"타논 뒤엔 들켜도 상관없겠지" 정대감과 병호가 말을 주고받는데

"상관없다니? 그러면 문제가 크게 벌어질 건데-"

하고 건오가 오래간만에 침묵을 깨친다.

"암 그래서는 일이 죽두 밥두 안 되지."

"하여간 어찌되든지 해보십시다. 가만히 있을 순 없는 일이니까."

그들의 의견은 두 갈래로 갈렸으나 종래에는 강주사의 계획대로 실행해 보자고 결정을 지었다.

17. 治水工作(三)

의견이 일치하게 되자 강주사는 그 즉시로 일을 꾸미고저 서둘렀다.

그는 총지휘 격으로 있어서 주민대회(住民大會)를 학교 마당으로 소집(召集)하였다.

양서방은 학교 종(鐘)으로 경종을 쳤다.

별안간 종소리를 듣고 마을 사람들은 무슨 영문인지 몰라 쫓아왔다.

사람들이 얼추 모이게 되자 강주사는 일장의 설명을 시작하였다.

"여러분들도 대강 아실 줄 압니다마는, 그동안 현청에는 대표가 수차 가서 독촉을 해보았으되 도저히 문제가 속히 해결될 것 같지 않습니다. 어제도 현에서 하는 말은 저쪽과 교섭을 하는 중인데 아직 회답이 오지 않았다 합니다. 따라서 그 회답은 언제 오련지 모릅니다. 그렇다고 우리는 언제까지 기다릴 수도 없는 사정인 즉 봄가물 시급히 대책을 강구하지 않으면 안 되겠는데 그래서 오늘밤 안으로 거사를 하기로 대표들은 지금 의논을 한 것입니다.

에-그런데 성공할 방법은 꼭 한 가지 밖에 없습니다. 그것은 여러분이 한마음 한뜻으로 일치한 행동을 취하여 규율과 비밀을 엄중히 지켜야 될 것입니다. 만일 한사람이라도 위반되는 행동을 한다면 우리의 목적은 틀리고 말 뿐 아니라 큰 불행을 가져오는 중대한 사단(事端)을 일으킬 줄 압니다. 그것은 여러분 각자가 십분 명심하셔야 될 것입니다. 자-그럼 여러분의 반을 지금 나눠드릴 테니 각기 부서(部署)를 맡는 동시에 반장의 명령을 절대로 복종하셔야 됩니다. 그것은 우리의 단체적 행동을 해산할 때까지 그래야만 되겠습니다."

하고 그는 먼저 대표들이 선정한 부서를 이상열로 하여금 낭독하게 하였다.

아까 그들이 강주사 집에서 거사를 하기로 결정하였을 때 구체적 방법을 토의(討議)한 결과 우선 부서를 작정하는 것이 좋겠대서 인선(人選)을 미리해 둔 것이었다.

결사적 행동대의 부서는 일대삼반(一隊三班)으로 배치하였다. 총지휘(總指揮)에 강주사요, 부지휘는 부락장 홍승구였다.

척호대(斥候隊)

의료반(醫療班)

식량반(食糧班)

경호반(警護班)

이렇게 부서를 조직(組織)하여 오늘밤 안으로 결사대가 출발하자는 것이었다. 대낮에 군중이 몰려가면 소문날 염려가 있으므로 그들은 밤으로 길을 걸어야 할 것 같았다.

척호대-황건오, 학동이, 성문이. 의료반-반장(班長)에 부락장 반원에 이상열, 김병호, 강주사, 왕로인(滿人), 식량반-반장에 황건오, 유석룡, 원일여, 성문이.

경호반-반장에 정대감, 반원에는 복술이, 양서방, 진소룡(滿人).

이렇게 부서가 발표되자 반원들은 각기 반장을 따라가서 즉시 행동을 개시하였다. 의료반에서는 약과 붕대 등의 의료 기구를 준비하기 위하여 이선생이 정거장으로 뛰어가고 경호반에서는 경비에 필요한 몽둥이를 제가끔 만들어가지게 하였다. 척호대는 전등을 준비하였다. 그것은 암호로 쓸 것이다.

그러나 그보다도 제일 시급히 준비해야할 것은 식량이었다.

이틀 동안 현장에 도착되기 전까지의 일행의 식량을 준비하지 않으면 안 되었다.

그래 식량 반장 황건오는 즉시 만인 부락으로 쫓아갔다. 그는 호떡집을 총동원시켜서 밀가루를 있는 대로 호떡을 다 만들게 하였다.

그리고 부원들은 집집에 물을 끓이게 하였다. 물병을 각자가 준비할 것은 물론요 커다란 물통까지 마련하였다.

이리하여 그들은 해전까지 모든 것을 준비하고 있다가 저녁을 먹고 나서 바로 출발을 하기로 되었는데 대원으로 따라가게 된 사람들은 일제히 가뜬한 복장을 차릴 것과 광이 삽, 곡괭이 독기, 낫, 망치 등등의 연장을 제가끔 가지고 오라하였다. 어느덧 해가 어슬핏하게 넘어간다. 강주사와 부락장은 남폿불을 켜놓고 교실 안에 마주앉아서 대원(隊員)의 명부(名簿)를 꾸미었다.

매호에 한두 사람씩 장정을 있는 대로 뽑았다. 마침 하기방학 때가 돌아왔기 때문에 학생 중에도 꿀찍한 사람은 추려냈다. 그러나 부락장은 그의 아들 황식이를 쪽 빼었다. 그것은 몸이 약하다는 핑계였으나 강주사는 속으로 비웃었다. 만일 자기에게도 그런 아들이 있다면 그는 솔선해서 이름을 적었을 것이다.

이렇게 안팎 부락의 인중을 모조리 적고 보니 무려 근 백 명의 대부대가 된다. 더구나 밤길을 걷게 되는 만큼 인원을 점검(點檢)하기 위해서도 정확한 명부는 필요하였다.

17. 治水工作(四)

저녁을 먹는 대로 사람들은 꾸역꾸역 모여들었다. 양서방은 또 경종을 울렸다.

길 떠날 시각이 임박하자 대원들은 운동장이 그들먹하게 거의 다 왔다.

이상열은 행군의 지휘자로 뽑혀서 대오를 정리하였다. 그는 대원을 일렬횡대로 늘어세우고 구령을 불렀다.

"기착!"

제가끔 연장을 가지고 노동복을 가뜬하게 차린 대원들은 일제히 기착자세를 취하면서 지금까지 까마귀 떼같이 떠들고 있던 것이 조용해진다.

그러나 그들 중에는 이런 교련을 받아보지 못한 축들도 없지 않아서 우스운 자세를 하고 있는 사람도 적지 않았다. 그것은 밤이니까 망정이지 만일 대낮에 이런 거동을 볼 것 같으면 참으로 여간 우습지가 않았을 것이다.

"위로 나란히!"

더러는 구령을 못 알아듣고 흐리멍덩하니 섰기도 한다.

"나란힐 어떻게 하던가?"

"이사람아 여태 나란히두 할 줄 몰라?"

"그럼 나란히를 누가 배웠어야지 허허-"

"배우지 않으면 어림 짐작두 못해! 나란히란 나란히 늘어서란 말이야-"

"하하하-그 자식 둘러 대기는…"

"선생님, 나란히는 그래 나란히 늘어서란 것입니까?"

그들은 이렇게 또 한바탕 짝짜꿍을 놓는다.

"떠들지 말어요-지금은 번호를 부를 테니 차례대로 자기의 번호를 부릅시다-번호…"

이상열은 "번호"의 구령을 다시 불렀다.

그러니까, 첫째로 섰던 정대감이 " 하나!" 하고, 소리를 꽥 질렀다. 김병호, 황건오의 셋까지는 그렇게 잘 넘어갔다. 한데 그담에서 서던 윤석룡이가 마치 벙어리처럼 얼빠지게 있었기 때문에 군중은 와-하고 웃음동이 터졌다.

"이 사람아! 넷 해여."

누가 일러주는 바람에 그제야 석룡은 넷하고 하늘을 쳐다보며 소리를 지른다. 그 통에 군중은 또다시 홍소를 터뜨린다.

"윤가는 소란말이 정말인가부지-이 사람아 웨 하늘은 쳐다보구 소릴 지르나-옆에 사람을 돌아보며 하지 않구 허허허."

김병호가 빈정대며 웃는 것을 "송아지가 엄매-할 땐 하늘을 쳐다보겠다. 석룡인 속옷을 바꿔 입은 뒤부터 덩둘해졌어!"

하고 정대감이 씨까실른다(시부렁거린다). 그래서 군중은 또다시 가마솟끔 터렀다(가마솥 끓듯이 웃어 터졌다).

"쉬-쉬-자, 떠들지 말구 번호를 다시 합시다-번호…"

이선생의 구령이 떨어지자, 번호는 다시 시작되었는데, 이번에는 석룡이가 정신을 바짝 차려가지고 대기(待期)를 했었기 때문에 자기의 차례를 과히 우습지 않게 받아넘기었다. 그는 자기로 하여 또 웃음판이 될까봐 은근히 겁을 내며 가슴을 뛰었었다. 그런데 그런 보람은없어지고 말았다. 그것은 그다음 원일여가 잘못하기 때문에 번호는 또 잡치게 되었던 것이다.

이렇게 몇 번을 고처한 뒤에 비로소 번호는 끗까지 마칠 수 있었다. 번호를 끝낸 뒤에 이상열은 대원의 명부를 들고 교실 앞에 달아놓은 남포등 밑으로 가서 일일이 호명을 시작하였다.

"자-지금은 호명을 할 테니 자기의 이름을 부르는 대로 빨리 빨리 대답하시오."

이상열은 호명을 끝내고나서 먼저 불러본 번호수효와 인중을 대조해보니 서로 숫자가 꼭 들어맞는다.

거기에는 총지휘 부지휘와 상열이 자신의 빠졌을 뿐이었다.

상열이가 점검을 마치고 물러서자 강주사가 대신 들어서며 출발 전의 주의사항을 지시한다.

"자-그럼 인제부터 길을 떠날 텐데 행진을 할 때에는 대오를 정돈해서 하나두 떨어지지 않도록 서로들 주의해 가십시다. 여러분은 지휘자 이선생의 명령을 복종하여 규율을 잘 지키도록 하셔야 됩니다. 그리고 각부의 반장은 반원들을 독려해서 맡은바 직무에 충실하도록 피차에 주의합시다. 식량반은 식량을 의료반은 의료 기구를 챙기고 그밖에 경호대와 척후대도 각각 준비한 것을 준비하되 대원들도 제가끔 챙길 것을 잊지 말아서 하나도 빠진 것이 없도록 잘 생각합시다."

총지휘의 호령이 떨어지자 각 반은 분주히 행장을 챙기었다. 그들은 막 길을 떠나려하는데 별안간 저쪽에서 떠들썩하며 덕성이, 덕성이 하는 소리가 건오의 귀에도 얼핏 들린다. 과연 미구하여 덕성이는 건오에게로 뛰어왔다.

17. 治水工作(五)

식량반장인 건오는 반원에게 식량을 나눠줄 분배를 하기에 분주하다가 뜻밖에 덕성이가 오는 바람에 잠시 하던 일을 쉬고 마주 버티고 섰다.

"너 언제 왔니?"

모자를 벗고 절을 하는 덕성이를 건오는 놀라운 듯이 쏘아본다.

"지금 막 들어왔어요."

덕성이는 뛰어오느라고 숨이 차서 오히려 헐금씨금 가쁜 숨을 내쉰다.

"그럼 넌 집에 있거라-내 다녀올 테니."

건오는 아들에게 하는 말은 이로써 마치고, 다시 반원들에게로 주의를 쏟는다.

"석용이와 일녀는 호떡을 나눠지게-나는 성문이와 물통을 번갈러 지구 갈 터이니."

"뭐-반장님은 고만두시지요. 우리끼리 지구 갈 테니."

세 사람은 마두 쳐다보며 웃는다.

"아니 반장이라구 놀구 먹는 법이 있나"

"아버지! 저두 가게 해주세요."

이때였다. 덕성이는 기착한 자세로 한걸음을 달려들며 엄격하게 말하였다.

"넌 고단할 테니 집에 있거라."

건오는 사실 오래간만에 지금 막집으로 돌아온 그 아들에게 결사적 행동을 하려고 떠나는 이 길을 같이 가고 싶지는 않았다.

"싫어요, 저두 가게 해주서요!"

그러나 덕성이는 어디까지 강경한 태도로 청하기를 마지않는다. 그는 다시 졸랐나.

"아버지! 작년 봄에 제가 집을 떠날 때에 아버지께선 뭐라구 말씀하셨습니까?…너는 애여 다른 생각은 말구 공부를 잘해라…그리고 너는 농림학교를 졸업하고 돌아와선 이 개양툰을 위해서 힘서 일하지 않으면 안 될 사람이다. 그러시지 않으셨습니까?…"

덕성이의 목소리는 마침내 감격해서 떨리었다.

"……"

아버지는 아무 대꾸도 않는다. 이슥고 그 역시 가슴 속이 뿌듯해졌다. 덕성이는 다시 말을 잇댄다.

"그때 저는 '예!' 하였습니다. 아버지! 그럼 지금과 같이 우리 동네에 큰 일이 있을 때에 어떻게 저더러만 편안히 쉬라고 하십니까? 저두 인젠 정말 소학생은 아닙니다.…아버지! 저두 가게해 주서요! 공연히 저 때문에 길이 늦어지는 것 같습니다."

덕성이의 이 말에는 건오도 감동되지 않을 수 없었다. 그래 그는 마침내 허락하였다. "오냐! 같이 가자-네가 진정으로 그렇게 가고프다면-"

그동안 덕성이와 건오의 문답을 듣고 섰던 사람들은 저마다 덕성이의 착실한 언동을 칭찬한다. 그들 부자는 무아몽중으로 섰다가 말을 끝내고 정신을 차려 둘러보니 어느 틈에 군중은 자기 부자를 겹겹이 들러싸고 있는 것이다.

"덕성아! 공부 잘했나?"

"덕성이 잘 있었니?"

사방에서 인사를 하고 대드는 바람에 덕성이는 수줍은 생각이 들어갔다. 건오도 겸연쩍었다.

"선생님 안녕하십시오!"

그는 강주사 이하로 돌려가며 어른들에게 먼저 돌아온 인사를 공손히 하였다.

"자-그럼 대원이 하나 늘었구려. 이선생 덕성이를 명부에 마저 올리시오."

"예!"

이선생은 명부에다 만년필로 덕성이의 이름을 적어 넣는다.

"덕성이는 의료반에다 넣는 것이 어떨까요?"

"그래두 좋겠지요."

"자-그럼 길이 늦어지니 고만 떠날 준비를 하십시다."

"예!"

이선생은 총지휘 강주사의 명령을 받고 다시 곧 대원을 정리하기 시작한다.

그는 운동장 한가운데로 뛰어나서며

"아까처럼 일렬로 죽-섭시다-하나두 빠진 사람이 없이."

"예-아까처럼 제가끔 제자리를 찾아서시오."

정대감이 대거리로 명령하듯 말한다.

그리하여 군중은 출발 직전 의분 잡을 잠시 동안 또 연출하게 되었는데, 집에 남아있는 노약과 부녀자들은 좌우로 죽 둘러서서 그들의 장행(壯行)하는 광경을 자못 긴장하게 보고 있었다.

그중에는 물론, 덕성의 조모와 모친도 섞여 서서 눈물이 글썽하니 바라보고 있었다. 더욱 그의 조모는 아까 덕성이라 별안간 대들어서 미처 반가운 사랑 때움도 하기 전에, 부친을 좇아가겠다는 말을 하자, 한사코 만류해 보았으나 덕성이는 굳이 뿌리치고 내닿는 것이 섭섭하였다. 그는 지금도 아들에게 덕성이를 보내지 말아달라고 청해보려다가 며느리에게 제지를 당하고 말았다. 그래 그는 애꿎은 눈물만 남몰래 흘리고 있었다.

17. 治水工作(六)

"우향우!"

아상렬은 행진 구령을 높이 불렀다.

"오른쪽으로 돌아서요."

그는 이렇게 설명해가며 구령을 불렀다.

"앞으로 갓!"

"앞으로 가란 말이요."

이리하여 대원일동은 제가끔 기구를 들고 장엄한 출발을 개시하게 되었는데 총지휘와 부지휘는 중간에 서고 이상렬은 선두로 앞장서서 대오를 인솔하였다.

그러나 그들은 십인십색의 갖은 행태를 띄고 있었다. 복장도 가지각색이요, 손에 든 연장도 각각이다. 어떤 사람은 괭이를 둘러메고 어떤 사람은 망치를 들고, 큰 낫과 도끼를 가진 사람에 삽과 곡괭이를 집힌 사람도 있었다. 물병을 차고 바랑을 걸머진 사람도 있었다.

지도자 세 사람은 양복을 가뜬하게 차리고 "지까다비"를 신었다. 강주사는 망원경을 메고 부락장은 절병을 찼다. 그리고 손에는 제가끔 단장을 짚었다.

"자-여러분들 평안이 다녀오십시오."

집에 남아있는 사람들은 동구 밖까지 따라 나오며 전송을 한다.

"예-그동안 마을이나 잘들 지키시지요."

일대는 장사진(長蛇陣)을 치고 행길로 늘어서 나가는데 으스름달밤이 음침하게 그들의 주위를 둘러쌌다. 그들은 마치 피난민 같기도 한가하면 무서운 적당(賊黨)이 한 떼로 몰려가는 것 갔기도 하였다. 물론 담은 양철통이 덜커덩거리고 삽과 괭이 등의 연장이 얕은 땅에 부딪치는 쇳소리가 울린다. 이따금 달빛이 구름사이를 뚫고 나올 때는 그들의 형용이 분명해지는 동시에 낫과 삽날의 윤나는 쇠끝이 번뜩인다.

"이선생-행군을 빨리합시다. 오늘밤 안으로 한 칠팔십 리 걷지 않으면 내일 일이 어긋나기 쉽소."

총지휘의 분부다.

"선생님 그러면 밤새워 걸어야 하게요."

김병호가 불안한 웃음을 띠우며 묻는다.

"암 물론이지."

"그럼 잠은 언제 잡니까?"

누구인지 대오의 중간에서 큰소리를 지르며 웃는다.

"잠은 낮에 자면 되지 않나."

정대감이 총지휘의 말을 부추긴다.

"아이구, 큰일 났군! 밤새도록 어떻게 길을 걸어가요"

"뭘 못 걸어! 우리도 토벌대 셈만 치세 그려."

"암-그 셈만 치면 어려울 것 업지."

정대감의 말에 건오가 자신 있게 대꾸한다. 별안간 정대감이 하하하 웃어댄다. 그는 건오의 말로 지난가을의 토벌대를 따라갔던 생각이 문득 났기 때문이다.

"여보게 석룡이 오늘 밤에두 속옷을 입구 올 걸 잘못했네 그려!"

정대감은 석룡이를 볼 때마다 놀려주던 속옷 이야기를 또 꺼내었다. 그 말을 듣자 여러 사람들은 일시에 웃음통이 터졌다.

그러자 이선생은 "각게아시"의 구령을 불렀다.

정대감이 별안간 놀랜 황소 뛰 듯 한다. 그 뒤를 따라서 여러 사람이 달음박질을 하는데 원래 평보(平步)에도 보조(步調)가 각게아시에 발이 맞을 턱이 없었다. 그래 그들의 대오는 갑자기 문란해지며 마치 무엇에 쫓겨 가는 군중과 같이 무질서한 행진을 하고 있었다.

"아이구 선생님…각게아신고만 시키십시오-각게아실 하니까 그때 생각이 더 납니다그려…석룡이 어디 있나?-속곳 바람으로 각게아실 하는데…아하하하하…아이구, 배야…배가 아퍼서 도무지 볼 수가 있어야지…군대 앞에서 웃을 수두 업구…"

"하하하…"

김병호가 연달아 웃음을 내뿜는다.

마침내 그들의 웃음은 조수와 같이 밀려서 그들의 왼대오를 휩쓸고 홍소(哄笑)의 선풍(旋風)을 일으켰다.

그 바람에 이선생도 웃었다. 총지휘와 부지휘도 웃었다.

그들이 웃는 통에 각게아시는 도리어 평보만큼도 속력을 못 내였다. 그래 이선생은 다시 큰소리로 외쳤다.

"자-그럼 각게아시는 고만두고 속보로 걸읍시다. 저 언덕을 넘어서 쉴 때까지-"

이리하여 그들은 속보로 강행군을 다시 시작하게 되었는데, 웃음통의 장본인이 된 윤석룡은 호떡 짐을 지고 뒤에 처져서 웃을 경황도 없이 끙끙대었다. 그러나 그 역시 토벌 때의 기억은 새로웠다. 그것은 그들이 웃을수록 그때 일을 들춰내주는 것 같았다.

그 생각을 하니, 지금도 낯이 후끈해진다. 다행이 지금은 밤이니까 얼굴을 감출 수 있지만은, 날이 밝아서도 그런다면 그 성화를 또 받을 일이 걱정된다. 그러나 그가 웃음거리로 된 대신, 그들 일행은 어두운 밤길도 피곤한 줄을 모르고 잘 걷게 하였다. 덕성이는 복술이와 같이 이야기를 하며 걸었다.

17. 治水工作(七)

마을을 떠난 그들은 이렇게 밤을 새워 길을 걷는데 집에 남아있는 사람들은 별안간 쓸쓸한 기분 속에 싸여서 궁금한 생각을 제가끔 품고 있었다.

지금은 어디쯤 갔을까?…그들은 이렇게 제집식구를 생각하며 밤길을 걷는 그들의 신상을 은근히 염려하기 마지않았다. 그러기에 그들도 잠을 못 이루었다.

그중에도 귀순이는 남모를 가슴을 안타깝게 태우고 있었다.

그는 덕성이가 돌아온 것을 보고 은근이 가슴을 뛰고 있었는데 그리고 그를 오늘밤에 단둘이 만나서 오랫동안 그립던 애정을 쏟으리라 싶었는데 덕성이는 자기를 다시 만나지 않고 일행 중에 뛰어들었다.

그 생각을 하면 지금도 속이 쓰리다. 그것은 자못 실망을 크게 하였다. 어쩌면 그렇게도 무정할까? 사내들이란 다 그런 것인가 싶었고 그렇지 않으면 그도 벌써 마음이 변해 저서자기 같은 것은 아주 잊어버렸나보다 하는 야속한 마음이 없지 않았다.

그러나 다시 생각하면 그렇지도 않은 것 같다. 그것은 자기가 도리어 편협한 생각을 가진 것이 아닐까? 아니 그는 설사 자기를 배반하는 일이 있다 할지라도 그에게 향하는 자기의 마음은 조금도 다름이 없을 것 같았다. 그것은 참으로 이상한 일이었다.

하나 또다시 생각하면 그것은 조금도 이상할 일이 없었다. 사랑이란 것은 진정한 사랑이란 것은 존경하는 마음을 띄지 않으면 안 된다. 존경이 없는 사랑은 한갓 본능적 애정에 불과하다. 따라서 그것은 천박한 동물적 사랑에 그치고 말 것이다.

만일 덕성이가 집에 돌아오는 길로 귀순이를 조용히 만나보고 그사이 오래 떨어졌던 사랑을 속삭였다면 그때는 그것을 다시없는 행복으로 느꼈을는지 모른다. 그러나 그 순간이 지나서 처지를 바꾸게 된다면 어땠을까?-황식이는 결사적 행동대를, 자원해서 따라갔는데, 덕성이는 집안에 가만히 앉아있다면 말이다. 그리고 모든 사람들이 황식이의 의기를 칭찬하고 용기를 미워하는데, 덕성이는 존재도 없는 하찮은 사람이 된다면 그것을 어떻게 볼 것인가? 과연 그렇다면 자기는 그때 부지중 실망함이 컷을 것이요, 그만큼 그를 멸시(蔑視)하고 싶었을 것이 아닌가?

귀순이의 이러한 생각은 마침내 자기의 마음을 너그러이 돌릴 수 있었다. 덕성이는 결코 그런 옹졸한 사람이 아니었다. 존경하는 사랑에는 인내(忍耐)가 필요하다. 최후까지 참는 참을성이 없이는 진정으로 남을 사랑할 자격이 없다보아도 좋겠다.

그렇다면 덕성이가 자기를 다시 만나보지 않고 그길로 마을의 큰일을 위하여 뛰는 것이 얼마나 사내다운 행동이냐! 그와 반대로 그가 만일 마을에 이런 큰일이 있는데도 참으로 어린애처럼 가만히 앉아있었다면 그의 존재가 얼마나 옹졸해 보였을 것이냐?

그것은 황식이의 그런 존재가 더욱 덕성이를 크게 보이게 하는 것이었다. 일상 귀순이는황식이와 덕성이를 서로 대조해보는 데서 두 사람의 인품을 판단할 수 있었다. 두 사람을 다뤄볼 때는 언제든지 한편이 너무 가볍다. 그것은 황식이가 마음에 없는 그의 배우자로서 가까운 거리에 다가 설수록 그런 인식(認識)을 굳게 하였다. 그는 사랑하는 사람이 못난 짓을 하는 것은 차마 못 볼 것 갔다. 그것은 자기가 못난 것보다도 더할 것 같다. 왜 그러냐하면 사랑하는 사람에게는 자기를 희생하고 싶기 때문이다.

그런데 귀순이는 아까 다저녁때 덕성이가 돌아오는 것을 마당에 서서보고 피차에 눈인사만 하고 헤어졌다. 덕성이는 인차 저의 집으로 들어갔다. 귀순이도 목소리를 내기를 끌인 것은 모친이 알고 쫓아 나올까봐 두려웠었다. (그는 덕성이가 오늘 낼 사이에 올 줄은 복술이를 통해서 소식을 듣고 알았었다.)

그래 그는 저녁에 다시 조용히 만나볼 줄로 믿고 은근히 밤이 되기를 고대하고 있었는데, 덕성이는 뜻밖에 어른들을 따라가게 되었다는 말을 듣고, 그는 실망한 나머지지에 부아가 나서 쫓아가 보았다.

그때가, 바로 덕성이가 그의 부친한테 같이 가게 해달라고 졸라대던 판이었다. 여러 사람들은 그들의 주의를 삥-둘러싸고 잠잠히 듣고 있었다. 귀순이도 그래 한귀를 기울였다.…감격한 태도로 부르짖는 덕성이의 진중한 말! 그 말 한마디 한마디는 마치 자기의 폐부를 찌르는 것 같다.

마침내 덕성이가 부친의 허가를 받고 물러섰을 때! 그리고 군중은 와글와글하며 입 뜬 이마다 모두 덕성이를 칭찬하는 소리를 듣게 되었을 때-참으로 그때 귀순이는 얼마나 기쁜 생각에 남모르는 가슴을 뛰었던가. 그 순간의 행복감! 그것은 과연 다른 무엇으로도 바꿀 수 없었다.

17. 治水工作(八)

귀순이가 이런 생각으로 열정을 덕성이에게 쏟는 줄은 모르고 신덕이는 도리어 황식이를 그의 앞에서 칭찬하였다. 그것은 귀순이로 하여금 고소(苦笑)를 금할 수 없게 하였다.

"덕성이두 미친 녀석이야. 황도령처럼 얌전치가 못하구-거기는 뭘 하러 따라간담!"

그는 황식이를 언제부터인지 황도령이라 불러왔다. 그것은 장래의 사위라는 위하고 싶은 마음에서 우러나온 것만은 틀림없다 하겠지만 사윗감이 훌륭한 양반집이라는데 더욱 존경하는 마음을 내키게 한 것이었다. 그리고 귀순이의 마음을 황식이한테로 돌리게 하는 데는 또한 황식이를 추켜올려야만 될 것 같았다.

하나 귀순이는 모친의 이런 속을 빤히 들여다보고 있었다.

그는 지금도 모친의 말을 시답게 듣고 있었다.

"상관없는 일에 왜 남 보구 욕은 하우."

귀순이는 이렇게라도 모친의 말을 대꾸하지 않고서는 그냥 있을 수 없었다. 그는 까닭 없이 덕성이를 비방하는 말이 듣기 싫었다. 만일 기탄없이 말대답을 하잘 것 같으면

"사내체격이 여복 못났으면 이런 때에 집안에 처박혀 있을라구!"

하고 한바탕 대거리를 해주고 싶었다.

올부터 부락장 집 논을 새로 얻어 부치게 된 것이 물론 신덕이로 하여금 황식이를 떠받을게 한 가장 큰 조건일 것이요, 그것은 그의 남편 신용이도 차차 아내의 생각을 닮아가게 하였다. 그런데 일단 올해에는 농사를 한번 잘 지어보자고 벼르는 것이 전에 없는 감음으로 벼가 다 타죽게 된 것을 생각하면 앵하기가 짝이 없거니와 귀순이는 그들과 반대로 도리어 그 꼴이 잘도 됐다 싶었다.

참으로 지금쯤 풍년을 점칠 수 있다면 그들은 얼마나 더 황식이를 추켜올릴 것인가. 그 꼴은 더욱 볼 수 없었을 것이다.

덕성이가 봉천으로 가던 날밤에 한바탕 풍파를 일으킨 뒤로 그담부터 모친은 슬슬 구슬려만 왔다. 그는 기회가 있을 때마다 눈치 있게 황식이를 싸고 들었다. 모친은 자기의 성미를 잘 아는 만큼 강제로 다루다가는 무슨 일을 저지를까봐 겁이 났던 모양이다. 그래 그는 슬슬 어루만져서 소기의 목적을 이루어 보자는 것 같았다.

그러나 그것은 귀순이도 마찬가지였다. 그 역시 모친의 성미를 잘 아는지라 노골적으로 싸움을 걸고 싶진 않았다. 만일 그랬다가는 자기의 신세만 망칠 것 같다. 부모한테도 불효가 더 될 것 같다.

이렇게 두 편에서 제가끔 전술을 쓰기는 일반이었다. 되도록은 피차간 상처를 입지 말고 목적을 이루었으면 하였다.

그러나 서로 그들의 심중에는 제가끔 남모르는 불안과 초조가 숨어있었다. 모친은 모친대로 그 딸의 속마음을 몰라서 종시 안심이 안 되었다. 겉으로 천연한 척하며 아무 말이 없는 귀순이는 마치 깊은 못 속과 같아서 그의 깊이를 알 수 없었다. 그런 못 속은 여간 바람이 불어서는 아무런 요동이 없다. 언제나 잔물결이 맑은 수면(水面)을 희롱하고 지나간다. 그러나 만일 큰 돌을 던질 것 같으면 불끈 성이 나서 온 못 속을 금방 뒤집어놓지 않는가?

모친은 덕성이가 떠나던 날 밤에 그 딸에게서 이 못과 같은 무서움을 발견하였다. 그는 그것이 무서웠다. 과연 섣불리 잡도리 했다가 그의 무서운 성미를 폭발시키면 큰일이라 싶었다.

한편 귀순이는 모친의 그런 태도가 불만이었다. 눈곱만치도 보기 싫은 황식이를 한대중으로 추고 있는 것이 보기 싫다. 그럴수록 그는 더욱 덕성이에게로 마음이 쏠리었다. 자기는 덕성이를 약혼자로 알고 있는데 뚱딴지같은 황식이를 내세우고 그를 사랑하라는 건 무슨 일인가? 언제는 덕성이와 약혼을 했다가 까닭 없이 파혼을 하고 또 황식이와 약혼을 했다고 사랑하라니 정말 결혼이란 이와 같이 셋집 살림하듯 옮길 수 있는 것인가? 가난뱅이는 사랑도 셋집 살림하듯 하란 말인가?

귀순이의 이러한 생각은 그만 오늘이라도 툭 털고 일어서고 싶었다. 그렇지만 그는 너무 조급히 굴 일이 아니라는 생각이 들어서 하루에도 무시로 이러나는 그 생각을 주저앉히고하였다. 그것은 덕성이와의 먼 장래를 염려함이었다.

지금 귀순이는 마음속으로 그런 생각에 골똘하면서 다만 내색을 않고 있을 뿐이었다.

한데 모친은 남의 속을 너무도 몰라주는 것이 야속스러웠다.

어느덧 밤이 이슥하자 그들도 불을 끄고 자리에 누었다. 그러나 귀순이는 좀처럼 잠이 오지 않는다.

그는 꿈같은 장래를 그리기에 여러 가지로 공상에 헤매다가 새벽녘에야 솔곳이 늦잠이 들었다.

17. 治水工作(九)

이튿날 아침에 귀순이가 늦잠을 자도록 모친은 그를 깨우지 않았다. 모친은 되도록 귀순이의 비위를 맞춰 들였다.

단세식구가 아침을 먹고 나서 치우고는 날마다 하는 말로 오늘도 또 한바탕 비가 안 온다고 푸념을 하였다. 필경 올해 농사는 버리게 되나보다. 그들은 진정으로 하늘이 야속하였다.

그런데 생각밖에 황식이가 들어온다. 그는 아침 마실을 온 것이다.

정식으로 약혼을 한 뒤부터 황식이는 귀순이 집으로 가끔 놀러올 용기가 생겼다. 그러나 이렇게 아침 마실을 오기는 처음이었다.

황식이는 어떻게든지 귀순이와 하루 바삐 친하고 싶은 사정도 있었지만 그것보다도 위험을 느끼는 마음이 더 컸었다. 덕성이가 돌아오지 않았는가-. 그는 정말 덕성이가 무서웠다. 귀순이의 태도는 지금가지도 의심을 풀게 못한다. 덕성이가 집에 없을 때도 그랬으니 과연 그들이 다시 만나보면 어떠한 일을 저지를지 모르기 때문이다. 황식이는 그것이 두려웠다.

그래 그는 덕성이가 다시 돌아오기 전에 귀순이와 친할 기회를 엿보고자 하였다.

그의 이런 심중은 신덕이도 잘 알고 있었다. 언제나 그는 황식이를 놀라오라고 꾀었다. 그런 일에는 부모보다도 당자간이 제일이다. 그리고 여자보다도 남자 편에서 능동적으로 수단을 부리게 되면 아무리 싫어하던 여자라도 넘어가고 마는 것이다. 그는 지금도 반색을 하면서

"도령이 오시는군-아침 자셨어?"

하며 어서 들어오라고 아랫목자리를 치우는 것이었다.

"예. 진지 잡수셨어요."

황식이는 벙글벙글 웃으며 귀순이를 곁눈질로 본다.

"이리로 내려 앉어요."

신덕이가 이렇게 뒤스름을 떠는 대로 귀순이는 점점 더 새치름해진다. 그는 모친의 태도가 얄미웠다.

"저 눔은 아침부터 원 장난을 저리 해여-누가 들어와두 모른 척하구…"

신덕이는 귀남이에게 눈을 흘기며 건성으로 야단을 친다.

"날이 좋은데 나가놀지 못 하구 뭘 하러 방구석에만 처박혀 있니-이건 아는 이가 와두 인사를 할 줄 아나…자식두 참 못나기두 했지."

신덕이는 다시 혀를 차며 노려보는데

"어머닌 괜히 저래!"

하고 귀남이는 부리나케 장난감을 주섬주섬 치운다. 그대로 앉았다가는 또 귀퉁이를 쥐어 박힐까 겁이 나서 그는 불뚝하니 심술이 났다. 필경 그는 방문을 탁 닫히고 두런거리며 나간다.

"저런 망할 놈 보아! 어느 새부터 어미한테 쫑알거리구…"

그러나 그는 귀남이가 나가는 것을 보고 은근히 좋아하는 눈치로 웃으며 말한다.

"자-편히 앉어요, 얘기두 좀 하구-"

신덕이는 다시 황식이의 눈치를 살피며 상냥히 말한다.

"예, 얘기는 뭐-할 야기가 있나요"

황식이도 그대로 좋아서 입이 헤 벌어진다.

"나하구 할 얘기야 없겠지만…뭐-부끄러울 것 있나 베…멀지 않어서 한 집안 식구가 될 텐데 그렇잖어! 하하하-"

별안간 신덕이는 큰소리를 내며 웃어댄다. 귀순이는 모친의 그런 말을 들을수록 소름이 끼치고 자리가 거북하였다.

"참 나보게 정신없이 앉았네. 오늘은 댁으로 일찍 가서 버선을 박어 온댔는데."

신덕이는 깜짝 정신이 난 것처럼 일어나서 행주치마를 벗어놓으며 분주히 옷을 갈아입는다.

"아가 그럼 내 얼른 갔다 올 테니 너 집에 있거라-"

"……"

그래도 귀순이는 아무 대꾸를 않고 고개를 숙인 채 돌아앉았다.

"도령은 놀다 갈래어-난 댁으로 갈 텐데…"

"예…그럼 먼저 가세요."

황식이가 어물어물하면서 불안해서 쳐다보는 것을 신덕이는 두어 번 눈을 끔적이고 밖으로 나갔다.

방안에는 단 두 사람이 남았다. 그러나 귀순이는 여전히 돌아앉았다. 별안간 바윗돌 같은 위압이 황식이의 덜미를 내리누른다. 그는 뭐라고 말을 붙여야 할는지 입이 열리지 않았다. 그렇다고 그대로 있을 수도 없었다. 가슴속에서도 불같은 정열이 샘물과 같이 무서리며 타오른다.

황식이는 뛰는 가슴을 안고 귀순이 옆으로 다가섰다. 한참동안을 그는 상기가 되어서 내려다보았다. 별안간 황식이는 귀순이와 정면해서 꿇어앉으며 떨리는 목소리로

"넌 나를 어떻게 생각하니?"

하는 말을 간신히 꺼내었다. 그는 감히 귀순이의 손목을 잡을 용기도 없었기 때문이다.

17. 治水工作(十)

“무엇을 어떻게 생각해?”

귀순이는 시선을 마주 쏘며 열 싸게 부르짖는다. 그는 매섭게 눈을 흘겨 본다. 찬바람이 휙 도는 것이, 서릿발처럼 쌀쌀하다.

“너는 내가 보기 싫으냐 말이야?”

황식이는 주눅이 들어서 쩔쩔매는 표정이었다. 안정이 흐리고, 무기력해 보이는 것이 언제 보아도 마치 혼이 빠진 사람 같았다.

“누가 보기 실태니?”

귀순이는 여전히 짱짱한 목소리로 쏘아붙인다.

“그럼 왜 나만 보면 슬슬 피하는 거야.”

“피하긴 누가 무섭다든!”

귀순이는 말대꾸를 하는 입이 비쭉거려진다.

그것은 덕성이 같으면 이런 유치한 말은 안했을 것이란 생각이 들었기 때문이다.

“그러니 말이다…넌 나를 좋아하지 않는 거 안야?”

황식이는 차차 몸이 달았다.

“몰라!”

귀순이는 더욱 앵돌아진다.

“얘-그러지 말구…사람 좀 살려라…난 정말루 너를…사…”

황식이는 더한층 열중해지며 마치 숨이 넘어가는 사람처럼 말끝을 여물지 못하고 군침을 삼킨다. 그래도 귀순이가 기척도 않으니까 그는 충동을 자제할 수 없는 모양이었다. 별안간 귀순이의 손목을 덥석 잡는다.

"애가 왜 이래!"

별안간 귀순이는 변색을 하며 잡은 손목을 뿌리친다. 그는 마치 송충이가 기어오르는 걸 발견한 때처럼 몸서리를 쳤다.

그 바람에 황식이는 마주하니 물러나 앉았다. 이제껏 긴장했던 정열이 얼음같이 싸늘하게 식으며 일순간에 맺혔던 마음이 확 풀어진다.

그러나 그는 새치름하니 앉아있는 귀순이를 지척에 안치고 마주 볼수록 정욕의 물결은 걷잡을 수 없이 다시 날뛰었다. 그는 마침내 하소연하기를 시작한다.

"넌 남의 마음을 그리도 몰라주니?…내말만 들어주면 네 소원대로 뭐든지 해줄 텐데-"

이렇게 말을 하며 황식이는 부지중 한숨을 내쉬인다.

"그따위 소릴 뉘게다 하는 거냐! 치사스럽게."

귀순이는 눈을 흘기며 독기를 내뿜는다.

"뭐 흉 될 것 있니?…너는 나하군 정식으로 약혼한 사이인데-"

"누구와 약혼을 했어?-그러걸랑 가만히 있지 않구 내가 머 네 놀림까머리냐?"

"아니. 그런 게 아니라…한 마디만…난 죽겠다…"

어느덧 황식이의 목소리는 떨렸다. 그는 이렇게 졸라본다. 목소리가 매우 측은하다.

"죽든지 말든지 내게 뭐 상관있니!"

"너 때문에 내가 죽는 게 넌 왜 그리 좋을 게 있느냐?"

"나 때문에 왜 죽어-얘, 그런 떼는 쓰지두 마라"

귀순이는 정떨어지는 이 말에 더욱 냉정한 태도로, 치맛자락을 휩싸며 자리를 고쳐 앉는다.

"떼가 아니라 정말이다…"

"흥!"

황식이는 말하는 입부리가 실룩실룩해지더니 인해 훌쩍거리는 것이었다.

그는 별안간 눈앞이 캄캄해지며 눈물이 텀벙 텀벙 쏟아진다.

그 꼴을 보자 귀순이는 속으로 우스웠다. 한편으로는 민망한 생각이 없지도 않았다.

"저런 못난이 보게-울기는 왜 울어!"

이렇게 비웃어 주고도 싶었다.

귀순이는 사뿐 일어섰다. 그는 치마 끝을 졸라매며 눈썹이 꼿꼿해진다.

"얘-울라면 나가요-웨 남의 집에 와서 우는 거냐."

"니가 너무 야속히 구니까 그렇지야."

황식이는 주먹으로 눈물을 닦는다.

"공연이 그러지 말구 국으로 있어요! 네 말대로 약혼을 했을 말로면 진드감지 점잖게 굴어야 할 거 아냐-더구나 네 집은 양반이라면서-"

"가만히 있으면 내속을 알어주겠니?"

황식이는 반색을 해서 눈물이 어린 눈으로 귀순이를 쳐다본다.

"그거야 두구 봐야 알지."

"얘-그러지 말구 그 말 한 마디만-응!"

황식이는 귀순이의 치맛자락을 붙잡는다.

"얘가 왜 이래! 그럼 난 나갈 테야!"

귀순이는 다시 성이 나서 홱 뿌리치며 재빨리 방문을 열고 나갔다. 그 바람에 황식이는 다시 멍하니 혼자 앉았다.

이때 뒷벽 창문 뒤에 붙어 서서 엿듣고 있던 신덕이는 문 여는 소리에 깜짝 놀라서 뜰 앞으로 돌아 나왔다. 그는 단둘을 남겨두고 나와서 그들의 거동을 보려던 것인데 그 딸의 태도가 너무도 강경한 바람에 은근히 놀래기를 마지 않았다.

18. 忙中偸閑(一)

떼를 지어 나선 개양툰 사람들은 그날 밤새도록 걸어서 예정대로 칠십 리 이상을 휘달려갔다.

잠 한숨을 못자고 밤을 새워 걸었으니 피로할 것은 말할 것도 없었지만 한 여름철이라도 새벽녘은 선선해서 그들의 빈속을 더욱 떨리게 하였다. 희박한 이슬일망정 축축한 습기가 음산하게 전신을 음습한다.

여전한 헤 멀건 하늘 위로 붉은 해가 떠오른다. 그들은 인젠 더 지껄일 기운도 없었다. 모두들 지친 다리를 끌며 지척지척 걸었다. 발이 부르터서 절뚝거리는 사람도 있었다.

"자, 인저 저 언덕만 넘어선 아침을 먹고 해종일 쉽시다."

강주사의 입에서 이 말이 떨어지자 여러 사람들은 갑자기 생기가 나고 다리에 힘을 줄 수 있었다.

거기는 비탈진 언덕을 올라가는 곳인데 구릉을 넘어서니 느릅나무 한주가 정자처럼 서있다. 그리고 주위로는 풀이 무성하게 낫는데 큰 길과는 두어 마장을 떨어져 있다.

일대가 그곳까지 도착하자 이선생은 대원을 다시 점검했다. 그는 번호를 맞춰보고 나서 명부에 적은대로 호명을 해보았다. 물론 하나도 빠진 사람은 없었다.

점검이 끝난 뒤에 총지휘는 간단한 훈사를 하기를 휴식시간이라도 대장의 허가가 없이는 결코 멀리가지 말라 하였다.

휴식을 명령하자 대원들은 제가끔 풀밭 속에 자리를 잡고 늘어 앉았다.

식량반에서는 그들에게 호떡을 두어 개씩 분배 하였다. 척호대는 한 시간씩 순번으로 언덕에 올라 망을 보게 하였다.

건오는 반원을 독려하여 호떡을 나눠준 뒤에 물을 한 모금씩 돌리게 하였다. 그런데 정대감이 어느 틈에 준비했는지도 모르게 학동이에게 소주를 한 통 지어왔다.

이런 때에야말로 술의 효력은 절대하였다. 여러 사람들은 뜻밖에 술이 있는 것을 보자 모두가 좋아서 날뛴다.

“대감님이 그러면 그렇지 범연할 리가 있나요.”

“이 사람들, 말 말게-다른 때는 왜 술 먹는 사람 험담했지! 에헴! 그런 사람은 한 잔두 안 줄 테니 미리 알아차리소.”

“아이구, 대감님 험담을 누가 했어요-”

하고 소동패가 빌 붓는 데로 정대감은 머리를 좌우로 흔들며 거드름을 부리였다. 그러는 대로 그들은 또 한바탕 웃어대고 강주사 이하로 술을 한 잔씩 빙 돌리었다.

독한 소주를 마시고 나니 술기운이 금시로 전신에 확 퍼진다. 그러자 이상하게도 기분을 ○○○ 나무가피같이 잡히던 호떡에도 새 맛이 우러나는 것이었다.

시장 한판에 일동은 술과 호떡으로 배를 불리었다.

이렇게 아침을 먹고 나니 식후의 피곤이 침노한다. 그들은 또다시 노곤해지며 졸음이 살살 온다. 혹은 눕고 혹은 앉아서 담배를 피우는 사람에 이야기를 하는 사람에 끼리끼리 동무를 찾아가는 사람도 있었다.

그러나 한 잔씩을 더 마신 정대감과 김병호, 부락장 등은 술이 거나하게 취해서, 이야기를 하기에 똑 알맞춤이었다. 그들은 잠을 청하고 싶지도 않았다.

"심심하니 얘기나 하십시다. 선생님부터한마디 해주십시오."

정대감이 강주사에게 먼저 이야기를 해달라고 조른다.

"무슨 얘기?"

"아무 얘기는 못하셔요?"

"그럼 한마디 해볼까"

"예-여러분 졸리지 않은 사람은 이리 와서 선생님 얘기를 들읍시다."

정대감은 신이 나서 벌떡 일어서며 큰 목소리로 고함을 지른다.

"쉬-조용하소!"

강주사는 주위를 시켰다.

이야기를 한 바람에 제가끔 헤어졌던 사람이 모여든다. 벌써 잠이든 사람과 파수를 보는 이외에는 거의 다 모여들어서 강주사를 한가운데로 빙 둘러 싸고 앉았다.

강주사는 한문이 유식할 뿐만 아니라, 이 고장에서 다년간 살기 때문에 문견이 많아서 이야기를 잘하였다. 그가 이야기를 시작하면 마을에 있을 때에도 재미있게 듣는 사람이 많았었는데 더구나 이런 판에는 말할 것도 없이 그들의 흥미를 끌게 했다.

"무슨 이야기를 할까!-올같이 가무는 해니 가뭄에 대한 이야기나 해볼까!"

"그럼 더 좋지요-자 떠들지 말구 조용합시다."

정대감이 턱을 쳐들고 강주사의 입을 쳐다보기 정신이 없다가 군중을 제지한다.

강주사는 점잖게 아랫수염을 쓰다듬으며 그제야 목소리를 굴려서 이야기를 꺼내었다.

18. 忙中偸閑(二)

"장성 땅에 운림지(雲林池)라는 유명한 못이 지금도 있겠다. 이 못은 희한한 만큼 물이 맑어서 그 부근의 주민들은 이 물로 농사도 짓고 빨래도 하고 음료수로 먹기도 하는 아주 귀중한 못이란 말야."

"아, 그렇겠구먼요."

하고 정대감은 벌써부터 감심하기 시작한다. 건오는 잠착히 듣고만 있었다.

"그런데, 지금으로부터 약 천 년 전에 이 운림지 근처에 일간 토옥이 있었는데, 그 집에는 운림이란 사람이 살고 있었거던-"

"그래서 운림지로군! 운림이란 뭘 하는 사람인데요?"

김병호가 궁금해서 미리 묻는 것을 정대감이 돌아보며 핀잔을 준다.

"가만있어 이 사람아. 차차 들어보면 알 것 아닌가."

강주사는 이야기를 중단하고 빙그레 웃으면서 두 사람을 마주보다가 하던 말을 다시 계속한다.

"그 운림이란 사람은 단소를 잘 불기로 유명해서 마을 사람들에게 단소를 가르쳐주는 선생님인데 물론 그 사람이 어떠한 내력을 가졌으며 또는 언제 어디서 들어왔는지도 전혀 촌 사람들은 알지 못하지만 그는 매우 아담하고 겸손한 생활을 해서 마치 신선같이 살고 있기 때문에 촌사람들은 그를 단소선인(短簫仙人)이라고 존경하게까지 되었단 말야."

"예-그런 사람이라군요-참 별인인데요."

병호는 우림의 인물을 짐작하고 비로소 머리를 끄덕인다.

"이 운림 선생은 달밤이면 못가바위에 앉어서 통소를 부는 것이 유일한 락인데 이 통소 소리가 물과 같이 맑은 가을 하늘에 떠오르게 되면 촌 사람들은 새끼를 꼬던 손을 쉬고 여자들도 바늘을 멈추고 홀린 듯이 귀를 기울이드란 말야! 한데 그것은 사람들 뿐만 아니라 달빛이 가득한 못가의 수풀 속에서 어지러이 울고 있던 버러지소리까지 일제히 뚝 끊겨서 오직 옥을 굴리는 듯한 단소 소리가 애련하게 야반의 정적을 깨치고 중천에 떠오른단 말이지."

"아이구, 그런 단소 소리를 지금 한마디 들었으면!"

정대감이 감격해서 부르짖는다. 사실 모든 사람들은 지금 강주사의 이야기를 마치 그때 통소 소리처럼 듣느라고 죽은 듯이 고요하게 숨을 죽이고 앉았다.

강주사는 군중이 흥미 있게 듣는 것을 보자 자기도 신이 나서 윤택한 목소리를 낸다.

"어느 해 팔월 추석날 밤이 돌아오는데 소위 일 년 명월 중에 가장 달 밝은 밤이 추석이 아닌가. 그러니 운림 선생이더구나 이런 달밤에 어떻게 가만히 있었겠느냐 말야. 그는 언제와 같이 바위에 올라 앉어서 밤이 깊어지는 줄도 모르고 단소를 불기에 딴 정신이 없었겠다. 그런데 달이 밝을수록 애련한 곡조는 더욱 애조를 띠어서 누구나 듣는 사람으로 하여금 창자를 끊게 할 만큼 가위 명곡이더란 말야. 그런데 바로 그때였다. 운림이 언뜻 보자니까 아주 지척에 어디서 언제 왔는지 모르는 일위의 절대 가인이 가만히 서있더란 말야-"

"야-이건 정말…"

누군지 큰소리를 내자 여러 사람들은 일시에 선망의 웃음을 터치고 웃는다.

"쉬-그래서요?"

정대감이 강주사의 턱밑으로 바짝 대들며 군침을 삼킨다. "그러니 얼마나 아리따워 보이겠느냐 말야-소복단장으로 아미리를 숙이고 서있는 자태는 마치 선녀가 아닌가 의심할 만큼이지."

"그래서요?"

"그래서요" 소리가 예서제서 나온다.

"그런데 미인은 운림 선생의 눈에 띠운 줄을 알자, 수태를 머금고 얼굴에 홍조를 붉히더란 만 별안간 운림 선생의 발아래 꿇어 엎드리는데 엎드리며, 단소 소리보다도 더 한층 아리따웁고 부드러운 목소리로 하는 말이-나는 천상 선녀올시다. 그러오나 당신의 퉁소 소리를 듣느라고 밤마다 흘려있었기 때문에 옥황상제께서 진노하시와 이 인간으로 떨어지게 하셨습니다. 하지만 나는 누구를 원망치는 않습니다. 다만 당신의 옆에서 언제까지든지 단소 소리를 들을 수만 있다면 나는 그 이상의 행복이 다시없을 줄로 생각합니다. 바라옵건대 나같이 방자한 계집일망정 일평생 당신을 모시게 해 주십시요! 그것이 제소원이올시다-아, 이러면서 하소연을 한단 말이지"

"야-이건 정말…"

또 누구인지 아까처럼 이런 감탄사를 토한다.

"그러니 홀로 고적하게 지내던 운림 선생의 기쁨이야 말할 것도 없겠지. 두 사람은 그 즉시 요새말로 사랑의 보금자리를 쳤겠다."

"아하하하…"

여러 사람들은 모두 재미가 있어서 큰소리를 내며 웃는다.

18. 忙中偸閑(三)

강주사는 기침을 한 번 하고 나서 다시 이야기를 계속한다.

"운림 선생이 이렇게 재미있는 살림살이를 하고 보니, 그것은 자기도 뜻밖에 일로서 그야말로 움 안에서 떡을 받든 셈이지만, 남들도 여간 부러워하지 않을 만큼이었는데, 어느덧 흐르는 세월은 그 해가 지나고 새봄이 돌아왔겠다. 그러나 장장 춘일도 덧없이 지나가고 다시 여름이 되었는데, 아마 그 해도 올같이 가물었던 가부데…"

"올같이 가무는 해가 또 있어요?"

어디서 자는 줄만 알았던 석룡이가 튀어 나서며 이야기에 쐐기를 친다. 그는 사실 별러서 농사를 잘 지어 보잔 것이 실패하기 때문에 가무는 하늘이 여간 야속하고 원망스럽지 않았다.

"지금처럼 곡식이 타죽고 물이 마르고, 하는데, 일기는 그대로 불빛만 내리쪼이고 보니 민심은 차차 소동되어서 마을 사람들은 매일과 같이 기우제를 지내건만 냇물은 물론이고 우물 늪까지 말러서 식수가 곤란할 지경이지-"

"허허-그때도 강물을 막어 논 놈들이 없는가요?"

"그렇게 가물었을 말로면 강물두 다 말렀겠지."

"그럼 물고기는 많이 잡었겠구만."

"저 자식은 치사하게 밤낮 먹는 타령이야"

"얘 말 말어, 민은 이식위천이란다"

"쉬-그래서요?"

소동패들이 이렇게 떠드는 것을 정대감이 정숙을 명한다.

"그래서 언제나 맑은 물이 호수처럼 담겨있던 운림지까지도 급기야는 물 한 방울 없이 바짝 말러 붙기 때문에 마을 사람들은 당장 먹을 물이 없게 되어서 조석 때면 대소동을 일으키게 되었더란 말야-그런데 이렇게 전무후무한 한발이 계속함에 따라서 운림 선생의 부인은 염려를 크게 하기 때문에 병이 나고 그 신병은 날로 심해 가는데 더구나 그 부인은 밤낮으로 무슨 일인지 자기조차 피하기 어려운 어떤 무서운 운명에 사로잡힌 것처럼 심장을 쥐어뜯고 번민하는 모양이 현저함으로 운림 선생은 그 까닭을 묻기를 수차 하였으되 웬일인지 부인은 한결 같이 입을 다물고 있는 것이 괴이하더라거든."

"그건 또 웬일인가요?"

여러 사람은 눈이 둥그레 강주사의 입을 모두들 쳐다본다.

"그런데 한밤은 더욱 더욱 심해져서 그것은 이 땅이 생긴 이래로 처음 되는 대한이고 보매 곡식은 말할 것도 없고 사람까지 타죽을 지경인데 운림 선생의 부인은 그대로 몸이 수척해서 인제는 피골이 상접하도록 아주 볼 수 없게 되었단 말야…그러니 운림 선생의 상심하는 경상이야 이로 말할 수 가 없겠지. 그는 전심력을 다해서 간호를 하고 있는데 하루는 몸이 매우 괴로함으로 잠간 병상을 떠나서 잠이 들었다가 눈을 떠본 즉 천만뜻밖에도 그 부인이 간 곳 없더라지. 깜작 놀래서 일어나 본즉 한 장의 유서가 노여 있고 그것을 급히 떼어본즉 이렇게 썼더라지.

-대단 죄송하고 부끄러운 일이올시다. 못 속의 고기로 타고난 제 분수를 모르옵고 낭군을 모시고 싶은 일편단심이 인간으로 변하게 되어 낭군의 마음을 위로하고 오늘날까지 살어왔습니다마는 아시는 바와 같이 물귀신이 대로하여 이와 같은 미증유의 한발을 내렸습니다. 가뭄으로 고초를 겪는 무

고한 사람들을 구원하기 위하여서라도 또는 내 자신이 물이 없기 때문에 죽을 병에 걸린 것을 고치기 위해서라도 나는 다시 못 속의 고기로 돌아가겠습니다. 그러나 나는 영원히 낭군의 사랑을 이질 수는 없습니다. 바라옵건대, 이 보기 싫은 것이라도, 잊지 마시고, 달밤에는 언제든지 그 바위에 올라 앉어서, 지금까지와 같이 퉁소 소리를 들려주십시오. 그리고 낭군의 그림자를 물속으로 비춰 주십시오. 나는 낭군의 그림자라도 바라보면서 일생을 즐겁게 살어 가고 싶습니다-아, 운림 선생이 이 편지를 다보고 나자 그만 너무도 서러워서 한바탕 엉엉 울지 않았던가 베. 그러노라니까 그때 집밖에서 사람들의 떠드는 소리가 들려오는데, 그것은 별안간 큰비가 쏟아지는 것을 보고 모두들 좋아서 떠드는 소리더라거든. 그러니 운림 선생은 그날부터 미칠 지경으로 되어서 밤마다 못가 바위에 올라 앉어 단소를 불기에만 시름을 있게 되었는데 그런 때마다 못 속에서는 운림을 부르는 소리가 은은히 들리더래! 어느 날 밤도 달이 몹시 밝은데 운림 선생은 단소를 불다가 못 속에서 자기를 부르는 목소리를 듣고 고만 풍덩 빠져버렸소!"

강주사는 여기까지 말을 끊고 웃는다.

18. 忙中偸閑(四)

"그럼 아주 죽었나요?"

여러 사람들은 실망한 듯이 강주사의 입을 쳐다본다.

"물에 빠졌으니 죽지 않구."

"아니 그라구 말었어요?"

"그 뒤로부터 달밤이 되면 지금까지도 운림 선생의 단소 소리가 못 속에서 은은히 들린다는데, 혹시 감음이 대단할 때는 이 못으로 가서 기우제를 지내면 반드시 비가 온다거던-그리고 이 못 속에는 물고기가 많건마는 촌 사람들은 그것을 운림 선생의 넉이라 하여 결코 한마리라도 잡는 일이 없다는데, 이것이 운림지에 대한 옛날부터 내려오는 전설(傳說)이라오"

강주사는 여기까지 이야기를 끈치고 물러나 앉는다.

"허허-그거 참 애닲는 일인데요."

"아니 정말루 그런 일이 있었을까요?"

"있었기에 그런 이야기가 생겨낫겠지"

"그럼 올에도 기우제를 지냈을 게 안야?"

"물론 지냈겠지-그 근처 사람들이"

"그럼 비가 웨 안 올까?"

"거기는 왔는지 누가 아나."

"오긴 뭘 와-여기서 불과 몇 백 리밖에 안 된다면서."

"그거야 알 수 있거디."

"아니 그런 게 아니라, 올같이 가무는 해를 보면, 다른 운림 선생이 또 생겨났는지 모르잖어 허허허-"

"참 그런지도 모르겠군-제이의 운림 선생이 생겨나서 그런 지두…허허허"

그들은 이렇게 허튼소리를 하는 동안에 행역에 피곤한 줄도 모르고, 지루한 시간을 보내었다. 그러나 행인이 지날 때에는 파수꾼의 신호로 목소리를 죽이었다. 한숨씩을 늘어지게 자고나니, 저녁때가 되었다. 그들은 점심 겸 저녁으로 술 한 잔씩과 호떡을 두어 개씩 나눠 먹었다.

저녁을 먹은 뒤에 해가 넘어가기를 기다려서 그들은 다시 행군을 시작하였다.

거기서는 목적지까지 불과 오십 리 상거밖에 안되었다. 인제는 천천히 걷더라도 내일 아침까지에는 무난히 도착할 수 있다.

이곳의 지리는 누구보다도 건오가 잘 안다. 그것은 실지 답사를 한 경력이 있기 때문이다.

그래 그는 척호대의 선봉으로 앞장을 서서 밤길을 안내하였다.

그들은 붉은 전등과 푸른 전등을 각기 휴대하고, 신호로 비춰주기를 약속하였다. 푸른빛이 비추면 무사하니 따라오라는 것이요, 붉은빛이 비출 때는 위험하니 그대로 서라는 암호였다.

그만큼 척호대와 후방 부대와는 멀찌감치 서로 거리를 때우고 걸어갔다. 목적지가 점점 가까워질수록 그들은 주의를 각별히 하였다. 만일 미연에 그들의 행동이 발각만 난다하면 모든 일이 수포로 돌아간다. 행군은 절대 비밀로 거사 전에 소문이 나지 말아야 한다. 그래 그들은 입을 딱 다물고 마치 유령의 행렬같이 찍소리도 안내였다. 그것은 총지휘가 천언 만언으로 신신당부를 해온 바이요, 이번 일이 되고 안 되는 것은 오직 전 대원의 규율 있는 단체적 행동에 있다는 것을 이날 밤에 떠날 때에도 엄중히 경계해두었던 때문이었다.

사실 이번 일이 잘되고 못 되는 데는 여러 사람에게 죽고 사는 문제가 달려있다. 비록 그들이 오합지중이라 할망정 서로 공동한 이해가 크게 달려 있으므로 그들은 서로 주의를 열심히 지키었다. 거기에 용의주도한 지도자가 사이사이 끼어있었기 때문에 그들은 불식 부지중에 단체적 훈련을 배우게 되었다. 총지휘 강주사는 물론이요 이선생과 같은 행군의 지휘자가 있었고 건오와 정대감, 김병호 등은 중견직을 담당하였고 소동패 축에는 덕성이와 복술이가 끼어있었다.

그중에도 건오의 책임은 중대하였다. 그는 척호대의 선봉이니만큼 길을 인도하는데 여간 고심하지 않았다. 마을 가운데로 길이 뚫린 데는 테밖으로 길을 돌아가지 않으면 안 되었다.

그런데는 길이 없는 데를 찾아가자니 여간 힘이 들지 않았다. 다행이 가문 때이라, 물이 괴어있는 도랑이나 포자를 만나지는 않았지만, 그래도 진펄의 잡초속이나, 고량 밭 속으로 없는 길을 찾느라고 헤매지 않으면 안 되었다.

그런 때는 더구나 찍소리도 못 내게 된다. 풀숲 속에는 모기떼가 벌떼같이 진을 치고 덤빈다. 모기가 물어도 그들은 따갑다 소리를 못했다.

이렇게 천신만고를 해가며 그들은 밤을 새웠는데 동리를 비키고 들어서 신작로로 나올 때는 여간 기쁘지 않다. 인제야 살았다고 그들은 제가끔 긴 숨을 돌리는 것이었다.

그 이튿날 식전에 일대는 목적지의 십 리 밖에서 강펄 버들 밭 속으로 들어가 숨어 앉았다.

19. 擧事前後(一)

그들은 버들 밭 속에서 나머지의 양식으로 아침을 털어 먹었다.

식량반과 경로반이 출동하였다. 그와 동시에 강주사, 부락장, 이선생 등은 교섭위원으로 선정되어서 그곳 경찰관 주재소로 진정서를 들고 들어갔다. 그것은 주민 전체가 연서한 것이었다.

소장이 진정서를 다 읽기를 기다려서 강주사는 다시 핍진한 말로 사정을 설명하였다.

현청에서는, 수삼 차 독촉을 해야 아무 기별이 없다는 말과 그것은 현이 다른 만큼, 처리가 잘 안 되는 모양이어서 지금까지 해결을 못 짓고 있는데, 언제까지 기다릴 수도 없는 일이므로 할 수 없이 거사를 해서 이렇게 백여 명이 결사적 행동대를 조직해가지고 밤을 새워 왔다는 말과 그러나 우리는 폭동을 일으키려고 온 것은 아닌 즉 따라서 양편에 충돌을 일으킬 염려는 조금도 없을 것이요 그것은 전책임을 져도 좋다는 것과, 이곳 주민이 만일 수보(水)를 타놓은 결과로 올 농사를 잘못 짓게 된다면, 수리(水利)가 편리하고 농장지대가 좋은 개양툰으로 전부 이주(移住)를 시킬 수도 있는 터인즉 그렇게 같이 살아도 좋다는 말과, 그러나 경찰 당국에서만 이일을 묵인해 주시면 오늘밤 삼경에 약자 약차하겠다는 말을 가장 솔직하게 털어놓고 말한 후에 소장의 처분을 기다렸다.

소장은 이런 일은 처음 당한다.

그래 그는 잠시 주저하였다. 그는 묵허를 해주어야 좋을는지 안 해주어야 좋을는지 모르게 되었다.

강주사 등 일행은 소장의 망설이는 눈치를 보고 더욱 간곡히 호소하였다.

사실, 관리로서도 공평하게 따져 본다면 그들의 요구가 결코 무리한 것 같지는 않았다. 대소와 청중으로 본대도 그들 편이 몇 배가 더 크다. 이런 경우에 만일 위압만 할 것 같으면 도리어 위험하지 않을까? 그들은 어떠한 폭동을 일으킬는지 모를 것이요, 따라서 그것은 어떤 중대한 사건으로 확대될는지도 모르기 때문이다. 그들은 한두 사람이 아니요 백여 명이 결사적으로 문제를 해결하기 위하여 이렇게 단체적 행동을 취한다는 데는 미상불 겁이 난다. 더욱 안녕질서를 유지하는 책임을 맡은 경찰관의 입장으로서는 그 미치는 바 사회적 영향을 신중히 생각하지 않으면 안 될 것 같다. 위정자로서는 이런 때에야 말로 정치적 수완이 필요할 것 같기도 하다.

소장은 한참동안 가만히 앉아서 무엇을 골똘히 생각하다가 엄숙한 어조로 말한다.

"음-이것은 대단 중대한 문제이라, 본관이 자유로 처리할 수 없은즉 상부에 부고해서 명령을 기다릴 수밖에 없소."

"예. 그러실 줄야 저희도 잘 알겠습니다. 그렇지만 일이 그렇게 확대된다면 또 현정의 처리와 마찬가지로 될 것 아닙니까? 그것은 도리어 일만 크게 벌어지게 하고 아무 해결을 못 짓게 될 것입니다."

"어째서?" 소장은 두 눈을 부릅뜬다.

"우선 생각해 보십시오-백여 명의 농민이 단체적으로 습래하였다면 상부에서는 즉시무장경관대를 출동시켜서 아무 일도 없는 우리들만 해산시킬 것 아니겠습니까? 그래서 해산을 잘 듣지 않으면 양편에 충돌을 일으켜서 그야말로 불상사가 생기게 될 게고, 따라서 그것은 현정과 현정 사이에도 큰 문제가 생길 것입니다. 그러나 우리는 당초부터 그런 일을 꾸미자고 온 것은 아닙니다. 우선 당장, 수백 명의 인명이 실농을 하게 되면, 몰사할 운명에 빠져있으므로, 인제는 더 기다릴 수가 없는 막다른 골목에서 죽기를 맹서하고 나선 길입니다. 금명간으로 강물을 안 타놓으면 농사는 아주 버리게 됩니다. 농사를 버리게 되는 것은 목숨을 버리는 것과 일반이올시다. 그러니 이점을 잘 통촉해주십시오."

강주사의 말을 들을수록 소장의 마음은 감동되었다. 사실 그들의 사정이 그렇기도 할 것 같다.

"에-그럼, 일행은 지금 어디쯤 있는가?"

"여기서 한 십 리 밖인 강펄 버들 밭 속에 숨겨두었습니다."

"무슨 흉기 같은 것은 갖지들 않았는가?"

"옛, 그런 것은 절대로 없사옵고 보메기를 파헤치자면 불가불 연장이 필요함으로 약간의 농구를 휴대하게 했습니다."

소장은 강주사가 말하는 대로 점두를 해보이다가 마침내 무슨 결심을 하는 모양으로

"정말 그대 등은 뒷일이 무사하도록 절대 책임을 지겠는가?"

하고 눈을 똑바로 떠서 일동을 쏘아본다.

"네 그것은 조금도 거짓이 없겠습니다."

그들은 여출일구로 장담하였다.

"에-그럼 본관의 직권으로 묵인을 할 터이니, 그대들은 십분 주의해서 아무쪼록 뒤탈이 없도록 하라구."

"이 말을 듣자 일동은 기립하여 감사한 뜻을 무수히 치사하기를 마지않았다.

우선 당국과의 교섭에 성공한 그들은 참으로 개선장군과 같이 활개를 치며 그길로 나왔다.

19. 擧事前後(二)

식량반장인 건오는 반원을 다리고 음식점을 찾아갔었다. 쌀 삼백 인분을 주문하니 음식점 주인은 입을 딱 벌리며 놀란다.

이렇게 많은 음식을 한때에 주문 맡아보기는 실로 처음인 까닭이다.

"그렇게 많은 사람이 앉을 자리는 없는데요."

주인은 이렇게 말하며 의심스레 쳐다보는 것이었다.

"아니, 앉을 걱정은 말구 만들기나 해요 얼른!"

건오는 성을 내며 재촉하였다. 주인은 그 바람에 신이 나서 큰소리를 지르며 명령을 한다. 별안간 무슨 일이나 난 것처럼 집안이 떠들썩하여 식구들이 총동원해서 병을 만드느라고 야단들이었다.

건오는 몇 시간을 기다려서 만든 병을 나눠가지고 진중으로 돌아왔다. 그리하여 점심들을 먹고 나니 인제는 만사가 태평이었다.

그들은 돌려가며 파수를 보게 하고 한숨씩을 늘어지게 잤다. 자고 나니 정신이 돌고 몸이 가뜬해지는 쾌감을 느끼겠다.

붉은 해는 오늘도 건조한 퇴색하늘 위로 힘없이 떴다. 버들잎이 배배 꼬이도록 진펄에도 습기가 없다. 대지에 널려있는 삼라만상이 모두 맥이 없이 척 늘어졌다. 모든 생명이 물을 그려하고 목이 말러 헐떡인다. 풀 속에서 우는 여치의 울음도 가냘프다.

이런 광경을 보고 있을수록 그들의 마음은 일치해졌다. 어느덧 해가저서 기다리던 시간이 돌아왔다.

그들은 저녁을 든든히 먹었다. 땅거미가 되자마자 다시 그들은 출발할 치부를 차리었다.

오늘밤이야말로 최후의 결과를 가져온다. 큰일이 성사되고 안 되는 것이 이 밤 동안에 달려있다. 그럼으로 오늘밤은 전원일치 일사불란의 규율적 행동을 하지 않으면 안 된다는 것이 총지휘의 엄중한 훈사였다.

그들은 복장을 가뜬하게 제가끔 졸라매고 일제히 연장을 들었다. 행진을 시작하자 척호대는 전등불을 비취이며 앞길을 인도하였다.

갈밭과 버들 밭 속을 헤치며 길 없는 강펄을 뚫고 나가기는 여간 곤란한 일이 아니었다. 그만큼 행군이 더디었다.

그러나 그들은 초조하지 않았다. 원래 밤중에 거사할 작정이었으므로 시간은 아직도 넉넉히 남아있었다.

건오는 척후대의 사명을 띠고 맨 앞장을 서서 들어갔다. 한 길이 넘는 버들가지와 갈대를 더위잡을 때마다 와삭와삭 소리가 난다. 얼굴을 후려친다. 캄캄한 밤 후미진 강펄 속에서 이 와삭와삭 소리와 함께 희끄무레한 긴대열의 일대(一隊)는 마치 어떤 거대한 파충(爬虫)이 기어가는 것처럼 처참해 보이기도 하였다. 거기에 모기소리가 무섭게 왱왱 거린다.

각일각 여름밤은 깊어진다. 그대로 그들의 조심스런 발걸음도 한 발 두 발 목적지에 가까워졌다.

척호대의 신호가 잦아진다. 그것은 현장이 가까워지는 대로 거동이 사나웠기 때문이었다.

건오는 신호를 비춰서 부대를 뒤로 세워놓고 현장에까지 정찰을 가보았다.

강을 건너막은 데는 요전에 실지 답사를 와서 볼 때처럼 높은 봇둑 위로 물소리가 무섭게 흘린다. 유조(柳條)와 말뚝이 전대로 싸여있고 파수막도 여전하다. 그러나 사람의 기척은 도무지 없었기 때문에 그는 우선 안심할 수 있었다.

"옳다, 잘 되었다!"

이렇게 입속으로 부르짖자, 인해 발길을 돌리었다. 후방부대가 있는 곳까지 뛰어가서 그는 들어오라는 신호를 다시 비쳤다.

그들이 차차 가까이 들어와 볼수록 어마 어마한 광경이 지척에서 보인다. 드높은 지대 위로는 호수처럼 담긴 물이 밤빛에 그윽이 빛난다. 그들은 우선 이 많은 강물을 보니 심성이 뒤틀린다. 이렇게 물을 막아놓았으니 하류에서 농사를 질 수가 있는가? 저마다 이런 생각이 들자 그들의 소위가 괘씸스러웠다. 봇둑을 넘어 흐르는 물은 어둔 밤에도 백포를 펼친 것처럼 폭포와 같이 떨어진다. 이 장엄한 광경과 아울러 그곳에 쌓아놓은 산더미 같은 버들가지와 말뚝이라던가 또는 파수막을 지어놓은 것이 눈앞에 보일 때에 그들의 분심은 더욱 폭발되어서 이 순간에는 어떠한 무서운 일이라도 해낼 것 같았다.

"자-그럼 시작하지요!"

정대감이 다급하게 서둘러야 하는 것을 총지휘가 저지하여 가만히 소곤거린다.

"저 건너에 배가 매어있지 않은가?"

"예, 그런가봅니다"

그들은 일제히 그편으로 시선을 쏘아본다.

"그럼 저배를 이쪽으로 풀려와야겠소-누가 헤염을 잘 치던가?"

총지휘의 이 말에는 뽐내던 정대감은 물론 모두가 죽은 듯이 섰을 뿐이었다.

19. 擧事前後(三)

주민부락이 강 저편에 있고 그쪽 언덕 밑에 배가 매어있다. 만일 봇둑을 파적키는 소리를 듣고 좇아 나오던가. 그렇지는 않다하더라도 망을 보러 나왔다가 이편의 일대가 발견되는 경우에는 그 배로 인해서 양편이 충돌할는지도 모른다. 그 지경에 일은다면 목적을 달하지도 못할뿐더러 뒤 책임을 짊어질 책임 문제에 있어도 여간 큰일이 아니었다.

그래서 총지휘는 여기까지 용의주도한 생각을 하게 되었는데 참으로 그래야만 안심을 하고 거사할 수 있을 것 같다. 그러나 배를 누가 들어오느냐 하는 문제에 있어서는 저마다 신변의 위험을 느껴서 선뜻 나서는 사람이 없었다. 사실 이어두운 밤중에 풀숲이 충충한 언덕 밑으로 우중충하게 마치 황천의 흐린 노을이 구렁이 비늘처럼 잔 물살을 치고 번득이는 깊은 물속으로 뛰어 들어서 저편 언덕 밑까지 수영을 쳐간다는 것은-그리고 거기에 매어있는 거로를 풀어 타고 온다는 것은 여간 곤란하고 위험한 일이 아니다. 그야말로 죽기를 겁내지 않는 일대 용맹심을 발휘하는 결사적 행동이 아니고서는 누구나 감히 나설 수가 없는 일이었다.

그래서 그들은 죽은 듯이 아무 말이 없었던 것이다.

"아무도 들어갈 용기가 없는가?"

총지휘는 약간 높은 음성으로 부르짖으며 주위를 둘러보았다. 바로 그때였다.

"제가 들어가겠습니다."

저력 있는 목소리가 울린다. 누구일까? 일동은 그게 누구인지 몰라서 눈이 휘둥그레진나. 그러자 옷을 훌훌 벗고 나서는 사람은 바로 덕성이었다.

"아! 덕성이…"

총지휘는 감격해서 언덕위로 나서는 덕성이 옆으로 한걸음 와락 달려들었다.

"네가 정말 헤염을 쳐갈 수 있겠니?"

그러나 강주사는 덕성이가 아직 어린사람이니만큼 다소 미덥지 못한 생각이 들었다.

그는 참으로 덕성이가 나설 줄은 몰랐다. 그는 어른들 중에서 누가 나설 줄만 알았고 그게 또한 정당한 일로 알고 있었던 만큼 아무도 안 나섰던 것보담은 덕성이라도 나선 것이 장하기는 하나 그래도 어른들의 명예를 위해서는 다소 섭섭한 생각이 없지 않았다.

"예, 건너갈 자신이 있습니다."

"누구 다른 이들 중에 들어갈 사람은 없는가?"

만일 이때에 나선 사람이 덕성이가 아니었다면 건오가 나섰을는지 모른다. 그러나 그는 사실 수영을 잘하는 편은 못되었다. 그래도 끗까지 나서는 사람이 없었다면 자기라도 나설 수밖에 없었는데 의외에 덕성이가 들어간다고 나서니 그만큼 기쁜 생각이 없지 않았다. 마을의 큰일을 위해서 최후로 가장 어려운 일을 담당하고 나서는 자야말로 얼마나 용사다운, 명예로운 일인가? 그런 일을 남이 하지 않고 바로 자기가 할 수 있다면 얼마나 통쾌한 일이며 또한 남아의 떳떳한 일일 것이냐 마는 자기대신 아들이 한다 해도 버금가는 기쁨은 넉넉할 줄 안다.

그러나 건오는 그 아들을 사랑하는 마음에서 행여 실수나 없을까 하는 한

가닥의 불안이 없지 않았다.

"오-그런 자신이 있거든 들어가 보아라-"

그러나 덕성이는 그 말이 떨어지기 전에 벌써 언덕 밑 강중으로 뛰어들었다.

"풍덩!"

처참한 물소리가 별안간 강중을 울리었다. 그 뒤로 철벅철벅하는 물을 헤어나가는 소리가 들릴 뿐-여러 사람들은 오직 주먹에 땀을 쥐고 눈독을 한군데로 쏠 뿐이다. 모두들 숨을 죽였다.

덕성이는 언덕 밑으로 상류 쪽을 수영해 올라갔다. 그러다가 다시 아래로 빗겨 수영하며 저편으로 건너는 것이었다. 그는 아무리 막은 물이라도 흐르는 물을 곧장 건너가기가 힘든 줄을 잘 알았다.

그는 이렇게 무난히 건너갔다. 수영해 가는대로 물고기 떼가 살을 시치고 지나간다. 선뜩한 냉혈 동물의 감촉은 마치 배알을 쥔 때처럼 혐악(嫌惡)한 느낌을 준다. 그러나 그는 이런 죽고 살판에 미처 그런 생각을 할 만한 겨를도 없었다.

얼마 뒤에 그는 언덕 밑까지 수영해 가서 뱃전을 붙들고 선중으로 올라갔다.

그는 배에 올라서자 두 손을 쳐들었다. 강 건너의 희끄무레한 군중이 어둠속으로 건너가 보이기 때문이다.

뱃줄을 끊으니 배가 물결에 밀려나간다. 미구에 노를 저어오는 삐득삐득 소리가 들리었다.

그 소리에 이편에 서있던 군중은 작약하였다. 그들은 만세를 부르는 대신 두 손을 쳐들고 좋아서 날뛰었다.

19. 擧事前後(四)

덕성이의 대감 용맹한 행동으로 강 저편의 거투배를 이편으로 옮겨오자 그들은 다시 더 불만을 느낄 것 없이 목적하던 일을 착수할 수 있었다.

총지휘의 명령이 일하하자 여러 사람들은 제가끔 연장을 들고 일제히 보막은 뚝으로 대들었다.

그와 동시에 정대감과 김병호는 집파나무에 불을 질렀다.

오랜 가뭄에 버들가지는 성냥가비처럼 바싹 말랐다.

짚더미같이 싸인 마른나무와 파수막은 불이 닿기가 무섭게 화르르 타오른다. 그 속에다 말뚝에도 불을 붙였다.

그래서 말뚝 수백 개와 유조(柳條) 일만 곤(一萬棍)과 파수막이 한꺼번에 타는 광경은 실로 어마어마하다.

불길이 퍼지는 대로 화광은 충천하여 강펄이 별안간 대낮처럼 밝아온다. 많은 나무가 타는 소리는 마치 기관총을 수없이 붙는 것과 같이 호드득거린다. 그리는 대로 몽몽한 연기가 하늘을 찌르매 불똥이 서 올라가고 그것은 다시 연화(煙火)처럼 흐트러진다.

그 바람에 여러 사람들은 다시 고함을 치고 대들어서 보막이를 파헤쳤다.

건오는 배를 타고 들어가서 물위로 드러난 말뚝을 톱으로 비어냈다. 뱃줄은 언덕위로 말뚝을 단단히 박고 매어놓았기 때문에 봇들이 즛처도(지처도) 떠나려 갈 위험이 없게 하였다.

말뚝을 자르고 곡괭이로 버들가지를 파헤치니 물이 무섭게 솟친다. 그것은 차차 격류(激流)를 이루어서 물구멍이 크게 벌어진다.

그리는 대로 뚝 막이로 쌓아올린 버들가지가 무더기무더기 구슬려 떨어지며 물소리가 굉장해진다.

강 속은 별안간 홍수가 터친 것처럼 천지를 되눕는데 언덕위에는 또한 큰 불이 나서 화광이 충천하다. 그것은 참으로 처참하고 장엄한 광경을 삽시간에 전개하였다.

갇혔던 강물은 마치 우리 속에 들었던 맹수가 뛰어나온 것처럼 일사천리의 기세로 분류(奔流)한다.

그리는 대로 인제는 파헤치지 않아도 봇둑이 저절로 허물어져 나갔다.

그대로 물소리는 괴성과 같이 요란하고 불빛은 사방을 휘황하게 비친다. 물소리와 불빛-그것은 모든 사람의 눈을 부시게 하고 귀를 먹먹하게 하였다.

아무리 밤중이라도 근처에서 이런 일이 생겼다면 모를 리가 없으리라. 그래서 강 건너 부락에서도 한 사람 두 사람씩 잠이 깨어 나왔다.

마침내 그들은 온 동리가 들끓어 나와서 이를 갈고 주먹을 쥐어보았으나 이 어마어마한 광경에는 손 하나를 까딱할 수 도 없었다. 그야말로 닭 쫓던 개 지붕 쳐다보기로 그들은 멍하니 강 건너만 바라보고 있었다. 배가 없으니 강을 건너갈 수도 없었다.

"자! 고만들 갑시다. 인젠 더 할 일이 없으니!"

강주사는 일이 여의하게 된 것을 대단 기뻐하는 모양이었다.

"참 일이 잘 되었습니다."

정대감이 역시 좋아하며 말대꾸를 한다.

"그러기에 일심협력을 하면 안 되는 일이 없다는 게지요-여러분이 이렇게 최후까지 규율을 잘 지키고 일심협력한 결과로 무난히 성공을 하였으니 대단히 감축할 일이오-우리는 이번 일로 훌륭한 교훈을 얻었은 즉 앞으로라도 무슨 일이 있을 때마다 이번과 같이 행동할 것 같으면 아무리 어려운 일이라도 성공할 수 가 있을 것이오. 따라서 우리 개양툰을 모범 농촌으로 만들기도 용이할 줄 아오. 여러분은 아무쪼록 다 각자 그 점을 명심해 주시기 바라오."

하고 강주사는 돌아가는 길에 다시 이런 말을 하였다. 부락장도 은근히 좋아하였다.

그는 대세에 눌려서 같이 따라오기는 하였어도 이일이 어찌 될는지 몰라서 시새우고 불안한 마음이 없지 않았었다. 그런데 일이 잘되고 보니 내심으로 강주사의 모략(謀略)을 감복하지 않을 수 없었다.

일대가 호기 있게 그 자리를 떠나온 뒤에도 불은 그대로 타고 있었다. 불은 새벽녘에야 겨우 꺼지고 말았다.

강 건너 주민들은 송구해서 잠 한 숨을 못자고 날을 꼬박 밝히었다. 그러나 그들은 개량툰 사람들이 물러간 뒤에도 별도리가 없었다. 날이 밝은 뒤에 건너가 보니 호수같이 막혔던 강물은 무너지고 파수막은 물론 산더미처럼 싸였던 버들가지와 수백개의 말뚝이 간 곳 없고 오직 빈 터전에 재가 가득히 쌓였을 뿐이었다.

19. 擧事前後(五)

개양툰 사람들은 그날 밤에 보막이에서 십 리 밖에 있는 버들 밭까지 돌아와 쉬고, 이튿날 일찍이 강주사와 몇 사람의 대표자가 주재소로 가서 간밤의 결과를 보고 일이 무사히 된 것을 감사히 치사한 후에 돌아왔다. 그길로 그들은 남은 병으로 아침요기를 하자 바로 길을 떠낫다.

인제는 아무런 거리낄 일이 없었다. 올 때와는 반대로 밤에만 걸을 까닭도 없었다.

그러나 그들은 한시 바삐 집으로 돌아가고 싶었다. 그래 그들은 그날 진종일 걷고, 다시 밤을 새워 걸었다.

그들은 집안 일이 궁금한 것보다도 농사에 대한 관심이 더 컸다.

그런데 강물은 먼빛에서 보아도 올 때보다는 물이 불어서 뿌듯하게 흐른다.

그들은 강물을 바라볼 때 마다 지친 다리에 힘을 올릴 수 있었다. 그것은 과연 그들에게도 생명수였다. 버릴 농사를 인젠 물을 대게 되었다는 생각은 다리도 아픈 줄 모르고 길을 걷게 하였다. 어서 가서 물을 대자! 그리고 소생하는 곡식을 보려하는 생각이 누구나 마음속에 들어있었다.

그 이튿날 오전에 일대가 무사히 돌아옴을 보고 집을 지키고 있던 사람들은 동구 밖까지좇아 나와서 그들을 영접하였다. 마을에 남아있던 사람들은 사람들보다 물이 먼저 내리 닿는 것을 보고 일이 잘 되었나보다 라는 것을 미리 짐작을 했다. 그래 그들 중에는 멀리 강가까지 마중을 나간 사람도 있었는데 과연 무사히 돌아옴을 보니 여간 기쁘지가 않다. 그들은 제가끔 자기네의 식구를 붙들고 마치 전장에서 돌아오는 용사를 맞는 때처럼 좋아하였다.

일행이 돌아오자, 그들은 미리 준비하였던 위로연을 정대감집 안팎 마당에다 배설하였다. 천막을 친다, 자리를 깐다, 참으로 잔칫집같이 부산하였다.

사실 일행은 며칠 동안에 기력이 탈진하였다.

노독이 나서 쩔뚝거리며 촌보를 옮겨온 사람도 있었다. 부락장과 강주사도 발이 부르터서 간신히 왔다. 그중에는 발이 이상한 사람도 있어서 번갈아 업어오기까지 하였다. 그러니 그들의 고생은 말할 것도 없었다. 참으로 생명을 내걸은 행동이었다.

그들은 여러 날 동안을 굶주리고, 잠 못 자고 밤을 새워 길을 걸었다.

그러나 다행히 성공을 하고 돌아왔으니 인제는 지난날 고생이 도리어 즐겁다. 그래 그들은 피로한 줄도 모르고 일제히 위로연에 참석하였다.

실로 단체적 행동의 체험은 그들로 하여금 전에 맛보지 못하는 새로운 쾌락을 주었다. 혼자 즐기는 것이 여럿이 즐기는 것만 못하단 말과 같이 그들은 공동생활의 새로운 흥미를 그동안에 느꼈다.

그것은 비록 며칠 동안이 아니라도 공통된 정신 밑에서 진실한 생활체험을 얻을 수 있었다.

거기에는 아무런 불의가 없었고 욕심이나 심술이 없었다. 허위나 사기가 없었고 조금도 위선이 없는 생활이었다. 왜 그러냐하면 생활의정신이 갔기 때문에-. 그들은 한 가지 목적을 달하기 위해서 제각기 지혜를 짜내고 힘을 합치고 게으름뱅이를 격려하고 약한 자를 붙들어주고 장상을 공경하고 어린 사람들을 우애할 수 있었기 때문에-그들은 조금도 사욕이 없었다.

만일 이와 같은 정신으로 집에 돌아와서도 온 동리 사람들이 행동할 것 같으면 참으로 못할 일이 무엇일까?

강주사는 지금도 그 점을 강조해서 온 동리 사람에게 충고하였다.

그리고 그는 누구보다도 덕성이의 공로를 찬양하였다.

만일 덕성이가 아니면 강 건너에 매였던 배를 이쪽으로 끌어올 수가 없었을 것이요, 배를 못 끌어 왔다면 일은 틀렸을는지 모른다. 그런데 아무도 나서지 못하는 위험한 자리에 그가 용감히 나서서 물속으로 뛰어들었다. 그러나 또한 물에만 뛰어든다고 일이 되는 건 아니다. 그도 만일 강 저편까지 수영해서 가지 못했을 것 같으면 아까운 목숨을 잃어버릴 뿐이었을 것인데, 덕성이는 무사히 건너가서 그 배를 타고 왔다. 그러기 때문에, 우리의 일이 손쉽게 성공되었다고, 강주사는 입에 침이 없이 칭찬하였다.

다시 그는, 이 개양툰의 용사를 그대로 둘 수 없는 즉 그 공로를 표창하기 위하여 공중재산으로 기념품을 사주기를 제의하자, 만장은 박수갈채로 모두 다 찬성하였다. 그래 마을 사람들은 끼리끼리 붙들고 덕성이의 모험담을 듣기에 긴장하였고, 그것은 더욱 덕성이의 공로를 발양하게 되었다. 이날 귀순이도 어머니를 따라와서 그런 말을 들었고, 그것은 남몰래 가슴이 뛰게 하였다.

(중략)

21. 脫出(一)

하루는 몹시 무덥더니 날이 음산해진다. 인제는 비가 오려는지 구름이 턱 엉겨진다. 별안간 바람이 일어나며 빗방울이 뚝뚝 떨어진다.

올해면 이렇게 오기 쉬운 비가 그동안은 왜 그리 어려웠던가? 그랬을 것을 알았다면 공연히 보메기를 타놓았다고 개양툰 사람들은 실망했다. 왜 그러냐하면 그들이 집으로 돌아온 지 불과 삼 일 만에 비가 무지 오기 때문에.

그러나 곡식이 되는 데는 하루가 새롭다. 만일 지금까지 논이 말랐다면 나락은 소생할 수 없을 만큼 불빛에 탔을 게다.

하여간 비는 잘 오는 비다. 이번 비야말로 방울방울이 곡식을 쏘다놓는 것이라고 그들은 조하하였다.

그런데 한번 시작한 비는 그칠 줄을 몰랐다. 오래 가물던 끝에 삐고야말(한을 풀) 셈인지 한대중으로 퍼붓는다. 그것은 마침내 장마가 지게 되었다.

가물 끝에 장마를 겪는 마을 사람들은 이제는 또 마른하늘이 그립다. 그들은 홍수(洪水)가 터질까봐 겁이 났다. 한해 끝에 수재(水災)를 또 겪는 다면 다시는 여망도 없다.

실로 농사를 짓기처럼 어려운 일도 없을 게다. 그것은 마치 가난한 부모가 자식을 키우는 것과 같다 할까? 그들은 갖은 고생과 노력을 해가며 천재지변과 싸워야 한다.

칠월 한 달을 거의 장마 속에서 보내게 되었으나 다행히 큰물은 나지 않았다. 비가 처음에는 폭우로 쏟아졌지만 워낙 몹시 가물었었기 때문에 땅 밑까지 축이기는 데는 많은 분량이 필요하였다. 그래서 다른 때 같았으면 바로 홍수가 났을 것인데 그 위로는 오다 말다하는 동안이 자저저서 장마는 장마면서도 큰물이 터지지는 않았다.

그러는 동안에 덕성이는 하기 방학을 덧없이 넘기었다. 장마 속에서도 그가 즐겨하는 고기잡이는 빼놓지 않았다. 강가로 가서 낚시질도 하고 도랑을 쫓아서 그물질도 하였다.

귀순이는 그가 복술이와 함께 고기를 잡으러 가는 것을 볼 때마다 자기도 따라가고 싶은 마음이 간절하였다. 만일 어머니가 감시하지만 않는다면 그는 번번이 쫓아갔을 것이다.

그러나 위로연이 있던 날밤에 덕성이와 자옥마지를 한 줄을 눈치 챈 그 뒤로는 귀순이가 조금만 자리를 내켜도 어디로 가느냐고 눈을 흘기었다. 귀순이는 아무 죄 없이 이런 절제를 모친한테 받는 것이 억울하고 분하였다. 그러나 그는 타오르는 반항심을 지그시 참고, 뒷일을 기약하였다.

서로 지척에 살면서 맘대로 만나지 못하는 안타까운 마음! 그는 밤마다 잠이 들기 전에는 그 생각에 골똘하였다. 그러나 덕성이가 한 이웃에 있다는 그것만으로도 그는 마음이 튼튼하였다. 한데, 그가 훌쩍 떠나고 보니 외롭기는 전보다 더하다.

장마가 들고난 햇빛은 광채가 찬란하였다. 천지는 금시로 일신해진 것 같다. 그대로 가을은 짙어지고 곡식은 알알이 익어간다.

찬이슬이 내려서 영농하게 풀끝에 맺힌다.

풀 속에서 우는 여치의 울음도 인제는 지치고 달밤에 귀뚜라미 소리, 더욱 처량할 뿐!

그런데 황식이와의 결혼식 날은 하루 이틀 다가오지 않는가!

두 집에서는 혼인 준비를 하느라고 부산하게 서둘렀다. 아직 날짜를 받진 않았으나 추석 후 예식을 거행한다는 것이다. 그들은 추수를 끝내놓고 춥기 전에 할 모양이었다.

귀순네는 농사를 잘 지은 것을 남몰래 좋아했다. 사돈집 덕으로 이렇게 농사를 잘 지은 해에 사위를 맞게 되었으니 그의 기쁨은 더 한층 컸었다.

그래 그는 음식을 푸짐하게 차려서 한 번 잔치도 벌리고 그 덕의 혼수도 힘껏 해주고 싶었다.

귀순이는 모친의 이런 눈치를 볼 때마다 속으로 고소했다. 남의 마음을 이렇게도 몰라주는가? 그러나 그는 조금도 그런 내색을 하진 않았다.

그의 태도가 이런 것을 보고 모친은 안심하였다. 그는 귀순이가 딴 속을 품은 줄은 전혀 몰랐기 때문에-.

누구나 견물생심으로 가까이 보면 욕심이 난다. 그 대신 떨어져 있으면 가깝던 정도 멀어진다.

귀순이가 설영 덕성이에게 미련을 가졌다할지라도 주위의 환경이 그들을 가깝게 못할 처지라면 깨끗이 단념하고 서로들 잊어버릴 줄만 알았다.

이렇게 모녀의 생각이 남북으로 배치(排置)되는 가운데 음력으로 팔월 그믐께의 택일한 날짜는 임박해왔다.

21. 脫出(二)

황식이와 귀순이의 혼인날을 앞둔 한편 마을은 또다시 부산하게 되었다.

그것은 상류 보막이 했던 곳의 주민이 개량툰으로 전부 이사를 하게 되기 때문이다.

경찰관 주재소에서는 그 즉시 수뽀(水洑)문제가 해결된 것을 자세히 상부에 보고하였다.

현에서는 비로소 개량툰 사람들이 직접 행동에 나선 줄을 알 수 있었다. 그러나 그들은 현지 경찰관의 양해를 먼저 얻었다 하고 또한 규율적 행동을 하였을 뿐더러 조그마한 불상사도 내지 않고 문제를 원만히 해결하였다는 데는 별로 책망을 할 말이 없었던 것이다. 미증유의 한해(旱害)를 입은 백성들이 여북해서 그런 일을 꾸미고 나섰겠으며 상류와 하류의 주민이 결사적으로 물싸움을 하게 된 판에 이만큼 용이하게 조처를 시킨 현지 경관의 기발한 수완은 또한 도리어 가상한 일이 아닌가.

사실 현과 현 사이에는 그동안 공문서만 왔다 갔다 하고 조사와 토의(討議)를 거듭하시어 시일만 허비할 뿐이었다. 그렇게 일자를 천연하는 반면에 문제를 해결할 묘안은 어느 편에도 있지 않았다.

양 현에서는 서로 자기의 관내가 유리하도록 문제를 해결하려 들었고 그래 이틀 격으로 서로 따지러 만들기 때문에 문제는 용이히 해결될 희망이 없었다. 그것은 도리어 복잡다단하기만 만들어서 성청으로까지 몰고 올라가지 않으면 안 될 지경이다.

일이 이쯤 되고 보니 조만간 공평한 판결이 내린다 할지라도 개양툰 사람들이 금년에 실농할 것만은 사실이었다. 상류는 내 관할인 즉 하류 백성은 모른다면 문제는 간단하겠지만 타국이 아닌 바에 그렇게도 할 수 없다.

그러므로 현에서는 개양툰 사람들이 직접 행동한 것을 처벌한다든가 현지의 경관이 상부의 허가를 맡지 않고 임의로 그들의 거사를 묵인했다는 책임을 물을 것이 아니라 도리어 그것은 소위 하의가 상달되지 못하고 상의가 하달되지 못한 한 개의 실례로서 좋은 자료를 제공한 듯도 싶었다.

그야 하여튼 지간에 현과 현에서는 오랜 시일을 두고 절충해도 해결을 하지 못하던 것을 현지의 관민이 이렇게 원만한 해결을 지었다는 데는 현에서도 매우 유쾌하게 생각할 수 있었다. 그것은 오직 개양툰 사람들의 절실한 현실 문제에서 출발한 이른바 실제가 적당하게 합치된 규율적 행동을 위시하여 그들의 이와 같은 정당한 행동을 또한 정당히 인식하고 그만한 아량(雅量)과 탄력을 보여준 현지 경찰관의 정치적 수완이 없었다면 될 수 없는 일이었다.

그러나 일이 이렇게 된 것을 기뻐하는 비단 승리를 얻은 하류 쪽만 아니었다. 그것은 상류 쪽의 현청에서도 마찬가지로 기뻐할 일이었다.

왜 그런가하면, 그곳 선농(鮮農)은 부락도 적을 뿐만 아니라, 농장도 좋지 못한 편이었다. 그래도 관할 내인 만큼 그들을 보호해줄 입장이긴 하니 이건 도무지 어져서 이럴 수도 저럴 수도 없었다. 계기는 들어 좁고 토지가 천박하니 안전 농촌을 만들 수도 없고 그렇다고 갈 곳 없는 그들을 어디로 몰아낼 수도 없었다.

그래서 현 당국에서는 그들로 하여 두통거리가 되어 있는데 인젠 또 물싸움까지 하게 되었으니 더욱 두통꺼리가 될 뿐이다. 만일 그들을 그대로 두면 가문 해마다 올해 같은 문제를 일으킬 터인즉 두고두고 화근덩어리다.

그런데 개양툰 사람들이 그들을 떠맡아가기까지 원만 해결이 된 셈이니 그야말로 앓던 이가 빠진 폭만큼이나 시원한 일이였지 패도를 말할 자는 아니었다.

한편, 이쪽 현에서는 개양툰 사람들의 비상한 활동력을 가상하게 여길 수 있었다. 그것은 현 당국으로 하여금 개양툰을 종래의 농촌보다도 한층 월등하게 재인식하게끔 되었다. 그전에는 일개 한촌으로 여기었었다. 이번 일로 보아서 대우를 고치지 않으면 안 되었다. 더욱 그것은 상류의 주민을 전부 이주(移住)를 시켜서 호수도 수십 호가 더 늘기 때문이다. 따라서 현 당국에서는 개양툰을 안전 농촌을 만들 계획으로 내년 봄부터 보조를 내려서 제방을 다시 안전하게 쌓도록 공사를 시작하고 부근의 토지를 사게 해서 농장을 확장하도록 예산을 세우게 되었다 한다.

그리하여 개양툰은 일이 많게 되고 갑자기 활기를 띠게 되었는데 무엇보다도 시급한 것은 상류에서 이주하는 농호들의 주택문제였다. 그들의 주택은 새로 지어야 하기 때문에-.

21. 脫出(三)

그래서 개양툰은 마치 수 년 전에 만주사변을 겪는 통에 피난민이 밀려와서 인구를 부쩍 늘릴 때와 같이 신흥(新興)기분이 넘치었다.

우선 십여 채의 집을 새로 짓자니 날이 새면 뚝딱거리는 소리가 귀를 시끄럽게 한다.

건축재로는 현청의 알선으로 사들이고 목수는 마을에서도 구할 수 있었다.

상류의 주민 중에서도 대표로 몇 사람이 와서 건축공사를 함께 감독하였다.

그들은 정대감집에다 발을 붙이고 숙식을 하며 날마다 목수들의 조언을 하고 있었다.

신축하는 집들은 우물에서 큰길로 나가는 길을 중앙에 두고 좌우로 벌려 짓게 되었다. 매호에 방 두 칸 부엌 한 칸, 광 두 칸의 비례로 지었다. 흙이 얼어붙기 전에 토역을 해치우려고 그들은 바삐 서둘렀다.

따라서 동리 사람들도 손이 나는 대로 거들었다. 건오는 물론이요 그 외에도 젊은 사람들이 매 호에 부역을 나서고 강주사는 부락장과 이선생을 지휘해가며 역사를 감독하였다.

이렇게 웃덕으로 일을 몰아치고 보니 버쩍버쩍 공사가 진섭되었다.

그래 기둥을 세운지 며칠 안가서 지붕은 새로 올리고 수수대로 위를 얽었다. 거기에 벽을 바르고 방을 놓기가 무섭게 불을 때서 말리니 집 꼴이 되어 간다.

이렇게 그들은 속성으로 집을 짓고 춥기 전에 이사를 하게 되었는데 공교롭게도 황식이와 귀순이의 혼인 날이 바로 상류의 주민들이 이삿짐을 다 나르고 사람들까지 옮겨온 뒤였다. 그날은 부락장이 일부러 성내까지 들어가서 용하다는 선생에게 택일을 한 것으로 제일 좋다는 날이었다.

한편에서는 혼인 준비를 하는데 한편에서는 이삿짐이 들어왔다. 이래저래 마을은 안팎 없이 소란하였다.

그러니 부락장 집에서는 이번이야말로 자기네가 뽐낼 판이라고 은근히 좋아했다. 그것은 저번에 보막이를 타놓던 때는, 덕성이가 우쭐했기 때문에, 자기 아들은 성명도 없었지만은, 이번에는 황식이가 혼인을 하게 되기 때문이다. 더구나 덕성이와 약혼했던 자리를 빼앗아서 하게쯤 되었으니 그것은 더 할 말이 없다. 오늘날은 덕성이의 존재가 아주 없다. 그만큼 그들은 저번에 당한 분풀이를 톡톡히 하려 들었고 덕성이가 인금으로 우쭐거린 대신 자기네는 돈으로 한 번 우쭐거려 보자는 심증이었다.

하긴, 언제나 돈을 쓰기는 아까웠다. 그렇지만 마침 상류의 주민들이 이사를 해온 터이니 한 번 버젓하게 혼인 잔치를 벌려가지고 온 동리 사람들과 그들 앞에 호기를 보이자는 것이다.

그런 생각은 부락장보다도 그의 아내 박씨가 더하였다. 부락장은 돈도 아까웠지만은 그 보다도 황식이가 서자라는 양반 관행이 더 감해서 내심으로는 그러고 싶지 않았다. 그러나 자기 아들이 덕성이한테 눌린다는 앙앙한 생각은 그 역시 무엇으로든지 건오의 집을 내려누르고 싶게 하였다.

그들의 이런 생각은 어느 정도까지 성공할 수 있었다. 세상은 아직도 어둡고 어리석은 쪽에 움직이고 있기 때문이다. 부락장 집에서 혼인준비를 굉장하게 차린다는 소문을 듣고 마을 사람들은 벌써부터 그 집을 중심으로 화제를 일삼았다.

누구나 그 집을 쳐다보고 부러워했다. 그것은 딸을 둔 사람들은 귀순이가 부잣집으로 시집을 잘 간다고 부러워했고 아들과 손자를 둔 사람들은 자기들도 어서 돈을 모아가지고 한 번 저렇게 호기를 부려보았으면 하는 시샘이 없지 않았다.

이러니저러니 해도 음식 끝에 사람이 꼬인다. 두 집에서 대사를 차린다니까 평소에 사이가 좋지 않던 사람들까지 너도 나도 하며 안팎으로 접근하려 들었다.

부락장 집에는 말할 것도 없거니와 귀순네 집과도 그러하다. 신덕이가 변덕이 많다고 쉰떡이란 별명을 지어낸 사람들도 그 집으로 몰려와서는, 바느질을 거들어준다. 떡방아를 쪄준다, 가진 일에 덥석대며 야살을 끼고 덤비었다.

그러는 동안에 상류의 주민들은 이삿짐의 뒤를 따라서 남부여대한 군중이 새집으로 대들었던 것이다. 그들은 이틀 동안을 걸어오느라고 노약은 노독이 나서 다리를 절뚝거리며 대드는 것은 참으로 피난민 떼와 같은 광경을 연출하였다.

개양툰 사람들은 그들을 동구 밖까지 나와서 영접하였다. 일변 정대감 집에서 미리 준비하였던 음식으로 그들을 대접했다. 그리하여 한때는 원수처럼 적대하던 타관 사람들이 이제부터는 한 동리 사람으로 친목하게 되었는데 이날은 바로 귀순이의 혼인 전날인 저녁때였다.

21. 脫出(四)

이렇게 온 동리가 부산한 틈을 타서 귀순이는 복술이를 몰래 찍어냈다.

어머니가 귀순이에게 대하는 태도는 갑자기 돌연하였다. 그 역시 귀순이가 황식이를 예뻐하는 줄은 누구보다도 잘 안다. 그런데 귀순이는 아무런 내색을 않는 것이 차차 마음을 뇌케 했다. 그것은 더 한 층 귀엽고, 동정심을 내게 한다. 그래 혼인 날자가 임박하면서부터 그는 귀순이를 위해 뜨려 앉았다. 낼 모레 시집갈 색시라고 요새는 아낙일도 안 시키면서.

그래 귀순이는 날마다 놀고 있었기 때문에 언제나 틈이 있었다. 지금도 그는 제멋대로 놀던 참이다.

그들은 외떨어진 집동가리 속으로 가만히 숨어 앉았다.

"왜 불렀니?"

복술이는 귀순이가 부른 속을 몰라서 은근히 궁금해 한다.

"너 나하구 같이 봉천가지 않을 련?"

귀순이는 거침없이 이런 말을 꺼냈다. 그리고 저편의 눈치를 살핀다.

"봉천?"

복술이는 깜짝 놀라며 마주본다.

"그래!-너 작년인가 언제 그런 말 하지 않았니? 봉천이든지 어디든지 대처로 달아날 테라구…"

귀순이는 복술이의 얼굴을 노리며 생글 생글 웃는다.

"아, 그래…인제 알았다. 네 속을."

복술이는 별안간 무릎을 탁 치며 무엇에 감심한 사람처럼 고개를 끄덕거린다.

"그렇지만 별안간 갈 수 있니?"

"왜?"

귀순이는 불안한 웃음을 띠운다.

복술이는 머리를 극적이며

"차비가 있어야지."

"그건 걱정 말어-내가 당할 테니."

"뭐? 정말이냐."

"그럼!"

"어떻게 마련했니?"

"어떻게든지! 그거야 알 것 뭐있니."

귀순이는 여전히 웃어 보인다. 하나 그의 눈동자 속에는 남몰래 초조하고 애원하는 기미가 들어차있다.

"넌 그럼 전부터 달아날 준비를 했었구나-나두 그럴 줄은 대강 짐작했었지만 네가 요새는 도무지 아무 기색두 안 뵈기에 난 황식이한테로 그냥 시집을 가는 줄만 알았구나."

복술이도 다시금 귀순이의 얼굴을 뚫어지게 쳐다본다.

"그냥 갔으면 어쩔 뻔 했니?"

귀순이는 여전히 생그레 웃고 있다. 지척에서 그의 비단결 같은 숨소리가 들린다. 복술이는 공연히 가슴이 울렁이었다.

"그냥 갔으면 너두 사람 아니지…안 그러냐? 그래, 난 너를 의심하구 있었단다…그럴 리가 없는데 웬일일까? 암만 귀띔이 있기를 기다려야 도모지 감감무소식이기에, 그냥 넘어간 줄만 알았지…흥! 그래 몇 번인가 물어볼까 하다가 어디 두구 보자구 지금까지 별르던 참이란다."

"무엇을 별렀어?"

"한번 실컷 놀려 줄라구."

두 사람은 마주보며 웃었다.

"그럼 같이 가 주겠구나."

귀순이의 상냥한 목소리다.

"그렇지만 아주머니한테 이담에 혼나면 어쩌니?"

"혼은 무슨 혼-나한테 졸려서 갔다면 고만이겠지."

"대관절 언제 가잔 말이냐?"

"내일 새벽에-"

"뭐, 낼 새벽?"

복술이는 또 한 번 몸을 움쑥하며 놀랜다.

"그밖에 틈이 없지 않으냐?-여기서 떠나는 새벽차가 있다며"

"있지."

"그 차로 가잔 말야. 나 혼자라두 못 갈 건 없지만 네가 같이 가주면 마음이 더 노일 것 같어서…그런데 너두 봉천 구경을 한 번 하고퍼 했으니 동행하면 좋지 뭐냐?-"

마침내 귀순이는 정색을 하며 차근차근 말한다. 이윽고 복술이는 한참 만에 결기 있게 대답한다.

"그래! 같이 가자-네가 가면 덕성이가 퍽 좋아할 거다."

"…"

그 말에 귀순이는 고개를 폭 숙인다.

그는 덕성이 말이 나올 때마다 부끄러움을 탔다.

"친구 따라 강남두 간다는데, 그만일 못 해줄 꺼 뭐있겠니!"

"정말 가주지?"

귀순이는 금시로 반색을 하며 조하한다.

"응! 가구말구-그럼 가기로 하는데, 넌 나한텐 무슨 상을 줄래?"

이렇게 말하는 복술이가 하하 웃는 바람에, 귀순이는 별안간 얼굴이 새빨개지며 주먹을 둘러멨다.

"아냐-다시 안 그럴게…하하하-내야 뭐 너한테 더 바라겠니. 술 한 잔은 사주겠지?"

"음!"

귀순이는 가만히 부르짖고, 입을 움츠리며 웃음을 참는다.

"귀순이 술 한 잔을 얻어먹어 하하하."

복술이는 여전히 너털웃음을 웃는데.

"얘 그라지 말어라!"

하고 귀순이는 달려들어서 닥치는 대로 그의 넓적다리를 꼬집었다.

21. 脫出(五)

귀순이는 복술이와 약속을 하고 바로 헤어졌다. 누가 보지 않았나 겁이 났으나 다행히 들키지는 않았다. 그길로 돌아오니 어머니는 여전히 안팎일을 총괄하며 분주하였다.

밤에 귀순이는 물을 데워 목욕하고 새로 머리를 갈아 빗었다. 그리고 삼쩍을 밀고 눈썹을 재웠다. 이웃 아주머니들은 패패로 몰려와서 희영수를 걸며 놀려준다.

귀순이는 그런 소리를 들으며 생각하니 내일 일이 민망하고 가소로웠다. 자기가 달아난 뒤에 두 집에서 낭패하는 꼴이 눈에 보이는 듯하다. 그런 생각은 달아났다가 만일 붙들리면 어찌할까 하는 두려운 마음도 없지 않았다.

그러나 그는 지금 오래전부터 결심해둔 것을 실행하자는 것뿐이다. 조금도 무서울 것이 없고 양심에 거리낄 일이 아니다. 만일 일이 여치 않아서 설영 붙들려온다 할지라도 자기는 목숨을 내걸고 항거할 것밖에 없다. 죽기를 한사하고 싸울 것밖에 없다.

그래 그는 벌써 언제부터 생각하고 있던 편지를 식구들이 잠든 틈에 써두었다. 식구들은 연일 밤중까지 고달픈 몸이라 드러눕기가 무섭게 잠이 들었다. 지금도 어머니는 코를 골며 잔다.

미구에 닭이 울 시각이 되어간다. 귀순이는 차차 시간이 임박하자 자는 척하던 몸을 다시 일으켰다.

그는 옷을 새로 갈아입고 조고만 보퉁이를 싸 들었다. 그 속에는 속옷가지와 수건, 비누, 은기름 등 약간의 화장품이 들어있다. 미리 훔쳐내고 틈틈이 모아두었던 돈은 허리끈에 맨 주머니 속에 간단히 뭉쳐 넣었다.

이렇게 준비를 갖춘 귀순이는 주위의 동정을 살핀 뒤에 가만히 일어났다. 그는 봉한 편지를 어머니의 손그릇 안에 있는 헝겊보퉁이 틈에 끼우자 방문을 바스스 열고 내달았다.

바깥은 캄캄하나 구름 속에 든 반달이 어슴푸레하다. 그는 그길로 복술이의 집 앞으로 갔다.

"칵-"

약조한대로 기침을 한번 크게 했다. 또 한 번 "칵-" 하고 동정을 살피었다.

이때 복술이는 잠결에 벌떡 일어났다. 그는 조금 전까지도 잠을 안자고 기다리다가 퍼붓는 졸음에 잠깐 깜박했던 것이다. 그러나 잠이 오는 중에도 정신은 바싹 차렸기 때문에 귀순이의 기침소리를 듣고 깜짝 깨었다.

그도 오줌을 누는 척하고 밖으로 나왔다. 아무것도 가지고 갈 것이 없는 그는 빈 몸으로 털벅거리고 나섰다.

"얘 어서 가자!"

귀순이는 가만히 부르짖고 돌아섰다. 한 팔로는 보퉁이를 껴들었다.

"춥지?"

"아니."

"인내라 그 보퉁인."

복술이는 귀순이의 보퉁이를 빼앗아 든다.

"무겁지 않대두."

"그래두 넌 졸리잖느냐-난 졸려죽겠다."

"쉬-"

귀순이는 질겁하며 그의 손목을 잡아끌었다.

그들은 한달음에 행길 밖까지 뛰어나왔다. 두 사람은 숨이 차서 헐떡인다. 인제는 목소리를 내어도 겁날 것이 없었다.

미구에 첫닭우는 소리가 새벽하늘을 쪼개며 요란하게 울렸다.

"차를 타구 가다가 붙잡히면 어찌한다니?"

복술이가 불안해서 묻는다.

"어디로 간 줄 알구 누가 찾을까봐."

"그래두."

"건 걱정할 꺼 없이 얘-나 혼저두 아니구 너하구 같이 가는 걸-그러구 공연히 찾느라구 애써야 소용없을 줄 알 테니까…"

"어째서?"

복술이는 종시 의심스런 생각이 풀리지 않는다.

"편지를 써놓았어."

"누구한테? 네 어머니한테."

"응!"

"뭐라구?…난 가다가 붙잡혀 올까봐 겁이 난다. 그럼 경을 땃다 발같이 칠 테니-허허허."

복술이는 말은 이렇게 하면서도 쾌활하게 웃음을 웃는다.

"뭐-그런 염려는 할 것 업지만 공연이 나 때문에 네까지 고생하는 것은 미안하다."

귀순이는 진정으로 사과하는 말이었다.

"고생은 무슨 고생-난 네 덕으로 봉천구경하니 좋잖으냐."

"그렇지만 네 아버지두 우리들의 속은 모르시구 퍽 걱정하실 테니 그것두 미안스럽구…"

"아버진 내가 바람둥인줄 아시니까 괜찮어-"

"그래두 무사히 잘 가기만 한다면 이담에 너두 괜찮겠지만 난 봉천까지 잘 가게 될는지 그게 걱정이란다."

"잘 가지 않구-어떤 놈이 우리를 어쩔 텐데-"

복술이는 예의 흰모를 잊지 않고 쓴다.

"혹시 불량패가 그럴는지 누가 아니."

"얘-그건 시굴 어리석이 말이다. 내가 그안 경험이 없는 줄 아니!"

그들은 이렇게 도란거리며 새벽길을 정거장으로 향하여 총총히 걸었다.

21. 脫出(六)

사실 복술이는 조선 안에서도 홀아비로 돌아다니는 그 아버지를 따라서 팔도강산을 어려서부터 헤매었다. 그만큼 여행에 대한 경험은 풍부하다. 만주로 들어와서도 도문에서부터 간도 일대를 방랑하는 동안에 인정 풍속과 언어까지 능통한 터인즉 어디를 가든지 조금도 서투른 구석이 없었다.

그래 그는 조금도 어리대지 않고 귀순이를 마치 친 누이동생처럼 데리고 차에 올랐다. 누가 물어도 태연하게 대답을 척척했다. 귀순이가 은근히 복술이의 그런 태도를 감심할 만큼-.

그리하여 그들은 일로 봉천까지 무사히 찾아 갈 수 있었는데 일이 이렇게 될 줄은 모르고 그 이튿날 식전에 귀순네 집에서는 발끈 야단이 나서 한바탕 뒤집어엎었다.

신덕이는 자리에서 눈을 떠보니 귀순이가 보이지 않는다. 그래도 아무 의심 없이 한동안을 지냈다. 아마 변소에 갔나보다고-. 그런데 종시 안 보인다. 그래도 어디 밖으로 나갔거니 해서 별 염려를 하지 않았다. 그것은 귀순이가 그전부터 곧잘 일어나는 길로 밖에 나가는 버릇이 있기 때문에 지금도 그러려니 싶었던 것이다.

한데 해가 높이 솟도록 귀순이는 온 데 간 데 없이 없어졌다. 비로소 그들은 의심이 더럭 났다. 신덕이는 귀남이를 두들겨서 누이를 찾아보라고 야단을 쳤다. 그러자 원일여도 복술이가 어디로 갔다고 찾아왔다. 이에 더욱 의심이 버쩍 난 그들은 온 동리를 헤매며 사방으로 찾아보았으나 그들은 하나도 뒤져 나서지 않았다.

그제야 신덕이는 가슴을 지지며 어쩔 줄을 몰랐다. 석룡이는 어안이 벙벙해서 아무 말도 못한다. 참으로 달아났는가? 신덕이는 그제야 옷가지를 뒤져보니 달아난 것 같은 흔적이 있다. 궤 속에 놓아둔 돈까지 없어졌다.

"아이구, 이년아 달아났구나!"

신덕이는 두 다리를 쭉 뻗고 앉아서 울음을 내놓았다.

"여보! 이 당신아 좀 나가서 찾아보지 못 하우! 이년이 정말루 달아났구려"

"찾긴 어디루 간 줄 알구 찾아. 벌써 쉽차니 내냈을 겐데."

"그렇다구 찾아보지두 않구 가만히 있을 테야 내 저렇게 늘어지기는."

"글쎄 차를 타구 갔는지 걸어갔는지 어디로 간 줄 알구 찾으란 말야."

"그러니까 찾아보란 말이지."

신덕이는 애꿎은 남편만 몰아대며 성미를 부리였다. 하나 석룡이는 한숨만 내쉬며 호랑이처럼 담배만 피울 뿐이었다. 그럴수록 신덕이는 속이 상해서 초조한 끝에 손그릇을 다시 뒤져보니 뜻밖에 편지 한 장의 보도이의 꼽히지 않았는가. 그는 황급히 뜯어본 즉 다음과 같은 사연이 적히었다.

어머니! 저는 오랫동안 생각해보았지만 할 수 없이 집을 떠납니다. 암만해도 저는 마음에 없는 사람과는 살 것 같지 않아서요-어머니! 정말 저의 마음을 몰라주시는 것은 원통합니다. 한 번 허락해주신 자리를 왜 까닭 없이 파혼하셨는지요? 저는 죽어도 다른 사람에게는 가기 싫습니다. 차라리 죽을지언정 마음에 없는 사람과는 못 살겠는 것을 어찌하라구요! 어머니! 저는 그러고…모든 것을 한사람에게 바친 지가 오래입니다. 그러면 어머니! 저 같은 불초여식은 생각지 마시고 애여 찾으실 생각도 마시기를 바랍니다. 저는 지금 죽기를 기 쓰고 정처 없이 나선 몸이오니 어디로 갈는지 그것은 저 역시 잘 모르겠습니다. 그러면 내내 안녕히 계시옵소서.

떠나던 날 밤 귀순이 올림

어머님 전 상서

신덕이가 이 편지를 보고나니 더욱 기가 막힌다. 그는 참으로 어찌해야 좋을는지 모르겠다. 대관절 신랑 집에서 이 일을 알면 어찌될 것인가? 그는 덜덜 떨리는 손으로 편지를 남편에게 보이며 우는 소리를 한다.

"여보 큰일 났구려-이거 어쩌면 좋소?"

석룡이는 잠자코 편지를 받아서 들여다보다가

"흥! 일이 참 잘 되는데-그럼 찾을 것두 없군 그래!"

하고 입맛을 쩍 다신다.

귀순이가 복술이와 배가 맞아서 달아났다는 소문은 그날 낮 안으로 온 동리에 쫙 퍼졌다. 그래 구석구석에 끼리끼리 모여앉아서 수군거리는데, 두 집에서는 혼인날 식전에 신부를 잃어버리고 그야말로 닭 쫓던 개 지붕 쳐다보기가 되고 말았다. 더욱 부락장 집에서는 푸짐하게 차리던 혼인잔치가 뒤죽박죽 아무짝에 소용없는 짓으로 허사가 되고, 관례를 갖추고 있던 황식이도 헛물을 켜고 두 눈이 멀뚱멀뚱하니 앉았다.

마침내 두 집에서는 대판으로 싸움이 벌어지게 되었는데 석룡이 내외는 손이 발이 되도록 부락장 집에 굴복하고 백 배 사죄할 뿐이었다.

(중략)

22. 大地의 아들(一)

개양툰 사람들은 황식이와 귀순이의 혼인이 파탄되자 새로 이사를 온 상류의 주민들과 함께 눈만 뜨면 그 이야기로 시간가는 줄을 모르는데, 복술이와 귀순이는 그들을 멀리 등지고 그 이튿날 식전에 무사히 봉천에 도착하였다.

과연 그들은 엄청나게 넓고 큰 것을 보고 입을 딱 벌릴 만큼 놀랬다. 그들은 간도로 들어온 까닭에 이렇게 넓은 곳은 처음 와본다. 하긴 개양툰도 넓기는 하지만 그것은 비교가 안 되었다. 그들은 어제 진종일 차를 타고 왔는데도 산 하나를 볼 수 없는 일망무제한 들 속으로만 지나왔다. 급행차가 살맞듯 하건만 어디까지 질펀한 대들이다. 개양툰에서 봉천까진 적어도 몇 천리가 될 터인데 한대중으로 동서남북이 탁 터진 들뿐이니 이 얼마나 넓은 벌판이야. 그런데 북쪽으로 들어가면 저 몽고 사막까지 또한 수천 리가 그런 광야라니 과연 만주란 넓은 들인 줄을 다시금 깨닫게 한다. 조선 내에 이런 들이 있다면 모조리 논을 풀고 상답을 만들 것이다. 한데 여기는 그 넓은 땅이 밭이 아니면 진펄로 그냥 묵어있다. 몽몽한 잡초가 바다와 같은 넓은 들에 더 펴있다. 오직 한 빛으로 깔려있는 갈색(葛色)의 초해(草海)를 바라보다가 어쩌다 개간된 옥토(沃土)를 발견할 때는 마치 고향 사람을 만난 것과 같이 반가운 생각이 용솟음친다. 벌써 수확을 한 뒤라 나락을 볼 수는 없지만은 벼를 비어낸 그루만 보더라도 그것은 곡식바다를 연상케 하는 것이었다.

사실 강냉이와 고량만 심은 줄 알던 이 땅에서 옥 같은 쌀이 난다는 것은 한 개의 놀랄만한 기적이었다. 그것은 확실히 대지의 아들이다. 고량이나 강냉이와에 비교한다면 쌀은 아들이라도 맏아들 속이라 할 수 있다. 따라서 이 땅을 모두 논으로 푼다면 그것은 얼마 큰 농장을 개척할 수 있을까? 그러면 그 위대한 사업은 누구의 손으로 건설될 것인가! 그것은 생각만 해도 가슴이 뻐근하게 한다.

땅이 이렇게 넓은데 비해서는 인가는 매우 희소한 편이었다. 그러나 어제 낮에 차를 바꾸어 타는 길에 길림(吉林)을 내려 보고 귀순이는 놀래었다. 길림은 만주의 옛 도시라 하거니와 얕은 산이나마 주위도 산이 뵈는 것이 첫째 기이(奇異)하였다. 만일 송화강(松花江)물이 맑았으면 강가의 늘어진 버들과 아울러 산수의 풍경이 자못 좋을 것 같다. 복술이는 차시간이 넉넉하니 저자를 구경하자고 졸랐었다. 그러나 귀순이는 구경할 생각도 없었지만 돌아다니다가 수상하게 보일까봐 그것이 무서웠었다. 그때 복술이는 한곳에 우두커니 있는 것이 되려 위험하다고 해서 마차를 불러 타고 거리로 나섰었다.

그들은 우선 이곳의 명승인 북산(北山) 중턱을 올라가 보았다. 연못가에는 수양버들이 늘어지고 천연으로 된 산이 그 안에 들어앉았다. 산에는 잡목이 제법 많이 섰다. 이 고장에서 흔히 볼 수 있는 스무나무와 느릅나무도 있으나 버드나무가 많은 것은 희한해 보인다. 산정에는 절이 있고 문 앞에는 차점과 점쟁이가 늘어앉았다.

귀순이는 만인들만 보이는 거기를 조선옷을 입고 지나가기가 무시무시하였다. 그러나 검은 치마에 흰 저고리를 입고 운동화를 신은 그를 누구나 색다르게 보이진 않는 모양이었다. 그들은 귀순이를 나이어린 여학생으로밖에 안 보는 것 같았다.

송화강이 반달형으로 둘러있는 복판에 천년고도가 아늑히 안겨있다. 자두비칠처럼 선이 가는 만인의 개화장이 눈 아래로 쪽 깔렸다. 길림은 과연 옛 도시와 같이 고색이 창연하다. 그것은 송화강의 누른 물결과 만인의 검은 기와집이 무슨 숙명적인 것처럼 여전히 서로 붙어있는 것 같다.

그러나 미구에 날이 치우면 송화강은 얼어붙고 눈이 깔린 그 위로 이 곳 명물인 썰매가 달리는 것이 또한 장관을 이룬다던가!

그들이 길림을 구경하던 눈으로 봉천을 다시 보니 마치 다른 나라에 온 것처럼 모든 것이 확 틀린다. 봉천은 완연히 근대 도시의 면목을 나타내고 있다.

우선 정거장부터 복잡하다. 구내를 벗어나오니 역전 마당에서 방사선(放射線)으로 갈라진 대로가 뚫리고 거기는 전차와 자동차가 연락부절하였다.

복술이는 귀순이를 앞세우고 지나가는 사람에게 조선간거리를 물어갔다. 봉천은 길림과 달라서 거리에도 조선말을 하는 동포들을 만날 수 있었다. 조선 옷을 입은 남녀를 간혹 발견하기도 하였다. 그것은 마치 고향을 한걸음 다가온 것 같은 어딘지 모르게 친애한 생각이 들게 한다.

번지를 상고하며 한 집 두 집 찾아 헤매는 중에 그들은 어렵지 않게 덕성이의 주소를 알아낼 수 있었다. 덕성이의 하숙은 바로 큰길가로 있는 학생 하숙을 전문하는 집 같았다.

"여보십시오! 여기 황덕성이란 학생이 있는지요?"

복술이는 대문 밖에서 안쪽을 기웃거려보다가 이렇게 물어보는데 그가 미처 대답을 하기 전에 쫓아 나오는 사람은 바로 덕성이었다. 그때 그들은 어떻게 반가웠던지 모른다.

22. 大地의 아들(二)

"니들이 이게 웬일이냐?"

뜻밖에 두 사람이 찾아온 것을 보고 덕성이는 여간 놀래지 않는다. 그는 지금 막 아침을 먹고 난 뒤였다. 오늘이 공일이라 전보다는 조반이 늦었지만 그래 그는 어디로 산보나 나가볼까 했었는데 언뜻 귀결에 들으니 누가 자기의 이름을 묻는 것 같고 그 목소리는 매우 귀에 익은듯해서 쫓아 나왔던 것이다. 그런데 생각밖에 귀순이와 복술이가 문 앞에 섰다. 그는 이게 꿈인가 생신가 싶어 자기의 눈을 일순간 의심하지 않을 수 없었다.

"자 들어들 가자구. 그런데 웬일들이냐? 아무 기별두 없이."

덕성이는 종시 놀라운 표정이 그의 얼굴에서 가시지 않았다.

"어디 기별할 게제가 되었어야지."

복술이는 언제와 같은 허무적 미소를 띠며 덕성이를 돌아본다. 귀순이는 수태를 머금고 그들의 뒤를 따라 들어갔다.

하여간 무슨 곡절이 있는 것 같다. 그러나 덕성이는 귀순이가 찾아온 것이 은근히 반가웠다. 그것은 어떤 행복스런 예감을 느끼게 한다.

"대관절 집에서는 언제들 떠났니?"

방으로 들어와 앉자 덕성이는 복술이를 쏘아보며 묻는다. 귀순이는 뒤쪽으로 새초롬히 앉아서 방안 세간에도 눈을 옮기었다. 고리짝 위에 이부자리가 얹히고 조고만 책상 한 개와 책꽂이가 있을 뿐이었다. 그리고 옷과 모자와 수건이벽에 걸려있다.

"어제 새벽에-"

복술이는 수염터가 잡힌 아래턱을 만지며 대답한다.

"그래 무슨 일이냐?"

덕성이는 목소리를 나춘다.

"왜 무슨 일 자네가 보구 싶어 왔지!"

귀순이는 낯을 붉히며 고개를 돌린다. 복술이는 의미 있는 미소를 띠며 담배 한 개를 꺼내 물었다.

"그러지 말구 말해라야-무슨 일인가?"

덕성이도 마주 웃으며 두 사람의 눈치를 본다.

"정말이래두 그래-그만하면 알지 않겠니."

덕성이는 그 말은 더 묻지 않고

"아침을 먹어야 할 것 아니가-우선 세수를 해라."

마당가에 있는 수통으로 가서 그는 세숫물 한 대야를 떠다 놓는다.

"너 먼저 해라."

복술이는 귀순이에게 밀고 방바닥 위로 벌렁 들어 눕는다. 귀순이는 마지못해서 먼저 세수를 하러 나갔다. 어제 진종일 차속에서 먼지를 뒤어쓴 얼굴은 땀에 절어서 끈적거린다. 그것을 비누로 말끔히 씻고 양치질을 하고나니 날아갈 듯 입안이 개운하다.

복술이도 세수를 대충하고 그들은 다시 거리로 나섰다.

조용한 음식점을 찾아갔다. 이층으로 자리를 잡고 간단한 음식을 주문했다.

"여기는 들을 사람이 없겠지 어제가 혼인날이라네."

복술이는 그제야 기탄 없이 아까부터 하고 싶은 말을 꺼냈다.

"뭐?-"

아래층에서는 만인의 떠드는 소리가 들리더니 아침부터 호궁을 켜기 시작한다.

"황식이 그 자식이 헛물을 켰단 말야-그 대신 자네는 움 안에서 떡을 받구…허허허."

복술이는 한바탕 쾌활하게 웃는다.

"아니 정말이야?"

덕성이는 오히려 반신반의하는 모양이다.

"그럼 정말 아니구-귀순이한테 물어보게!"

덕성이는 말 대신 눈으로 쳐다보았다. 그러나 귀순이는 덕성이와 시선을 맞추자 다급하게 피하며 머리를 숙인다.

"정말 몰래 도망 온 게냐?"

"응!"

귀순이의 좀 전 태도로 보아서는 응당 있음직한 일이였다. 그는 만날 때마다, 몇 번인가 그런 암시를 주었었다. 그러니 혼인전날에 이렇게 도망질을 쳐올 줄은 덕성이 생각에는 사실 꿈밖이다.

"나두 이렇게 볼 줄은 아주 몰랐다네. 내 그렇게 깐깐한 가시난 첨 본다니-그저께 저녁때서야 오늘밤 새벽에 자네한테로 같이 다려나자는구나. 그래 나두 벼락감투를 쓰고 왔다네 하하-참."

귀순이는 복술이에게 눈을 흘기었다. 그러나 복술이는 여전히 우물거리며 전후의 사정을 토파하는 것이었다.

덕성이는 그런 말을 들을수록 더욱 감격할 뿐이었다. 과연 그는 귀순이가 이같이 자기에게 열정일 줄은 몰랐다.

"그럼 집에서들 얼마나 걱정들을 하시겠니. 곧 알려드려야지."

"뭘 괜찬허. 자네한테 왔는데."

그동안에 주문한 음식이 들어왔다. 복술이는 술병을 보더니만 또 한바탕 너털웃음을 치며

"이거 자네들 국수를 미리 먹는 셈 아닌가…그렇지만 귀순인 술 한 잔을 따라주겠다-오작교를 놓아준 상금으로…허허허-"

22. 大地의 아들(三)

세 사람은 음식점을 나와서 우선 북릉(北陵)을 구경 가기로 하고 마차를 잡아탔다. 일기는 쌀랑한 편이었으나 차차 해가 퍼지는 대로 누그러진다. 길림보다도 번화한 시가지를 마차위에서 달리는 기분은 유쾌하였다. 만인의 체자는 긴 채찍을 들어서 마치 태기채(논에 새를따 회를 터서 소리를 내면 새가 놀라 달아나게 하는 줄)를 두르듯이 말 궁둥이를 후리면서 혀를 쯔-쯔-차는 것도 기이해 보인다. 언제는 아무도 겁나지 않는다.

봉천은 개양툰이나 길림보다도 먼지가 더 심한 것 같다. 바람이 일 때마다 흙먼지가 눈코를 들 수 없게 한다.

그들은 북릉의 장엄한 석물을 보고 놀랐다. 이름도 모를 기괴한 동물들이 전각 앞뜰 좌우로 늘어섰다. 덕성이는 북릉의 유래를 그들에게 대강 설명하였다.

북릉을 구경하고 돌아오는 길에 그들은 삼칸방(三間房) 농장을 찾아가 보았다. 이런 대도회의 바로 옆에 수전을 개척한 농장이 있다는 것부터 두 사람에게는 기이하게 생각된다. 덕성이의 설명에 의하면 이농장의 수보는 몇십 리 밖에서 끌어온 것이라던가. 그리고 여기는 북만보다 농사가 발달되었다 한다. 우선 개척되지 않은 공지가 별로 없고 농한기에는 부업을 열심히 한다는 것이었다. 집집마다 새끼를 꼬고 멱을 치기를 요새부터 명춘까지라고. 그래서 북만 같으면 불을 땔 줄 밖에 모르는 짚(草)을 여기서는 부업의 원료로 한 단을 허투루 쓰지 않는다고. 어떻든지 볏짚이 천근이면 이십여 원을 한다니까-.

이렇게 억척인 이곳 농호들은 비료에 대해서도 여간 열심히 아니란다. 근년에는 금비를 쓰지마는 그전에는 인분과 마분을 많이 썼다 한다. 그래서 식리(殖利)에 눈이 밝은 만인들은 인분에다 마분을 섞어서 빈대떡처럼 만들어 가지고 한 조각에 얼마씩 받았는데 그것이 잘 팔려서 똥값이 비싸게 되니까, 차차 그들은 진흙을 많이 석게 되었다. 그 속을 알아챈 농호들은 그 뒤부턴 코에 대고 냄새를 맡아보다가 심지어는 떼먹어가며 구린 맛을 보고야 샀다는 말까지 났다.

이만큼 근검저축을 한 이 마을의 농호들은 한 전지(一天地)에 칠팔 단의 소작료를 무는 땅에서도 이십여 단의 수확을 낼 수가 있다 한다.

그런다면 개양툰 사람들은 아주 거저먹기로 농사를 짓는 셈이었다. 그것은 농사일에 등한한 복술이까지 감심하는 모양으로

"그럼 우리 개양툰 사람들도 이렇게만 농사를 짓는다면 큰 수확이 나게!"

"암, 우리농장에서는 이고장의 절반 만침만 부지런 해두 큰 수확이 날것이다."

덕성이는 장차 포부가 많은 듯이 팔짱을 끼고 힘 있는 말을 한다. 그는 다시 말을 이어서

"그래 이 마을 사람들은 비싼 소작료를 물면서두 제가끔 수백 원씩 저금을 하여단다."

"자네두 어서 공부를 잘하구서 개양툰 농장을 한번 훌륭하게 만들어보게."

"응! 내야 물론이지만 너두 딴생각말구 농사나 같이 짓자!"

귀순이는 그 말을 들으니 미리부터 가슴이 출렁인다. 덕성이가 농림학교를 졸업하고 돌아오면 결혼을 한다. 아니 결혼은 그전에 해도 상관없겠지-

공부에 방해만 안 된다면…그리고 개양툰 농장의 지도자로 나선 남편을 도와가며 이상적 농촌을 건설한다면 그것은 참으로 낙토를 이룰 것이 아닌가? 그런 생각을 복술이에게도 제 마음에 맞는 색시를 얻어주고 싶고, 어쩐지 그가 전에 없이 쓸쓸해 보이었다.

"내야 뭐 그럴 자격이 있는가. 바람둥이로 타고 낫는걸!"

그들은 다시 시내로 들어와서 제일 번화한 거리를 걸어보았다. 동선당 자선원(同善堂慈善院)을 구경하고, 저녁때에 하숙으로 돌아왔다.

저녁을 먹고 나서 이야기를 하다가, 한방에서 셋이 같이 자기로 하였다. 그래 귀순이는 아랫목에다 따로 자리를 잡고, 두 사람은 윗목으로 나라니 머리를 앞문 쪽으로 향하고 자게 되었는데 오줌을 누러 간다고 나간 복술이는 웬일인지 한 시간이 되도록 들어오지 않는다.

"이 애가 어디 갔을까?"

"글쎄!"

서로 머리를 각기 두고 잠을 청하던 두 사람은 복술이로 하여 눈이 또랑또랑 해졌다.

"나가 찾아볼까?"

"찾긴 뭘 찾아요, 어련히 올까 바."

귀순이는 복술이의 간 곳을 짐작하고 속으로 웃었다.

"그런데 넌 어쩌자구 이렇게 나섰니?"

"뭘 어째요-당신한테 재미없으면 다른 데로 가면 되잖우."

"다른데 어디?"

"아무 데구…"

"그러지 말구 낼 아침에 집으로 전보를 치자꾸나-누구든지 데리러 오겠지"

귀순이는 아무 대꾸도 안했다. 그것은 내 몸은 인제 당신에게 맡겼으니 마음대로 하라는 말과 같았다.

복술이는 밤중까지 돌아오지 않았다. 그러나 덕성이도 별 염려는 하지 않았다. 그의 소행을 잘 아는지라 어디로 가서 술을 먹든지 그렇지 않으면 지금쯤 유곽을 헤맬 것이기 때문에-. 사실 복술이는 차표를 사고 남은 돈을 가지고 밤거리로 나갔던 것이다.

(하략)

(끝)

출처: 『朝鮮日報』, 1939.10.12-1940.6.1.

엮은이
소 개

이광일(李光一)

중국 길림성 연길시에서 태어나 연변대학교 조선언어문학학과를 졸업하였고 동 대학원에서 문학박사학위를 받았다. 연변대학교 조선언어문학학과 교수이고 박사연구생 지도교수이다. 저서로 『해방 후 조선족소설문학 연구』, 『조선족문학사』 등 다수가 있다. 논문으로 「잠재창작과 김학철의 장편소설 '20세기의 신화'」 등 70여 편이 있다. 작품집 주편으로 『중국 조선족문학 대계-해방 후 편』(전20권), 『21세기 중국 조선족문학 작품선집』(전10권) 등이 있다. 수상으로 길림성 제7차 사회과학연구 우수상 등이 있다.

배 홍(裴虹)

중국 연변대학교 조선언어문학학과 전임강사. 2017년 동 대학원 석·박사 과정을 졸업했다. 다년간 중국 조선족 문학연구에 종사하고 있으며 논문으로 「위 만주국시기 재중 조선인 산문에 나타난 '만주' 형상 연구」, 「동북함락구 조선인 작가의 자연서사와 문학치유」 등 다수가 있다.

'한국근대문학과 중국' 자료총서 ❶
장편소설

초판 1쇄 인쇄 2021년 9월 17일
초판 1쇄 발행 2021년 9월 27일

지은이 심 훈 외
엮은이 이광일·배 홍
기 획 『'한국근대문학과 중국' 자료총서』 편찬위원회
펴낸이 이대현
편 집 이태곤 문선희 권분옥 임애정 강윤경
디자인 안혜진 최선주 이경진
마케팅 박태훈 안현진
펴낸곳 도서출판 역락
주 소 서울시 서초구 동광로 46길 6-6 문창빌딩 2층
전 화 02-3409-2060(편집), 2058(마케팅)
팩 스 02-3409-2059
등 록 1999년 4월 19일 제303-2002-000014호
전자우편 youkrack@hanmail.net
홈페이지 www.youkrackbooks.com
字 數 398,458字

ISBN 979-11-6742-016-9 04810
979-11-6742-015-2 04810(전16권)

* 책값은 뒤표지에 있습니다.
* 파본은 구입처에서 교환해 드립니다.